D1213681

THE LOEB CLASSICAL LIBRARY

EDITED BY

E. CAPPS, PH.D., LL.D.   T. E. PAGE, LITT.D.

W. H. D. ROUSE, LITT.D.

THE GREEK ANTHOLOGY

I

THE GREEK ANTHOLOGY.

VOLUME II.

SEPULCHRAL EPIGRAMS.
THE EPIGRAMS OF SAINT GREGORY THE
THEOLOGIAN.

VOLUME III.

THE DECLAMATORY EPIGRAMS.

VOLUME IV.

THE HORTATORY AND ADMONITORY
EPIGRAMS.
THE CONVIVIAL AND SATIRICAL EPI-
GRAMS.
STRATO'S *MUSA PUERILIS*.

VOLUME V.

EPIGRAMS IN VARIOUS METRES.
ARITHMETICAL PROBLEMS, RIDDLES,
ORACLES.
MISCELLANEA.
EPIGRAMS OF THE PLANUDEAN ANTHO-
LOGY NOT IN THE PALATINE MANU-
SCRIPT.

THE GREEK ANTHOLOGY

WITH AN ENGLISH TRANSLATION BY
W. R. PATON

IN FIVE VOLUMES

I

LONDON : WILLIAM HEINEMANN
NEW YORK : G. P. PUTNAM'S SONS
MCMXXVII

First printed 1916.
Reprinted 1920, 1927.

Printed in Great Britain.

PREFACE

THE Palatine Anthology, so called because it is contained only in the unique manuscript of the Palatine Library at Heidelberg, was composed in the tenth century by Constantine Cephalas. He drew chiefly from three older Anthologies of widely different date: (1) the Stephanus, or Wreath, of Meleager, collected in the beginning of the first century B.C. by this master of the elegiac epigram and comprising all that is most worthy of preservation in these pages. Meleager was a quite unique personality in his own age, and his collection comprises no poems (as far as we know) of that age, except his own.[1] It consists of poems of the seventh to third centuries B.C., *i.e.* of all the great or classical period of Greek literature. (2) The Stephanus of Philippus, made probably in the reign of Augustus. The spirit of poesy had in the interval descended on Italy, rather than on Greece, and here the most Roman poets, such as Crinagoras of Mytilene, are those who please the most. (3) The Cycle of Agathias, made in the age of Justinian and comprising strictly contemporary work. There is

[1] Antipater of Sidon is however his contemporary.

much tenderness and beauty in many of the poems, but the writers wrote in a language which they did not command, but by which they were commanded, as all who try to write ancient Greek are.

Cephalas included also in addition to the poems drawn from these main sources: (1) a certain number of epigrams derived from well-known authors and a few copied from stones; (2) the *Musa Puerilis* of Strato (Book XII), a collection on a special subject made at an uncertain date[1]; (3) a collection of Love poems largely by Rufinus (beginning of Book V); (4) the epigrams of the Alexandrian Palladas (fifth century A.D.).[2] At the beginning of each book (from Book V onwards) I try to indicate what is certainly due to each source. In Book IV will be found the proems of the three chief sources that I mention above. Books I–III explain themselves.

In the twelfth or thirteenth century a scholar of astounding industry, Maximus Planudes, to whom learning owes a heavy debt, rearranged and revised the work of Cephalas and to him alone we owe

[1] For the sources of this book and also of the satirical epigrams of Book XI see the special prefaces to these books.

[2] Some at least of these seem to have been incorporated by Agathias in his Cycle. It is not necessary to mention here matter included in the Palatine MS. but not reproduced in the printed texts.

PREFACE

the preservation of the epigrams here printed as an appendix (Book XVI), derived, no doubt, chiefly from a now lost book of Cephalas' Anthology containing epigrams on works of art. It may be a matter of dispute among scholars, but I do not believe myself that he had any text before him which was better than, or independent of, the tradition of the Palatine Manuscript. I therefore always follow, as strictly as possible, this tradition.

In Smith's *Biographical Dictionary*, under Planudes, a good account is given of the history of the Anthology, and readers may consult this. A still better and more recent account is Mr. Mackail's in the Introduction to his *Select Epigrams from the Greek Anthology*.

A word should, perhaps, be said as to the arrangement of the epigrams in the three principal sources. Agathias in his proem gives us his own classification of the Epigrams : (1) Dedicatory, (2) On Works of Art, (3) Sepulchral, (4) Declamatory (?), (5) Satirical, (6) Amatory, (7) Convivial ; *i.e.* the same classification as that of Cephalas, but not in the same order. The Scholiast of the Palatine MS. tells us that Meleager's Wreath was not arranged under subjects at all but alphabetically (*i.e.* in the alphabetical order of the first letters of the poems), and

PREFACE

we know that Philippus' Wreath was so arranged, as all the longer fragments of it retain this order. Curiously enough there are very few traces of such an order in the fragments of Meleager's Wreath, none in the present volume. This is a fact I will not attempt to explain.

I would beg any possible, but improbable, reader who desires to peruse the Anthology as a whole, to read first the epigrams of Meleager's Stephanus, then those of that of Philippus, and finally the Byzantine poems. In the intervals the iron hand of History had entirely recast and changed the spirit and the language of Greece, and much misunderstanding has been caused by people quoting anything from the "*Greek* Anthology" as specifically "*Greek*." We have to deal with three ages almost as widely separated as the Roman conquest, the Saxon conquest, and the Norman conquest of England. It is true that the poems of all the epochs are written in a language that professes to be one, but this is only due to the consciousness of the learned Greeks, a consciousness we still respect in them to-day, that the glorious language of old Greece is their imperishable heritage, a heritage that the corruption of the ages should not be permitted to defile.

As regards the Greek text in Books I–VII and

PREFACE

IX, which had the advantage of being edited by
Stadtmüller (the Teubner text), I do not give the
sources of such changes from the long standard text
of Dübner (the Didot text) as I think fit to make,
except in cases where these sources are subsequent
to Stadtmüller's edition, in which all conjectures
previously made are cited and in which full in-
formation is given about the tradition. This work
of his life was cut short by his lamented death,
and in the remaining books, though through the
kindness of the Loeb Library I have the advantage
of consulting the facsimile of the Palatine MS., I
shall not have that of his learned aid.

W. R. PATON.

CONTENTS

PAGE

PREFACE   v

A CHRONOLOGICAL LIST OF THE MORE IMPORTANT BOOKS
    CONTAINING VERSE TRANSLATIONS FROM THE GREEK
    ANTHOLOGY   xiii

BOOK I.—CHRISTIAN EPIGRAMS   1

BOOK II.—CHRISTODORUS OF THEBES IN EGYPT   57

BOOK III.—THE CYZICENE EPIGRAMS   93

BOOK IV.—THE PROEMS OF THE DIFFERENT ANTHOLOGIES   109

BOOK V.—THE AMATORY EPIGRAMS   127

BOOK VI.—THE DEDICATORY EPIGRAMS   297

GENERAL INDEX   493

INDEX OF AUTHORS INCLUDED IN THIS VOLUME . . .   498

A CHRONOLOGICAL LIST OF THE MORE IMPORTANT BOOKS CONTAINING VERSE TRANSLATIONS FROM THE GREEK ANTHOLOGY

1806. *Translations, chiefly from the Greek Anthology*, etc.
[By R. Bland and J. H. Merivale.]

1813. *Collections from the Greek Anthology and from the Pastoral, Elegiac and Dramatic Poets of Greece.* By R. Bland and others.
[Many versions by J. H. Merivale.]

1833. ——— A new edition. By J. H. Merivale.
[Many versions by C. Merivale.]

1847. *Specimens of the Poets and Poetry of Greece and Rome.* By various translators. Edited by William Peter. *Philadelphia.*

1849. *Anthologia Polyglotta.* A selection of versions in various languages, chiefly from the Greek Anthology. By H. Wellesley.
[Wellesley was only the editor and author of some of the versions.]

1852. *The Greek Anthology, as selected for the use of Westminster, Eton and other Public Schools.* Literally translated into English prose, chiefly by G. Burges. To which are added metrical versions, etc.
[Bohn's Classics.]

[1864]. *Greek Anthology, with Notes Critical and Explanatory.* Translated by Major Robert Guthrie MacGregor.
[MacGregor, an Anglo-Indian soldier, produced advance instalments, as *Specimens of Greek Anthology* [1855] and *Epitaphs from the Greek Anthology* [1857]. His versions are rather dull, but close to the Greek.]

CHRONOLOGICAL LIST

1869. *Idylls and Epigrams.* Chiefly from the Greek Anthology. By Richard Garnett.
[The Epigrams were reprinted in 1892, as *A Chaplet from the Greek Anthology.*]

1871. *Miscellanies by John Addington Symonds, M.D.* Selected and edited, with an introductory memoir, by his son.

1873-6. *Studies of the Greek Poets.* By John Addington Symonds [the younger].
[Ed. 3, 1893. Chapter xxii. in vol. ii. deals with the Anthology, and contains many versions by the author, his father, and others.]

1878. *Chrysanthema gathered from the Greek Anthology.* By W. M. Hardinge. *The Nineteenth Century,* November, pp. 869-888.

1881. *Amaranth and Asphodel.* Songs from the Greek Anthology. By Alfred Joshua Butler.
[The translator is to be distinguished from the late Arthur J. Butler.]

1883. *Love in Idleness: a volume of Poems.*
[By H. C. Beeching (by whom the majority of versions from the Anthology are contributed), J. B. B. Nicholls, and J. W. Mackail. The book was reprinted in part as *Love's Looking Glass,* in 1891, and Dean Beeching's versions are reprinted, revised, in his *In a Garden,* 1895.]

1888. *Grass of Parnassus, Rhymes Old and New.* By Andrew Lang.
[Second edition, 1892, with additions.]

[1889]. *Selections from the Greek Anthology.* Edited by Graham R. Thomson.
[In the "Canterbury Poets" series. Not very well edited, but contains many good versions.]

1890. *Fifty Poems of Meleager.* With a translation by W. Headlam.

[1891.] *From the Garden of Hellas.* Translations into verse from the Greek Anthology. By Lilla C. Perry.

OF VERSE TRANSLATIONS

1898. *Anthologiae Græcae Erotica.* The Love Epigrams of Book V. of the *Palatine Anthology*, edited, and partly rendered into English verse, by W. R. Paton.

1899. *An Echo of Greek Song.* Englished by W. H. D. Rouse.

1901. *Rose Leaves from Philostratus and other Poems.* Written by Percy Osborn.

1903. *Paraphrases and Translations from the Greek.* By the Earl of Cromer.

1907. *A Book of Greek Verse.* By Walter Headlam. [Translations from and into Greek.]

1908. *Poems from the Greek Anthology.* Attempted in English verse, by G. H. Cobb.

1911. *Greek Love Songs and Epigrams from the Anthology.* By J. A. Pott.

1913. —— Second series.

,, *Ancient Gems in Modern Settings.* Being versions of the Greek Anthology in English rhyme by various writers. Edited by G. B. Grundy. [Many versions are contributed by the Editor and Mr. Pott.]

GREEK ANTHOLOGY

BOOK I

CHRISTIAN EPIGRAMS

CHIEFLY copies of actual inscriptions on Byzantine churches earlier than 1000 A.D., and as such of historic value. The frequent allusions to the brilliant effect created by the mosaics and precious marbles will be noticed.

ΑΝΘΟΛΟΓΙΑ

Α

ΤΑ ΤΩΝ ΧΡΙΣΤΙΑΝΩΝ ΕΠΙΓΡΑΜΜΑΤΑ

τὰ τῶν Χριστιανῶν προτετάχθω εὐσεβῆ τε καὶ θεῖα ἐπιγράμματα
κἂν οἱ Ἕλληνες ἀπαρέσκωνται.

1.—Εἰς τὸ κιβούριον τῆς ἁγίας Σοφίας

Ἃς οἱ πλάνοι καθεῖλον ἐνθάδ᾽ εἰκόνας
ἄνακτες ἐστήλωσαν εὐσεβεῖς πάλιν.

2.—Ἐν ταῖς ἁψῖσι τῶν Βλαχερνῶν

Θεῖος Ἰουστῖνος, Σοφίης πόσις, ᾧ πόρε Χριστὸς
πάντα διορθοῦσθαι, καὶ κλέος ἐν πολέμοις,
Μητρὸς ἀπειρογάμοιο δόμον σκάζοντα νοήσας,
σαθρὸν ἀποσκεδάσας τεῦξέ μιν ἀσφαλέως.

3.—Εἰς τὸ αὐτὸ ἐν ταῖς αὐταῖς

Ὁ πρὶν Ἰουστῖνος περικαλλέα δείματο νηὸν
τοῦτον Μητρὶ Θεοῦ, κάλλεϊ λαμπόμενον·
ὁπλότερος δὲ μετ᾽ αὐτὸν Ἰουστῖνος βασιλεύων
κρείσσονα τῆς προτέρης ὤπασεν ἀγλαΐην.

2

GREEK ANTHOLOGY

BOOK I

CHRISTIAN EPIGRAMS

Let the pious and godly Christian Epigrams take precedence,
even if the pagans are displeased.

1.—*Inscribed on the Tabernacle of Saint Sophia*

THE images[1] that the heretics took down from here
our pious sovereigns replaced.

2.—*Inscribed on the Apse of Blachernae*

THE divine Justin, the husband of Sophia, to
whom Christ granted the gift of restoring everything,
and glory in war, finding that the temple of the
Virgin Mother was tottering, took the decayed part
to pieces and built it up again securely.

3.—*On the Same*

THIS lovely temple shining with beauty the earlier
Justin built to the Mother of God. A later Justin
during his reign endowed it with more than its
former splendour.

[1] Here and below of course = icons, pictures.

4.—Εἰς τὸν ναὸν τοῦ Προδρόμου ἐν τῷ Στουδίου

Τοῦτον Ἰωάννῃ, Χριστοῦ μεγάλῳ θεράποντι,
Στούδιος ἀγλαὸν οἶκον ἐδείματο· καρπαλίμως δὲ
τῶν κάμεν εὕρετο μισθόν, ἑλὼν ὑπατηΐδα ῥάβδον.

5.—Εἰς τὸν ναὸν τοῦ ἁγίου ἀποστόλου Θωμᾶ ἐν τοῖς
Ἀμαντίου

Τόνδε Θεῷ κάμες οἶκον, Ἀμάϊτιε, μεσσόθι πόντου,
τοῖς πολυδινήτοις κύμασι μαρνάμενος.
οὐ νότος, οὐ βορέης ἱερὸν σέο δῶμα τινάξει,
νηῷ θεσπεσίῳ τῷδε φυλασσόμενον.
ζώοις ἤματα πολλά· σὺ γὰρ νεοθηλέα Ῥώμην,   5
πόντῳ ἐπαΐξας, θήκαο φαιδροτέρην.

6.—Εἰς τὸν ναὸν τοῦ ἁγίου Θεοδώρου ἐν τοῖς
Σφωρακίου

Σφωράκιος ποίησε φυγὼν φλόγα μάρτυρι νηόν.

7.—Εἰς τὸν αὐτόν

Σφωράκιε, ζώοντι φίλα θρεπτήρια τίνων
γήθεεν Ἀντόλιος, σὸς ἀνεψιός· οἰχομένῳ δὲ
αἰεί σοι γεραρὴν τελέει χάριν· ὥστε καὶ ἄλλην
εὗρε, καὶ ἐν νηῷ σ᾽ ἀνεθήκατο, τὸν κάμες αὐτός.

8.—Εἰς τὸν ναὸν τῶν ἁγίων ἀποστόλων Πέτρου καὶ
Παύλου, πλησίον τοῦ ἁγίου Σεργίου εἰς τὰ Ὁρμίσδου

Χριστὸν παμβασιλῆα φίλοις καμάτοισι γεραίρων
τοῦτον Ἰουστινιανὸς ἀγακλέα δείματο νηὸν

4.—*On the Temple of St. John the Baptist ("the Forerunner") in the property of Studius*

STUDIUS built this fair house to John the great servant of Christ, and quickly gained the reward of his work by obtaining the consular fasces.

5.—*On the Church of St. Thomas the Apostle in the property of Amantius*

THIS house thou didst make for God, Amantius, in the middle of the sea, combating the swirling waves. Nor south nor north wind shall shake thy holy house, guarded as it is by this divine temple. May thy days be many; for thou by invading the sea hast made New Rome more glorious.

6.—*On the Church of St. Theodore in the land of Sphoracius*

SPHORACIUS having escaped from a fire built this temple to the Martyr.

7.—*On the Same*

SPHORACIUS, Antolius thy nephew rejoiced in re-paying during thy life thy kindness in bringing him up, and now thou art dead ever pays thee grateful honour; so that he found for thee a new honour, and laid thee in the temple thou thyself didst build.

8.—*On the Church of the Holy Apostles Peter and Paul near St. Sergius in the property of Hormisdas*

HONOURING the King of Kings, Christ, with his works, Justinian built this glorious temple to Peter

5

Πέτρῳ καὶ Παύλῳ· θεράπουσι γὰρ εὖχος ὀπάζων
αὐτῷ δή τις ἄνακτι φέρει πολυκυδέα τιμήν.
ἐνθάδε καὶ ψυχῇ καὶ ὄμμασι κέρδος ἑτοῖμον·   5
εὐχαῖσιν μὲν ἕκαστος ὅ τι χρέος ἐστὶν ἑλέσθω,
τερπέσθω δὲ ὁρῶν κάλλος καὶ δώματος αἴγλην.

9.—Εἰς τὸν ναὸν τοῦ Ἀρχαγγέλου ἐν Βοθρέπτῳ

Καὶ τόδε σῶν καμάτων παναοίδιμον ἔργον ἐτύχθη,
Γερράδιε κλυτόμητι· σὺ γὰρ περικαλλέα νηὸν
ἀγγελικῆς στρατιῆς σημάντορος αὖτις ἔδειξας.

10.—Εἰς τὸν ναὸν τοῦ ἁγίου μάρτυρος Πολυεύκτου

Εὐδοκίη μὲν ἄνασσα θεὸν σπεύδουσα γεραίρειν,
πρώτη νηὸν ἔτευξε θεοφραδέος Πολυεύκτου·
ἀλλ' οὐ τοῖον ἔτευξε καὶ οὐ τόσον· οὔ τινι φειδοῖ,
οὐ κτεάτων χατέουσα—τίνος βασίλεια χατίζει;—
ἀλλ' ὡς θυμὸν ἔχουσα θεοπρόπον, ὅττι γενέθλην   5
καλλείψει δεδαυῖαν ἀμείνονα κόσμον ὀπάζειν.
ἔνθεν Ἰουλιανή, ζαθέων ἀμάρυγμα τοκήων,
τέτρατον ἐκ κείνων βασιλήιον αἷμα λαχοῦσα,
ἐλπίδας οὐκ ἔψευσεν ἀριστώδινος ἀνάσσης·
ἀλλά μιν ἐκ βαιοῖο μέγαν καὶ τοῖον ἐγείρει,   10
κῦδος ἀεξήσασα πολυσκήπτρων γενετήρων·
πάντα γὰρ ὅσσα τέλεσσεν ὑπέρτερα τεῦξε τοκήων,
ὀρθὴν πίστιν ἔχουσα φιλοχρίστοιο μενοινῆς.
τίς γὰρ Ἰουλιανὴν οὐκ ἔκλυεν, ὅττι καὶ αὐτοὺς
εὐκαμάτοις ἔργοισιν ἑοὺς φαίδρυνε τοκῆας,   15
εὐσεβίης ἀλέγουσα; μόνη δ' ἱδρῶτι δικαίῳ
ἄξιον οἶκον ἔτευξεν ἀειζώῳ Πολυεύκτῳ.
καὶ γὰρ ἀεὶ δεδάηκεν ἀμεμφέα δῶρα κομίζειν
πᾶσιν ἀεθλητῆρσιν ἐπουρανίου βασιλῆος.

and Paul, for by giving honour to His servants a man offereth great glory to the King Himself. Here is profit for the soul and for the eyes. Let each get what he hath need of by his prayers, and take joy in looking at the beauty and splendour of the house.

9.—*On the Church of St. Michael in Bothreptus*

AND this celebrated work too is the fruit of thy toil, skilled Gerradius. For thou didst reveal to us anew the lovely temple of the captain of the angelic host.

10.—*On the Church of the Holy Martyr Polyeuctus*

EUDOCIA the empress, eager to honour God, first built here a temple of Polyeuctus the servant of God. But she did not make it as great and beautiful as it is, not from any economy or lack of possessions— what doth a queen lack?—but because her prophetic soul told her that she should leave a family well knowing how better to adorn it. Whence Juliana, the glory of her blessed parents, inheriting their royal blood in the fourth generation, did not defeat the hopes of the Queen, the mother of a noble race, but raised this from a small temple to its present size and beauty, increasing the glory of her many-sceptred ancestors; for all that she made, she made more magnificent than they, holding the true faith of a mind devoted to Christ. Who hath not heard of Juliana, how in her pious care she glorified even her parents by fair-fashioned works? All alone by her righteous toil she built a worthy house to immortal Polyeuctus, for she had ever studied to give blameless gifts to all athletes of the Heavenly King. Every country cries,

7

πᾶσα χθὼν βοάᾳ, πᾶσα πτόλις, ὅττι τοκῆας   20
φαιδροτέρους ποίησεν ἀρειοτέροισιν ἐπ' ἔργοις.
ποῦ γὰρ Ἰουλιανὴν ἁγίοις οὐκ ἔστιν ἰδέσθαι
νηὸν ἀναστήσασαν ἀγακλέα; ποῦ σέο μούνης
εὐσεβέων οὐκ ἔστιν ἰδεῖν σημήϊα χειρῶν;
ποῖος δ' ἔπλετο χῶρος, ὃς οὐ μάθε σεῖο μενοινὴν   25
εὐσεβίης πλήθουσαν; ὅλης χθονὸς ἐνναετῆρες
σοὺς καμάτους μέλπουσιν ἀειμνήστους γεγαῶτας.
ἔργα γὰρ εὐσεβίης οὐ κρύπτεται· οὐ γὰρ ἀέθλους
λήθη ἀποσβέννυσιν ἀριστοπόνων ἀρετάων.
ὅσσα δὲ σῇ παλάμῃ θεοπείθεα δώματα τεύχει   30
οὐδ' αὐτὴ δεδάηκας· ἀμετρήτους γάρ, ὀΐω,
μούνη σὺ ξύμπασαν ἀνὰ χθόνα δείμαο ναούς,
οὐρανίου θεράποντας ἀεὶ τρομέουσα θεοῖο.
ἴχνεσι δ' εὐκαμάτοισιν ἐφεσπομένη γενετήρων
πᾶσιν, ἀειζώουσαν ἑὴν τεκτήνατο φύτλην,   35
εὐσεβίης ξύμπασαν ἀεὶ πατέουσα πορείην.
τοὔνεκά μιν θεράποντες ἐπουρανίου βασιλῆος,
ὅσσοις δῶρα δίδωσιν, ὅσοις δωμήσατο νηούς,
προφρονέως ἐρύεσθε σὺν υἱέϊ, τοῖό τε κούραις·
μίμνοι δ' ἄσπετον εὖχος ἀριστοπόνοιο γενέθλης,   40
εἰσόκεν ἠέλιος πυριλαμπέα δίφρον ἐλαύνει.

Ἐν τῇ εἰσόδῳ τοῦ αὐτοῦ ναοῦ ἔξω τοῦ νάρθηκος πρὸς
τὴν ἀψῖδα

Ποῖος Ἰουλιανῆς χορὸς ἄρκιός ἐστιν ἀέθλοις,
ἢ μετὰ Κωνσταντῖνον ἑῆς κοσμήτορα Ῥώμης,
καὶ μετὰ Θευδοσίου παγχρύσεον ἱερὸν ὄμμα,
καὶ μετὰ τοσσατίων προγόνων βασιληΐδα ῥίζαν,   45
ἄξιον ἧς γενεῆς καὶ ὑπέρτερον ἤνυσεν ἔργον
εἰν ὀλίγοις ἔτεσιν; χρόνον ἦδ' ἐβιήσατο μούνη,

every city, that she made her parents more glorious
by better works. Where do we not find that Juliana
hath raised splendid temples to the Saints? Where
do we not see the signs of the pious hand of thee
alone? What place hath not learnt that thy mind is
full of piety? The inhabitants of the whole world
sing thy works, which are eternally remembered.
For the works of piety are not hidden; oblivion
doth not quench the labours of beneficent virtue.
Not even thyself knoweth how many houses dedi-
cated to God thy hand hath made; for thou alone, I
ween, didst build innumerable temples all over the
world, ever fearing the servants of God in Heaven.
Following by her good works all the footsteps
of her parents she made the fame of her race
immortal, always walking in the whole path of
piety. Therefore, all ye servants of the Heavenly
King to whom she gave gifts or built temples, pre-
serve her gladly with her son and his daughters, and
may the immeasurable glory of the most beneficent
family survive as long as the Sun drives his burning
chariot.

*At the Entrance of the same Church, outside the
Narthex [1] towards the Apse*

WHAT quire is sufficient to chant the works of
Juliana, who after Constantine, the adorner of
his Rome, and after the holy golden light of Theo-
dosius, and after so many royal ancestors, in a few
years accomplished a work worthy of her race,
yea, more than worthy? She alone did violence

_____
[1] *i.e.* vestibule.

καὶ σοφίην παρέλασσεν ἀειδομένου Σολομῶνος,
νηὸν ἀναστήσασα θεηδόχον, οὗ μέγας αἰὼν
οὐ δύναται μέλψαι χαρίτων πολυδαίδαλον αἴγλην· 50
οἷος μὲν προβέβηκε βαθυρρίζοισι θεμέθλοις,
νέρθεν ἀναθρώσκων καὶ αἰθέρος ἄστρα διώκων·
οἷος δ' ἀντολίης μηκύνεται ἐς δύσιν ἕρπων,
ἀρρήτως Φαέθοντος ὑπαστράπτων ἀμαρυγαῖς,
τῇ καὶ τῇ πλευρῇσι· μέσης δ' ἑκάτερθε πορείης 55
κίονες ἀρρήκτοις ἐπὶ κίοσιν ἑστηῶτες
χρυσορόφου ἀκτῖνας ἀερτάζουσι καλύπτρης.
κόλποι δ' ἀμφοτέρωθεν ἐπ' ἀψίδεσσι χυθέντες
φέγγος ἀειδίνητον ἐμαιώσαντο σελήνης·
τοῖχοι δ' ἀντιπέρηθεν ἀμετρήτοισι κελεύθοις 60
θεσπεσίους λειμῶνας ἀνεζώσαντο μετάλλων,
οὓς φύσις ἀνθήσασα μέσοις ἐνὶ βένθεσι πέτρης
ἀγλαΐην ἔκλεπτε, θεοῦ δ' ἐφύλασσε μελάθροις,
δῶρον Ἰουλιανῆς, ἵνα θέσκελα ἔργα τελέσσῃ
ἀχράντοις κραδίης ὑπὸ νεύμασι ταῦτα καμοῦσα. 65
τίς δὲ φέρων θοὸν ἴχνος ἐπὶ ζεφυρηΐδας αὔρας
ὑμνοπόλος σοφίης, ἑκατὸν βλεφάροισι πεποιθώς,
τοξεύσει ἑκάτερθε πολύτροπα δήνεα τέχνης,
οἶκον ἰδὼν λάμποντα, περίδρομον, ἄλλον ἐπ' ἄλλῳ,
ἔνθ' ἵνα καὶ γραφίδων ἱερῶν ὑπὲρ ἄντυγος αὐλῆς 70
ἔστιν ἰδεῖν μέγα θαῦμα, πολύφρονα Κωνσταντῖνον,
πῶς προφυγὼν εἴδωλα θεημάχον ἔσβεσε λύσσην,
καὶ Τριάδος φάος εὗρεν ἐν ὕδασι γυῖα καθήρας.
τοῖον Ἰουλιανή, μετὰ μυρίον ἑσμὸν ἀέθλων,
ἤνυσε τοῦτον ἄεθλον ὑπὲρ ψυχῆς γενετήρων, 75
καὶ σφετέρου βιότοιο, καὶ ἐσσομένων καὶ ἐόντων.

10

to Time and surpassed the wisdom of renowned
Solomon by raising a habitation for God, whose
glittering and elaborate beauty the ages cannot
celebrate—how it rises from its deep-rooted found-
ations, running up from the ground and aspiring to
the stars of heaven, and how from east to west
it extends itself glittering with unspeakable bright-
ness in the sunlight on both its sides! On either
side of its aisle columns standing on firm columns
support the rays of the golden dome, while on each
side arched recesses scattered on the dome repro-
duce the ever-revolving light of the moon. The
opposite walls in innumerable paths are clothed in
marvellous metallic veins of colour, like flowery
meadows which Nature made to flower in the depth
of the rock, and hid their glory, keeping them for the
House of God, to be the gift of Juliana, so that she
might produce a divine work, following in her toil
the stainless dictates of her heart. What singer of
skilful works shall now hasten to the west,[1] armed
with a hundred eyes, and read aright the various
devices on the walls, gazing on the circle of the
shining house, one story set on another? There
you may see a marvellous creation of the holy pencils
above the centre of the porch, the wise Constantine,
how escaping from the idols he quenched the impious
fury of the heathen and found the light of the Trinity
by cleansing his limbs in water. Such is the labour
that Juliana, after a countless swarm of labours,
accomplished for the souls of her parents, and for
her own life, and for that of those who are and
shall be.

[1] *i.e.* the west façade.

11.—Εἰς τοὺς ἁγίους Ἀναργύρους τοὺς εἰς τὰ
Βασιλίσκου

Τοῖς σοῖς θεράπουσιν ἡ θεράπαινα προσφέρω
Σοφία τὸ δῶρον. Χριστέ, προσδέχου τὰ σά,
καὶ τῷ βασιλεῖ μου μισθὸν Ἰουστίνῳ δίδου,
νίκας ἐπὶ νίκαις κατὰ νόσων καὶ βαρβάρων.

12.—Εἰς τὴν ἁγίαν Εὐφημίαν τὴν Ὀλυβρίου

Εἰμὶ δόμος Τριάδος, τρισσὴ δέ με τεῦξε γενέθλη·
πρώτη μὲν πολέμους καὶ βάρβαρα φῦλα φυγοῦσα
τεύξατο καί μ' ἀνέθηκε θεῷ ζωάγρια μόχθων
Θευδοσίου θυγάτηρ Εὐδοξία· ἐκ δέ με κείνης
Πλακιδίη κόσμησε σὺν ὀλβίστῳ παρακοίτῃ·   5
εἰ δέ που ἀγλαΐης ἐπεδεύετο κάλλος ἐμεῖο,
τὴν δέ μοι ὀλβιόδωρος ὑπὲρ μνήμης γενετήρων
δῶκεν Ἰουλιανή, καὶ ὑπέρτατον ὤπασε κῦδος
μητέρι καὶ γενέτῃ καὶ ἀγακλέϊ μητρὶ τεκούσης,
κόσμον ἀεξήσασα παλαίτερον. ὧδ' ἐμὸν ἔργον.   10

13.—Εἰς τὸν αὐτὸν ναὸν ἔνδοθεν τοῦ περιδρόμου

Κάλλος ἔχον καὶ πρόσθεν ἐπήρατον· ἀλλ' ἐπὶ μορφῇ
τῇ πρὶν ἀρειοτέρην νῦν λάχον ἀγλαΐην.

14.—Ἄλλο

Οὕτω γῆρας ἐμὸν μετὰ μητέρα καὶ μετὰ τηθὴν
ξῦσεν Ἰουλιανή, καὶ νέον ἄνθος ἔχω.

15.—Ἄλλο

Ἦν ἄρα καὶ κάλλους ἔτι κάλλιον· εὖτ' ἐμὸν ἔργον,
καὶ πρὶν ἐὸν περίπυστον, ἀοίδιμον ἐς χθόνα πᾶσαν,
ἀγλαΐης προτέρης ἐς ὑπέρτερον ἤγαγε κάλλος
τόσσον Ἰουλιανή, ὅσον ἄστρασιν ἀντιφερίζειν.

11.—*On the Church of the Saints Cosmas and Damian* [1]
in the district of Basiliscus

I, THY servant Sophia, O Christ, offer this gift to thy
servants. Receive thine own, and to my emperor
Justin give in payment therefor victory on victory over
diseases and the barbarians.

12.—*On St. Euphemia of Olybrius*

I AM the House of the Trinity, and three generations
built me. First Eudoxia, the daughter of Theodosius,
having escaped from war and the barbarians, erected
and dedicated me to God in acknowledgement of her
rescue from distress. Next her daughter Placidia
with her most blessed husband adorned me. Thirdly,
if perchance my beauty was at all deficient in splen-
dour, munificent Juliana invested me with it in
memory of her parents, and bestowed the height of
glory on her mother and father and her mother's
illustrious mother by augmenting my former adorn-
ment. Thus was I made.

13.—*In the same Church, inside the Gallery*

I HAD loveliness before, but now in addition to my
former beauty I have acquired greater splendour.

14.—*Another*

THUS did Juliana, after her mother and grand-
mother, scrape off my coat of old age, and I have
new bloom.

15.—*Another*

THERE was then something more beautiful than
beauty, since my fabric, even formerly of world-wide
celebrity, was advanced to a beauty greater than its
former splendour by Juliana, so that now it rivals
the stars.

---

[1] Physicians, called 'Ανάργυροι because they refused fees
from sick folk who were willing to become Christians.

16.—Ἄλλο

Αὐτὴν ἐργοπόνοισιν ἐπιπνείουσαν ἀρωγὴν
  εἶχεν Ἰουλιανὴ μάρτυρα νηοπόλον·
οὔποτε γὰρ τοῖόν τε τόσον τ' εὐδαίδαλον ἔργον
  ἤνυσεν, οὐρανίης ἔμπλεον ἀγλαΐης.

17.—Ἄλλο

Οὐκέτι θαυμάζεις προτέρων κλέος· οὐ διὰ τέχνης
  εὖχος ἐν ὀψιγόνοις λῖπον ἄσπετον, ὁσσάτιόν περ
κῦδος Ἰουλιανῆς πινυτόφρονος, ἢ χάριν ἔργων
  ἀρχεγόνων νίκησε νοήματα πάνσοφα φωτῶν.

18.—Εἰς Ἀκούβιτον. Εἰς Βαήν

Τῆς ἀγαθῆς ἀγαθὸς μὲν ἐγὼ κύκλος Ἀγαθονίκης
  *   *   *   *   *   *   *
ἄνθετο δ' ἀχράντῳ μάρτυρί με Τροφίμῳ.

19.—ΚΛΑΥΔΙΑΝΟΥ

Εἰς τὸν σωτῆρα

Ὦ πυρὸς ἀενάοιο σοφὴν ὠδῖνα φυλάσσων,
ἐμβεβαὼς κόσμοιο παλινδίνητον ἀνάγκην,
Χριστέ, θεορρήτοιο βίου φυσίζοε πηγή,
πατρὸς ἀσημάντοιο θεοῦ πρωτόσπορε φωνή,
ὃς μετὰ μητρῴων τοκετῶν ἐγκύμονα φόρτον   5
καὶ γόνον αὐτοτέλεστον ἀνυμφεύτων ὑμεναίων
στήσας Ἀσσυρίης γενεῆς ἑτερόφρονα λύσσαν,
ὄργια δ' εἰδώλων κενεῶν ψευδώνυμα λύσας,
αἰθέρος ἀμφιβέβηκας ἐφ' ἑπτάζωνον ὀχῆα,
ἀγγελικαῖς πτερύγεσσιν ἐν ἀρρήτοισι θαάσσων·   10
ἵλαθι, παγγενέταο θεοῦ πρεσβήιον ὄμμα,
φρουρὲ βίου, σῶτερ μερόπων, αἰῶνος ἀνάσσων.

14

16.—*Another*

JULIANA had the Martyr herself, the Patroness of the church, to inspire and help the artificers. For never would she have accomplished otherwise so vast and beautiful a work, full of heavenly splendour.

17.—*Another*

No LONGER dost thou marvel at the glory of them who are passed away: by their art they did not leave a fame so great as is the glory of wise Juliana, who by her work surpassed the skilled design of her ancestors.

18.—*On an Uncertain Object* [1]

I AM the good circle of good Agathonike . . . . and she dedicated me to the immaculate Martyr Trophimus.

19.—CLAUDIANUS

To the Saviour

O THOU Who guardest the wise womb of the ever-flowing fire, Who art enthroned on the revolving necessity of the Universe, Christ, vivifying Source of the divinely appointed life, first begotten Voice of God the ineffable Father, Who, after the burden of Thy Mother's pangs and the self-accomplished birth from a marriage without bridegroom, didst arrest the heterodox rage of the Syrian race, and dissolve the falsely named rites of empty idols, and then didst ascend the seven-zoned belt of heaven seated on the unspeakable angelic wings, have mercy on me, venerated Eye of God, the Maker of all things, Keeper of life, Saviour of men, Lord of Eternity.

[1] The epigram is imperfect.

20.—ΤΟΥ ΑΥΤΟΥ

Εἰς τὸν δεσπότην Χριστόν

Ἀρτιφανές, πολοοῦχε, παλαιγενές, υἱὲ νεογνέ,
αἰὲν ἐὼν προεών τε, ὑπέρτατε, ὕστατε, Χριστε,
ἀθανάτοιο πατρός τε ὁμόχρονε, πάμπαν ὁμοῖε.

21.—Εἰς τὸν αὐτόν

Παῖ, γέρον, αἰώνων προγενέστερε, πατρὸς ὁμῆλιξ.

22.—Εἰς τὸν αὐτόν

Πατρὸς ἐπουρανίου λόγε πάνσοφε, κοίρανε κόσμου,
ὁ βροτέην γενεὴν τιμήσας εἰκόνι σεῖο,
σὴν χάριν ἄμμιν ὄπαζε καὶ ὀλβιόδωρον ἀρωγήν·
εἰς σὲ γὰρ εἰσορόωσιν ἐν ἐλπίσιν ὄμματα πάντων.

23.—[ΜΑΡΙΝΟΥ.]   Εἰς τὸν αὐτόν

Ἀθανάτου πατρὸς υἱὲ συνάχρονε, κοίρανε πάντων,
αἰθερίων μεδέων, εἰναλίων, χθονίων,
δμωὶ τεῷ, τῷ τήνδε βίβλον γράψαντι, Μαρίνῳ
δὸς χάριν εὐεπίης καὶ λογικῆς σοφίας.

24.—Εἰς τὸν αὐτόν

Σύνθρονε καὶ συναναρχε τεῷ πατρί, πνεύματί τ᾽
ἐσθλῷ,
οἰχομένων ὄντων τε καὶ ἐσσομένων βασιλεύων,
τῷ ταῦτα γράψαντι τεὴν χάριν αὐτὸς ὀπάζοις,
ὄφρα κε σῆς ἐφετμῇσι καλῶς βίου οἶμον ὁδεύοι.

20.—BY THE SAME

To the Lord Christ

NEWLY revealed, Lord of the sky, born of old time, new-born Son, ever existing and pre-existing, highest and last, Christ, coeval with Thy immortal Father, in all ways like Him.

21.—*To the Same*

CHILD, old man, born before the ages, coeval with the Father.

22.—*To the Same*

ALL-WISE Word of the heavenly Father, Lord of the world, Who didst honour the race of mankind by Thy image, grant us Thy grace and Thy help that bestoweth blessings ; for the eyes of all look to Thee in hope.

23.—[BY MARINUS] *To the Same*

SON, co-eternal with the immortal Father, Lord of all, who rulest over all things in Heaven, in Sea, and on Earth, give to Thy servant Marinus who wrote this book the grace of eloquence and wisdom of speech.

24.—*To the Same*

ENTHRONED with Thy Father and the good Spirit and like unto Them without beginning, King of all that is, was, and shall be, give Thy grace unto him who wrote this, that by Thy precepts he may walk rightly in the path of his life.

17

25.—Εἰς τὸν αὐτόν

Χριστέ, θεοῦ σοφίη, κόσμου μεδέων καὶ ἀνάσσων
ἡμετέρην τὸ πάροιθε πλάσας μεροπηΐδα φύτλην,
δός με θέειν βίου οἶμον ἐν ὑμετέραις ἐφετμῇσι.

26.—Εἰς τὸν αὐτόν

Ὑψιμέδων θεοῦ υἱέ, φαοσφόρον ἀΐδιον φῶς,
σήν μοι ὄπαζε χάριν καὶ νῦν καὶ ἔπειτα καὶ αἰεί,
ὡς προθέλυμνον ἐοῦσαν ὅτῳ καὶ ὅπῃ κατανεύσεις.

27.—Εἰς τὸν αὐτόν

Πανσθενὲς υἱὲ θεοῦ, Χριστέ, προάναρχε ἀπάντων,
πᾶσιν ἐπιχθονίοις σωτήρια νάματα βλύζων,
μητρὸς ἀπειρογάμοιο τεῆς λιτέων ἐπακούων,
σὴν χάριν ἄμμιν ὄπαζε καὶ ἐν μύθοις καὶ ἐν ἔργοις.

28.—[ΜΑΡΙΝΟΥ.]   Εἰς τὸν αὐτόν

Χριστέ, θεοῦ σοφίη, χάριν ὄπασον εὐεπιάων,
  καὶ λογικῆς σοφίης ἐμπέραμον τέλεσον,
ὃς τόδε τεῦχος ἔγραψεν ἑαῖς χείρεσσι Μαρῖνος,
  φάρμακον ἀφραδίης, πρόξενον εὐφραδίης.

29.—Εἰς τὸν αὐτὸν μονόστιχα

Χριστέ, τεὴν προΐαλλε χάριν καμάτοισιν ἐμεῖο.
ὁ Χριστὸς καὶ ἐμοῖς ἐπιτάρροθος ἔσσεται ἔργοις.
Χριστὸς ἐμοῖς καμάτοισιν ἀρηγόνα χεῖρα τιταίνοι.
Χριστέ, σύ μοι προΐαλλε τεὴν πολύολβον ἀρωγήν.
Χριστέ, τεὴν καμάτοισιν ἐμοῖς χάριν αὐτὸς   5
  ὀπάζοις.

25.—*To the Same*

CHRIST, Wisdom of God, Ruler and Governor of the world, Creator of old of our human stock, vouchsafe to me to run the race of life in the way of Thy commandments.

26.—*To the Same*

SON of God, who rulest on high, eternal Light that lighteneth, give me Thy grace now and after and ever, for that is the root of all for him to whom Thou shalt grant it in such manner as is best.

27.—*To the Same*

ALMIGHTY Son of God, Christ, without beginning and existing before all, Who dost make to gush forth fountains of salvation for all mankind, listen to the prayers of Thy Virgin Mother, and grant us Thy grace in word and deed.

28.—[BY MARINUS.] *To the Same*

CHRIST, Wisdom of God, endow with the grace of eloquence and make skilled in wisdom of speech Marinus, who wrote this volume with his own hand, a medicine for folly and guide to right diction.

29.—*To the Same*

SHED, O Christ, Thy grace on my works. Christ shall be the helper of even my works. May Christ stretch out a helping hand to my labour. Christ, send me Thy help full of blessing. Christ, Thyself give Thy grace to my work.

30.—Εἰς τὸν αὐτόν

Χριστὲ μάκαρ, μερόπων φάος ἄφθιτον, ἐλπὶς
    ἀπάντων,
ἐσθλὰ δίδου χατέουσι, τὰ δ᾽ οὐ καλὰ νόσφιν ἐρύκοις.

31.—Εἰς τὴν ὑπεραγίαν Θεοτόκον

Παμμεδέοντα, ἄνασσα, θεοῖο, γόνον τεόν, υἱόν,
ἄγγελοι ὃν τρομέουσι, τεῆς παλάμῃσι κρατοῦσα,
πρευμενέα πραπίδεσσιν ὑπὲρ μερόπων τελέουσα,
ῥύεο συντηροῦσα ἀπήμονα κόσμον ἅπαντα.

32.—Εἰς τὸν ἀρχάγγελον Μιχαήλ

Ὧδε ταλαιπαθέων χραισμήϊα θέσκελα κεῖται
    ἢ δέμας ἢ κραδίην τειρομένων μερόπων·
καὶ γὰρ ἀνιάζουσα πόνων φύσις αὐτίκα φεύγει
    οὔνομα σόν, Μιχαήλ, ἢ τύπον, ἢ θαλάμους.

33.—ΝΕΙΛΟΥ ΣΧΟΛΑΣΤΙΚΟΥ

Εἰς εἰκόνα τοῦ ἀρχαγγέλου

Ὡς θρασὺ μορφῶσαι τὸν ἀσώματον· ἀλλὰ καὶ
    εἰκὼν
ἐς νοερὴν ἀνάγει μνῆστιν ἐπουρανίων.

34.—ΑΓΑΘΙΟΥ ΣΧΟΛΑΣΤΙΚΟΥ

Εἰς τὴν αὐτὴν ἐν Πλάτῃ

Ἄσκοπον ἀγγελίαρχον, ἀσώματον εἴδεϊ μορφῆς,
    ἃ μέγα τολμήεις κηρὸς ἀπεπλάσατο·
ἔμπης οὐκ ἀχάριστον, ἐπεὶ βροτὸς εἰκόνα λεύσσων
    θυμὸν ἀπιθύνει κρέσσονι φαντασίῃ·

30.—To the Same

BLESSED Christ, eternal Light of men, Hope of all, give good to them who are in need of it, and keep away evil.

31.—To the Most Holy Mother of God

O QUEEN, holding in thy arms thy almighty Child, the Son of God, before Whom the angels tremble, and making Him merciful in mind to men, guard Him and keep therewith the whole world safe from trouble.

32.—To the Archangel Michael

HERE is kept the divine help for wretched men, afflicted in mind or body. For vexing trouble at once is put to flight, Michael, by thy name, thy image, or thy house.

33.—NILUS SCHOLASTICUS

On an Image of the Archangel

How daring it is to picture the incorporeal! But yet the image leads us up to spiritual recollection of celestial beings.

34.—AGATHIAS SCHOLASTICUS

On another on the Island of Platé

GREATLY daring was the wax that formed the image of the invisible Prince of the Angels, incorporeal in the essence of his form. But yet it is not without grace; for a man looking at the image directs his mind to a higher contemplation. No

οὐκέτι δ' ἀλλοπρόσαλλον ἔχει σέβας, ἀλλ' ἐν ἑαυτῷ 5
  τὸν τύπον ἐγγράψας ὡς παρεόντα τρέμει·
ὄμματα δ' ὀτρύνουσι βαθὺν νόον· οἶδε δὲ τέχνη
  χρώμασι πορθμεῦσαι τὴν φρενὸς ἱκεσίην.

35.—ΤΟΥ ΑΥΤΟΥ

Εἰς τὸν αὐτὸν ἐν τῷ Σωσθενίῳ

Καρικὸς Αἰμιλιανός, Ἰωάννης τε σὺν αὐτῷ,
  Ῥουφῖνος Φαρίης, Ἀγαθίης Ἀσίης,
τέτρατον, ἀγγελίαρχε, νόμων λυκάβαντα λαχόντες,
  ἄνθεσαν εἰς σέ, μάκαρ, τὴν σφετέρην γραφίδα,
αἰτοῦντες τὸν ἔπειτα καλὸν χρόνον· ἀλλὰ φανείης 5
  ἐλπίδας ἰθύνων ἐσσομένου βιότου.

36.—ΤΟΥ ΑΥΤΟΥ

Εἰς εἰκόνα Θεοδώρου Ἰλλουστρίου καὶ δὶς ἀνθυπάτου,
  ἐν ᾗ γέγραπται παρὰ τοῦ ἀρχαγγέλου δεχόμενος
  τὰς ἀξίας ἐν Ἐφέσῳ

Ἴλαθι μορφωθείς, ἀρχάγγελε· σὴ γὰρ ὀπωπὴ
  ἄσκοπος· ἀλλὰ βροτῶν δῶρα πέλουσι τάδε·
ἐκ σέο γὰρ Θεόδωρος ἔχει ζωστῆρα μαγίστρου
  καὶ δὶς ἀεθλεύει πρὸς θρόνον ἀνθυπάτων·
τῆς δ' εὐγνωμοσύνης μάρτυς γραφίς· ὑμετέρην γὰρ 5
  χρώμασι μιμηλὴν ἀντετύπωσε χάριν.

37.—Εἰς τὴν Χριστοῦ γέννησιν

Σάλπιγγες, στεροπαί, γαῖα τρέμει·   ἀλλ' ἐπὶ
    μήτρην
  παρθενικὴν κατέβης ἄψοφον ἴχνος ἔχων.

longer has he a confused veneration, but imprinting the image in himself he fears him as if he were present. The eyes stir up the depths of the spirit, and Art can convey by colours the prayers of the soul.

35.—BY THE SAME

On the Archangel in the Sosthenium

AEMILIANUS of Caria and John with him, Rufinus of Alexandria and Agathias of Asia[1] having completed the fourth year of their legal studies, O Archangel, dedicated to thee, O Blessed One, thy painted image, praying that their future may be happy. Make thyself manifest in thy direction of their hopes.

36.—BY THE SAME

On a picture of Theodorus the Illustrious and twice Proconsul, in which he is shown receiving the insignia of office from the Archangel in Ephesus

FORGIVE us, O Archangel, for picturing thee, for thy face is invisible; this is but an offering of men. For by thy grace Theodorus hath his girdle of a Magister, and twice won for his prize the Proconsular chair. The picture testifies to his gratitude, for in return he expressed the image of thy beauty in colours.

37.—On the Birth of Christ

TRUMPETS! Lightnings! The earth trembles! but into the Virgin's womb thou didst descend with noiseless tread.

[1] The Province, a limited part of Asia Minor, excluding Caria.

38.—Εἰς τὸ αὐτό

Οὐρανὸς ἡ φάτνη, καὶ οὐρανοῦ ἔπλετο μείζων·
οὐρανὸς ἐργασίη τοῦδε πέλει βρέφεος.

39.—Εἰς τοὺς ποιμένας καὶ τοὺς ἀγγέλους

Εἷς χορός, ἓν μέλος ἀνθρώποισι καὶ ἀγγελιώταις,
οὕνεκεν ἄνθρωπος καὶ θεὸς ἓν γέγονε.

40.—Εἰς τὴν Χριστοῦ γέννησιν

Οὐρανὸς ἡ φάτνη, καὶ οὐρανοῦ ἔπλετο μείζων,
οὕνεκεν ὅνπερ ἔδεκτο ἄναξ πέλεν οὐρανιώνων.

41.—Εἰς τοὺς μάγους

Οὐκέτι δῶρ' ἀνάγουσι μάγοι πυρὶ ἠελίῳ τε·
ἠέλιον γὰρ ἔτευξε τόδε βρέφος, ὡς πυρὸς αὐγάς.

42.—Εἰς τὸ Βηθλεέμ

Δέχνυσο, Βηθλεέμ, ὃν προέειπε προφήτης ἐσθλὸς
ἵξεσθαι λαῶν ἡγούμενον ἐκ σοῦ ἁπάντων.

43.—Εἰς τὴν Ῥαχήλ

Τίπτε, Ῥαχήλ, γοόωσα πικρὸν κατὰ δάκρυον εἴβεις;
Ὀλλυμένην ὁρόωσα γονὴν κατὰ δάκρυον εἴβω.

44.—Εἰς τὸν εὐαγγελισμόν

Χαῖρε, κόρη χαρίεσσα, μακαρτάτη, ἄφθορε νύμφη·
υἷα θεοῦ λαγόνεσσιν ἄτερ πατρὸς ἔμβρυον ἕξεις.

38.—*On the Same*

THE manger is Heaven, yea, greater than Heaven. Heaven is the handiwork of this child.

39.—*On the Shepherds and Angels*

ONE dance, one song for men and angels, for man and God are become one.

40.—*On the Birth of Christ*

THE manger is Heaven, yea, greater than Heaven, for He whom it received is the King of the Heavenly ones.

41.—*On the Magi*

No longer do the Magi bring presents to Fire and the Sun; for this Child made Sun and Fire.

42.—*On Bethlehem*

RECEIVE Him, Bethlehem, Him who, as the good prophet foretold, would come from thee to be the Ruler of all peoples.

43.—*On Rachel*

WHY mournest thou, Rachel, shedding bitter tears? Because I see my children slain I shed tears.

44.—*On the Annunciation*

HAIL, Maiden, full of grace, most blessed, Bride immaculate, thou shalt have in thy womb a Son conceived without a father.

25

45.—Εἰς τὸν ἀσπασμόν

Ἔνδοθι γαστρὸς ἐὼν σκιρτήμασιν εἶδε προφήτης
σὸν γόνον ὡς θεός ἐστι, καὶ ᾔνεσε πότνια μήτηρ.

46.—Εἰς τὴν ὑπαντήν

Πρεσβύτα, παῖδα δέχοιο, Ἀδὰμ προγενέστερον
    ὄντα,
ὅς σε βίου λύσει τε καὶ ἐς βίον ἄφθιτον ἄξει.

47.—Εἰς τὴν βάπτισιν

Πατρὸς ἀπ᾽ ἀθανάτοιο μεγασθενὲς ἤλυθε πνεῦμα,
υἱὸς ἐπεὶ βαπτίζετ᾽ Ἰορδάνου ἀμφὶ ῥέεθρα.

48.—Εἰς τὴν μεταμόρφωσιν

Ἀδὰμ ἦν ζο . . .

49.—Εἰς τὸν Λάζαρον

Χριστὸς ἔφη, Πρόμολ᾽ ὧδε· καὶ ἔλλιπε Λάζαρος
    ᾅδην,
αὐαλέῳ μυκτῆρι πάλιν σόον ἆσθμα κομίζων.

50.—Εἰς τὸν αὐτὸν ἐν Ἐφέσῳ

Ψυχὴν αὐτὸς ἔτευξε, δέμας μόρφωσεν ὁ αὐτός·
Λάζαρον ἐκ νεκύων ἐς φάος αὐτὸς ἄγει.

51.—Εἰς τὸν αὐτόν

Τέτρατον ἦμαρ ἔην, καὶ Λάζαρος ἔγρετο τύμβου.

45.—*On the Visitation*

THE prophet, while yet in the womb, saw and showed by leaping that thy child was God, and his Mother gave praise.

46.—*On the Presentation*

OLD man, receive the child who was born before Adam, who will deliver thee from this life and bring thee to eternal life.

47.—*On the Baptism*

FROM the immortal Father the most mighty Spirit came, when the Son was being baptized in the waters of Jordan.

48.—*On the Transfiguration*

Adam was . . .

49.—*On Lazarus*

CHRIST said "Come here," and Lazarus left Hades, recovering the breath in his dry nostrils.

50.—*On the Same, in Ephesus*

HE made the Soul, and likewise fashioned the body. He brings back Lazarus from the dead into the light.

51.—*On the Same*

IT was the fourth day, and Lazarus awoke from the tomb.

52.—Εἰς τὰ Βαΐα

Χαῖρε, Σιὼν θύγατερ, καὶ δέρκεο Χριστὸν ἄνακτα
πώλῳ ἐφεζόμενον, καὶ ἐς πάθος αἶψα κιόντα.

53.—Εἰς τὸ Πάσχα

Ἀμνὸν ἔπαυσε νόμου καὶ ἄμβροτον ὤπασε θῦμα
Χριστός, ἐὼν ἱερεύς, αὐτὸς ἐὼν θυσίη.

54.—Εἰς τὴν σταύρωσιν

Ὦ παθος, ὦ σταυρός, παθέων ἐλατήριον αἷμα,
πλῦνον ἐμῆς ψυχῆς πᾶσαν ἀτασθαλίην.

55.—Εἰς τὴν αὐτήν

Παρθένου υἱὸν ἔφη τὸν παρθένον, ἄλλον ἑαυτόν.
Ἵλαθι τῆς καθαρῆς δέσποτα παρθενίης.

56.—Εἰς τὴν ἀνάστασιν

Χριστὸς ἐὼν θεὸς εἷλε νέκυς ἐξ ἅδου πάντας·
μοῦνον δὲ βροτολοιγὸν ἀκήριον ἔλλιπεν Ἅδην.

57.—Εἰς τὸν ἀμνὸν τοῦ θεοῦ

Ψυχῆς ἐν φλιῇσιν ἐμῆς σωτήριον αἷμα
ἀμνοῦ· ὀλοθρεύων, φεῦγε, μὴ ἐγγὺς ἴθι.

58.—Εἰς τὸν πόκον Γεδεών

Εἰς πόκος ὄμβρον ἔχει· λεκάνη δρόσον ὤπασεν αὐτός,
ἄβροχος αὐτὸς ὅδε· κρύπτε νόῳ κρύφια.[1]

---

[1] Some of these "types" are, or are meant to be, obscure.

52.—*On Palm Sunday*

HAIL, daughter of Zion, and look on Christ the King seated on a foal and going swiftly to his Passion.

53.—*On Easter*

CHRIST abolished the lamb of the law, and provided an immortal sacrifice, Himself the priest and Himself the victim.

54.—*On the Crucifixion*

O PASSION, O cross, O blood that purgeth of the passions, cleanse my soul from all wickedness.

55.—*On the Same*

HE said that the Virgin[1] should be the Virgin's Son, another Himself: Have mercy on us, Lord of pure virginity.

56.—*On the Resurrection*

CHRIST being God took away all the dead from Hell, and left Hell the destroyer alone and soulless.

57.—*On the Lamb of God*

ON the threshold of my soul is the saving blood of the Lamb.   Away, Destroyer, come not near.

58.—*On Gideon's Fleece*

ONE fleece has dew ; it gave dew to the bowl ; the same fleece is dewless.   Hide hidden things in thy mind.

[1] St. John the Divine.

29

59.—Εἰς τὸν Μωσῆν καὶ εἰς τὴν θυγατέρα Φαραώ

Αἰγυπτίη, κρύφιόν τε βρέφος, καὶ ἐγγύθεν ὕδωρ·
ἃ προτυποῖ μούνοις εὐσεβέεσσι Λόγον.

60.—Εἰς τὸν αὐτὸν ὅτε τὰς παλάμας ἐξέτεινε τροπούμενος
τὸν Ἀμαλήκ

Σταυροφανῶς τανύεις παλάμας τίνος εἵνεκα, Μωσῆ;
Τῷδε τύπῳ Ἀμαλὴκ ὅλλυται ἀμφότερος.

61.—Εἰς τὸν αὐτόν

Ῥύεο σὴν ἐθνικὴν νύμφην παρὰ ὕδασι, Μωσῆ,
νυμφίου ἀψευδοῦς οὕνεκεν ἐσσὶ τύπος.

62.—Εἰς τὴν κιβωτὸν ὅτε τὸν Ἰορδάνην ἐπέρασεν

Λάρνακι χρυσείῃ ῥόος εἴκαθεν. Ἵλαθι, Χριστέ·
σὸς τύπος ἡ λάρναξ, τῇδε λοεσσομένου.

63.—[Εἰς τὴν Ἅγαρ]

Ἐξ ἐθνῶν καὶ Ἅγαρ· τί δὲ ἄγγελος; ἢ τί τὸ ὕδωρ;
ἐξ ἐθνῶν καὶ ἐγώ· τοὔνεκεν οἶδα τάδε.

64.—Εἰς τοὺς ο΄ φοίνικας καὶ τὰς ιβ΄ πηγάς

Ἑπτάκι τοὺς δέκα φοίνικας, δυοκαίδεκα πηγὰς
Χριστοῦ τοσσατίων ἴσθι τύπους ἑτάρων.

65.—Εἰς τὸν Ἀβραάμ

Ἀβραὰμ υἱὸν ἄγει θυσίην θεῷ· ἵλαθι, ποίην
νοῦς ὁράᾳ θυσίην, ἧς τόδε γράμμα τύπος;

30

59.—*On Moses and Pharaoh's Daughter*

AN Egyptian woman, a hidden child, and water near by. These things are types of the Word only to the pious.

60.—*On the Same when he stretched forth his hands to discomfit Amalek* [1]

WHY dost thou, Moses, stretch forth thy hands in the form of a cross? By this type perish both Amaleks.

61.—*On the Same*

DEFEND thy Gentile wife by the well,[2] Moses, because thou art the type of the infallible bridegroom.

62.—*On the Ark passing over Jordan*

THE stream yielded to the golden Ark. Have mercy on us, O Christ; the Ark is a type of thy baptism here.

63.—*On Hagar*

HAGAR, too, is of the Gentiles. But what is the angel, what is the fountain?[3] I, too, am of the Gentiles, therefore I know these things.

64.—*On the Seventy Palms and Twelve Wells* [4]

KNOW that the seventy palms and twelve wells of water are types of the number of Christ's disciples.

65.—*On Abraham*

ABRAHAM takes his son to be sacrificed to God. Be merciful! What sacrifice doth the mind see of which this picture is a type?

[1] Exod. xvii. 11. [2] Exod. ii. 17.
[3] Gen. xvi. 7. [4] Exod. xv. 27.

66.—Εἰς τὸν Μελχισεδὲκ διδοῦντα τῷ ᾿Αβραὰμ οἶνον καὶ
ἄρτους

Μελχισεδὲκ βασιλεῦ, ἱερεῦ, ἄρτους τε καὶ οἶνον
ὡς τίς ἐὼν παρέχεις; ῾Ως τύπος ἀτρεκίης.

67.—Εἰς τὸν ᾿Αβραὰμ ὅτε ὑπεδέξατο τὸν θεόν

Μορφὴν ἐνθάδε μοῦνον ἔχει θεός· ὕστερον αὖτε
ἐς φύσιν ἀτρεκέως ἤλυθεν ἀνδρομέην.

68.—Εἰς τὸν ᾿Ισαὰκ καὶ τὸν ᾿Ιακὼβ ὅτε αὐτὸν ηὐλόγησεν

Πνοιὴν μὲν διὰ πνεῦμα, δέρας δὲ λάχον διὰ γράμμα·
εὐφραίνει πατέρα νοῦς θεὸν εἰσορόων.

69.—Εἰς τὴν ῾Ρεβέκκαν

Νυμφίε μουνογενές, νύμφη ἐθνική σε φιλοῦσα
κάτθορεν ἐξ ὕψους σώματος οὐ καθαροῦ.

70.—Εἰς τὴν αὐτήν

Τηλόθεν οὐχ ὑδάτων μνηστεύετο πότνα ῾Ρεβέκκα,
νύμφης ἐξ ἐθνῶν οὔνεκεν ἐστὶ τύπος.

71.—Εἰς τὴν Σωμανῖτιν

Εὐχὴ ᾿Ελισσαίου, Σωμανῖτι, δὶς πόρεν υἱόν,
πρῶτα μὲν ἐκ γαστρός, δεύτερα δ᾿ ἐκ νεκύων.

72.—Εἰς τὴν μηλωτὴν ᾿Ηλίου

Τοῦτο δέρας προλέγει ἀμνὸν θεοῦ εἵνεκα πάντων
ἀνθρώπων ζωῆς τῇδε λοεσσόμενον.

66.—*On Melchisedech giving Wine and Bread to Abraham*

" King Melchisedech, priest, who art thou that givest bread and wine?" "A type of truth."

67.—*On Abraham receiving God*

Here hath God only the form of a man, but later He in truth attained a human nature.

68.—*On Jacob blessing Isaac*

His hands have smell for the Spirit, and skin for the Letter. The mind that seeth God is pleasing to a father.

69.—*On Rebecca*

Only begotten bridegroom, thy Gentile bride, loving thee, leapt down from the height of an unclean body.[1]

70.—*On the Same*

The lady Rebecca was wooed not far from the water, because she is the type of a Gentile bride.

71.—*On the Shunamite*

The prayer of Elisha, O Shunamite, twice gave thee thy son, first from thy womb, and next from the dead.

72.—*On Elijah's Mantle*

This skin foretells the Lamb of God, who shall be baptized here for the life of all men.

[1] The camel. Gen. xxiv. 64.

73.—Εἰς τὸν Δαβὶδ χριόμενον

Ἐν νῷ ἔχων πέφρικα πατὴρ τίνος ἔκλυε Δαβὶδ
οὗτος, ὃν εἰσοράᾳς ἐνθάδε χριόμενον.

74.—Εἰς τὸν τυφλόν

Οὔνομα τῇ πηγῇ Ἐσταλμένος· ἀλλὰ τίς ἐκ τοῦ
ἔσταλται νοέεις, ὄφρα τέλεια βλέποις;

75.—Εἰς τὴν Σαμαρεῖτιν

Οὐ τύπος, ἀλλὰ θεὸς καὶ νυμφίος ἐνθάδε νύμφην
σώζει, τὴν ἐθνικήν, ὕδατος ἐγγὺς ἰδών.

76.—Εἰς τὸν γάμον

Τεῦξε μὲν ἀτρεκέως οἶνον θεός· ὅσσα δὲ κρυπτὰ
θαύματος, εἰ Χριστοῦ πνεῦμά σ᾽ ἔχει, νοέεις.

77.—Εἰς τὴν χήραν τὴν τὸν Ἠλίαν θρέψασαν

Βλύζει ἐλαιηρὴ κάλπις καὶ κίστη ἀλεύρου,
ἔμπεδον ἡ χήρη οὕνεκα πίστιν ἔχει.

78.—Εἰς Πέτρον τὸν ἀπόστολον

Πάντων ἀρχιερεὺς Πέτρος θεοῦ ἀρχιερήων,
ὃς θεοῦ ἐκ φωνῆς ἔλλαχε τοῦτο γέρας.

79.—Εἰς Παῦλον τὸν ἀπόστολον

Παῦλος ἐπεὶ θεῖον σέλας οὐρανοῦ ἔδρακεν ἄντην,
φωτὸς ἀπειρεσίου γαῖαν ἔπλησεν ὅλην.

73.—*On David being Anointed*

I KNOW in my heart, but fear to utter, whose father this David was called, whom thou seest anointed here.

74.—*On the Blind Man*

THE name of the pool is *Sent*, but dost thou understand who is sent by whom, so that thou mayest have a perfect view?

75.—*On the Samaritan Woman*

No type, but a God and bridegroom here saves his Gentile bride, whom he saw beside the water.

76.—*On the Wedding*

GOD truly made wine, but the mystery of the miracle thou understandest if the spirit of Christ possesses thee.

77.—*On the Widow who fed Elijah*

THE cruse of oil and the barrel of meal overflow because the widow has firm faith.

78.—*On Peter the Apostle*

PETER is the high-priest of all the high-priests of God, having received this office by the voice of God.

79.—*On Paul the Apostle*

PAUL, having seen face to face the divine light of Heaven, filled all the Earth with infinite light.

80.—Εἰς Ἰωάννην τὸν ἀπόστολον

Ἀρχιερεὺς Ἐφέσοιο θεηγόρος ἐκ θεοῦ εἶπεν
πρῶτος Ἰωάννης, ὡς θεὸς ἦν ὁ λόγος.

81.— Εἰς τὸν αὐτόν

Καὶ λαλέοντος ἄκουσε Λόγου καὶ πέφραδεν αὐτὸς
πρῶτος Ἰωάννης, ὡς θεὸς ἦν ὁ λόγος.

82.—Εἰς τὸν αὐτὸν ἀπόστολον Ἰωάννην

Οὐρανίης σοφίης θεοτερπὲς δῶμα κιχήσας
εἶπεν Ἰωάννης, ὡς θεὸς ἦν ὁ λόγος.

83.—Εἰς τὸν Ματθαῖον

Γράψε θεοῦ σαρκώσιος ἔξοχα θαύματα πάντα
Ματθαῖος σελίδεσσιν, ἐπεὶ λίπε δῶμα τελώνου.

84.—Εἰς τὸν Λουκᾶν

Ἀθανάτου βιότοιο τελεσφόρα ἔργματα Χριστοῦ
πυκτίου ἐν λαγόνεσσι σαφῶς ἐνέπασσέ γε Λουκᾶς.

85.—Εἰς τὸν Μάρκον

Οὐ κατ' ἐπωνυμίην Αἰγύπτιον ἔλλαχε λαὸν
ὄρφνη, ἐπεὶ φωνῆς Μάρκου ἔδεκτο φάος.

86.—Εἰς τὸν ἅγιον Βασίλειον

Παρθενίην Βασίλειος Ἰωάννου σοφίην τε
ἔλλαχεν, ἶσα λαχὼν καὶ τάδε Γρηγορίῳ.

36

80.—*On John the Apostle*

JOHN the Divine high-priest of Ephesus, was the first who said from God that the Word was God.

81.—*On the Same*

JOHN first heard the Word speak and himself said that the Word was God.

82.—*On the Same*

JOHN, having reached the house of heavenly wisdom in which God is well pleased, said that the Word was God.

83.—*On Matthew*

MATTHEW wrote in his pages, after leaving the house of the publican, all the high marvels of the Incarnation of God.

84.—*On Luke*

LUKE wove skillfully into the vitals of the volume the deeds of Christ which brought about eternal life.

85.—*On Mark*

NIGHT no longer covers the people of Egypt, as its name signifies, since it received the light of the voice of Mark.

86.—*On St. Basil*

BASIL had for his lot the virginity and wisdom of John, having in this a like lot with Gregory.

87.—Εἰς τὸν ἅγιον Πολύκαρπον

Οἰκτίρμων Πολύκαρπος, ὃ καὶ θρόνον ἀρχιερῆος
ἔσχε καὶ ἀτρεκέως μαρτυρίης στεφάνους.

88.—Εἰς τὸν ἅγιον Διονύσιον

Οὐρανίων θιάσων ἱεραρχικὰ τάγματα μέλψας,
μορφοφανῶν τε τύπων κρύφιον νόον εἰς φάος ἕλκων,
ζωοσόφων λογίων θεοτερπέα πυρσὸν ἀνάπτεις.

89.—Εἰς τὸν ἅγιον Νικόλαον

Νικόλεων Πολύκαρπος ἔχει σχεδόν, οὕνεκεν ἄμφω
εἰς ἔλεον παλάμας ἔσχον ἑτοιμοτάτας.

90.—ΣΩΦΡΟΝΙΟΤ ΠΑΤΡΙΑΡΧΟΤ
ΙΕΡΟΣΟΛΥΜΩΝ

Εἰς Κῦρον καὶ Ἰωάννην

Κύρῳ, ἀκεστορίης πανυπέρτατα μέτρα λαχόντι,
καὶ τῷ Ἰωάννῃ, μάρτυσι θεσπεσίοις,
Σωφρόνιος, βλεφάρων ψυχαλγέα νοῦσον ἀλύξας,
βαιὸν ἀμειβόμενος τήνδ᾽ ἀνέθηκε βίβλον.

91.—Εἰς Ἰουστινιανὸν τὸν βασιλέα ἐν Ἐφέσῳ

Ἰουστινιανὸν καὶ ἠγαθέην Θεοδώρην
στέψεν Ἰωάννης Χριστοῦ ἐφημοσύναις.

92. <ΓΡΗΓΟΡΙΟΤ ΤΟΤ ΝΑΖΙΑΝΖΗΝΟΤ>

Ἐν Καισαρείᾳ εἰς τὸν ναὸν τοῦ ἁγίου Βασιλείου

Ἦν ὅτε Χριστὸς ἴαυεν ἐπ᾽ ὁλκάδος ἔμφυτον ὕπνον,
τετρήχει δὲ θάλασσα κυδοιμοτόκοισιν ἀήταις,

87.—*On St. Polycarp*

THIS is the merciful Polycarp who occupied a high priest's throne, and won truly a martyr's crown.

88.—*On St. Dionysius*

THOU who didst sing the hierarchic ranks of the heavenly companies and didst bring to light the mystic meaning of visible types, lightest the torch, pleasing to God, of oracles wise unto life.

89.—*On St. Nicholas*

POLYCARP has Nicholas near him because the hands of both were ever most prompt to deeds of mercy.

90.—SOPHRONIUS PATRIARCH OF JERUSALEM

On Cyrus and Joannes

To the holy martyrs, Cyrus, a past master in the art of healing, and Joannes, did Sophronius, as a slight return for his escape from a soul-distressing complaint of the eyes, dedicate this book.

91.—*On the Emperor Justinian, in Ephesus*

BY the command of Christ did John crown Justinian and admirable Theodora.

92.—BY GREGORY OF NAZIANZUS

In Caesarea in the Church of St. Basil

WHILE Christ once slept on the ship a natural sleep, the sea was disturbed by stormy winds, and

δείματί τε πλωτῆρες ἀνίαχον· Ἔγρεο, σῶτερ·
ὀλλυμένοις ἐπάμυνον. Ἄναξ δὲ κέλευεν ἀναστὰς
ἀτρεμέειν ἀνέμους καὶ κύματα, καὶ πέλεν οὕτως·   5
θαύματι δὲ φράζοντο θεοῦ φύσιν οἱ παρεόντες.

93.—Εἰς τὸν αὐτὸν ναόν

Ζωογόνων ἀρετῶν τετρακτύος εἰκόνα λεύσσων,
σεῦε νόον πρὸς μόχθον ἑκούσιον· εὐσεβίης γὰρ
ἱδρῶτες δεδάασιν ἀγήραον ἐς βίον ἕλκειν.

94.—Εἰς τὴν κοίμησιν τῆς ὑπεραγίας θεοτόκου

Νεύμασι θεσπεσίοις μετάρσιοι ἤλυθον ἄρδην,
ἐς δόμον ἀχράντοιο ἀμωμήτοιο γυναικὸς
κεκλόμενοι μαθηταὶ ἀλλήλοισιν αἰγλήεντες,
οἱ μὲν ἀπ᾽ ἀντολίης, οἱ δ᾽ ἑσπερίοισιν γαίης,
ἄλλοι μεσημβρίης, ἕτεροι βαῖνον δ᾽ ἀπ᾽ ἀρκτῴων,   5
διζήμενοι κηδεῦσαι σῶμα τὸ σωσικόσμοιο.

95.—Ἐν Ἐφέσῳ

Σοί, μάκαρ, ἐκ σέο δῶκα τάπερ πόρες ἄμμιν ἄρηϊ.

96.—Εἰς σκῆπτρον

Τοῦτο γέρας λάχεν ἐσθλὸς Ἀμάντιος, ὡς βασιλῆϊ
πιστὸς ἐών, Χριστὸν δὲ θεουδείῃσιν ἰαίνων.

97.—Ἐν τῇ Μελίτῃ

Νηὸς ἐγὼ κύδιστος Ἰουστίνοιο ἄνακτος,
καί μ᾽ ὕπατος Θεόδωρος, ὁ καρτερός, ὁ τρὶς ὕπαρχος,
ἄνθετο καὶ βασιλῆϊ, καὶ υἱέϊ παμβασιλῆος,
Ἰουστινιανῷ, στρατιῆς ἡγήτορι πάσης.

the sailors cried out in fear, " Wake, Saviour, and help us who are perishing." Then the Lord arose and bade the winds and waves be still, and it was so ; and by the miracle those present understood His divine nature.

93.—*In the same Church*

As thou lookest on the image of the four life-giving Virtues, stir thy mind to willing toil ; for the labour of piety can draw us to a life that knows not old age.

94.—*On the Death of the Holy Virgin*

THE disciples, their hearts uplifted by the divine command, came calling to each other in glittering robes to the house of the immaculate and blameless woman, some from the East, some from the West, others from the South, and others came from the North, seeking to inter the body of Her, the world's saviour.

95.—*In Ephesus*

To thee, O blessed one, from thee, I give the spoils thou gavest me in war.

96.—*On a Sceptre*

WORTHY Amantius obtained this dignity, because he was faithful to the Emperor and delighted Christ by his fear of God.

97.—*In Melite*

I AM the celebrated temple of the Emperor Justin. The Consul Theodorus, the strong, thrice a Prefect, dedicated me to the Emperor and his son Justinian, the general of the whole army.

GREEK ANTHOLOGY

98.—Ἐν τῷ αὐτῷ τόπῳ

Ἔργον ὁρᾷς περίπυστον Ἰουστίνου βασιλῆος,
Ἰουστινιανοῦ τε μεγασθενέος στρατιάρχου,
λαμπόμενον στεροπῇσιν ἀμετρήτοιο μετάλλου·
τοῦτο κάμεν Θεόδωρος ἀοίδιμος, ὃς πόλιν ἄρας
τὸ τρίτον ἀμφιβέβηκεν ἔχων ὑπατηΐδα τιμήν.   5

99.—Ἐν τῷ κίονι τοῦ ὁσίου Δανιὴλ ἐν τῷ ἀνάπλῳ

Μεσσηγὺς γαίης τε καὶ οὐρανοῦ ἵσταται ἀνήρ,
πάντοθεν ὀρνυμένους οὐ τρομέων ἀνέμους.

  *   *   *   *   *   *   *

ἴχνια ῥιζώσας κίονι διχθάδια·
λιμῷ δ' ἀμβροσίᾳ τρέφεται καὶ ἀπήμονι δίψῃ,
υἱέα κηρύσσων μητρὸς ἀπειρογάμου.

100.—Εἰς Νεῖλον μοναχὸν τὸν μέγαν ἐν τοῖς ἀσκηταῖς

Νείλου μὲν ποταμοῖο ῥόος χθόνα οἶδε ποτίζειν,
Νείλου δ' αὖ μοναχοῖο λόγος φρένας οἶδεν ἰαίνειν.

101.—ΜΕΝΑΝΔΡΟΥ ΠΡΟΤΙΚΤΟΡΟΣ

Εἰς Πέρσην μάγον, γενόμενον χριστιανὸν καὶ μαρτυρήσαντα

Ἦν πάρος ἐν Πέρσῃσιν ἐγὼ μάγος Ἰσβοζήτης,
εἰς ὀλοὴν ἀπάτην ἐλπίδας ἐκκρεμάσας·
εὖτε δὲ πυρσὸς ἔδαπτεν ἐμὴν πόλιν, ἦλθον ἀρῆξαι,
ἦλθε δὲ καὶ Χριστοῦ πανσθενέος θεράπων·
κείνῳ δ' ἐσβέσθη δύναμις πυρός· ἀλλὰ καὶ ἔμπης   5
νικηθεὶς νίκην ἤνυσα θειοτέρην.

42

98.—*In the same Place*

THOU seest the famous work of the Emperor Justin and of Justinian, the mighty general, glittering with the lustre of vast store of minerals. This was made by famous Theodorus, who, glorifying the city, thrice protected it by his consular office.

99.—*On the Pillar of Holy Daniel on the Bosphorus*

MIDMOST of earth and heaven stands a man, dreading not the winds that blow from all quarters . . . both feet firmly planted on the column. He is nourished by ambrosial hunger and painless thirst, ever preaching the Son of the Immaculate Mother.

100.—*On Nilus the Great Hermit*

THE stream of the river Nile can water the earth and the word of the monk Nilus can delight the mind.

101.—BY MENANDER PROTECTOR

On a Persian mage who became a Christian and suffered Martyrdom

I, ISBOZETES, was formerly a mage among the Persians, my hope resting on pernicious fraud. When my city was in flames I came to help, and a servant of all-powerful Christ came too. He extinguished the force of the fire, but none the less, though I was worsted I gained a more divine victory.

102.—Εἰς τὸν σωτῆρα καὶ κύριον ἡμῶν Ἰησοῦν Χριστὸν
υἱὸν τοῦ θεοῦ

Ὦ πάντων ἐπέκεινα—τί γὰρ πλέον ἄλλο σε μέλψω;—
πῶς σὲ τὸν ἐν πάντεσσιν ὑπείροχον ἐξονομήνω;
πῶς δὲ λόγῳ μέλψω σὲ τὸν οὐδὲ λόγῳ περιληπτόν,

103.—Εἰς ὑπέρθυρον οἴκου ἐν Κυζίκῳ σωθέντος ἀπὸ
πυρός

Μῶμε μιαιφόνε, σός σε κατέκτανε πικρὸς ὀϊστός·
ῥύσατο γὰρ μανίης με τεῆς θεὸς ὄλβιον οἶκον.

104.—Εἰς τὴν θήκην τῶν λειψάνων τοῦ ἁγίου μάρτυρος
Ἀκακίου καὶ Ἀλεξάνδρου

Μάρτυρος Ἀκακίοιο, Ἀλεξάνδρου θ᾽ ἱερῆος
ἐνθάδε σώματα κεῖται, τάπερ χρόνος ὄλβιος ηὗρε.

105.—Εἰς Εὐδοκίαν τὴν γυναῖκα Θεοδοσίου βασιλέως

Ἡ μὲν σοφὴ δέσποινα τῆς οἰκουμένης,
ὑπ᾽ εὐσεβοῦς ἔρωτος ἠρεθισμένη,
πάρεστι δούλη, προσκυνεῖ δ᾽ ἑνὸς τάφον,
ἡ πᾶσιν ἀνθρώποισι προσκυνουμένη.
ὁ γὰρ δεδωκὼς τὸν θρόνον καὶ τὸν γάμον   5
τέθνηκεν ὡς ἄνθρωπος, ἀλλὰ ζῇ θεός·
κάτω μὲν ἠνθρώπιζεν· ἦν δ᾽ ὡς ἦν ἄνω.

106.—Ἐν τῷ χρυσοτρικλίνῳ Μαζαρινο?

Ἔλαμψεν ἀκτὶς τῆς ἀληθείης πάλιν,
καὶ τὰς κόρας ἤμβλυνε τῶν ψευδηγόρων·

102.—*On our Lord and Saviour Jesus Christ the Son of God*

O Thou who art beyond all things (for how can I celebrate Thee more), how shall I tell Thy name Who art supreme above all ? How shall I sing Thee in words, Whom no words can comprehend?

103.—*On the Lintel of a House in Cyzicus which was saved from Fire*

Bloodthirsty Momus,[1] thy own bitter arrow slew thee, for God delivered me, this wealthy house, from thy fury.

104.—*On the Chest containing the Relics of the Holy Martyr Acacius and of King Alexander*

Here lie the bodies, discovered one happy day, of the Martyr Acacius and the priest Alexander.

105.—*On Eudocia the Wife of King Theodosius*

The wise mistress of the world, inflamed by pious love, cometh as a servant, and she who is worshipped by all mankind worshippeth the tomb of One. For He who gave her a husband and a throne, died as a Man but lives a God. Below He played the man, but above He was as He was.

106.—*In the Golden Hall of Mazarinus (after the Restoration of Images)*

The light of Truth hath shone forth again, and blunts the eyes of the false teachers. Piety hath

---

[1] Probably = Satan.

ηὔξησεν εὐσέβεια, πέπτωκε πλάνη,
καὶ πίστις ἀνθεῖ καὶ πλατύνεται χάρις.
ἰδοὺ γὰρ αὖθις Χριστὸς εἰκονισμένος   5
λάμπει πρὸς ὕψος τῆς καθέδρας τοῦ κράτους,
καὶ τὰς σκοτεινὰς αἱρέσεις ἀνατρέπει.
τῆς εἰσόδου δ᾽ ὕπερθεν, ὡς θεία πύλη,
στηλογραφεῖται καὶ φύλαξ ἡ Παρθένος,
ἄναξ δὲ καὶ πρόεδρος ὡς πλανοτρόποι   10
σὺν τοῖς συνεργοῖς ἱστοροῦνται πλησίον·
κύκλῳ δὲ παντὸς οἷα φρουροὶ τοῦ δόμου,
νόες, μαθηταί, μάρτυρες, θυηπόλοι,
ὅθεν καλοῦμεν χριστοτρίκλινον νέον,
τὸν πρὶν λαχόντα κλήσεως χρυσωνύμου,   15
ὡς τὸν θρόνον ἔχοντα Χριστοῦ κυρίου,
Χριστοῦ δὲ μητρός, χριστοκηρύκων τύπους,
καὶ τοῦ σοφουργοῦ Μιχαὴλ τὴν εἰκόνα.

107.—Εἰς τὸν αὐτὸν χρυσοτρίκλινον

Ὡς τὴν φαεινὴν ἀξίαν τῆς εἰκόνος
τῆς πρὶν φυλάττων, Μιχαὴλ αὐτοκράτωρ,
κρατῶν τε πάντων σαρκικῶν μολυσμάτων,
ἐξεικονίζεις καὶ γραφῇ τὸν δεσπότην,
ἔργῳ κρατύνων τοὺς λόγους τῶν δογμάτων.   5

108.—Ἀδέσποτον εἰς τὸν Ἀδάμ

Οὐ σοφίης ἀπάνευθεν Ἀδὰμ τὸ πρὶν ἐκαλεῖτο,
τέσσαρα γράμματ᾽ ἔχων εἰς τέσσαρα κλίματα κόσμου·
Ἄλφα γὰρ ἀντολίης ἔλαχεν· δύσεως δὲ τὸ Δέλτα,
Ἄλφα πάλιν δ᾽ ἄρκτοιο, μεσημβρίης δὲ τὸ λοιπόν.

increased and Error is fallen; Faith flourisheth and
Grace groweth. For behold, Christ pictured again
shines above the imperial throne and overthrows
the dark heresies. And above the entrance, like
a holy door, is imaged the guardian Virgin. The
Emperor and the Patriarch, as victorious over
Error, are pictured near with their fellow-workers,
and all around, as sentries of the house, are
angels, disciples, martyrs, priests: whence we
call this now the Christotriclinium (the hall of Christ)
instead of by its former name Chrysotriclinium (the
Golden Hall), since it has the throne of the
Lord Christ and of his Mother, and the images
of the Apostles and of Michael, author of
wisdom.

107.—*On the Same*

O Emperor Michael, as preserving the bright
preciousness of the ancient image, and as conqueror
of all fleshly stains, thou dost picture the Lord in
colours too, establishing by deed the word of
dogma.

108.—*On Adam (Anonymous)*

Not without wisdom was Adam so called, for the
four letters represent the four quarters of the earth.
The Alpha he has from Anatolé (the East), the
Delta from Dysis (the West), the second Alpha is
from Arctus (the North) and the Mu from Mesembria
(the South).

109.—ΙΓΝΑΤΙΟΥ ΤΟΥ ΜΑΓΙΣΤΟΡΟΣ ΤΩΝ ΓΡΑΜΜΑΤΙΚΩΝ

Εἰς τὸν ναὸν τῆς παναγίας Θεοτόκου εἰς τὴν πηγήν

Πτωθέντα κοσμεῖ τὸν ναὸν τῆς Παρθένου
Βασίλειός τε σὺν Κωνσταντίνῳ Λέων.

110.—Εἰς τὸν αὐτὸν εἰς τὸν τροῦλλον, ἐν τῇ ἀναλήψει

Ἐκ γῆς ἀνελθὼν πατρικόν σου πρὸς θρόνον,
τὸν μητρικόν σου, σῶτερ, οἶκον δεικνύεις
πηγὴν νοητὴν κρειττόνων χαρισμάτων.

111.—Ἐν τῷ αὐτῷ ναῷ, εἰς τὴν σταύρωσιν

Ὁ νεκρὸς Ἅδης ἐξεμεῖ τεθνηκότας,
κάθαρσιν εὑρὼν σάρκα τὴν τοῦ δεσπότου.

112.—Εἰς τὸν αὐτὸν ναόν, εἰς τὴν μεταμόρφωσιν

Λάμψας ὁ Χριστὸς ἐν Θαβὼρ φωτὸς πλέον,
σκιὰν πέπαυκε τοῦ παλαιτάτου νόμου.

113.—Ἐν τῷ αὐτῷ ναῷ, εἰς τὴν ὑπαντήν

Ὁρώμενος νῦν χερσὶ πρεσβύτου βρέφος
παλαιός ἐστι δημιουργὸς τῶν χρόνων.

114.—Ἐν τῷ αὐτῷ ναῷ, εἰς χαιρετισμόν

Προοιμιάζει κοσμικὴν σωτηρίαν,
εἰπὼν τὸ Χαῖρε ταῖς γυναιξὶ δεσπότης.

115.—Εἰς τὴν θεοτόκον

Παρθένος υἱέα τίκτε· μεθ' υἱέα παρθένος ἦεν.

48

109.—BY IGNATIUS THE MAGISTER GRAMMATICORUM

In the Church of the Holy Virgin at the Fountain

Basilius, Leo, and Constantine redecorate the ruined church of the Virgin.

110.—*In the same Church on the picture of the Ascension in the Dome*

Ascending from Earth, O Saviour, to Thy Father's throne, Thou showest Thy Mother's house to be a spiritual source of higher gifts.

111.—*In the same Church on the Crucifixion*

Dead Hell vomits up the dead, being purged by the flesh of the Lord.

112.—*In the same Church on the Transfiguration*

Christ on Tabor, shining brighter than light, hath done away with the shadow of the old Law.

113.—*In the same Church on the Presentation*

The Boy now seen in the old man's arms is the ancient Creator of Time.

114.—*In the same Church on the Salutation*

The Lord saying " Hail " to the women presages the salvation of the world.

115.—*On the Virgin*

A Virgin bore a Son ; after a Son she was a Virgin.

49

116.—Εἰς τὸν Σωτῆρα

Χριστὲ μάκαρ, μερόπων φάος ἄφθιτον, υἱὲ θεοῖο,
  δῶρ' ἀπὸ κρυστάλλων, δῶρ' ἀπὸ σαρδονύχων
δέχνυσο, παρθενικῆς τέκος ἄφθιτον, υἱὲ θεοῖο,
  δῶρ' ἀπὸ κρυστάλλων, δῶρ' ἀπὸ σαρδονύχων.

117.—Εἰς τὸν τυφλόν

Ἔβλεψε τυφλὸς ἐκ τόκου μεμυσμένος,
Χριστὸς γὰρ ἦλθεν ἡ πανόμματος χάρις.

118.—Εὐκτικά

Ἤγειρεν ἡμῖν τῶν παθῶν τρικυμίαν
ἐχθρὸς κάκιστος, πνευματώσας τὸν σάλον,
ὅθεν ταράσσει καὶ βυθίζει καὶ βρέχει
τὸν φόρτον ἡμῶν ψυχικῆς τῆς ὁλκάδος·
ἀλλ', ὦ γαλήνη καὶ στορεστὰ τῆς ζάλης,   5
σύ, Χριστέ, δείξαις ἀβρόχους ἁμαρτίας,
τῷ σῷ πρὸς ὅρμῳ προσφόρως προσορμίσας,
ἐχθρὸν δὲ τοῦτον συμφοραῖς βεβρεγμένον.

119.—Ὑπόθεσις, ἀπολογία εὔφημος. Ὁμηροκέντρων

Βίβλος Πατρικίοιο θεουδέος ἀρητῆρος,
ὃς μέγα ἔργον ἔρεξεν, ὁμηρείης ἀπὸ βίβλου
κυδαλίμων ἐπέων τεύξας ἐρίτιμον ἀοιδήν,
πρήξιας ἀγγέλλουσαν ἀνικήτοιο θεοῖο·
ὡς μόλεν ἀνθρώπων ἐς ὁμήγυριν, ὡς λάβε μορφὴν   5
ἀνδρομέην, καὶ γαστρὸς ἀμεμφέος ἔνδοθι κούρης
κρύπτετο τυτθὸς ἐών, ὃν ἀπείριτος οὐ χάδε κύκλος·
ἠδ' ὡς παρθενικῆς θεοκύμονος ἔσπασε μαζὸν
παρθενίοιο γάλακτος ἀναβλύζοντα ῥέεθρον·
ὡς κτάνεν Ἡρώδης ἀταλάφρονας εἰσέτι παῖδας   10

116.—*On the Saviour*

BLESSED CHRIST, immortal Light of men, Son of God, receive gifts of crystal and sardonyx, incorruptible Son of a Virgin, Son of God, gifts of crystal and sardonyx.

117.—*On the Blind Man*

THE blind, whose eyes were closed from birth, saw ; for Christ came, the Grace that is all eyes.

118.—*Prayers*

OUR wicked enemy raised a tempest of passions, rousing the sea with his winds; whence he tosses and submerges and floods the cargo of our ship the soul. But, do thou, O Christ, calm and stiller of tempest, anchoring us safely in thy harbour, show our sins dry and this our enemy soaked with disaster.

119.—*The Argument, an eloquent Apology, of a Homeric Cento*

THE book of Patricius, the God-fearing priest, who performed a great task, composing from the works of Homer a glorious song of splendid verses, announcing the deeds of the invincible God ; how He came to the company of men and took human form, and was hidden when an infant in the blameless womb of a Virgin, He whom the infinite universe cannot hold ; and how He sucked from the breast of the Virgin, once great with child from God, the stream of maiden milk it spouted; how Herod, in his folly

νήπιος, ἀθανάτοιο θεοῦ διζήμενος οἶτον·
ὥς μιν Ἰωάννης λοῦσεν ποταμοῖο ῥεέθροις·
ὥς τε δυώδεκα φῶτας ἀμύμονας ἔλλαβ' ἑταίρους·
ὅσσων τ' ἄρτια πάντα θεὸς τεκτήνατο γυῖα,
νούσους τ' ἐξελάσας στυγερὰς βλεφάρων τ' ἀλαωτύν, 1
ἠδ' ὅππως ῥείοντας ἀπέσβεσεν αἵματος ὁλκοὺς
ἁψαμένης ἑανοῖο πολυκλαύτοιο γυναικός·
ἠδ' ὅσσους μοίρῃσιν ὑπ' ἀργαλέῃσι δαμέντας
ἤγαγεν ἐς φάος αὖθις ἀπὸ χθονίοιο βερέθρου·
ὥς τε πάθους ἁγίου μνημήια κάλλιπεν ἄμμιν·   2
ὥς τε βροτῶν ὑπὸ χερσὶ τάθη κρυεροῖς ἐνὶ δεσμοῖς,
αὐτὸς ἑκών· οὐ γάρ τις ἐπιχθονίων πολεμίζοι
ὑψιμέδοντι θεῷ, ὅτε μὴ αὐτός γε κελεύοι·
ὡς θάνεν, ὡς Ἀίδαο σιδήρεα ῥῆξε θύρετρα,
κεῖθεν δὲ ψυχὰς θεοπειθέας οὐρανὸν εἴσω   2
ἤγαγεν ἀχράντοισιν ὑπ' ἐννεσίῃσι τοκῆος,
ἀνστὰς ἐν τριτάτῃ φαεσιμβρότῳ ἠριγενείῃ
ἀρχέγονον βλάστημα θεοῦ γενετῆρος ἀνάρχου.

120.—Ἐν Βλαχέρναις.   Ἴαμβοι

Εἰ φρικτὸν ἐν γῇ τοῦ θεοῦ ζητεῖς θρόνον,
ἰδὼν τὸν οἶκον θαύμασον τῆς παρθένου·
ἡ γὰρ φέρουσα τὸν θεὸν ταῖς ἀγκάλαις,
φέρει τὸν αὐτὸν εἰς τὸ τοῦ τόπου σέβας·
ἐνταῦθα τῆς γῆς οἱ κρατεῖν τεταγμένοι
τὰ σκῆπτρα πιστεύουσι τῆς νίκης ἔχειν·
ἐνταῦθα πολλὰς κοσμικὰς περιστάσεις
ὁ πατριάρχης ἀγρυπνῶν ἀνατρέπει·
οἱ βάρβαροι δὲ προσβαλόντες τῇ πόλει,
αὐτὴν στρατηγήσασαν ὡς εἶδον μόνον,   10
ἔκαμψαν εὐθὺς τοὺς ἀκαμπεῖς αὐχένας.

seeking the death of the immortal God, slew the still
tender babes ; how John washed Him in the waters
of the river; how He took to Him His twelve
excellent companions; the limbs of how many He
made whole, driving out loathly diseases, and dark-
ness of sight, and how He stayed the running stream
of blood in the weeping woman who touched His
raiment ; and how many victims of the cruel fates
He brought back to the light from the dark pit ;
and how He left us memorials of His holy Passion ;
how by the hands of men He was tortured by cruel
bonds, by His own will, for no mortal man could
war with God who ruleth on high, unless He Him-
self decreed it ; how He died and burst the iron
gates of Hell and led thence into Heaven by the
immaculate command of His Father the faithful
spirits, having arisen on the third morn, the primal
offspring of the Father who hath no beginning.

120.—*In Blachernae, in the Church of the Virgin*

IF thou seekest the dread throne of God on
Earth, marvel as thou gazest on the house of the
Virgin. For she who beareth God in her arms,
beareth Him to the glory of this place. Here they
who are set up to rule over the Earth believe that
their sceptres are rendered victorious. Here the
Patriarch, ever wakeful, averts many catastrophes in
the world. The barbarians, attacking the city, on
only seeing Her at the head of the army bent at
once their stubborn necks.

121.—Εἰς τὸν αὐτὸν ναόν

Ἔδει γενέσθαι δευτέραν θεοῦ πύλην
τῆς παρθένου τὸν οἶκον, ὡς καὶ τὸν τόκον·
κιβωτὸς ὤφθη τῆς πρὶν ἐνθεεστέρα,
οὐ τὰς πλάκας φέρουσα τὰς θεογράφους,
ἀλλ᾿ αὐτὸν ἔνδον τὸν θεὸν δεδεγμένη.   5
ἐνταῦθα κρουνοὶ σαρκικῶν καθαρσίων,
καὶ ψυχικῶν λύτρωσις ἀγνοημάτων·
ὅσαι γάρ εἰσι τῶν παθῶν περιστάσεις,
βλύζει τοσαύτας δωρεὰς τῶν θαυμάτων.
ἐνταῦθα νικήσασα τοὺς ἐναντίους,   10
ἀνεῖλεν αὐτοὺς ἀντὶ λόγχης εἰς ὕδωρ·
τροπῆς γὰρ ἀλλοίωσιν οὐκ ἔχει μόνην,
Χριστὸν τεκοῦσα καὶ κλονοῦσα βαρβάρους.

122.—ΜΙΧΑΗΛ ΧΑΡΤΟΦΥΛΑΞ

Εἰς τὴν Θεοτόκον βαστάζουσαν τὸν Χριστόν

Αὕτη τεκοῦσα παρθένος πάλιν μένει·
καὶ μὴ θροηθῇς· ἔστι γὰρ τὸ παιδίον
θεός, θελήσας προσλαβέσθαι σαρκίον.

123.—ΣΩΦΡΟΝΙΟΥ

Εἰς τὸν Κρανίου λίθον ἐν Ἱερουσαλήμ

Πέτρα τρισμακάριστε, θεόσσυτον αἷμα λαχοῦσα,
οὐρανίη γενεή σε πυρίπνοος ἀμφιπολεύει,
καὶ χθονὸς ἐνναετῆρες ἀνάκτορες ὑμνοπολοῦσι.

121.—*In the same Church*

THE house of the Virgin, like her Son, was destined to become a second gate of God. An ark hath appeared holier than that of old, not containing the tables written by God's hand but having received within it God himself. Here are fountains of purification from the flesh, here is redemption of errors of the soul. There is no evil circumstance, but from Her gusheth a miraculous gift to cure it. Here, when She overthrew the foe, She destroyed them by water, not by the spear. She hath not one method of defeat alone, who bore Christ and putteth the barbarians to flight.

122.—MICHAEL CHARTOPHYLAX

On the Virgin and Child

THIS is she who bore a child and remained a Virgin. Wonder not thereat, for the Child is God, who consented to put on flesh.

123.—SOPHRONIUS

On the Rock of Calvary

THRICE-BLESSED rock, who didst receive the blood that issued from God, the fiery children of Heaven guard thee around, and Kings, inhabitants of the Earth, sing thy praise.

BOOK II

CHRISTODORUS OF THEBES IN EGYPT

This description of the bronze statues in the celebrated gymnasium called Zeuxippos, erected under Septimius Severus at Byzantium and destroyed by fire shortly after this was written (in 532 A.D.), is of some value, as it gives at least a list of the statues and the names assigned to them. But owing to its bombastic style its value is of the slightest. The poet confines himself usually to mere rhetoric and tiresomely repeats his impression that the statues looked as if they were alive.

Β

ΧΡΙΣΤΟΔΩΡΟΥ ΠΟΙΗΤΟΥ
ΘΗΒΑΙΟΥ ΚΟΠΤΙΤΟΥ

Ἔκφρασις τῶν ἀγαλμάτων τῶν εἰς τὸ δημόσιον γυμνάσιον τοῦ
ἐπικαλουμένου Ζευξίππου.

Δηΐφοβος μὲν πρῶτος ἐϋγλύπτῳ ἐπὶ βωμῷ
ἵστατο, τολμήεις, κεκορυθμένος, ὄβριμος ἥρως,
τοῖος ἐών, οἷός περ ἐπορνυμένῳ Μενελάῳ
περθομένων ἤντησεν ἑῶν προπάροιθε μελάθρων.
ἵστατο δὲ προβιβῶντι πανείκελος· εὖ δ᾽ ἐπὶ κόσμῳ 5
δόχμιος ἦν, μανίη δὲ κεκυφότα νῶτα συνέλκων
δριμὺ μένος ξυνάγειρεν· ἔλισσε δὲ φέγγος ὀπωπῆς,
οἷά τε δυσμενέων μερόπων πεφυλαγμένος ὁρμήν.
λαιῇ μὲν σάκος εὐρὺ προΐσχετο, δεξιτερῇ δὲ
φάσγανον ὑψόσ᾽ ἄειρεν· ἔμελλε δὲ μαινομένη χεὶρ 10
ἀνέρος ἀντιβίοιο κατὰ χροὸς ἆορ ἐλάσσαι·
ἀλλ᾽ οὐ χαλκὸν ἔθηκε φύσις πειθήμονα λύσσῃ.

Κεκροπίδης δ᾽ ἤστραπτε, νοήμονος ἄνθεμα Πειθοῦς,
Αἰσχίνης· λασίης δὲ συνεῖρπε κύκλα παρειῆς,
οἷα πολυτροχάλοισιν ἀεθλεύων ἀγορῇσιν· 15
στείνετο γὰρ πυκινῇσι μεληδόσιν. ἄγχι δ᾽ ἐκείνου
ἦεν Ἀριστοτέλης, σοφίης πρόμος· ἱστάμενος δὲ
χεῖρε περιπλέγδην συνεέργαθεν, οὐδ᾽ ἐνὶ χαλκῷ
ἀφθόγγῳ φρένας εἶχεν ἀεργέας, ἀλλ᾽ ἔτι βουλὴν

58

BOOK II

CHRISTODORUS OF THEBES IN EGYPT

Description of the Statues in the public gymnasium called Zeuxippos.

Deiphobus

First Deiphobus stood on a well-carved pedestal, daring all, in armour, a valiant hero, even as he was when he met the onrush of Menelaus before his house that they were pillaging. He stood even as one who was advancing, side-ways, in right fighting attitude. Crouching in fury with bent back, he was collecting all his fierce strength, while he turned his eyes hither and thither as if on his guard against an attack of the enemy. In his left hand he held before him a broad shield and in his right his up-lifted sword, and his furious hand was even on the point of transpiercing his adversary, but the nature of the brass would not let it serve his rage.

Aeschines and Aristotle

And there shone Athenian Aeschines, the flower of wise Persuasion, his bearded face gathered as if he were engaged in struggle with the tumultuous crowd, looking sore beset by anxiety. And near him was Aristotle, the prince of Wisdom: he stood with clasped hands, and not even in the voiceless bronze was his mind idle, but he was like one

σκεπτομένῳ μὲν ἔϊκτο· συνιστάμεναι δὲ παρειαὶ   20
ἀνέρος ἀμφιέλισσαν ἐμαντεύοντο μενοινήν,
καὶ τροχαλαὶ σήμαινον ἀολλέα μῆτιν ὀπωπαί.

Καὶ Παιανιέων δημηγόρος ἔπρεπε σάλπιγξ,
ῥήτρης εὐκελάδοιο πατὴρ σοφός, ὁ πρὶν Ἀθήναις
Πειθοῦς θελξινόοιο νοήμονα πυρσὸν ἀνάψας.   25
ἀλλ᾿ οὐκ ἠρεμέων διεφαίνετο, πυκνὰ δὲ βουλὴν
ἐστρώφα, πυκινὴν γὰρ ἐείδετο μῆτιν ἑλίσσειν,
οἷα κατ᾿ εὐόπλων τεθοωμένος Ἡμαθιήων.
ἢ τάχα κεν κοτέων τροχαλὴν ἐφθέγγετο φωνήν,
ἄπνοον αὐδήεντα τιθεὶς τύπον· ἀλλά ἑ τέχνη   30
χαλκείης ἐπέδησεν ὑπὸ σφραγῖδα σιωπῆς.

Ἵστατο δ᾿ Εὐρίποιο φερώνυμος· ὡς δὲ δοκεύω,
λάθρη ὑπὸ κραδίην τραγικαῖς ὡμίλεε Μούσαις,
ἔργα σαοφροσύνης διανεύμενος· ἦν γὰρ ἰδέσθαι
οἷά τέ που θυμέλῃσιν ἐν Ἀτθίσι θύρσα τινάσσων.   35

Δάφνῃ μὲν πλοκαμῖδα Παλαίφατος ἔπρεπε μάντις
στεψάμενος, δόκεεν δὲ χέειν μαντώδεα φωνήν.

Ἡσίοδος δ᾿ Ἀσκραῖος ὀρειάσιν εἴδετο Μούσαις
φθεγγόμενος, χαλκὸν δὲ βιάζετο θυιάδι λύσσῃ,
ἔνθεον ἱμείρων ἀνάγειν μέλος. ἐγγύθι δ᾿ αὐτοῦ   40
μαντιπόλος πάλιν ἄλλος ἔην φοιβηΐδι δάφνῃ

deliberating ; his puckered face indicated that he was solving some doubtful problem, while his mobile eyes revealed his collected mind.

Demosthenes

AND the trumpet-speaker of the Paeanians[1] stood there conspicious, the sage father of well-sounding eloquence, who erst in Athens set alight the wise torch of entrancing Persuasion. He did not seem to be resting, but his mind was in action and he seemed to be revolving some subtle plan, even as when he had sharpened his wit against the warlike Macedonians. Fain would he have let escape in his anger the torrent of his speech, endowing his dumb statue with voice, but Art kept him fettered under the seal of her brazen silence.

Euripides

THERE stood he who bears the name of the Euripus, and methought he was conversing secretly in his heart with the Tragic Muses, reflecting on the virtue of Chastity ; for he looked even as if he were shaking the thyrsus on the Attic stage.

Palaephatus

PALAEPHATUS the prophet stood forth, his long hair crowned with laurel, and he seemed to be pouring forth the voice of prophecy.

Hesiod, Polyidus, and Simonides

HESIOD of Ascra seemed to be calling to the mountain Muses, and in his divine fury he did violence to the bronze by his longing to utter his inspired verse. And near him stood another pro-

[1] The deme to which Demosthenes belonged.

κοσμηθεὶς Πολύειδος· ἀπὸ στομάτων δὲ τινάξαι
ἤθελε μὲν κελάδημα θεοπρόπον· ἀλλά ἑ τέχνη
δεσμῷ ἀφωνήτῳ κατερήτυεν. οὐδὲ σὺ μολπῆς
εὔνασας ἁβρὸν ἔρωτα, Σιμωνίδη, ἀλλ' ἔτι χορδῆς 45
ἱμείρεις, ἱερὴν δὲ λύρην οὐ χερσὶν ἀράσσεις.
ὤφελεν ὁ πλάσσας σε, Σιμωνίδη, ὤφελε χαλκῷ
συγκεράσαι μέλος ἡδύ· σὲ δ' ἂν καὶ χαλκὸς ἀναυδὴς
αἰδόμενος, ῥυθμοῖσι λύρης ἀντήχεε μολπήν.

Ἢν μὲν Ἀναξιμένης νοερὸς σοφός· ἐν δὲ μενοινῇ 50
δαιμονίης ἐλέλιζε νοήματα ποικίλα βουλῆς.

Θεστορίδης δ' ἄρα μάντις ἐΰσκοπος ἵστατο Κάλχας,
οἷά τε θεσπίζων, ἐδόκει δέ τε θέσφατα κεύθειν,
ἢ στρατὸν οἰκτείρων Ἑλλήνιον, ἢ ἔτι θυμῷ
δειμαίνων βασιλῆα πολυχρύσοιο Μυκήνης. 55

Δέρκεό μοι σκύμνον πτολιπόρθιον Αἰακιδάων,
Πύρρον Ἀχιλλείδην, ὅσον ἤθελε χερσὶν ἑλίσσειν
τεύχεα χαλκήεντα, τὰ μή οἱ ὤπασε τέχνη·
γυμνὸν γάρ μιν ἔτευξεν· ὁ δ' ὑψόσε φαίνετο λεύσσων,
οἷά περ ἠνεμόεσσαν ἐς Ἴλιον ὄμμα τιταίνων. 60

Ἧστο δ' Ἀμυμώνη ῥοδοδάκτυλος· εἰσοπίσω μὲν
βόστρυχον ἀκρήδεμνον ἑῆς συνέεργεν ἐθείρης·
γυμνὸν δ' εἶχε μέτωπον· ἀναστέλλουσα δ' ὀπωπὰς
εἰνάλιον σκοπίαζε μελαγχαίτην παρακοίτην.
ἐγγύθι δ' εὐρύστερνος ἐφαίνετο Κυανοχαίτης 65
γυμνὸς ἐών, πλόκαμον δὲ καθειμένον εἶχεν ἐθείρης,

62

phet, Polyidus, crowned with the laurel of Phoebus, eager to break into prophetic song, but restrained by the gagging fetter of the artist. Nor hadst thou, Simonides, laid to rest thy tender love, but still dost yearn for the strings; yet hast thou no sacred lyre to touch. He who made thee, Simonides, should have mixed sweet music with the bronze, and the dumb bronze had reverenced thee, and responded to the strains of thy lyre.

Anaximenes

ANAXIMENES the wise philosopher was there, and in deep absorption he was revolving the subtle thoughts of his divine intellect.

Calchas

AND Calchas, son of Thestor, stood there, the clear-sighted prophet, as if prophesying, and he seemed to be concealing his message, either pitying the Greek host or still dreading the king of golden Mycenae.

Pyrrhus

LOOK on the cub of the Aeacidae, Pyrrhus the son of Achilles the sacker of cities, how he longed to handle the bronze weapons that the artist did not give him; for he had wrought him naked : he seemed to be gazing up, as if directing his eyes to wind-swept Ilion.

Amymone and Poseidon

THERE sat rosy-fingered Amymone. She was gathering up her unfilleted hair behind, while her face was unveiled, and with upturned glance she was gazing at her black-haired lord the Sea-King. For near her stood Poseidon, naked, with flowing hair,

καὶ διερὸν δελφῖνα προΐσχετο, χειρὶ κομίζων
δῶρα πολυζήλοιο γάμων μνηστήρια κούρης.

Πιερικὴ δὲ μέλισσα λιγύθροος ἕζετο Σαπφὼ
Λεσβιάς, ἠρεμέουσα· μέλος δ' εὔυμνον ὑφαίνειν   70
σιγαλέαις δοκέεσκεν ἀναψαμένη φρένα Μούσαις.

Φοῖβος δ' εἱστήκει τριποδηλάλος· ἦν δ' ἄρα χαίτης
εἰσοπίσω σφίγξας ἄδετον πλόκον· ἀλλ' ἐνὶ χαλκῷ
γυμνὸς ἔην, ὅτι πᾶσιν ἀνειρομένοισιν Ἀπόλλων
γυμνῶσαι δεδάηκεν ἀληθέα δήνεα Μοίρης,   75
ἢ ὅτι πᾶσιν ὁμῶς ἀναφαίνεται· ἠέλιος γὰρ
Φοῖβος ἄναξ, καθαρὴν δὲ φέρει τηλέσκοπον αἴγλην.

Ἄγχι δὲ Κύπρις ἔλαμπεν· ἔλειβε δὲ νώροπι χαλκῷ
ἀγλαΐης ῥαθάμιγγας· ἀπὸ στέρνοιο δὲ γυμνὴ
φαίνετο μέν, φᾶρος δὲ συνήγαγεν ἄντυγι μηρῶν,   80
χρυσείη πλοκαμῖδας ὑποσφίγξασα καλύπτρῃ.

Κλεινιάδην δὲ τέθηπα, περιστίλβοντα νοήσας
ἀγλαΐῃ· χαλκῷ γὰρ ἀνέπλεκε κάλλεος αὐγήν,
τοῖος ἐών, οἷός περ ἐν Ἀτθίδι, μητέρι μύθων,
ἀνδράσι Κεκροπίδῃσι πολύφρονα μῆτιν ἐγείρων.   85

Χρύσης δ' αὖθ' ἱερεὺς πέλας ἵστατο, δεξιτερῇ μὲν
σκῆπτρον ἀνασχόμενος Φοιβήιον, ἐν δὲ καρήνῳ
στέμμα φέρων· μεγέθει δὲ κεκασμένος ἔπρεπε μορφῆς,
οἷά περ ἡρώων ἱερὸν γένος· ὡς δοκέω δέ,

holding out to her a dripping dolphin, bringing a suitor's gifts for the hand of the much-sought maiden.

Sappho

AND the clear-toned Pierian bee sat there at rest, Sappho of Lesbos. She seemed to be weaving some lovely melody, with her mind devoted to the silent Muses.

Apollo

THERE stood Phoebus who speaketh from the tripod. He had bound up behind his loosely flowing hair. In the bronze he was naked, because Apollo knoweth how to make naked to them who enquire of him the true decrees of Fate, or because he appeareth to all alike, for King Phoebus is the Sun and his pure brilliancy is seen from far.

Aphrodite

AND near shone Cypris, shedding drops of beauty on the bright bronze. Her bust was naked, but her dress was gathered about her rounded thighs and she had bound her hair with a golden kerchief.

Alcibiades

AND I marvelled at the son of Cleinias, seeing him glistening with glory, for he had interwoven with the bronze the rays of his beauty. Such was he as when in Attica, the mother of story, he awoke wise counsel.

Chryses

NEAR him stood the priest Chryses, holding in his right hand the sceptre of Phoebus and wearing on his head a fillet. Of surpassing stature was he, as being one of the holy race of heroes. Methinks

65

'Ατρείδην ἱκέτευε· βαθὺς δέ οἱ ἤνθεε πώγων,   90
καὶ ταναῆς ἄπλεκτος ἐσύρετο βότρυς ἐθείρης.

Καῖσαρ δ' ἐγγὺς ἔλαμπεν 'Ιούλιος, ὅς ποτε 'Ρώμην
ἀντιβίων ἔστεψεν ἀμετρήτοισι βοείαις.
αἰγίδα μὲν βλοσυρῶπιν ἐπωμαδὸν ἦεν ἀείρων,
δεξιτερῇ δὲ κεραυνὸν ἀγάλλετο χειρὶ κομίζων,   95
οἷα Ζεὺς νέος ἄλλος ἐν Αὐσονίοισιν ἀκούων.

Εἱστήκει δὲ Πλάτων θεοείκελος, ὁ πρὶν 'Αθήναις
δείξας κρυπτὰ κέλευθα θεοκράντων ἀρετάων.

"Αλλην δ' εὐπατέρειαν ἴδον χρυσῆν 'Αφροδίτην,
γυμνὴν παμφανόωσαν· ἐπὶ στέρνων δὲ θεαίνης   100
αὐχένος ἐξ ὑπάτοιο χυθεὶς ἐλελίζετο κεστός.

"Ιστατο δ' 'Ερμαφρόδιτος ἐπήρατος, οὔθ' ὅλος ἀνήρ,
οὐδὲ γυνή· μικτὸν γὰρ ἔην βρέτας· ἢ τάχα κοῦρον
Κύπριδος εὐκόλποιο καὶ 'Ερμάωνος ἐνίψεις·
μαζοὺς μὲν σφριγόωντας ἐδείκνυεν, οἷά τε κούρῃ·   105
σχῆμα δὲ πᾶσιν ἔφαινε φυτοσπόρον ἄρσενος αἰδοῦς,
ξυνῆς ἀγλαΐης κεκερασμένα σήματα φαίνων.

Παρθενικὴ δ' "Ηριννα λιγύθροος ἕζετο κούρη,
οὐ μίτον ἀμφαφόωσα πολύπλοκον, ἀλλ' ἐνὶ σιγῇ
Πιερικῆς ῥαθάμιγγας ἀποσταλάουσα μελίσσης.   110
66

he was imploring Agamemnon. His thick beard bloomed in abundance, and down his back trailed the clusters of his unplaited hair.

Julius Caesar

NEAR him shone forth Julius, who once adorned Rome with innumerable shields of her foes. He wore on his shoulders a grisly-faced aegis, and carried exulting in his right hand a thunder-bolt, as one bearing in Italy the title of a second Zeus.

Plato

THERE stood god-like Plato, who erst in Athens revealed the secret paths of heaven-taught virtue.

Aphrodite

AND another high-born Aphrodite I saw all of gold, naked, all glittering; and on the breast of the goddess, hanging from her neck, fell in coils the flowing cestus.

Hermaphroditus

THERE stood lovely Hermaphroditus, nor wholly a man, nor wholly a woman, for the statue was of mixed form: readily couldst thou tell him to be the son of fair-bosomed Aphrodite and of Hermes. His breasts were swelling like a girl's, but he plainly had the procreative organs of a man, and he showed features of the beauty of both sexes.

Erinna

THE clear-voiced maiden Erinna sat there, not plying the involved thread, but in silence distilling drops of Pierian honey.

Μήτε λίπῃς Τέρπανδρον ἐύθροον, οὗ τάχα φαίης
ἔμπνοον, οὐκ ἄφθογγον ἰδεῖν βρέτας· ὡς γὰρ ὀίω,
κινυμέναις πραπίδεσσιν ἀνέπλεκε μύστιδα μολπήν,
ὡς ποτε δινήεντος ἐπ᾽ Εὐρώταο ῥοάων
μυστιπόλῳ φόρμιγγι κατεπρήυνεν ἀείδων   115
ἀγχεμάχων κακότητας Ἀμυκλαίων ναετήρων.

Ἡγασάμην δ᾽ ὁρόων σε, Περίκλεες, ὅττι καὶ αὐτῷ
χαλκῷ ἀναυδήτῳ δημηγόρον ἦθος ἀνάπτεις,
ὡς ἔτι Κεκροπίδῃσι θεμιστεύων πολιήταις,
ἢ μόθον ἐντύνων Πελοπήιον. ἱστάμενος δὲ   120
ἔπρεπε Πυθαγόρας, Σάμιος σοφός, ἀλλ᾽ ἐν Ὀλύμπῳ
ἐνδιάειν ἐδόκευε, φύσιν δ᾽ ἐβιάζετο χαλκοῦ,
πλημμύρων νοερῇσι μεληδόσιν· ὡς γὰρ ὀίω,
οὐρανὸν ἀχράντοισιν ἐμέτρεε μοῦνον ὀπωπαῖς.

Στησίχορον δ᾽ ἐνόησα λιγύθροον, ὅν ποτε γαῖα   125
Σικελικὴ μὲν ἔφερβε, λύρης δ᾽ ἐδίδαξεν Ἀπόλλων
ἁρμονίην, ἔτι μητρὸς ἐνὶ σπλάγχνοισιν ἐόντα·
τοῦ γὰρ τικτομένοιο καὶ ἐς φάος ἄρτι μολόντος
ἔκποθεν ἠερόφοιτος ἐπὶ στομάτεσσιν ἀηδὼν
λάθρη ἐφεζομένη λιγυρὴν ἀνεβάλλετο μολπήν.   130

Χαῖρέ μοι Ἀβδήρων Δημόκριτε κῦδος ἀρούρης,
ὅττι σὺ καλλιτόκοιο φυῆς ἐφράσσαο θεσμούς,
λεπτὰ διακρίνων πολυΐδμονος ὄργια Μούσης·
αἰεὶ δὲ σφαλερὰς ἐγέλας βιότοιο κελεύθους,
εὖ εἰδὼς ὅτι πάντα γέρων παραμείβεται αἰών.   135

BOOK II

Terpander

PASS not over sweet-voiced Terpander, whose image thou wouldst say was alive, not dumb; for, as it seemed to me, he was composing, with deeply stirred spirit, the mystic song; even as once by the eddying Eurotas he soothed, singing to his consecrated lyre, the evil spite of Sparta's neighbour-foes of Amyclae.

Pericles and Pythagoras

I MARVELLED beholding thee, Pericles, that even in the dumb brass thou kindlest the spirit of thy eloquence, as if thou didst still preside over the citizens of Athens, or prepare the Peloponnesian War. There stood, too, Pythagoras the Samian sage, but he seemed to dwell in Olympus, and did violence to the nature of the bronze, overflowing with intellectual thought, for methinks with his pure eyes he was measuring Heaven alone.

Stesichorus

THERE saw I clear-voiced Stesichorus, whom of old the Sicilian land nurtured, to whom Apollo taught the harmony of the lyre while he was yet in his mother's womb. For but just after his birth a creature of the air, a nightingale from somewhere, settled secretly on his lips and struck up its clear song.

Democritus

HAIL, Democritus, glory of the land of Abdera; for thou didst explore the laws of Nature, the mother of beautiful children, discerning the subtle mysteries of the Muse of Science : and ever didst thou laugh at the slippery paths of life, well aware that ancient Time outstrippeth all.

Ἡρακλέης δ᾽ ἀνίουλον ἐδείκνυε κύκλον ὑπήνης,
μῆλα λεοντοφόνῳ παλάμῃ χρύσεια κομίζων,
γαίης ὄλβια δῶρα Λιβυστίδος. ἐγγύθι δ᾽ αὐτοῦ
Παλλάδος ἀρήτειρα παρίστατο, παρθένος Αὔγη,
φᾶρος ἐπιστείλασα κατωμαδόν· οὐ γὰρ ἐθείρας   140
κρηδέμνῳ συνέεργεν· ἑὰς δ᾽ ἀνετείνετο χεῖρας,
οἷά τε κικλήσκουσα Διὸς γλαυκώπιδα κούρην,
Ἀρκαδικῆς Τεγέης ὑπὸ δειράδος. ἵλαθι, γαίης
Τρωιάδος βλάστημα σακεσπάλον, ἵλαθι, λάμπων
Αἰνεία Τρώων βουληφόρε· σαῖς γὰρ ὀπωπαῖς   14
ἀγλαΐης πνείουσα σοφὴ περιλείβεται αἰδώς,
θέσκελον ἀγγέλλουσα γένος χρυσῆς Ἀφροδίτης.

Ἠγασάμην δὲ Κρέουσαν ἰδὼν πενθήμονι κόσμῳ,
σύγγαμον Αἰνείαο κατάσκιον· ἀμφὶ γὰρ αὐταῖς
ἀμφοτέραις κρήδεμνον ἐφελκύσσασα παρειαῖς,   150
πάντα πέριξ ἐκάλυψε ποδηνεκέι χρόα πέπλῳ,
οἷά τε μυρομένη· τὰ δὲ χάλκεα δάκρυα νύμφης
Ἄρεϊ δουρίκτητον ἐμαντεύοντο τιθήνην,
Ἴλιον Ἀργείοισιν ἐελμένον ἀσπιδιώταις.

Οὔθ᾽ Ἕλενος κοτέων ἀπεπαύετο· πατρίδι νηλὴς   15
φαίνετο δινεύων ἔτι που χόλον· ἦν μὲν ἀείρων
δεξιτερῇ φιάλην ἐπιλοίβιον· ὡς δοκέω δέ,
ἐσθλὰ μὲν Ἀργείοις μαντεύετο, καδδὲ τιθήνης
ἀθανάτοις ἠρᾶτο πανύστατα πήματα φαίνειν.

Ἀνδρομάχη δ᾽ ἔστηκε ῥοδόσφυρος Ἠετιώνη,   16
οὔτι γόον σταλάουσα πολύστονον· ὡς γὰρ ὀίω,
οὔπω ἐνὶ πτολέμῳ κορυθαίολος ἤριπεν Ἕκτωρ,
οὐδὲ φερεσσακέων ὑπερήνορες υἷες Ἀχαιῶν
Δαρδανίην ξύμπασαν ἐληίσσαντο τιθήνην.

BOOK II

Heracles, Auge and Aeneas

HERACLES, no down yet visible on the circle of his chin, was holding in the hand that had slain the lion the golden apples, rich fruit of the Libyan land, and by him stood the priestess of Pallas, the maiden Auge, her mantle thrown over her head and shoulders, for her hair was not done up with a kerchief. Her hands were uplifted as if she were calling on the grey-eyed daughter of Zeus [1] under the hill of Tegea. Hail! warrior son of Troy, glittering counsellor of the Trojans, Aeneas! for wise modesty redolent of beauty is shed on thy eyes, proclaiming thee the divine son of golden Aphrodite.

Creusa

AND I wondered looking on Creusa, the wife of Aeneas, overshadowed in mourning raiment. She had drawn her veil over both her cheeks, her form was draped in a long gown, as if she were lamenting, and her bronze tears signified that Troy, her nurse, was captive after its siege by the Greek warriors.

Helenus

NOR did Helenus cease from wrath, but seemed pitiless to his country, still stirring his wrath. In his right hand he raised a cup for libations, and I deem he was foretelling good to the Greeks and praying to the gods to bring his nurse to the extremity of woe.

Andromache

AND Andromache, the rosy-ankled daughter of Eetion, stood there not weeping or lamenting, for not yet, I deem, had Hector with the glancing helm fallen in the war, nor had the exultant sons of the shield-bearing Greeks laid waste entirely her Dardan nurse.

[1] Athene.

Ἦν δ' ἐσιδεῖν Μενέλαον ἀρήϊον, ἀλλ' ἐπὶ νίκῃ 10
γηθόσυνον· σχεδόθεν γὰρ ἐθάλπετο χάρματι πολλῷ
δερκόμενος ῥοδόπηχυν ὁμόφρονα Τυνδαρεώνην.
ἠγασάμην δ' Ἑλένης ἐρατὸν τύπον, ὅττι καὶ αὐτῷ
χαλκῷ κόσμον ἔδωκε πανίμερον· ἀγλαΐῃ γὰρ
ἔπνεε θερμὸν ἔρωτα καὶ ἀψύχῳ ἐνὶ τέχνῃ. 12

Πυκναῖς δὲ πραπίδεσσιν ἀγάλλετο δῖος Ὀδυσσεύς·
οὐ γὰρ ἔην ἀπάνευθε πολυστρέπτοιο μενοινῆς,
ἀλλ' ἔτι κόσμον ἔφαινε σοφῆς φρενός· ἦν δ' ἐνὶ θυμῷ
καγχαλόων· Τροίην γὰρ ἐγήθεε πᾶσαν ὀλέσσας
ᾗσι δολοφροσύνῃσι. σὺ δ' Ἕκτορος ἔννεπε μῆτερ, 17
τίς σε, πολυτλήμων Ἑκάβη, τίς δάκρυα λείβειν
ἀθανάτων ἐδίδαξεν ἀφωνήτῳ ἐνὶ κόσμῳ;
οὐδέ σε χαλκὸς ἔπαυσεν ὀϊζύος, οὐδέ σε τέχνη
ἄπνοος οἰκτείρασα δυσαλθέος ἔσχεθε λύσσης·
ἀλλ' ἔτι δακρυχέουσα παρίστασαι· ὡς δὲ δοκεύω, 18
οὐκέτι δυστήνου μόρον Ἕκτορος, οὐδὲ ταλαίνης
Ἀνδρομάχης βαρὺ πένθος ὀδύρεαι, ἀλλὰ πεσοῦσαν
πατρίδα σήν· φᾶρος γὰρ ἐπικρεμὲς ἀμφὶ προσώπῳ
πήματα μὲν δείκνυσιν, ἀπαγγέλλουσι δὲ πέπλοι
πένθος ὑποβρύχιον κεχαλασμένοι ἄχρι πεδίλων· 18
ἄλγεϊ γὰρ πυμάτῳ δέδεσαι φρένα, καδδὲ παρειῆς
δάκρυα μὲν σταλάεις, τὸ δὲ δάκρυον ἔσβεσε τέχνη,
ἄπλετον ἀγγέλλουσα δυσαλθέος αὐχμὸν ἀνίης.

Κασσάνδρην δ' ἐνόησα θεοπρόπον, ἀλλ' ἐνὶ σιγῇ
μεμφομένη γενετῆρα, σοφῆς ἀνεπίμπλατο λύσσης, 19
οἷά τε θεσπίζουσα πανύστατα πήματα πάτρης.

BOOK II

Menelaus and Helen

THERE one might see Menelaus warlike, but re-
joicing in the victory, for his heart was warmed with
great joy, as he saw near him rosy-armed Helen
reconciled. I marvelled at her lovely image, that
gave the bronze a grace most desirable, for her
beauty even in that soulless work breathed warm
love.

Ulysses and Hecuba

GOODLY Ulysses was rejoicing in his wily mind, for
he was not devoid of his versatile wits, but still
wore the guise of subtlety. And he was laughing in
his heart, for he gloried in having laid Troy low by
his cunning. But do thou tell me, mother of Hector,
unhappy Hecuba, which of the immortals taught
thee to shed tears in this thy dumb presentment?
Not even the bronze made thee cease from wail-
ing, nor did lifeless Art have pity on thee and stop
thee from thy irremediable fury; but still thou
standest by weeping, and, as I guess, no longer dost
thou lament the death of unhappy Hector or the
deep grief of poor Andromache, but the fall of thy
city; for thy cloak drawn over thy face indicates
thy sorrow, and thy gown ungirt and descending to
thy feet announces the mourning thou hast within.
Extreme anguish hath bound thy spirit, the tears ran
down thy cheeks, but Art hath dried them, pro-
claiming how searching is the drought of thy in-
curable woe.

Cassandra

THERE saw I the prophetess Cassandra, who,
blaming her father in silence, seemed filled with
prescient fury as if prophesying the last woes of
her city.

Πύρρος δ' ἄλλος ἔην πτολιπόρθιος· οὐκ ἐπὶ χαίτης
ἱππόκομον τρυφάλειαν ἔχων, οὐκ ἔγχος ἑλίσσων,
ἀλλ' ἄρα γυμνὸς ἔλαμπε, καὶ ἄχνοον εἶχεν ὑπήνην·
δεξιτερὴν δ' ἀνέτεινεν ἑήν, ἐπιμάρτυρα νίκης,   19
λοξὰ Πολυξείνην βαρυδάκρυον ὄμματι λεύσσων.
εἰπέ, Πολυξείνη δυσπάρθενε, τίς τοι ἀνάγκη
χαλκῷ ἐν ἀφθόγγῳ κεκρυμμένα δάκρυα λείβειν;
πῶς δὲ τεῷ κρήδεμνον ἐπειρύσσασα προσώπῳ
ἵστασαι, αἰδομένη μὲν ἀλίγκιος, ἀλλ' ἐνὶ θυμῷ   20
πένθος ἔχεις; μὴ δή σε τεὸν πτολίεθρον ὀλέσσας
ληΐδα Πύρρος ἔχοι Φθιώτιος; οὐδέ σε μορφὴ
ῥύσατο τοξεύσασα Νεοπτολέμοιο μενοινήν,
ἤ ποτε θηρεύσασα τεοῦ γενετῆρα φονῆος
εἰς λίνον αὐτοκέλευστον ἀελπέος ἦγεν ὀλέθρου.   20
ναὶ μὰ τὸν ἐν χαλκῷ νοερὸν τύπον, εἴ νύ τε τοίην
ἔδρακε Πύρρος ἄναξ, τάχα κεν ξυνήονα λέκτρων
ἤγετο, πατρῴης προλιπὼν μνημήϊα μοίρης.

Ἡγασάμην δ' Αἴαντα, τὸν ὀβριμόθυμος Ὀϊλεὺς
Λοκρίδος ἐσπέρμηνε πελώριον ἕρκος ἀρούρης.   21
φαίνετο μὲν νεότητι κεκασμένος· οὐδὲ γὰρ ἦεν
ἄνθεϊ λαχνήεντι γενειάδος ἄκρα χαράξας·
γυμνὸν δ' εἶχεν ἅπαν στιβαρὸν δέμας· ἠνορέη δὲ
βεβριθὼς ἐλέλιζε μαχήμονος οἶστρον Ἐνυοῦς.

Οἰνώνη δὲ χόλῳ φρένας ἔζεεν, ἔζεε πικρῷ   2
ζήλῳ θυμὸν ἔδουσα, Πάριν δ' ἐδόκευε λαθοῦσα
ὄμματι μαινομένῳ· κρυφίην δ' ἤγγειλεν ἀπειλήν,
δεξιτερῇ βαρύποτμον ἀναινομένη παρακοίτην.
αἰδομένῳ μὲν ἔοικεν ὁ βουκόλος, εἶχε δ' ὀπωπὴν

74

BOOK II

Pyrrhus and Polyxena

HERE was another Pyrrhus, sacker of cities, not wearing on his locks a plumed helmet or shaking a spear, but naked he glittered, his face beardless, and raising his right hand in testimony of victory he looked askance on weeping Polyxena. Tell me, Polyxena, unhappy virgin, what forces thee to shed hidden tears now thou art of mute bronze, why dost thou draw thy veil over thy face, and stand like one ashamed, but sorry at heart? Is it for fear lest Pyrrhus of Phthia won thee for his spoil after destroying thy city? Nor did the arrows of thy beauty save thee—thy beauty which once entrapped his father, leading him of his own will into the net of unexpected death. Yea, by thy brazen image I swear had Prince Pyrrhus seen thee as thou here art, he would have taken thee to wife and abandoned the memory of his father's fate.

Locrian Ajax

AND at Ajax I marvelled, whom valorous Oïleus begat, the huge bulwark of the Locrian land. He seemed in the flower of youth, for the surface of his chin was not yet marked with the bloom of hair. His whole well-knit body was naked, but weighty with valour he wielded the goad of war.

Oenone and Paris

OENONE was boiling over with anger—boiling, eating out her heart with bitter jealousy. She was furtively watching Paris with her wild eyes and conveyed to him secret threats, spurning her ill-fated lord with her right hand. The cowherd seemed

75

πλαζομένην ἑτέρωσε δυσίμερος· αἴδετο γάρ που
Οἰνώνην βαρύδακρυν ἰδεῖν, Κεβρηνίδα νύμφην.

Αὐαλέῳ δὲ Δάρης ἐζώννυτο χεῖρας ἱμάντι,
πυγμαχίης κήρυκα φέρων χόλον· ἠνορέης δὲ
ἔπνεε θερμὸν ἄημα πολυστρέπτοισιν ὀπωπαῖς.
Ἔντελλος δέ, Δάρητος ἐναντίον ὄμμα τιταίνων,
γυιοτόρους μύρμηκας ἐμαίνετο χερσὶν ἑλίσσων·
πυγμαχίης δ᾽ ὤδινε φόνον διψῶσαν ἀπειλήν.

Ἦν δὲ παλαισμοσύνην δεδαημένος ὄβριμος ἀνήρ·
εἰ δὲ Φίλων ἤκουε πελώριος, εἴτε Φιλάμμων,
εἴτε Μίλων Σικελῆς ἔρυμα χθονός, οἶδεν Ἀπόλλων·
οὐ γὰρ ἐγὼ δεδάηκα διακρῖναι καὶ ἀεῖσαι
οὔνομα θαρσαλέου κλυτὸν ἄνερος, ἀλλὰ καὶ ἔμπης
ἔπνεεν ἠνορέης· λάσιος δέ οἱ εἵλκετο πώγων,
καὶ φόβον ἠκούτιζον ἀεθλητῆρα παρειαί,
καὶ κεφαλῆς ἔφρισσον ἐθειράδες· ἀμφὶ δὲ πυκνοῖς
μυῶνες μελέεσσιν ἀνοιδαίνοντο ταθέντες
τρηχαλέοι, δοιοὶ δέ, συνισταμένων παλαμάων,
εὐρέες ἐσφήκωντο βραχίονες, ἠΰτε πέτραι,
καὶ παχὺς ἀλκήεντι τένων ἐπανίστατο νώτῳ,
αὐχένος εὐγνάμπτοιο περὶ πλατὺν αὐλὸν ἀνέρπων.

Δέρκεό μοι Χαρίδημον, ὃς Ἀτθίδος ἡγεμονεύων
Κεκροπίδην στρατὸν εἶχεν ἑῆς πειθήμονα βουλῆς.

Ἦ κεν ἰδὼν ἀγάσαιο Μελάμποδα· μαντιπόλου
   μὲν
ἱερὸν εἶδος ἔφαινεν, ἔοικε δὲ θέσπιδος ὀμφῆς
σιγηλοῖς στομάτεσσι θεοπρόπον ἆσθμα τιταίνων.

76

2

2

23

23

24

245

ashamed, and he was looking the other way, unfortunate lover, for he feared to look on Oenone in tears, his bride of Kebrene.

Dares, Entellus

DARES was fastening on his hands his leather boxing-straps and arming himself with wrath, the herald of the fight; with mobile eyes he breathed the hot breath of valour. Entellus opposite gazed at him in fury, handling too the cestus that pierceth the flesh, his spirit big with blood-thirsty menace.

A Wrestler

AND there was a strong man skilled in wrestling, Apollo knows if his name were Philo or Philammon, or Milo, the bulwark of Sicily; for I could not learn it to tell you, the famous name of this man of might; but in any case he was full of valour. He had a shaggy trailing beard, and his face proclaimed him one to be feared in the arena. His locks were fretful, and the hard stretched muscles of his sturdy limbs projected, and when his fists were clenched his two thick arms were as firm as stone. On his robust back stood out a powerful muscle running up on each side of the hollow of his flexible neck.

Charidemas

LOOK, I beg, on Charidemus the Attic chief, who had their army under his command.

Melampus

AND thou wouldst marvel looking on Melampus: he bore the holy semblance of a prophet, and with his silent lips he seemed to be breathing intensely the divine breath of inspiration.

Πάνθοος ἦν Τρώων βουληφόρος, ἀλλ' ἔτι δεινὴν
οὔπω μῆτιν ἔπαυσε κατ' Ἀργείων στρατιάων.
δημογέρων δὲ νόημα πολύπλοκον εἶχε Θυμοίτης
ἀμφασίης πελάγεσσιν ἐελμένος· ἦ γὰρ ἐῴκει
σκεπτομένῳ τινὰ μῆτιν ἔτι Τρώεσσιν ὑφαίνειν.
Λάμπων δ' ἀχνυμένῳ ἐναλίγκιος ἦεν ἰδέσθαι·
οὐ γὰρ ἔτι φρεσὶν εἶχε κυλινδομένοιο κυδοιμοῦ
τειρομένοις Τρώεσσι τεκεῖν παιήονα βουλήν.
εἱστήκει Κλυτίος μὲν ἀμήχανος· εἶχε δὲ δοιὰς
χεῖρας ὁμοπλεκέας, κρυφίης κήρυκας ἀνίης.

Χαῖρε φάος ῥήτρης Ἰσόκρατες, ὅττι σὺ χαλκῷ
κόσμον ἄγεις· δοκέεις γὰρ ἐπίφρονα μήδεα φαίνειν,
εἰ καὶ ἀφωνήτῳ σε πόνῳ χαλκεύσατο τέχνη.

Ἔστενε δ' Ἀμφιάρηος ἔχων πυριλαμπέα χαίτην
στέμματι δαφναίῳ· κρυφίην δ' ἐλέλιζεν ἀνίην,
θεσπίζων, ὅτι πᾶσι βοόκτιτος ἀνδράσι Θήβῃ
ἀνδράσιν Ἀργείοισιν ὑπότροπον ἦμαρ ὀλέσσει.

Ἄγλαος εἱστήκει χρησμηγόρος, ὅντινα φασὶν
μαντιπόλου γενετῆρα θεοφραδέος Πολυείδου·
εὐπετάλῳ δὲ κόμας ἐστεμμένος ἔπρεπε δάφνῃ.

Εἶδον ἀκερσεκόμην Ἕκατον θεόν, εἶδον ἀοιδῆς
κοίρανον, ἀδμήτοισι κεκασμένον ἄνθεσι χαίτην·
εἶχε γὰρ ἀμφοτέροισι κόμης μεμερισμένον ὤμοις
βόστρυχον αὐτοέλικτον· ἔλισσε δὲ μάντιν ὀπωπήν,
οἷά τε μαντοσύνῃ μεροπήϊα πήματα λύων.

2

25

26

265

270

78

BOOK II

Panthous, Thymoetes, Lampon, and Clytius

THERE was Panthous the Trojan senator; he had not yet ceased from menacing the safety of the Greeks. And Thymoetes the counsellor was thinking of some elaborate plan, plunged in the sea of silence. Verily he seemed to be yet meditating some design to help the Trojans. Lampon was like one vexed; for his mind had no more the power of giving birth to healing counsel to keep off from the sore-worn Trojans the wave of war that was to overwhelm them. Clytius stood at a loss, his clasped hands heralding hidden trouble.

Isocrates

HAIL, Isocrates, light of rhetoric! For thou adornest the bronze, seeming to be revealing some wise counsels even though thou art wrought of mute brass.

Amphiaraus

AMPHIARAUS, his fiery hair crowned with laurel, was sighing, musing on a secret sorrow, foreseeing that Thebes, founded where lay the heifer, shall be the death of the Argives' home-coming.

Aglaus

THE prophet Aglaus stood there, who, they say, was the father of the inspired seer Polyidus: he was crowned with leafy laurel.

Apollo

THERE I saw the far-shooter with unshorn hair, I saw the lord of song, his head adorned with locks that bloomed in freedom: for a naturally-curling tress hung on each shoulder. He rolled his prophetic eyes as if he were freeing men from trouble by his oracular power.

79

Γυμνὸς δ' ὀβριμόθυμος ἔην Τελαμώνιος Αἴας,
μήπω πρῶτον ἴουλον ἔχων· ἐκέκαστο δὲ μορφῆς
ἄνθεσι πατρῴης· πλοκάμους δ' ἐσφίγγετο μίτρῃ
οὐ γὰρ ἔην τρυφάλειαν ἔχων, οὐκ ἔγχος ἑλίσσων,
οὐ σάκος ἑπταβόειον ἐπωμαδόν, ἀλλὰ τοκῆος   27
θαρσαλέην ἀνέφαινεν ἀγηνορίην Τελαμῶνος.

Ἵστατο Σαρπηδών, Λυκίων πρόμος· ἠνορέη μὲν
φρικτὸς ἔην· ἁπαλοῖς δὲ νεοτρεφέεσσιν ἰούλοις
οἴνοπος ἄκρα χάρασσε γενειάδος· ἀμφὶ δὲ χαίταις
εἶχε κόρυν· γυμνὸς μὲν ἔην δέμας, ἀλλ' ἐνὶ μορφῇ   28
σπέρμα Διὸς σήμαινεν· ἀπ' ἀμφοτέρης γὰρ ὀπωπῆς
μαρμαρυγὴν ἀπέπεμπεν ἐλευθερίου γενετῆρος.

Καὶ τρίτος εὐχαίτης τριποδηλάλος ἦεν Ἀπόλλων,
καλὸς ἰδεῖν· πλόκαμος γὰρ ἕλιξ ἐπιδέδρομεν ὤμοις
ἀμφοτέροις· ἐρατὴ δὲ θεοῦ διεφαίνετο μορφή,   28
χαλκῷ κόσμον ἄγουσα· θεὸς δ' ἐτίταινεν ὀπωπήν,
οἷά τε μαντιπόλοισιν ἐπὶ τριπόδεσσι δοκεύων.

Καὶ τριτάτην θάμβησα πάλιν χρυσῆν Ἀφροδίτην,
φάρεϊ κόλπον ἔχουσαν ἐπίσκιον· ἀμφὶ δὲ μαζοῖς
κεστὸς ἕλιξ κεχάλαστο, χάρις δ' ἐνενήχετο κεστῷ.   290

Αἰχμητὴς δ' ἀνίουλος ἐλάμπετο δῖος Ἀχιλλεύς,
γυμνὸς ἐὼν σαγέων· ἐδόκευε μὲν ἔγχος ἑλίσσειν
δεξιτερῇ, σκαιῇ δὲ σάκος χαλκεῖον ἀείρειν,
σχήματι τεχνήεντι· μόθου δ' ἀπέπεμπεν ἀπειλὴν
θάρσεϊ τολμήεντι τεθηγμένος· αἱ γὰρ ὀπωπαὶ   295
γνήσιον ἦθος ἔφαινον ἀρήιον Αἰακιδάων.

BOOK II

Ajax

ALL naked was stout-hearted Telamonian Ajax, beardless as yet, the bloom of his native beauty all his ornament; his hair was bound with a diadem, for he wore not his helmet, and wielded no sword, nor was his seven-hide shield on his shoulders, but he exhibited the dauntless valour of his father Telamon.

Sarpedon

THERE stood Sarpedon, the Lycian leader; terrible was he in his might; his chin was just marked with tender down at the point. Over his hair he wore a helmet. He was nude, but his beauty indicated the parentage of Zeus, for from his eyes shone the light of a noble sire.

Apollo

NEXT was a third Apollo, the fair-haired speaker from the tripod, beautiful to see; for his curls fell over both his shoulders, and the lovely beauty of a god was manifest in him, adorning the bronze; his eyes were intent, as if he were gazing from his seat on the mantic tripod.

Aphrodite

AND here was a third Aphrodite to marvel at, her bosom draped: on her breasts rested the twisted cestus, and in it beauty swam.

Achilles

DIVINE Achilles was beardless and not clothed in armour, but the artist had given him the gesture of brandishing a spear in his right hand and of holding a shield in his left. Whetted by daring courage he seemed to be scattering the threatening cloud of battle, for his eyes shone with the genuine light of a son of Aeacus.

81

Ἦν δὲ καὶ Ἑρμείας χρυσόρραπις· ἱστάμενος δὲ
δεξιτερῇ πτερόεντος ἀνείρυε δεσμὰ πεδίλου,
εἰς ὁδὸν ἀΐξαι λελιημένος· εἶχε γὰρ ἤδη
δεξιὸν ὀκλάζοντα θοὸν πόδα, τῷ ἔπι λαιὴν   30
χεῖρα ταθεὶς ἀνέπεμπεν ἐς αἰθέρα κύκλον ὀπωπῆς,
οἷά τε πατρὸς ἄνακτος ἐπιτρωπῶντος ἀκούων.

Καὶ νοερῆς ἄφθεγκτα Λατινίδος ὄργια Μούσης
ἄζετο παπταίνων Ἀπολήϊος, ὅντινα μύστην
Αὐσονὶς ἀρρήτου σοφίης ἐθρέψατο Σειρήν.   30

Φοίβου δ' οὐρεσίφοιτος ὁμόγνιος ἵστατο κούρη
Ἄρτεμις, ἀλλ' οὐ τόξον ἑκηβόλον, οὐδὲ φαρέτρην
ἰοδόκην ἀνέχουσα κατωμαδόν· ἦν δ' ἐπὶ γούνων
παρθένιον λεγνωτὸν ἀναζωσθεῖσα χιτῶνα,
καὶ τριχὸς ἀκρήδεμνον ἀνιεμένη πλόκον αὔραις.   31

Ἔμφρονα χαλκὸν Ὅμηρος ἐδείκνυεν, οὔτε μενοινῆς
ἄμμορον, οὔτε νόου κεχρημένον, ἀλλ' ἄρα μούνης
φωνῆς ἀμβροσίης, ἀνέφαινε δὲ θυιάδα τέχνην.
ἦ καὶ χαλκὸν ἔχευσεν ὁμὴ θεὸς εἴδεϊ μορφῆς·
οὐ γὰρ ἐγὼ κατὰ θυμὸν ὀΐομαι ὅττι μιν ἀνὴρ   31
ἐργοπόνος χάλκευσε παρ' ἐσχαρεῶνι θαάσσων,
ἀλλ' αὐτὴ πολύμητις ἀνέπλασε χερσὶν Ἀθήνη
εἶδος ἐπισταμένη τόπερ ᾤκεεν· ἐν γὰρ Ὁμήρῳ
αὐτὴ ναιετάουσα σοφὴν ἐφθέγγετο μολπήν.
σύννομος Ἀπόλλωνι πατὴρ ἐμός, ἰσόθεος φὼς   32
ἵστατο θεῖος Ὅμηρος· ἔϊκτο μὲν ἀνδρὶ νοῆσαι
γηραλέῳ· τὸ δὲ γῆρας ἔην γλυκύ· τοῦτο γὰρ αὐτῷ

BOOK II

Hermes

THERE, too, was Hermes with his rod of gold. He was standing, but was tying with his right hand the lace of his winged shoe, eager to start on his way. His right leg was already bent, over it was extended his left hand and his face was upturned to the sky, as if he were listening to the orders of his father.[1]

Apuleius

APULEIUS was seated considering the unuttered secrets of the Latin intellectual Muse. Him the Italian Siren nourished, a devotee of ineffable wisdom.

Artemis

THERE stood maiden Artemis, the sister of Phoebus, who haunteth the mountains: but she carried no bow, no quiver on her back. She had girt up to her knees her maiden tunic with its rich border, and her unsnooded hair floated loose in the wind.

Homer

HOMER's statue seemed alive, not lacking thought and intellect, but only it would seem his ambrosial voice; the poetic frenzy was revealed in him. Verily some god cast the bronze and wrought this portrait; for I do not believe that any man seated by the forge was its smith, but that wise Athene herself wrought it with her hands, knowing the form which she once inhabited; for she herself dwelt in Homer and uttered his skilled song. The companion of Apollo, my father, the godlike being, divine Homer stood there in the semblance of an old man, but his old age was sweet, and shed more grace on him.

[1] See Reinach, *Répertoire*, i. p. 157, 1, n. 3.

πλειοτέρην ἔσταζε χάριν· κεκέραστο δὲ κόσμῳ
αἰδοίῳ τε φίλῳ τε· σέβας δ᾽ ἀπελάμπετο μορφῆς.
αὐχένι μὲν κύπτοντι γέρων ἐπεσύρετο βότρυς   32
χαίτης, εἰσοπίσω πεφορημένος, ἀμφὶ δ᾽ ἀκουὰς
πλαζόμενος κεχάλαστο· κάτω δ᾽ εὐρύνετο πώγων
ἀμφιταθείς, μαλακὸς δὲ καὶ εὔτροχος· οὐδὲ γὰρ ἦεν
ὀξυτενής, ἀλλ᾽ εὐρὺς ἐπέπτατο, κάλλος ὑφαίνων
στήθεϊ γυμνωθέντι καὶ ἱμερόεντι προσώπῳ.   33
γυμνὸν δ᾽ εἶχε μέτωπον, ἐπ᾽ ἁπλοκάμῳ δὲ μετώπῳ
ἧστο σαοφροσύνη κουροτρόφος· ἀμφὶ δ᾽ ἄρ᾽ ὀφρῦς
ἀμφοτέρας προβλῆτας εὔσκοπος ἔπλασε τέχνη,
οὔτι μάτην· φαέων γὰρ ἐρημάδες ἦσαν ὀπωπαί.
ἀλλ᾽ οὐκ ἦν ἀλαῷ ἐναλίγκιος ἀνδρὶ νοῆσαι·   33
ἕζετο γὰρ κενεοῖς χάρις ὄμμασιν· ὡς δὲ δοκεύω,
τέχνη τοῦτο τέλεσσεν, ὅπως πάντεσσι φανείη
φέγγος ὑπὸ κραδίην σοφίης ἄσβεστον ἀείρων.
δοιαὶ μὲν ποτὶ βαιὸν ἐκοιλαίνοντο παρειαί,
γήραϊ ῥικνήεντι κατάσχετοι· ἀλλ᾽ ἐνὶ κείναις   34
αὐτογενής, Χαρίτεσσι συνέστιος, ἵζανεν Αἰδώς·
Πιερικὴ δὲ μέλισσα περὶ στόμα θεῖον ἀλᾶτο,
κηρίον ὠδίνουσα μελισταγές. ἀμφοτέρας δὲ
χεῖρας ἐπ᾽ ἀλλήλαισι τιθεὶς ἐπερείδετο ῥάβδῳ,
οἷά περ ἐν ζωοῖσιν· ἐὴν δ᾽ ἔκλινεν ἀκουὴν   34
δεξιτερήν, δόκεεν δὲ καὶ Ἀπόλλωνος ἀκούειν,
ἢ καὶ Πιερίδων τινὸς ἐγγύθεν. ἐν δ᾽ ἄρα θυμῷ
σκεπτομένῳ μὲν ἔϊκτο, νόος δέ οἱ ἔνθα καὶ ἔνθα
ἐξ ἀδύτων πεφόρητο πολυστρέπτοιο μενοινῆς,
Πιερικῆς Σειρῆνος ἀρήϊον ἔργον ὑφαίνων.   3

Καὶ Σύριος σελάγιζε σαοφροσύνῃ Φερεκύδης
ἱστάμενος· σοφίης δὲ θεουδέα κέντρα νομεύων,
οὐρανὸν ἐσκοπίαζε, μετάρσιον ὄμμα τιταίνων.

He was endued with a reverend and kind bearing,
and majesty shone forth from his form. His cluster-
ing grey hair, tossed back, trailed over his bent neck,
and wandered loose about his ears, and he wore a broad
beard, soft and round; for it was not pointed, but
hung down in all its breadth, weaving an ornament
for his naked bosom and his loveable face. His fore-
head was bare, and on it sat Temperance, the nurse
of Youth. The discerning artist had made his eye-
brows prominent, and not without reason, for his
eyes were sightless. Yet to look at he was not like
a blind man; for grace dwelt in his empty eyes.
As I think, the artist made him so, that it might be
evident to all that he bore the inextinguishable light
of wisdom in his heart. His two cheeks were some-
what fallen in owing to the action of wrinkling eld,
but on them sat innate Modesty, the fellow of the
Graces, and a Pierian bee wandered round his divine
mouth, producing a dripping honey-comb. With
both his hands he rested on a staff, even as when
alive, and had bent his right ear to listen, it
seemed, to Apollo or one of the Muses hard by.
He looked like one in thought, his mind carried
hither and thither from the sanctuary of contem-
plation, as he wove some martial lay of the Pierian
Siren.

Pherecydes

PHERECYDES of Syra stood there resplendent with
holiness. Plying the holy compasses of wisdom, he
was gazing at the heavens, his eyes turned upwards.

85

Καὶ σοφὸς Ἡράκλειτος ἔην, θεοείκελος ἀνήρ,
ἔνθεον ἀρχαίης Ἐφέσου κλέος, ὅς ποτε μοῦνος   35
ἀνδρομέης ἔκλαιεν ἀνάλκιδος ἔργα γενέθλης.

Καὶ τύπος ἁβρὸς ἔλαμπεν ἀριστονόοιο Κρατίνου,
ὅς ποτε δημοβόροισι πολισσούχοισιν Ἰώνων
θυμοδακεῖς ἐθόωσεν ἀκοντιστῆρας ἰάμβους,
κῶμον ἀεξήσας, φιλοπαίγμονος ἔργον ἀοιδῆς.   36

Εἱστήκει δὲ Μένανδρος, ὃς εὐπύργοισιν Ἀθήναις
ὁπλοτέρου κώμοιο σελασφόρος ἔπρεπεν ἀστήρ·
πολλάων γὰρ ἔρωτας ἀνέπλασε παρθενικάων,
καὶ Χαρίτων θεράποντας ἐγείνατο παῖδας ἰάμβους,
ἅρπαγας οἰστρήεντας ἀεδνώτοιο κορείης,   36
μίξας σεμνὸν ἔρωτι μελίφρονος ἄνθος ἀοιδῆς.

Ἀμφιτρύων δ' ἤστραπτεν, ἀπειρογάμῳ τρίχα δάφνῃ
στεψάμενος· πᾶσιν μὲν ἐΰσκοπος εἴδετο μάντις·
ἀλλ' οὐ μάντις ἔην· Ταφίης δ' ἐπὶ σήματι νίκης
στέμμα πολυστρέπτοισιν ἐπάρμενον εἶχεν ἐθείραις,   37
Ἀλκμήνης μενέχαρμος ἀριστοτόκου παρακοίτης.

Θουκυδίδης δ' ἐλέλιξεν ἑὸν νόον· ἦν δὲ νοῆσαι
οἷά περ ἱστορίης δημηγόρον ἦθος ὑφαίνων·
δεξιτερὴν γὰρ ἀνέσχε μετάρσιον, ὡς πρὶν ἀείδων
Σπάρτης πικρὸν Ἄρηα καὶ αὐτῶν Κεκροπιδάων,   37
Ἑλλάδος ἀμητῆρα πολυθρέπτοιο τιθήνης.

BOOK II

Heraclitus

AND Heraclitus the sage was there, a god-like man, the inspired glory of ancient Ephesus, who once alone wept for the works of weak humanity.

Cratinus

AND there shone the delicate form of gifted Cratinus, who once sharpened the biting shafts of his iambics against the Athenian political leaders, devourers of the people. He brought sprightly comedy to greater perfection.

Menander

THERE stood Menander, at fair-towered Athens, the bright star of the later comedy. Many loves of virgins did he invent, and produced iambics which were servants of the Graces, and furious ravishers of unwedded maidenhoods, mixing as he did with love the graver flower of his honeyed song.

Amphitryon

AMPHITRYON glittered there, his hair crowned with virginal laurel. In all he looked like a clear-seeing prophet; yet he was no prophet, but being the martial spouse of Alcmena, mother of a great son, he had set the crown on his pleated tresses to signify his victory over the Taphians.

Thucydides

THUCYDIDES was wielding his intellect, weaving, as it seemed, one of the speeches of his history. His right hand was raised to signify that he once sang the bitter struggle of Sparta and Athens, that cut down so many of the sons of populous Greece.

Οὐδ' Ἁλικαρνησοῦ με παρέδραμε θέσπις ἀηδών,
Ἡρόδοτος πολυΐδρις, ὃς ὠγυγίων κλέα φωτῶν,
ὅσσα περ ἠπείρων δυὰς ἤγαγεν, ὅσσα περ αἰὼν
ἔδρακεν ἑρπύζων, ἐνάταις ἀνεθήκατο Μούσαις,   38(
μίξας εὐεπίῃσιν Ἰωνίδος ἄνθεα φωνῆς.

Θήβης δ' Ὠγυγίης Ἑλικώνιος ἵστατο κύκνος,
Πίνδαρος ἱμερόφωνος, ὃν ἀργυρότοξος Ἀπόλλων
ἔτρεφε Βοιωτοῖο παρὰ σκοπιὴν Ἑλικῶνος,
καὶ μέλος ἁρμονίης ἐδιδάξατο· τικτομένου γὰρ   38.
ἑζόμεναι λιγυροῖσιν ἐπὶ στομάτεσσι μέλισσαι
κηρὸν ἀνεπλάσσαντο, σοφῆς ἐπιμάρτυρα μολπῆς.

Ξεινοφόων δ' ἤστραπτε, φεράσπιδος ἀστὸς Ἀθήνης,
ὃς πρὶν Ἀχαιμενίδαο μένος Κύροιο λιγαίνων,
εἵπετο φωνήεντι Πλατωνίδος ἤθεϊ Μούσης,   39(
ἱστορίης φιλάεθλον ἀριστώδινος ὀπώρην
συγκεράσας ῥαθάμιγξι φιλαγρύπνοιο μελίσσης.

Ἵστατο δ' Ἀλκμάων κεκλημένος οὔνομα μάντις·
ἀλλ' οὐ μάντις ἔην ὁ βοώμενος, οὐδ' ἐπὶ χαίτης
δάφνης εἶχε κόρυμβον· ἐγὼ δ' Ἀλκμᾶνα δοκεύω,   395
ὃς πρὶν ἐϋφθόγγοιο λύρης ἠσκήσατο τέχνην,
Δώριον εὐκελάδοισι μέλος χορδῇσιν ὑφαίνων.

Καὶ πρόμος εὐκαμάτων Πομπήϊος Αὐσονιήων,
φαιδρὸν ἰσαυροφόνων κειμήλιον ἠνορεάων,
στειβομένας ὑπὸ ποσσὶν Ἰσαυρίδας εἶχε μαχαίρας, 400

BOOK II

Herodotus

NOR did I fail to notice the divine nightingale of Halicarnassus, learned Herodotus, who dedicated to the nine Muses, intermingling in his eloquence the flowers of Ionic speech, all the exploits of men of old that two continents produced, all that creeping Time witnessed.

Pindar

THERE stood the Heliconian swan of ancient Thebes, sweet-voiced Pindar, whom silver-bowed Apollo nurtured by the peak of Boeotian Helicon, and taught him music; for at his birth bees settled on his melodious mouth, and made a honey-comb testifying to his skill in song.

Xenophon.

XENOPHON stood there shining bright, the citizen of Athena who wields the shield, he who once proclaiming the might of Cyrus the Achaemenid, followed the sonorous genius of Plato's Muse, mixing the fruit rich in exploits of History, mother of noble deeds, with the drops of the industrious bee.

Alcmaeon, or Alcman

THERE stood one named Alcmaeon the prophet; but he was not the famous prophet, nor wore the laurel berries on his hair. I conjecture he was Alcman, who formerly practised the lyric art, weaving a Doric song on his sweet-toned strings.

Pompey

POMPEY, the leader of the successful Romans in their campaign against the Isaurians, was treading under foot the Isaurian swords, signifying that he

σημαίνων ὅτι δοῦλον ὑπὸ ζυγὸν αὐχένα Ταύρου
εἴρυσεν, ἀρρήκτῳ πεπεδημένον ἄμματι Νίκης.
κεῖνος ἀνήρ, ὃς πᾶσιν ἔην φάος, ὃς βασιλῆος
ἠγαθέην ἐφύτευσεν Ἀναστασίοιο γενέθλην.
τοῦτο δὲ πᾶσιν ἔδειξεν ἐμὸς σκηπτοῦχος ἀμύμων,   40
δηώσας σακέεσσιν Ἰσαυρίδος ἔθνεα γαίης.

Ἵστατο δ' ἄλλος Ὅμηρος, ὃν οὐ πρόμον εὐεπιάων
θέσκελον υἷα Μέλητος ἐϋρρείοντος ὀΐω,
ἀλλ' ὃν Θρηϊκίῃσι παρ' ἠόσι γείνατο μήτηρ
Μοιρὼ κυδαλίμη Βυζαντιάς, ἣν ἔτι παιδνὴν   41
ἔτρεφον εὐεπίης ἡρωΐδος ἴδμονα Μοῦσαι·
κεῖνος γὰρ τραγικῆς πινυτὴν ἠσκήσατο τέχνην,
κοσμήσας ἐπέεσσιν ἑὴν Βυζαντίδα πάτρην.

Καὶ φίλος Αὐσονίοισι λιγύθροος ἔπρεπε κύκνος
πνείων εὐεπίης Βεργίλλιος, ὅν ποτε Ῥώμης   41
Θυμβριὰς ἄλλον Ὅμηρον ἀνέτρεφε πάτριος Ἠχώ.

had imposed on the neck of Taurus the yoke of bondage, and bound it with the strong chains of victory. He was the man who was a light to all and the father of the noble race of the Emperor Anastasius. This my excellent Emperor showed to all, himself vanquishing by his arms the inhabitants of Isauria.[1]

Homer

A SECOND Homer stood there, not I think the prince of epic song, the divine son of fair-flowing Meles, but one who by the shore of Thrace was the son of the famous Byzantine Moero, her whom the Muses nurtured and made skilful while yet a child in heroic verse. He himself practised the tragic art, adorning by his verses his city Byzantium.

Virgil

AND he stood forth—the clear-voiced swan dear to the Italians, Virgil breathing eloquence, whom his native Echo of Tiber nourished to be another Homer.

[1] Who had been formerly overcome by Pompey.

BOOK III

THE CYZICENE EPIGRAMS

HERE we have the contemporary inscribed verses on a
monument at Cyzicus erected by the brothers Attalus and
Eumenes to the memory of their mother Apollonis, to whom
they are known to have been deeply devoted. The reliefs
represented examples of filial devotion in mythical history.

Γ

ΕΠΙΓΡΑΜΜΑΤΑ ΕΝ ΚΥΖΙΚΩ

Ἐν τῷ Κυζίκῳ εἰς τὸν ναὸν Ἀπολλωνίδος, τῆς μητρὸς Ἀττάλου καὶ Εὐμένους, Ἐπιγράμματα, ἃ εἰς τὰ στυλοπινάκια ἐγέγραπτο, περιέχοντα ἀναγλύφους ἱστορίας, ὡς ὑποτέτακται.

1.—Εἰς Διόνυσον, Σεμέλην τὴν μητέρα εἰς οὐρανὸν ἀνά-
γοντα, προηγουμένου Ἑρμοῦ, Σατύρων δὲ καὶ Σιληνῶν
μετὰ λαμπάδων προπεμπόντων αὐτούς.

Τάνδε Διὸς δμαθεῖσαν ἐν ὠδίνεσσι κεραυνῷ,
   καλλίκομον Κάδμου παῖδα καὶ Ἁρμονίης,
ματέρα θυρσοχαρὴς ἀνάγει γόνος ἐξ Ἀχέροντος,
   τὰν ἄθεον Πενθέως ὕβριν ἀμειβόμενος.

2.—Ὁ Β κίων ἔχει Τήλεφον ἀνεγνωρισμένον τῇ ἑαυτοῦ μητρί.

Τὸν βαθὺν Ἀρκαδίης προλιπὼν πάτον εἵνεκα ματρὸς
   Αὔγης, τᾶσδ' ἐπέβην γᾶς Τευθραντιάδος,
Τήλεφος, Ἡρακλέους φίλος γόνος αὐτὸς ὑπάρχων,
   ὄφρα μιν ἂψ ἀγάγω ἐς πέδον Ἀρκαδίης.

3.—Ὁ Γ ἔχει τυφλούμενον Φοίνικα ὑπὸ πατρὸς Ἀμύν-
τορος, καὶ κωλύουσαν Ἀλκιμέδην τὸν οἰκεῖον ἄνδρα.

Ἀλκιμέδη ξύνευνον Ἀμύντορα παιδὸς ἐρύκει,
   Φοίνικος δ' ἐθέλει παῦσαι χόλον γενέτου,

94

BOOK III

THE CYZICENE EPIGRAMS

In the temple at Cyzicus of Apollonis, the mother of Attalus and Eumenes, inscribed on the tablets of the columns, which contained scenes in relief, as follows :—

1.—*On Dionysus conducting his mother Semele to Heaven, preceded by Hermes, Satyrs, and Sileni escorting them with Torches.*

THE fair-haired daughter of Cadmus and Harmonia, slain in childbirth by the bolt of Zeus, is being led up from Acheron by her son Dionysus, the thyrsus-lover, who avengeth the godless insolence of Pentheus.

2.—*Telephus recognised by his Mother.*

LEAVING the valleys of Arcadia because of my mother Auge, I Telephus, myself the dear son of Heracles, set foot on this Teuthranian land, that I might bring her back to Arcadia.

3.—*Phoenix blinded by his father Amyntor, whom his own wife Alcimede attempts to restrain.*

ALCIMEDE is holding back her husband Amyntor from their son Phoenix, wishing to appease his

95

ὅττι περ ἤχθετο πατρὶ σαόφρονος εἵνεκα μητρός,
  παλλακίδος δούλης λέκτρα προσιεμένῳ·
κεῖνος δ' αὖ δολίοις ψιθυρίσμασιν ἤχθετο κούρῳ,   5
  ἦγε δ' ἐς ὀφθαλμοὺς λαμπάδα παιδολέτιν.

4.—Ὁ Δ ἔχει Πολυμήδην καὶ Κλυτίον τοὺς υἱοὺς Φινέως
    τοῦ Θρᾳκός, οἵτινες τὴν Φρυγίαν γυναῖκα τοῦ πατρὸς
    ἐφόνευσαν, ὅτι τῇ μητρὶ αὐτῶν Κλεοπάτρᾳ αὐτὴν
    ἐπεισῆγεν.

Μητρυιὰν Κλυτίος καὶ κλυτόνοος Πολυμήδης
  κτείνουσι Φρυγίην, ματρὸς ὑπὲρ σφετέρας.
Κλειοπάτρη δ' ἐπὶ τοῖσιν ἀγάλλεται, ἣ πρὶν ἐπεῖδεν
  τὰν Φινέως γαμετὰν δαμναμένην ὁσίως.

5.—Ὁ Ε ἔχει Κρεσφόντην ἀναιροῦντα Πολυφόντην τοῦ
    πατρὸς τὸν φονέα· ἔστι δὲ καὶ Μερόπη βάκτρον κατ-
    έχουσα καὶ συνεργοῦσα τῷ υἱῷ πρὸς τὴν τοῦ ἀνδρὸς
    ἐκδημίαν.

Κρεσφόντου γενέτην πέφνες τὸ πάρος, Πολυφόντα,
  κουριδίης ἀλόχου λέκτρα θέλων μιάναι·
ὀψὲ δέ σοι πάϊς ἧκε φόνῳ γενέτῃ προσαμύνων,
  καί σε κατακτείνει ματρὸς ὑπὲρ Μερόπας.
τούνεκα καὶ δόρυ πῆξε μεταφρένῳ, ἁ δ' ἐπαρήγει,   5
  βριθὺ κατὰ κροτάφων βάκτρον ἐρειδομένα.

6.—Ὁ ϛ ἔχει Πυθῶνα ὑπὸ Ἀπόλλωνος καὶ Ἀρτέμιδος
    ἀναιρούμενον, καθότι τὴν Λητὼ πορευομένην εἰς Δελφοὺς
    ἐπὶ τὸ κατασχεῖν [τὸ] μαντεῖον ἐπιφανεὶς διεκώλυσεν.

Γηγενέα Πυθῶνα, μεμιγμένον ἑρπετὸν ὁλκοῖς,
  ἐκνεύει Λατώ, πάγχυ μυσαττομένη·

father's wrath. He quarrelled with his father for his virtuous mother's sake, because he desired to lie with a slave concubine. His father, listening to crafty whispered slander, was wrath with the young man, and approached him with a torch to burn out his eyes.

4.—*Polymedes and Clytius, the sons of Phineus the Thracian, who slew their father's Phrygian wife, because he took her to wife while still married to their mother Cleopatra.*

CLYTIUS and Polymedes, renowned for wisdom, are slaying their Phrygian stepmother for their own mother's sake. Cleopatra therefore is glad of heart, having seen the wife of Phineus justly slain.

5.—*Cresphontes is killing Polyphontes, the slayer of his father; Merope is there holding a staff and helping her son to slay him.*

THOU didst formerly slay, O Polyphontes, the father of Cresphontes, desiring to defile the bed of his wedded wife. And long after came his son to avenge his father's murder, and slew thee for the sake of his mother Merope. Therefore hath he planted his spear in thy back, and she is helping, striking thee on the forehead with a heavy staff.

6.—*The Pytho slain by Apollo and Artemis, because it appeared and prevented Leto from approaching the oracle at Delphi which she went to occupy.*

LETO in utter loathing is turning away from the earthborn Pytho, a creeping thing, all confusedly

97

GREEK ANTHOLOGY

σκυλᾶν γὰρ ἐθέλει πινυτὰν θεόν· ἀλλά γε τόξῳ
θῆρα καθαιμάσσει Φοῖβος ἀπὸ σκοπιῆς·
Δελφὸν δ' αὖ θήσει τρίπον ἔνθεον· ἐκ δ' ὅδ' ὀδόντων
πικρὸν ἀποπνεύσει ῥοῖζον ὀδυρόμενος.

5

7.—Ὁ Ζ ἔχει, περὶ τὰ ἀρκτῷα μέρη, Ἀμφίονος καὶ Ζήθου
ἱστορίαν· προσάπτοντες ταύρῳ τὴν Δίρκην, ὅτι τὴν
μητέρα αὐτῶν Ἀντιόπην, διὰ τὴν φθορὰν Λύκῳ ἀνδρὶ
αὐτῆς ὑπὸ Νυκτέως τοῦ πατρὸς αὐτῆς <παραδοθεῖσαν>,
ὀργῇ ζηλοτύπῳ ἐνσχεθεῖσα, ἀμέτρως ἐτιμωρήσατο.

Ἀμφίων καὶ Ζῆθε, Διὸς σκυλακεύματα, Δίρκην
κτείνατε τάνδ' ὀλέτιν ματέρος Ἀντιόπας,
δέσμιον ἣν πάρος εἶχε διὰ ζηλήμονα μῆνιν·
νῦν δ' ἱκέτις αὐτὴ λίσσετ' ὀδυρομένη.
ᾇ γε καὶ ἐκ ταύροιο καθάπτετε δίπλακα σειρήν,
ὄφρα δέμας σύρῃ τῆσδε κατὰ ξυλόχου.

5

8.—Ἐν τῷ Η ἡ τοῦ Ὀδυσσέως νεκυομαντεία· καθέστηκε
τὴν ἰδίαν μητέρα Ἀντίκλειαν περὶ τῶν κατὰ τὸν οἶκον
ἀνακρίνων.

Μᾶτερ Ὀδυσσῆος πινυτόφρονος Ἀντίκλεια,
ζῶσα μὲν εἰς Ἰθάκην οὐχ ὑπέδεξο πάϊν·
ἀλλά σε νῦν Ἀχέροντος ἐπὶ ῥηγμῖσι γεγῶσαν
θαμβεῖ, ἀνὰ γλυκερὰν ματέρα δερκόμενος.

9.—Ἐν τῷ Θ Πελίας καὶ Νηλεὺς ἐνλελάξευνται, οἱ Ποσει-
δῶνος παῖδες, ἐκ δεσμῶν τὴν ἑαυτῶν μητέρα ῥυόμενοι, ἣν
πρώην ὁ πατὴρ μὲν Σαλμωνεὺς διὰ τὴν φθορὰν ἔδησεν·
ἡ δὲ μητρυιὰ αὐτῆς Σιδηρὼ τὰς βασάνους αὐτῇ ἐπέτεινεν.

Μὴ Τυρὼ τρύχοι σε περισπείρημα¹ Σιδηροῦς
Σαλμωνεῖ γενέτᾳ τῷδ' ὑποπτησσομένην·

¹ To make a verse, I wrote περισπείρημα for ἔτι σπ.

98

coiled; for it wishes to annoy the wise goddess: but Phoebus, shooting from the height, lays it low in its blood. He shall make the Delphian tripod inspired, but the Pytho shall yield up its life with groans and bitter hisses.

7.—On the North Side

The story of Zethus and Amphion. They are tying Dirce to the bull, because instigated by jealousy she treated with excessive harshness their mother Antiope, whom her father, Nycteus, owing to her seduction, abandoned to Lycus, Dirce's husband.

AMPHION and Zethus, scions of Zeus, slay this woman Dirce, the injurer of your mother Antiope, whom formerly she kept in prison owing to her jealous spite, but whom she now beseeches with tears. Attach her to the bull with a double rope, that it may drag her body through this thicket.

8.—*Ulysses in Hades questioning his mother Anticlea concerning affairs at home.*

ANTICLEA, mother of wise Ulysses, thou didst not live to receive thy son in Ithaca; but now he marvelleth, seeing thee, his sweet mother, on the shore of Acheron.

9.—*Pelias and Neleus, the sons of Poseidon, delivering from bonds their mother Tyro, whom her father Salmoneus imprisoned owing to her seduction, and whom her step-mother Sidero tortured.*

LET not the bonds of Sidero torment thee any longer, Tyro, crouching before this thy father,

οὐκέτι γὰρ δουλώσει ἐν ἕρκεσιν, ἐγγύθι λεύσσων
Νηλέα καὶ Πελίαν τούσδε καθεζομένους.

10.—Ἐν δὲ τῷ κατὰ δύσιν πλευρῷ ἐστιν ἐν ἀρχῇ τοῦ
Ι πίνακος Εὔνοος γεγλυμμένος καὶ Θόας, οὓς ἐγέννησεν
Ὑψιπύλη, ἀναγνωριζόμενοι τῇ μητρί, καὶ τὴν χρυσῆν
δεικνύντες ἄμπελον, ὅπερ ἦν αὐτοῖς τοῦ γένους σύμ-
βολον, καὶ ῥυόμενοι αὐτὴν τῆς διὰ τὸν Ἀρχεμόρου
θάνατον παρ' Εὐρυδίκῃ τιμωρίας.

Φαῖνε, Θόαν, Βάκχοιο φυτὸν τόδε· ματέρα γάρ σου
ῥύσῃ τοῦ θανάτου, οἰκέτιν Ὑψιπύλαν·
ἃ τὸν ἀπ' Εὐρυδίκας ἔτλη χόλον, ἦμος †ἀφοῦθαρ
ὕδρος ὁ γαγενέτας ὤλεσεν Ἀρχέμορον.
στεῖχε δὲ καὶ σὺ λιπὼν Ἀσωπίδος Εὔνοε †κούραν,   5
γειναμένην ἄξων Λῆμνον ἐς ἠγαθέην.

11.—Ἐν τῷ ΙΑ Πολυδέκτης ὁ Σερίφων βασιλεὺς ἀπολι-
θούμενος ὑπὸ Περσέως τῇ τῆς Γοργόνος κεφαλῇ, διὰ
τὸν τῆς μητρὸς αὐτοῦ γάμον ἐκπέμψας τοῦτον ἐπὶ τὴν
τῆς Γοργόνος κεφαλήν, καὶ ὃν καθ' ἑτέρου θάνατον
ἐπενόει γενέσθαι, τοῦτον αὐτὸς κατὰ τὴν πρόνοιαν τῆς
Δίκης ἐδέξατο.

Ἔτλης καὶ σὺ λέχη Δανάης, Πολύδεκτα, μιαίνειν,
δυσφήμοις εὐναῖς τὸν Δί' ἀμειψάμενος·
ἀνθ' ὧν ὄμματ' ἔλυσε τὰ Γοργόνος ἐνθάδε Περσεύς,
γυῖα λιθουργήσας, ματρὶ χαριζόμενος.

12.—Ἐν τῷ ΙΒ Ἰξίων Φόρβαντα καὶ Πολύμηλον
ἀναιρῶν διὰ τὸν εἰς τὴν μητέρα τὴν ἰδίαν Μέγαραν
γεγενημένον φόνον· μηδοπότερον γὰρ αὐτῶν προελο-
μένη γῆμαι, ἀγανακτήσαντες ἐπὶ τούτῳ ἐφόνευσαν.

Φόρβαν καὶ Πολύμηλον ὅδ' Ἰξίων βάλε γαίῃ,
ποινὰν τᾶς ἰδίας ματρὸς ἀμυνόμενος.

Salmoneus; for he shall not keep thee in bondage longer, now he sees Neleus and Pelias approach to restrain him.

10.—ON THE WEST SIDE

The recognition of Eunous and Thoas, the children of Hypsipyle, by their mother. They are showing her the golden vine, the token of their birth, and saving her from her punishment at the hands of Eurydice for the death of Archemorus.

SHOW, Thoas, this plant of Bacchus, for so shalt thou save from death thy mother, the slave Hypsipyle, who suffered from the wrath of Eurydice, since the earth-born snake slew Archemorus. And go thou too, Eunous, leaving the borders of the Asopian land, to take thy mother to pleasant Lemnos.

11.—*Polydectes the King of Seriphus being turned into stone by Perseus with the Gorgon's head. He had sent Perseus to seek this in order to marry his mother, and the death he had designed for another he suffered himself by the providence of Justice.*

THOU didst dare, Polydectes, to defile the bed of Danae, succeeding Zeus in unholy wedlock. Therefore, Perseus here uncovered the Gorgon's eyes and made thy limbs stone, to do pleasure to his mother.

12.—*Ixion killing Phorbas and Polymelus, for their murder of his mother Megara. They slew her out of anger, because she would not consent to marry either of them.*

IXION, whom you see, laid low Phorbas and Polymelus, taking vengeance on them for their vengeance on his mother.

13.—Ὁ δὲ ΙΓ Ἡρακλέα ἄγοντα τὴν μητέρα αὐτοῦ Ἀλκ-
μήνην εἰς τὸ Ἠλύσιον πεδίον, συνοικίζοντα αὐτὴν
Ῥαδαμάνθυϊ, αὐτὸν δὲ εἰς θεοὺς δῆθεν ἐγκρινόμενον.

Ἀλκίδας ὁ θρασὺς Ῥαδαμάνθυϊ ματέρα τάνδε,
  Ἀλκμήναν, ὅσιον πρὸς λέχος ἐξέδοτο.

14.—Ἐν δὲ τῷ ΙΔ Τιτυὸς ὑπὸ Ἀπόλλωνος καὶ Ἀρτέμιδος
τοξευόμενος, ἐπειδὴ τὴν μητέρα αὐτῶν Λητὼ ἐτόλμησεν
ὑβρίσαι.

Μάργε καὶ ἀφροσύνῃ μεμεθυσμένε, τίπτε βιαίως
  εἰς εὐνὰς ἐτράπης τᾶς Διὸς εὐνέτιδος;
ὅς σε δὴ αἵματι φύρσε κατάξια, θηρσὶ δὲ βορρὰν
  καὶ πτανοῖς ἐπὶ γᾷ εἴασε νῦν ὁσίως.

15.—Ἐν δὲ τῷ ΙΕ Βελλεροφόντης ὑπὸ τοῦ παιδὸς
Γλαύκου σωζόμενος, ἡνίκα κατενεχθεὶς ἀπὸ τοῦ Πη-
γάσου εἰς τὸ Ἀλήϊον πεδίον, ἔμελλεν ὑπὸ Μεγαπένθους
τοῦ Προίτου φονεύεσθαι.

Οὐκέτι Προιτιάδου φόνον ἔσχεθε Βελλεροφόντης,
  οὐδ᾽ ἐκ τοῦ πατρὸς[1] †τειρομένου θάνατον.
Γλαῦκ᾽ ἄκραντα †γένους[1] <δόλον> Ἰοβάτου δ᾽
    ὑπαλύξει,
  οὕτως γὰρ Μοιρῶν . . ἐπέκλωσε λίνα.
καὶ σὺ πατρὸς φόνον αὐτὸς ἀπήλασας ἐγγύθεν
    ἐλθών,
  καὶ μύθων ἐσθλῶν μάρτυς ἐπεφράσαο.

5

[1] I write οὐδ᾽ ἐκ τοῦ πατρὸς for τοῦδ᾽ ἐκ τοῦ παιδὸς, and Γλαῦκ᾽
ἄκραντα †γένους for Γλαύκου κρανταγένους. The epigram how-
ever remains very corrupt and obscure.

13.—*Heracles leading his mother Alcmene to the Elysian Plains to wed her to Rhadamanthys, and his own reception into the number of the gods.*

BOLD Heracles gave this his mother Alcmene in holy wedlock to Rhadamanthys.

14.—*Tityus shot down by Apollo and Artemis for daring to assault their mother Leto.*

LUSTFUL and drunk with folly, why didst thou try to force the bride of Zeus, who now, as thou deservedst, bathed thee in blood and left thee righteously on the ground, food for beasts and birds.

15.—*Bellerophon saved by his son Glaucus, when having fallen from the back of Pegasus into the Aleian plain he was about to be killed by Megapenthes, the son of Proetus.*

No longer could Bellerophon stay the murderous hand of this son of Proetus, nor the death designed for him by his father. Glaucus, in vain thou fearest for him (?); he shall escape the plot of Iobates, for thus the Destinies decreed. Thyself, too, then didst shield thy father from death, standing near him, and wast an observant witness to the truth of the glorious story.

16.—Κατὰ δὲ τὰς θύρας τοῦ ναοῦ προσιόντων ἐστὶν
Αἴολος καὶ Βοιωτός, Ποσειδῶνος παῖδες, ῥυόμενοι ἐκ
δεσμῶν τὴν μητέρα Μελανίππην τῶν περιτεθέντων αὐτῇ
διὰ τὴν φθορὰν ὑπὸ τοῦ πατρὸς αὐτῆς.

Αἴολε καὶ Βοιωτέ, σοφὸν φιλομήτορα μόχθον
  πρήξατε, μητέρ' ἐὴν ῥυόμενοι θανάτου·
τοὔνεκα γὰρ καὶ <κάρτα> πεφήνατε ἄλκιμοι ἄνδρες,
  ὃς μὲν ἀπ' Αἰολίης, ὃς δ' ἀπὸ Βοιωτίης.

17.—Ἐν δὲ τῷ ΙΖ Ἄναπις καὶ Ἀμφίνομος, οἳ ἐκραγέντων
τῶν κατὰ Σικελίαν κρατήρων διὰ τοῦ πυρὸς οὐδὲν ἕτερον
ἢ τοὺς ἑαυτῶν γονεῖς βαστάσαντες ἔσωσαν.

Πυρὸς καὶ γαίης * * *

18.—Ἐν δὲ τῷ ΙΗ Κλέοβις ἐστὶ καὶ Βίτων, οἳ τὴν ἑαυτῶν
μητέρα Κυδίππην ἱερωμένην ἐν Ἄργει Ἥρας, αὐτοὶ
ὑποσχόντες τοὺς αὐχένας τῷ ζυγῷ διὰ τὸ βραδῦναι τὸ
σκεῦος τῶν βοῶν, ἱερουργῆσαι ἐποίησαν, καὶ ἡσθεῖσα,
φασίν, ἐπὶ τούτῳ ἐκείνη ηὔξατο τῇ θεῷ εἴ τι ἐστὶ κάλ-
λιστον ἐν ἀνθρώποις, τοῦτο τοῖς παισὶν αὐτῆς ὑπαν-
τῆσαι· καὶ τοῦτο αὐτῆς εὐξαμένης ἐκεῖνοι αὐτονυκτὶ
θνήσκουσιν.

Οὐ ψευδὴς ὅδε μῦθος, ἀληθείῃ δὲ κέκασται,
  Κυδίππης παίδων εὐσεβίης θ' ὁσίης.
ἡδυχαρὴς γὰρ ἔην κόπος ἀνδράσι χ' ὥριος οὗτος,
  μητρὸς ἐπ' εὐσεβίῃ κλεινὸν ἔθεντο πόνον.
χαίροιτ' εἰν ἐνέροισιν ἐπ' εὐσεβίῃ κλυτοὶ ἄνδρες,   5
  καὶ τὸν ἀπ' αἰώνων μῦθον ἔχοιτε μόνοι.

BOOK III. 16–18

16.—*At the door of the temple as we approach it are Aeolus and Boeotus, the sons of Poseidon, delivering their mother Melanippe from the fetters in which she was placed by her father owing to her seduction.*

AEOLUS and Boeotus, a clever and pious task ye performed in saving your mother from death. Therefore ye were proved to be brave men, one of you from Aeolis, the other from Boeotia.

17.—*Anapis and Amphinomus, who on the occasion of the eruption in Sicily carried through the flames to safety their parents and nought else.*

The epigram has perished.

18.—*Cleobis and Biton, who enabled their mother Cydippe, the priestess of Hera at Argos, to sacrifice, by putting their own necks under the yoke, when the oxen delayed. They say she was so pleased that she prayed to Hera that the highest human happiness possible for man should befall her sons; thus she prayed, and that night they died.*

THIS story of Cydippe and her sons' piety is not false, but has the beauty of truth. A delightful labour and a seasonable for men was theirs; they undertook a glorious task out of piety to their mother. Rejoice even among the dead ye men famous for your piety and may you alone have age-long story.

19.—Ἐν δὲ τῷ ΙΘ Ῥῆμος καὶ Ῥωμύλος ἐκ τῆς Ἀμολίου
κολάσεως ῥυόμενοι τὴν μητέρα Σερβιλίαν ὀνόματι·
ταύτην γὰρ ὁ Ἄρης φθείρας ἐξ αὐτῆς ἐγέννησεν, καὶ
ἐκτεθέντας αὐτοὺς· λύκαινα ἔθρεψεν. Ἀνδρωθέντες οὖν
τὴν μητέρα τῶν δεσμῶν ἔλυσαν, Ῥώμην δὲ κτίσαντες
Νομήτορι τὴν βασιλείαν ἀπεκατέστησαν.

Τόνδε σὺ μὲν παίδων κρύφιον γόνον Ἄρεϊ τίκτεις,
    Ῥῆμόν τε ξυνῶν καὶ Ῥωμύλον λεχέων,
θὴρ δὲ λύκαιν᾽ ἄνδρωσεν ὑπὸ σπήλυγγι τιθηνός,
    οἵ σε δυσηκέστων ἥρπασαν ἐκ καμάτων.

19.—*Romulus and Remus deliver their mother Servilia*
from the cruelty of Amulius.   Mars had seduced her,
and they were his children.   They were exposed, and
suckled by a wolf.   When they came to man's estate, they
delivered their mother from bondage.   After founding
Rome they re-established Numitor in the kingdom.

THOU didst bear secretly this offspring to Ares,
Romulus and Remus, at one birth.   A she-wolf
brought them up in a cave, and they delivered thee
by force from woe ill to cure.

BOOK IV

THE PROEMS OF THE DIFFERENT ANTHOLOGIES

Δ

ΤΑ ΠΡΟΟΙΜΙΑ ΤΩΝ ΔΙΑΦΟΡΩΝ ΑΝΘΟΛΟΓΙΩΝ

1.—ΜΕΛΕΑΓΡΟΥ ΣΤΕΦΑΝΟΣ

Μοῦσα φίλα, τίνι τάνδε φέρεις πάγκαρπον ἀοιδάν;
   ἢ τίς ὁ καὶ τεύξας ὑμνοθετᾶν στέφανον;
ἄνυσε μὲν Μελέαγρος, ἀριζάλῳ δὲ Διοκλεῖ
   μναμόσυνον ταύταν ἐξεπόνησε χάριν,
πολλὰ μὲν ἐμπλέξας Ἀνύτης κρίνα, πολλὰ δὲ Μοιροῦς   5
   λείρια, καὶ Σαπφοῦς βαιὰ μέν, ἀλλὰ ῥόδα·
νάρκισσόν τε τορῶν Μελανιππίδου ἔγκυον ὕμνων,
   καὶ νέον οἰνάνθης κλῆμα Σιμωνίδεω·
σὺν δ᾽ ἀναμὶξ πλέξας μυρόπνουν εὐάνθεμον ἴριν
   Νοσσίδος, ἧς δέλτοις κηρὸν ἔτηξεν Ἔρως·   10
τῇ δ᾽ ἅμα καὶ σάμψυχον ἀφ᾽ ἡδυπνόοιο Ῥιανοῦ,
   καὶ γλυκὺν Ἠρίννης παρθενόχρωτα κρόκον,
Ἀλκαίου τε λάληθρον ἐν ὑμνοπόλοις ὑάκινθον,
   καὶ Σαμίου δάφνης κλῶνα μελαμπέταλον·
ἐν δὲ Λεωνίδεω θαλεροὺς κισσοῖο κορύμβους,   15
   Μνασάλκου τε κόμας ὀξυτόρου πίτυος·
βλαισήν τε πλατάνιστον ἀπέθρισε Παμφίλου οἴμης,
   σύμπλεκτον καρύης ἔρνεσι Παγκράτεος,

110

BOOK IV

THE PROEMS OF THE DIFFERENT ANTHOLOGIES

1.—THE STEPHANUS OF MELEAGER [1]

To whom, dear Muse, dost thou bring these varied fruits of song, or who was it who wrought this garland of poets? The work was Meleager's, and he laboured thereat to give it as a keepsake to glorious Diocles. Many lilies of Anyte he inwove, and many of Moero, of Sappho few flowers, but they are roses; narcissus, too, heavy with the clear song of *Melanippides* and a young branch of the vine of Simonides; and therewith he wove in the sweet-scented lovely iris of Nossis, the wax for whose writing-tablets Love himself melted; and with it marjoram from fragrant Rhianus, and Erinna's sweet crocus, maiden-hued, the hyacinth of Alcaeus, the vocal poets' flower, and a dark-leaved branch of Samius' laurel.

[15] He wove in too the luxuriant ivy-clusters of Leonidas and the sharp needles of Mnasalcas' pine; the deltoid [2] plane-leaves of the song of Pamphilus he plucked intangled with Pancrates' walnut branches;

---

[1] I print in italics the names of the poets, none of whose epigrams are preserved in the Anthology.

[2] The word means bandy-legged, and I think refers to the shape of the leaves.

Τύμνεώ τ᾽ εὐπέταλον λεύκην, χλοερόν τε σίσυμβρον
Νικίου, Εὐφήμου τ᾽ ἀμμότροφον πάραλον·   20
ἐν δ᾽ ἄρα Δαμάγητον, ἴον μέλαν, ἡδύ τε μύρτον
Καλλιμάχου, στυφελοῦ μεστὸν ἀεὶ μέλιτος,
λυχνίδα τ᾽ Εὐφορίωνος, ἰδ᾽ ἐν Μούσαις κυκλάμινον,
ὃς Διὸς ἐκ κούρων ἔσχεν ἐπωνυμίην.
τῆσι δ᾽ ἅμ᾽ Ἡγήσιππον ἐνέπλεκε, μαινάδα βότρυν,   25
Πέρσου τ᾽ εὐώδη σχοῖνον ἀμησάμενος,
σὺν δ᾽ ἅμα καὶ γλυκὺ μῆλον ἀπ᾽ ἀκρεμόνων
Διοτίμου,
καὶ ῥοιῆς ἄνθη πρῶτα Μενεκράτεος,
σμυρναίους τε κλάδους Νικαινέτου, ἠδὲ Φαέννου
τέρμινθον, βλωθρήν τ᾽ ἀχράδα Σιμμίεω·   30
ἐν δὲ καὶ ἐκ λειμῶνος ἀμωμήτοιο σελίνου
βαιὰ διακνίζων ἄνθεα Παρθενίδος,
λείψανά τ᾽ εὐκαρπεῦντα μελιστάκτων ἀπὸ Μου-
σέων,
ξανθοὺς ἐκ καλάμης Βακχυλίδεω στάχυας·
ἐν δ᾽ ἄρ᾽ Ἀνακρείοντα, τὸ μὲν γλυκὺ κεῖνο μέλισμα, 35
νέκταρος, εἰς δ᾽ ἐλέγους ἄσπορον ἀνθέμιον·
ἐν δὲ καὶ ἐκ φορβῆς σκολιότριχος ἄνθος ἀκάνθης
Ἀρχιλόχου, μικρὰς στράγγας ἀπ᾽ ὠκεανοῦ·
τοῖς δ᾽ ἅμ᾽ Ἀλεξάνδροιο νέους ὄρπηκας ἐλαίης,
ἠδὲ Πολυκλείτου πορφυρέην κύανον.   40
ἐν δ᾽ ἄρ᾽ ἀμάρακον ἧκε, Πολύστρατον, ἄνθος
ἀοιδῶν,
φοίνισσάν τε νέην κύπρον ἀπ᾽ Ἀντιπάτρου·
καὶ μὴν καὶ Συρίαν σταχυότριχα θήκατο νάρδον,
ὑμνοθέταν, Ἑρμοῦ δῶρον ἀειδόμενον·
ἐν δὲ Ποσείδιππόν τε καὶ Ἡδύλον, ἄγρι᾽ ἀρούρης,   45
Σικελίδεώ τ᾽ ἀνέμοις ἄνθεα φυόμενα.

and the graceful poplar leaves of Tymnes, the green
serpolet of Nicias and the spurge of *Euphemus* that
grows on the sands; Damagetus, the dark violet,
too, and the sweet myrtle of Callimachus, ever full
of harsh honey: and Euphorion's lychnis and the
Muses' cyclamen which takes its name from the
twin sons of Zeus.[1]

[25] And with these he inwove Hegesippus' maenad
clusters and Perseus' aromatic rush, the sweet apple
also from the boughs of Diotimus and the first
flowers of Menecrates' pomegranate, branches of
Nicaenetus' myrrh, and Phaennus' terebinth, and the
tapering wild pear of Simmias; and from the meadow
where grows her perfect celery he plucked but a
few blooms of *Parthenis* to inweave with the yellow-
eared corn gleaned from Bacchylides, fair fruit on
which the honey of the Muses drops.

[35] He plaited in too Anacreon's sweet lyric song,
and a bloom that may not be sown in verse[2]; and the
flower of Archilochus' crisp-haired cardoon—a few
drops from the ocean; and therewith young shoots
of Alexander's olive and the blue corn-flower of *Poly-
clitus*; the amaracus of Polystratus, too, he inwove,
the poet's flower, and a fresh scarlet gopher from
Antipater, and the Syrian spikenard of Hermodorus;
he added the wild field-flowers of Posidippus and
Hedylus, and the anemones of Sicelides[3]; yea,

---

[1] *i.e.* Dioscorides.
[2] The name would not go into elegiac metre. We are left
to guess what it was.
[3] A nickname given by Theocritus to Asclepiades.

ναὶ μὴν καὶ χρύσειον ἀεὶ θείοιο Πλάτωνος
    κλῶνα, τὸν ἐξ ἀρετῆς πάντοθι λαμπόμενον·
ἄστρων τ᾽ ἴδριν Ἄρατον ὁμοῦ βάλεν, οὐρανομάκεως
    φοίνικος κείρας πρωτογόνους ἕλικας,   5
λωτόν τ᾽ εὐχαίτην Χαιρήμονος, ἐν φλογὶ μίξας
    Φαιδίμου, Ἀνταγόρου τ᾽ εὔστροφον ὄμμα βοός,
τάν τε φιλάκρητον Θεοδωρίδεω νεοθαλῆ
    ἔρπυλλον, κυάμων τ᾽ ἄνθεα Φανίεω,
ἄλλων τ᾽ ἔρνεα πολλὰ νεόγραφα· τοῖς δ᾽ ἅμα
    Μούσης   5
    καὶ σφετέρης ἔτι που πρώϊμα λευκόϊα.
ἀλλὰ φίλοις μὲν ἐμοῖσι φέρω χάριν· ἔστι δὲ μύσταις
    κοινὸς ὁ τῶν Μουσέων ἡδυεπὴς στέφανος.

2.—ΦΙΛΙΠΠΟΥ ΣΤΕΦΑΝΟΣ

Ἄνθεά σοι δρέψας Ἑλικώνια, καὶ κλυτοδένδρου
    Πιερίης κείρας πρωτοφύτους κάλυκας,
καὶ σελίδος νεαρῆς θερίσας στάχυν, ἀντανέπλεξα
    τοῖς Μελεαγρείοις ὡς ἴκελον στεφάνοις.
ἀλλὰ παλαιοτέρων εἰδὼς κλέος, ἐσθλὲ Κάμιλλε,
    γνῶθι καὶ ὁπλοτέρων τὴν ὀλιγοστιχίην.
Ἀντίπατρος πρέψει στεφάνῳ στάχυς· ὡς δὲ
    κόρυμβος
    Κριναγόρας· λάμψει δ᾽ ὡς βότρυς Ἀντίφιλος,
Τύλλιος ὡς μελίλωτον, ἀμάρακον ὡς Φιλόδημος·
    μύρτα δ᾽ ὁ Παρμενίων· ὡς ῥόδον Ἀντιφάνης·   10
κισσὸς δ᾽ Αὐτομέδων· Ζωνᾶς κρίνα· δρῦς δὲ
    Βιάνωρ·
Ἀντίγονος δ᾽ ἐλάη, καὶ Διόδωρος ἴον·
Εὔηνον δάφνη, συνεπιπλεκτοὺς δὲ περισσοὺς
    εἴκασον οἷς ἐθέλεις ἄνθεσιν ἀρτιφύτοις.

114

verily, and the golden bough of Plato, ever divine, all asheen with virtue; and Aratus therewith did he set on, wise in starlore, cutting the first-born branches from a heaven-seeking palm; and the fair-tressed lotus of Chaeremon mingled with Phaedimus' phlox,[1] and Antagoras' sweetly-turning oxeye, and Theodoridas' newly flowered thyme that loveth wine, and the blossom of Phanias' bean and the newly written buds of many others, and with all these the still early white violets of his own Muse.

[57] To my friends I make the gift, but this sweet-voiced garland of the Muses is common to all the initiated.

2.—THE STEPHANUS OF PHILIPPUS

Plucking for thee flowers of Helicon and the first-born blooms of the famous Pierian forests, reaping the ears of a newer page, I have in my turn plaited a garland to be like that of Meleager. Thou knowest, excellent Camillus, the famous writers of old; learn to know the less abundant verses of our younger ones. Antipater will beautify the garland like an ear of corn, Crinagoras like a cluster of ivy-berries; Antiphilus shall shine like a bunch of grapes, Tullius like melilot and Philodemus like amaracus, Parmenion like myrtle and Antiphanes like a rose; Automedon is ivy, Zonas a lily, Bianor oak-leaves, Antigonus olive leaves, and Diodorus a violet. You may compare Evenus to a laurel, and many others whom I have inwoven to what freshly flowered blooms you like.

[1] Not the plant now called so; its flower must have been flame-coloured.

3.—ΑΓΑΘΙΟΥ ΣΧΟΛΑΣΤΙΚΟΥ ΑΣΙΑΝΟΥ ΜΥΡΙΝΑΙΟΥ

Συλλογὴ νέων ἐπιγραμμάτων ἐκτεθεῖσα ἐν Κωνσταντίνου
πόλει πρὸς Θεόδωρον Δεκουρίωνα τὸν Κοσμᾶ· εἴρηται
δὲ τὰ προοίμια μετὰ τὰς συνεχεῖς ἀκροάσεις τὰς κατ'
ἐκεῖνο καιροῦ γενομένας.

Οἶμαι μὲν ὑμᾶς, ἄνδρες, ἐμπεπλησμένους
ἐκ τῆς τοσαύτης τῶν λόγων πανδαισίας,
ἔτι που τὰ σιτία προσκόρως ἐρυγγάνειν·
καὶ δὴ κάθησθε τῇ τρυφῇ σεσαγμένοι·
λόγων γὰρ ἡμῖν πολυτελῶν καὶ ποικίλων   5
πολλοὶ προθέντες παμμιγεῖς εὐωχίας,
περιφρονεῖν πείθουσι τῶν εἰθισμένων.
τί δὲ νῦν ποιήσω; μὴ τὰ προὐξειργασμένα
οὕτως ἐάσω συντετῆχθαι κείμενα;
ἢ καὶ προθῶμαι τῆς ἀγορᾶς ἐν τῷ μέσῳ,   10
παλιγκαπήλοις εὐτελῶς ἀπεμπολῶν;
καὶ τίς μετασχεῖν τῶν ἐμῶν ἀνέξεται;
τίς δ' ἂν πρίαιτο τοὺς λόγους τριωβόλου,
εἰ μὴ φέροι πως ὦτα μὴ τετρημένα;
ἀλλ' ἐστὶν ἐλπὶς εὐμενῶς τῶν δρωμένων   15
ὑμᾶς μεταλαβεῖν, κοὐ κατεβλακευμένως·
ἔθος γὰρ ὑμῖν τῇ προθυμίᾳ μόνῃ
τῇ τῶν καλούντων ἐμμετρεῖν τὰ σιτία.
καὶ πρός γε τούτῳ δεῖπνον ἠρανισμένον
ἥκω προθήσων ἐκ νέων ἡδυσμάτων.   20
ἐπεὶ γὰρ οὐκ ἔνεστιν ἐξ ἐμοῦ μόνου
ὑμᾶς μεταλαβεῖν, ἄνδρες, ἀξίας τροφῆς,
πολλοὺς ἔπεισα συλλαβεῖν μοι τοῦ πόνου,
καὶ συγκαταβαλεῖν καὶ συνεστιᾶν πλέον.

BOOK IV. 3

3.—AGATHIAS SCHOLASTICUS OF MYRINA

His collection of new epigrams presented in Constantinople to Theodorus, son of Cosmas, the decurion. The proems were spoken after the frequent recitations given at that time.

I suppose, Sirs, that you are so glutted with this banquet of various literary dishes that the food you eat continues to rise. Indeed ye sit crammed with dainties, for many have served up to you a mixed feast of precious and varied discourse and persuade you to look with contempt on ordinary fare. What shall I do now? Shall I allow what I had prepared to lie uneaten and spoil, or shall I expose it in the middle of the market for sale to retail dealers at any price it will fetch? Who in that case will want any part of my wares or who would give twopence for my writings, unless his ears were stopped up? But I have a hope that you may partake of my work kindly and not indifferently; for it is a habit with you to estimate the fare of a feast by the host's desire to please alone.

19 Besides, I am going to serve you a meal to which many new flavourings contribute. For since it is not possible for you to enjoy food worthy of you by my own exertions alone, I have persuaded many to share the trouble and expense and join with me in feasting you more sumptuously. Indeed

καὶ δὴ παρέσχον ἀφθόνως οἱ πλούσιοι   25
ἐξ ὧν τρυφῶσι· καὶ παραλαβὼν γνησίως
ἐν τοῖς ἐκείνων πέμμασι φρυάττομαι.
τοῦτο δέ τις αὐτῶν προσφόρως, δεικνὺς ἐμέ,
ἴσως ἐρεῖ πρὸς ἄλλον· '' Ἀρτίως ἐμοῦ
μάζαν μεμαχότος μουσικήν τε καὶ νέαν,   30
οὗτος παρέθηκεν τὴν ὑπ' ἐμοῦ μεμαγμένην.''
ταυτὶ μὲν οὖν ἐρεῖ τις, †οὐδὲ τῶν σοφωτάτων,
τῶν ὀψοποιῶν, ὧν χάριν δοκῶ μόνος
εἶναι τοσαύτης ἡγεμὼν πανδαισίας.
θαρρῶν γὰρ αὐτοῖς λιτὸν οἴκοθεν μέρος   35
καὐτὸς παρέμιξα, τοῦ δοκεῖν μὴ παντελῶς
ξένος τις εἶναι τῶν ὑπ' ἐμοῦ συνηγμένων.
ἀλλ' ἐξ ἑκάστου σμικρὸν εἰσάγω μέρος,
ὅσον ἀπογεῦσαι· τῶν δὲ λοιπῶν εἰ θέλοι
τυχεῖν τις ἁπάντων καὶ μετασχεῖν εἰς κόρον,   40
ἴστω γε ταῦτα κατ' ἀγορὰν ζητητέα.
κόσμον δὲ προσθεὶς τοῖς ἐμοῖς πονήμασι,
ἐκ τοῦ βασιλέως τοὺς προλόγους ποιήσομαι·
ἅπαντα γάρ μοι δεξιῶς προβήσεται.
καί μοι μεγίστων πραγμάτων ὑμνουμένων   45
εὑρεῖν γένοιτο καὶ λόγους ἐπηρμένους.

Μή τις ὑπαυχενίοιο λιπὼν ζωστῆρα λεπάδνου
βάρβαρος ἐς βασιλῆα βιήμαχον ὄμμα τανύσσῃ·
μηδ' ἔτι Περσὶς ἄναλκις ἀναστείλασα καλύπτρην
ὄρθιον ἀθρήσειεν· ἐποκλάζουσα δὲ γαίῃ,   50
καὶ λόφον αὐχήεντα καταγνάμπτουσα τενόντων,
Αὐσονίοις ἄκλητος ὑποκλίνοιτο ταλάντοις.
Ἑσπερίη θεράπαινα, σὺ δ' ἐς κρηπῖδα Γαδείρων,
καὶ παρὰ πορθμὸν Ἴβηρα καὶ Ὠκεανίτιδα Θούλην,
ἤπιον ἀμπνεύσειας, ἀμοιβαίων δὲ τυράννων   55
118

the rich gave me abundantly of their affluence, and accepting this I take quite sincere pride in their dainties. And one of them pointing at me may say aptly to another, " I recently kneaded fresh poetical dough, and what he serves is of my kneading." Thus one but not the wisest of those skilled cooks may say, thanks to whom I alone am thought to be the lord of such a rich feast. For I myself have had the courage to make a slender contribution from my own resources so as not to seem an entire stranger to my guests. I introduce a small portion of each poet, just to taste ; but if anyone wishes to have all the rest and take his fill of it, he must seek it in the market.

42 To add ornament to my work I will begin my preface with the Emperor's praise, for thus all will continue under good auspices. As I sing of very great matters, may it be mine to find words equally exalted.

(In Praise of Justinian)

Let no barbarian, freeing himself from the yoke-strap that passes under his neck, dare to fix his gaze on our King, the mighty warrior ; nor let any weak Persian woman raise her veil and look straight at him, but, kneeling on the ground and bending the proud arch of her neck, let her come uncalled and submit to Roman justice. And thou, handmaid of the west, by farthest Cadiz and the Spanish Strait and Ocean Thule,[1] breathe freely, and counting the

---

[1] Britain.

κράατα μετρήσασα τεῇ κρυφθέντα κονίῃ,
θαρσαλέαις παλάμῃσι φίλην ἀγκάζεο Ῥώμην·
Καυκασίῳ δὲ τένοντι καὶ ἐν ῥηγμῖνι Κυταίῃ,
ὁππόθι ταυρείοιο ποδὸς δουπήτορι χαλκῷ
σκληρὰ σιδηρείης ἐλακίζετο νῶτα κονίης,   60
σύννομον Ἀδρυάδεσσιν ἀναπλέξασα χορείην
Φασιὰς εἰλίσσοιτο φίλῳ σκιρτήματι νύμφη,
καὶ καμάτους μέλψειε πολυσκήπτρου βασιλῆος,
μόχθον ἀπορρίψασα γιγαντείου τοκετοῖο.
μηδὲ γὰρ αὐχήσειεν Ἰωλκίδος ἔμβολον Ἀργοῦς,   65
ὅττι πόνους ἥρωος ἀγασσαμένη Παγασαίου
οὐκέτι Κολχὶς ἄρουρα, γονῇ πλησθεῖσα Γιγάντων,
εὐπτολέμοις σταχύεσσι μαχήμονα βῶλον ἀνοίγει.
κεῖνα γὰρ ἢ μῦθός τις ἀνέπλασεν, ἢ διὰ τέχνης
οὐχ ὁσίης τετέλεστο, πόθων ὅτε λύσσαν ἑλοῦσα   70
παρθενικὴ δολόεσσα μάγον κίνησεν ἀνάγκην·
ἀλλὰ δόλων ἔκτοσθε καὶ ὀρφναίου κυκεῶνος
Βάκτριος ἡμετέροισι Γίγας δούπησε βελέμνοις.
οὐκέτι μοι χῶρός τις ἀνέμβατος, ἀλλ' ἐνὶ πόντῳ
Ὑρκανίου κόλποιο καὶ ἐς βυθὸν Αἰθιοπῆα   75
Ἰταλικαῖς νήεσσιν ἐρέσσεται ἥμερον ὕδωρ.
ἀλλ' ἴθι νῦν, ἀφύλακτος ὅλην ἤπειρον ὁδεύων,
Αὐσόνιε, σκίρτησον, ὁδοιπόρε· Μασσαγέτην δὲ
ἀμφιθέων ἀγκῶνα καὶ ἄξενα τέμπεα Σούσων,
Ἰνδῴης ἐπίβηθι κατ' ὀργάδος, ἐν δὲ κελεύθοις   80
εἴποτε διψήσειας, ἀρύεο δοῦλον Ὑδάσπην·
ναὶ μὴν καὶ κυανωπὸν ὑπὲρ δύσιν ἄτρομος ἕρπων
κύρβιας Ἀλκείδαο μετέρχεο· θαρσαλέως δὲ
ἴχνιον ἀμπαύσειας ἐπὶ ψαμάθοισιν Ἰβήρων,
ὁππόθι, καλλιρέεθρον ὑπὲρ βαλβῖδα θαλάσσης,   85
δίζυγος ἠπείροιο συναντήσασα κεραίη
ἐλπίδας ἀνθρώποισι βατῆς εὔνησε πορείης.

heads of the successive tyrants that are buried in thy dust, embrace thy beloved Rome with trustful arms. By the ridge of the Caucasus and on the Colchian shore, where once the hard back of the iron soil was broken by the resounding hoofs of the brazen bulls, let the Phasian bride, weaving a measure in company with the Hamadryads, wheel in the dance she loves, and casting away her dread of the race of giants, sing the labours of our many-sceptred prince.

[65] Let not the prow of Thessalian Argo any longer boast that the Colchian land, in awe of the exploits of the Pagasaean hero,[1] ceased to be fertilized by the seed of giants and bear a harvest of warriors. This is either the invention of fable, or was brought about by unholy art, when the crafty maiden,[2] maddened by love, set the force of her magic in motion. But without fraud or the dark hell-broth the Bactrian giant fell before our shafts. No land is now inaccessible to me, but in the waters of the Caspian and far as the Persian Gulf the vanquished seas are beaten by Italian oars.

[77] Go now, thou Roman traveller, unescorted over the whole continent and leap in triumph. Traversing the recesses of Scythia and the inhospitable glen of Susa, descend on the plains of India, and on thy road, if thou art athirst, draw water from enslaved Hydaspes. Yea, and walk fearless too over the dark lands of the west, and seek the pillars of Heracles; rest unalarmed on the sands of Spain where, above the threshold of the lovely sea, the twain horns of the continents meet and silence men's hope of progress by land. Traversing the extremity of

---

[1] Jason.   [2] Medea.

ἐσχατιὴν δὲ Λίβυσσαν ἐπιστείβων Νασαμώνων
ἔρχεο καὶ παρὰ Σύρτιν, ὅπη νοτίῃσι θυέλλαις
ἐς κλίσιν ἀντίπρωρον ἀνακλασθεῖσα Βορῆος,   90
καὶ ψαφαρὴν ἄμπωτιν ὕπερ, ῥηγμῖνι ἀλίπλῳ
ἀνδράσι δῖα θάλασσα πόρον χερσαῖον ἀνοίγει.
οὐδὲ γὰρ ὀθνείης σε δεδέξεται ἤθεα γαίης,
ἀλλὰ σοφοῦ κτεάνοισιν ὁμιλήσεις βασιλῆος,
ἔνθα κεν ἀΐξειας, ἐπεὶ κυκλώσατο κόσμον   95
κοιρανίῃ· Τάναϊς δὲ μάτην ἤπειρον ὁρίζων
ἐς Σκυθίην πλάζοιτο καὶ ἐς Μαιώτιδα λίμνην.
τοὔνεκεν, ὁππότε πάντα φίλης πέπληθε γαλήνης,
ὁππότε καὶ ξείνοιο καὶ ἐνδαπίοιο κυδοιμοῦ
ἐλπίδες ἐθραύσθησαν ὑφ' ἡμετέρῳ βασιλῆι,   100
δεῦρο, μάκαρ Θεόδωρε, σοφὸν στήσαντες ἀγῶνα
παίγνια κινήσωμεν ἀοιδοπόλοιο χορείης.
σοὶ γὰρ ἐγὼ τὸν ἄεθλον ἐμόχθεον· εἰς σὲ δὲ μύθων
ἐργασίην ἤσκησα, μιῇ δ' ὑπὸ σύζυγι βίβλῳ
ἐμπορίην ἤθροισα πολυξείνοιο μελίσσης,   105
καὶ τόσον ἐξ ἐλέγοιο πολυσπερὲς ἄνθος ἀγείρας,
στέμμα σοι εὐμύθοιο καθήρμοσα Καλλιοπείης,
ὡς φηγὸν Κρονίωνι καὶ ὁλκάδας Ἐννοσιγαίῳ,
ὡς Ἄρεϊ ζωστῆρα καὶ Ἀπόλλωνι φαρέτρην,
ὡς χέλυν Ἑρμάωνι καὶ ἡμερίδας Διονύσῳ,   110
οἶδα γὰρ ὡς ἄλληκτον ἐμῆς ἱδρῶτι μερίμνης
εὖχος ἐπιστάξειεν ἐπωνυμίη Θεοδώρου.
Πρῶτα δέ σοι λέξαιμι, παλαιγενέεσσιν ἐρίζων,
ὅσσαπερ ἐγράψαντο νέης γενετῆρες ἀοιδῆς
ὡς προτέροις μακάρεσσιν ἀνειμένα· καὶ γὰρ ἐῴκει   115
γράμματος ἀρχαίοιο σοφὸν μίμημα φυλάξαι.
   Ἀλλὰ πάλιν μετ' ἐκεῖνα †παλαίτερον εὖχος
     ἀγείρει
ὅσσαπερ ἢ γραφίδεσσι χαράξαμεν ἤ τινι χώρῳ,

Libya, the land of the Nasamones, reach also the Syrtis, where the sea, driven back by southerly gales towards the adverse slope of the north, affords passage for men on foot over the soft sands from which it has ebbed, on a beach that ships sail over. The regions of no foreign land shall receive you, but you will be amid the possessions of our wise King, whichever way you progress, since he has encompassed the world in his dominion. In vain now would the Tanais in its course through Scythia to the sea of Azof attempt to limit the continents of Europe and Asia.

98 So now that the whole earth is full of beloved peace, now that the hopes of disturbers at home and abroad have been shattered by our Emperor, come, blest Theodorus, and let us institute a contest of poetic skill and start the music of the singer's dance. I performed this task for you; for you I prepared this work, collecting in one volume the sweet merchandise of the bee that visits many blossoms; gathering such a bunch of varied flowers from the elegy, I planted a wreath of poetic eloquence to offer you, as one offering beech-leaves to Jove or ships to the Earth-shaker, or a breast-plate to Ares or a quiver to Apollo, or a lyre to Hermes or grapes to Dionysus. For I know that the dedication to Theodorus will instil eternal glory into this work of my study.

I will first select for you, competing with men of old time, all that the parents of the new song wrote as an offering to the old gods. For it was meet to adhere to the wise model of the ancient writers.

After those again comes a more ambitious collection of all our pens wrote either in places or on well-

εἴτε καὶ εὐποίητον ἐπὶ βρέτας, εἴτε καὶ ἄλλης
τέχνης ἐργοπόνοιο πολυσπερέεσσιν ἀέθλοις.   12

Καὶ τριτάτην βαλβῖδα νεήνιδος ἔλλαχε βίβλου
ὅσσα θέμις, τύμβοισι τάπερ θεὸς ἐν μὲν ἀοιδῇ
ἐκτελέειν νεύσειεν, ἐν ἀτρεκίῃ δὲ διώκειν.

"Οσσα δὲ καὶ βιότοιο πολυσπερέεσσι κελεύθοις
γράψαμεν, ἀσταθέος δὲ τύχης σφαλεροῖσι ταλάν-
τοις,   12
δέρκεό μοι βίβλοιο παρὰ κρηπῖδα τετάρτην.

Ναὶ τάχα καὶ πέμπτοιο χάρις θέλξειεν ἀέθλου,
ὁππόθι κερτομέοντες ἐπεσβόλον ἦχον ἀοιδῆς
γράψαμεν. ἑκταῖον δὲ μέλος κλέπτουσα Κυθήρη
εἰς ὀάρους ἐλέγοιο παρατρέψειε πορείην   13
καὶ γλυκεροὺς ἐς ἔρωτας. ἐν ἑβδομάτῃ δὲ μελίσσῃ
εὐφροσύνας Βάκχοιο, φιλακρήτους τε χορείας,
καὶ μέθυ, καὶ κρητῆρα, καὶ ὄλβια δεῖπνα νοήσεις.

4.—ΤΟΥ ΑΥΤΟΥ

Στῆλαι καὶ γραφίδες καὶ κύρβιες, εὐφροσύνης μὲν
αἴτια τοῖς ταῦτα κτησαμένοις μεγάλης,
ἀλλ' ἐς ὅσον ζώουσι· τὰ γὰρ κενὰ κύδεα φωτῶν
ψυχαῖς οἰχομένων οὐ μάλα συμφέρεται·
ἡ δ' ἀρετὴ σοφίης τε χάρις καὶ κεῖθι συνέρπει,   5
κἀνθάδε μιμνάζει μνῆστιν ἐφελκομένη.
οὕτως οὔτε Πλάτων βρενθύεται οὔτ' [ἄρ'] Ὅμηρος
χρώμασιν ἢ στήλαις, ἀλλὰ μόνῃ σοφίῃ.
ὄλβιοι ὧν μνήμη πινυτῶν ἐνὶ τεύχεσι βίβλων,
ἀλλ' οὐκ ἐς κενεὰς εἰκόνας ἐνδιάει.   10

wrought statues or on the other widely distributed performances of laborious Art.

The third starting-point of the young book is occupied, as far as it was allowed us, by what God granted us to write on tombs in verse but adhering to the truth.

Next what we wrote on the devious paths of life and the deceitful balance of inconstant Fortune, behold at the fourth base-line of the book.

Yea, and perhaps you may be pleased by the charm of a fifth contest, where waxing abusive we wrote scurrilous rhyme, and Cytherea may steal a sixth book of verse, turning our path aside to elegiac converse and sweet love. Finally in a seventh honey-comb you will find the joys of Bacchus and tipsy dances and wine and cups and rich banquets.

4.— By the Same

Columns and pictures and inscribed tablets are a source of great delight to those who possess them, but only during their life; for the empty glory of man does not much benefit the spirits of the dead. But virtue and the grace of wisdom both accompany us there and survive here attracting memory. So neither Plato nor Homer takes pride in pictures or monuments, but in wisdom alone. Blessed are they whose memory is enshrined in wise volumes and not in empty images.

BOOK V

THE AMATORY EPIGRAMS

IN this book Nos. 134–215 are from Meleager's *Stephanus*, Nos. 104–133 from that of Philippus, and Nos. 216–302 from the Cycle of Agathias. Nos. 1–103 are from a collection which I suppose (with Stadtmüller) to have been made by Rufinus, as it contains nearly all his poems. It comprises a considerable number of poems that must have been in Meleager's *Stephanus*. Finally, Nos. 303–309 are from unknown sources.

E

ΕΠΙΓΡΑΜΜΑΤΑ ΕΡΩΤΙΚΑ ΔΙΑΦΟΡΩΝ ΠΟΙΗΤΩΝ

1.

Νέοις ἀνάπτων καρδίας σοφὴν ζέσιν,
ἀρχὴν Ἔρωτα τῶν λόγων ποιήσομαι·
πυρσὸν γὰρ οὗτος ἐξανάπτει τοῖς νέοις.

2.—ΑΔΕΣΠΟΤΟΝ

Τὴν καταφλεξίπολιν Σθενελαΐδα, τὴν βαρύμισθον,
   τὴν τοῖς βουλομένοις χρυσὸν ἐρευγομένην,
γυμνήν μοι διὰ νυκτὸς ὅλης παρέκλινεν ὄνειρος
   ἄχρι φίλης ἠοῦς προῖκα χαριζομένην.
οὐκέτι γουνάσομαι τὴν βάρβαρον, οὐδ᾽ ἐπ᾽ ἐμαυτῷ   5
   κλαύσομαι, ὕπνον ἔχων κεῖνα χαριζόμενον.

3.—ΑΝΤΙΠΑΤΡΟΥ ΘΕΣΣΑΛΟΝΙΚΕΩΣ

Ὄρθρος ἔβη, Χρύσιλλα, πάλαι δ᾽ ἠῷος ἀλέκτωρ
   κηρύσσων φθονερὴν Ἠριγένειαν ἄγει.
ὀρνίθων ἔρροις φθονερώτατος, ὅς με διώκεις
   οἴκοθεν εἰς πολλοὺς ἠϊθέων ὀάρους.
γηράσκεις, Τιθωνέ· τί γὰρ σὴν εὐνέτιν Ἠῶ   5
   οὕτως ὀρθριδίην ἤλασας ἐκ λεχέων;

BOOK V

THE AMATORY EPIGRAMS

1.—Prooemion of Constantine Cephalas

Warming the hearts of youth with learned fervour, I will make Love the beginning of my discourse, for it is he who lighteth the torch for youth.

2.—Anonymous

She who sets the town on fire, Sthenelais, the high-priced whore, whose breath smells of gold for those who desire her, lay by me naked in my dream all night long until the sweet dawn, giving herself to me for nothing. No longer shall I implore the cruel beauty, nor mourn for myself, now I have Sleep to grant me what he granted.

3.—ANTIPATER OF THESSALONICA

The day has broken, Chrysilla, and for long early-rising chanticleer is crowing to summon envious Dawn. A curse on thee, most jealous of fowls, who drivest me from home to the tireless chatter of the young men. Thou art growing old, Tithonus, or why dost thou chase thy consort Aurora so early from thy bed?

4.—ΦΙΛΟΔΗΜΟΥ

Τὸν σιγῶντα, Φιλαινί, συνίστορα τῶν ἀλαλήτων
   λύχνον ἐλαιηρῆς ἐκμεθύσασα δρόσου,
ἔξιθι· μαρτυρίην γὰρ Ἔρως μόνος οὐκ ἐφίλησεν
   ἔμπνουν· καὶ πηκτὴν κλεῖε, Φιλαινί, θύρην.
καὶ σύ, φίλη Ξανθώ, με· σὺ δ', ὦ φιλεράστρια
      κοίτη,   5
   ἤδη τῆς Παφίης ἴσθι τὰ λειπόμενα.

5.—ΣΤΑΤΥΛΛΙΟΥ ΦΛΑΚΚΟΥ

Ἀργύρεον νυχίων με συνίστορα πιστὸν ἐρώτων
   οὐ πιστῇ λύχνον Φλάκκος ἔδωκε Νάπῃ,
ἧς παρὰ νῦν λεχέεσσι μαραίνομαι, εἰς ἐπιόρκου
   παντοπαθῆ κούρης αἴσχεα δερκόμενος.
Φλάκκε, σὲ δ' ἄγρυπνον χαλεπαὶ τείρουσι μέρι-
      μναι·   5
   ἄμφω δ' ἀλλήλων ἄνδιχα καιόμεθα.

6.—ΚΑΛΛΙΜΑΧΟΥ

Ὤμοσε Καλλίγνωτος Ἰωνίδι, μήποτε κείνης
   ἕξειν μήτε φίλον κρέσσονα μήτε φίλην.
ὤμοσεν· ἀλλὰ λέγουσιν ἀληθέα, τοὺς ἐν ἔρωτι
   ὅρκους μὴ δύνειν οὔατ' ἐς ἀθανάτων.
νῦν δ' ὁ μὲν ἀρσενικῷ θέρεται πυρί· τῆς δὲ
      ταλαίνης   5
   νύμφης, ὡς Μεγαρέων, οὐ λόγος οὐδ' ἀριθμός.

7.—ΑΣΚΛΗΠΙΑΔΟΥ

Λύχνε, σὲ γὰρ παρεοῦσα τρὶς ὤμοσεν Ἡράκλεια
   ἥξειν, κοὐχ ἥκει· λύχνε, σὺ δ', εἰ θεὸς εἶ,

4.—PHILODEMUS

PHILAENIS, make drunk with oil the lamp, the silent confidant of things we may not speak of, and then go out: for Love alone loves no living witness; and, Philaenis, shut the door close. And then, dear Xantho,—but thou, my bed, the lovers' friend, learn now the rest of Aphrodite's secrets.

5.—STATYLLIUS FLACCUS

To faithless Nape Flaccus gave myself, this silver lamp, the faithful confidant of the loves of the night; and now I droop at her bedside, looking on the lewdness of the forsworn girl. But thou, Flaccus, liest awake, tormented by cruel care, and both of us are burning far away from each other.

6.—CALLIMACHUS

CALLIGNOTUS swore to Ionis that never man nor woman would be dearer to him than she. He swore, but it is true what they say, that Lovers' oaths do not penetrate the ears of the immortals. Now he is glowing with love for a youth, and of the poor girl, as of the Megarians,[1] there is neither word nor count.

7.—ASCLEPIADES

DEAR lamp, thrice Heraclea here present swore by thee to come and cometh not. Lamp, if thou art

[1] There was a proverb to this effect about Megara in its decline.

131

τὴν δολιην ἀπάμυνον· ὅταν φίλον ἔνδον ἔχουσα
παίζῃ, ἀποσβεσθεὶς μηκέτι φῶς πάρεχε.

8.—ΜΕΛΕΑΓΡΟΤ

Νὺξ ἱερὴ καὶ λύχνε, συνίστορας οὔτινας ἄλλους
ὅρκοις, ἀλλ᾽ ὑμέας, εἱλόμεθ᾽ ἀμφότεροι·
χὢ μὲν ἐμὲ στέρξειν, κεῖνον δ᾽ ἐγὼ οὔ ποτε λείψειν
ὠμόσαμεν· κοινὴν δ᾽ εἴχετε μαρτυρίην.
νῦν δ᾽ ὁ μὲν ὅρκια φησὶν ἐν ὕδατι κεῖνα φέρεσθαι,   5
λύχνε, σὺ δ᾽ ἐν κόλποις αὐτὸν ὁρᾷς ἑτέρων.

9.—ΡΟΤΦΙΝΟΤ

Ῥουφῖνος τῇ ᾽μῇ γλυκερωτάτῃ Ἐλπίδι πολλὰ
χαίρειν, εἰ χαίρειν χωρὶς ἐμοῦ δύναται.
οὐκέτι βαστάζω, μὰ τὰ σ᾽ ὄμματα, τὴν φιλέρημον
καὶ τὴν μουνολεχῆ σεῖο διαζυγίην·
ἀλλ᾽ αἰεὶ δακρύοισι πεφυρμένος ἢ ᾽πὶ Κορησσὸν   5
ἔρχομαι ἢ μεγάλης νηὸν ἐς Ἀρτέμιδος.
αὔριον ἀλλὰ πάτρη με δεδέξεται· ἐς δὲ σὸν ὄμμα
πτήσομαι, ἐρρῶσθαι μυρία σ᾽ εὐχόμενος.

10.—ΑΛΚΑΙΟΤ

Ἐχθαίρω τὸν Ἔρωτα· τί γὰρ βαρὺς οὐκ ἐπὶ θῆρας
ὄρνυται, ἀλλ᾽ ἐπ᾽ ἐμὴν ἰοβολεῖ κραδίην;
τί πλέον, εἰ θεὸς ἄνδρα καταφλέγει; ἢ τί τὸ σεμνὸν
δηώσας ἀπ᾽ ἐμῆς ἆθλον ἔχει κεφαλῆς;

11.—ΑΔΕΣΠΟΤΟΝ

Εἰ τοὺς ἐν πελάγει σώζεις, Κύπρι, κἀμὲ τὸν ἐν γᾷ
ναυαγόν, φιλίη, σῶσον ἀπολλύμενον.

H. Wellesley, in *Anthologia Polyglotta*, p. 140.

a god, take vengeance on the deceitful girl. When she has a friend at home and is sporting with him, go out, and give them no more light.

8.—MELEAGER

O HOLY Night, and Lamp, we both chose no confidants but you of our oaths : and he swore to love me and I never to leave him ; and ye were joint witnesses. But now he says those oaths were written in running water, and thou, O Lamp, seest him in the bosom of others.

9.—RUFINUS

Written from Ephesus in the form of a letter

I, THY Rufinus, wish all joy to my sweetest Elpis, if she can have joy away from me. By thy eyes, I can support no longer this desolate separation and my lonely bed without thee. Ever bathed in tears I go to Coressus hill or to the temple of Artemis the Great. But to-morrow my own city shall receive me back and I shall fly to the light of thy eyes wishing thee a thousand blessings.

10.—ALCAEUS

I HATE Love. Why doth not his heavy godship attack wild beasts, but shooteth ever at my heart ? What gain is it for a god to burn up a man, or what trophies of price shall he win from my head ?

11.—ANONYMOUS

CYPRIS, if thou savest those at sea, save me, beloved goddess, who perish ship-wrecked on land.

12.—ΡΟΥΦΙΝΟΥ

Λουσάμενοι, Προδίκη, πυκασώμεθα, καὶ τὸν ἄκρατον
ἕλκωμεν, κύλικας μείζονας αἰρόμενοι.
βαιὸς ὁ χαιρόντων ἐστὶν βίος· εἶτα τὰ λοιπὰ
γῆρας κωλύσει, καὶ τὸ τέλος θάνατος.

13.—ΦΙΛΟΔΗΜΟΥ

Ἑξήκοντα τελεῖ Χαριτὼ λυκαβαντίδας ὥρας,
ἀλλ' ἔτι κυανέων σύρμα μένει πλοκάμων,
κἦν στέρνοις ἔτι κεῖνα τὰ λύγδινα κώνια μαστῶν
ἕστηκεν, μίτρης γυμνὰ περιδρομάδος,
καὶ χρὼς ἀρρυτίδωτος ἔτ' ἀμβροσίην, ἔτι πειθὼ   5
πᾶσαν, ἔτι στάζει μυριάδας χαρίτων.
ἀλλὰ πόθους ὀργῶντας ὅσοι μὴ φεύγετ' ἐρασταί,
δεῦρ' ἴτε, τῆς ἐτέων ληθόμενοι δεκάδος.

14.—ΡΟΥΦΙΝΟΥ

Εὐρώπης τὸ φίλημα, καὶ ἢν ἄχρι χείλεος ἔλθῃ,
ἡδύ γε, κἂν ψαύσῃ μοῦνον ἄκρου στόματος·
ψαύει δ' οὐκ ἄκροις τοῖς χείλεσιν, ἀλλ' ἐρίσασα
τὸ στόμα τὴν ψυχὴν ἐξ ὀνύχων ἀνάγει.

15.—ΤΟΥ ΑΥΤΟΥ

Ποῦ νῦν Πραξιτέλης; ποῦ δ' αἱ χέρες αἱ Πολυκλείτου,
αἱ ταῖς πρόσθε τέχναις πνεῦμα χαριζόμεναι;
τίς πλοκάμους Μελίτης εὐώδεας, ἢ πυρόεντα
ὄμματα καὶ δειρῆς φέγγος ἀποπλάσεται;
ποῦ πλάσται; ποῦ δ' εἰσὶ λιθοξόοι; ἔπρεπε τοίῃ   5
μορφῇ νηὸν ἔχειν, ὡς μακάρων ξοάνῳ.

12.—RUFINUS

LET us bathe, Prodike, and crown our heads, and quaff untempered wine, lifting up greater cups. Short is the season of rejoicing, and then old age comes to forbid it any longer, and at the last death.

13.—PHILODEMUS

CHARITO has completed sixty years, but still the mass of her dark hair is as it was, and still upheld by no encircling band those marble cones of her bosom stand firm. Still her skin without a wrinkle distils ambrosia, distils fascination and ten thousand graces. Ye lovers who shrink not from fierce desire, come hither, unmindful of her decades.

14.—RUFINUS

EUROPA's kiss is sweet though it reach only to the lips, though it but lightly touch the mouth. But she touches not with the edge of the lips; with her mouth cleaving close she drains the soul from the finger-tips.

15.—BY THE SAME

WHERE is now Praxiteles? Where are the hands of Polycleitus, that gave life to the works of ancient art? Who shall mould Melite's scented ringlets, or her fiery eyes and the splendour of her neck? Where are the modellers, the carvers in stone? Such beauty, like the image of a god, deserved a temple.

16.—ΜΑΡΚΟΥ ΑΡΓΕΝΤΑΡΙΟΥ

Μήνη χρυσόκερως, δέρκευ τάδε, καὶ περιλαμπεῖς
ἀστέρες, οὓς κόλποις Ὠκεανὸς δέχεται,
ὥς με μόνον προλιποῦσα μυρόπνοος ᾤχετ᾽ Ἀρίστη·
ἑκταίην δ᾽ εὑρεῖν τὴν μάγον οὐ δύναμαι.
ἀλλ᾽ ἔμπης αὐτὴν ζωγρήσομεν, ἢν ἐπιπέμψω   5
Κύπριδος ἰχνευτὰς ἀργυρέους σκύλακας.

17.—ΓΑΙΤΟΥΛΙΚΟΥ

Ἀγχιάλου ῥηγμῖνος ἐπίσκοπε, σοὶ τάδε πέμπω
ψαιστία καὶ λιτῆς δῶρα θυηπολίης·
αὔριον Ἰονίου γὰρ ἐπὶ πλατὺ κῦμα περήσω,
σπεύδων ἡμετέρης κόλπον ἐς Εἰδοθέης·
οὔριος ἀλλ᾽ ἐπίλαμψον ἐμῷ καὶ ἔρωτι καὶ ἱστῷ,   5
δεσπότι καὶ θαλάμων, Κύπρι, καὶ ἠϊόνων.

18.—ΡΟΥΦΙΝΟΥ

Μᾶλλον τῶν σοβαρῶν τὰς δουλίδας ἐκλεγόμεσθα,
οἱ μὴ τοῖς σπατάλοις κλέμμασι τερπόμενοι.
ταῖς μὲν χρὼς ἀπόδωδε μύρου, σοβαρόν τε φρύαγμα,
καὶ μέχρι †κινδύνου ἑσπομένη σύνοδος·
ταῖς δὲ χάρις καὶ χρὼς ἴδιος, καὶ λέκτρον ἑτοῖμον,   5
δώροις ἐκ σπατάλης οὐκ †ἀλεγιζόμενον.
μιμοῦμαι Πύρρον τὸν Ἀχιλλέος, ὃς προέκρινεν
Ἑρμιόνης ἀλόχου τὴν λάτριν Ἀνδρομάχην.

19.—ΤΟΥ ΑΥΤΟΥ

Οὐκέτι παιδομανὴς ὡς πρίν ποτε, νῦν δὲ καλοῦμαι
θηλυμανής, καὶ νῦν δίσκος ἐμοὶ κρόταλον·

16.—MARCUS ARGENTARIUS

GOLDEN-HORNED Moon, and all ye stars that shine around and sink into the bosom of Ocean, look on this! Perfumed Ariste is gone and hath left me alone, and for six days I seek the witch in vain. But we shall catch her notwithstanding, if I put the silver hounds of Cypris on her track.

17.—GAETULICUS

GUARDIAN of the surf-beaten shore, I send thee, Cypris, these little cakes and simple gifts of sacrifice. For to-morrow I shall cross the broad Ionian Sea, hasting to the bosom of my Idothea. Shine favourable on my love, and on my bark, thou who art queen alike of the chamber and of the shore.

18.—RUFINUS

WE, who take no pleasure in costly intrigues, prefer servants to ladies of high station. The latter smell of scent, and give themselves the airs of their class, and they are attended even at the rendezvous (?). The charm and fragrance of a servant are her own, and her bed is always ready without any prodigal display. I imitate Pyrrhus the son of Achilles, who preferred Andromache the slave to his wife Hermione.

19.—BY THE SAME

I AM not said to rave about boys as before, but now they say I am mad about women, and my quoit

137

ἀντὶ δέ μοι παίδων ἀδόλου χροὸς ἥρεσε γύψου
χρώματα, καὶ φύκους ἄνθος ἐπεισόδιον.
βοσκήσει δελφῖνας ὁ δενδροκόμης Ἐρύμανθος,   5
καὶ πολιὸν πόντου κῦμα θοὰς ἐλάφους.

20.—ΟΝΕΣΤΟΥ

Οὔτε με παρθενικῆς τέρπει γάμος, οὔτε γεραιῆς·
τὴν μὲν ἐποικτείρω, τὴν δὲ καταιδέομαι.
εἴη μήτ' ὄμφαξ, μήτ' ἀσταφίς· ἡ δὲ πέπειρος
ἐς Κύπριδος θαλάμους ὡρία καλλοσύνη.

21.—ΡΟΥΦΙΝΟΥ

Οὐκ ἔλεγον, Προδίκη, "γηράσκομεν"; οὐ προε-
    φώνουν·
"ἥξουσιν ταχέως αἱ διαλυσίφιλοι";
νῦν ῥυτίδες καὶ θρὶξ πολιὴ καὶ σῶμα ῥακῶδες,
καὶ στόμα τὰς προτέρας οὐκέτ' ἔχον χάριτας.
μή τις σοί, μετέωρε, προσέρχεται, ἢ κολακεύων   5
λίσσεται; ὡς δὲ τάφον νῦν σε παρερχόμεθα.

22.—ΤΟΥ ΑΥΤΟΥ

Σοί με λάτριν γλυκύδωρος Ἔρως παρέδωκε,
    Βοῶπι,
ταῦρον ὑποζεύξας εἰς πόθον αὐτόμολον,
αὐτοθελῆ, πάνδουλον, ἑκούσιον, αὐτοκέλευστον,
αἰτήσοντα πικρὴν μήποτ' ἐλευθερίην
ἄχρι, φίλη, πολιῆς καὶ γήραος· ὄμμα βάλοι δὲ   5
μήποτ' ἐφ' ἡμετέραις ἐλπίσι βασκανίη.

has become a rattle.[1] Instead of the unadulterated complexion of boys I am now fond of powder and rouge and colours that are laid on. Dolphins shall feed in the forests of Erymanthus, and fleet deer in the grey sea.

20.—HONESTUS

I NEITHER wish to marry a young girl nor an old woman. The one I pity, the other I revere. Neither sour grape nor raisin would I have, but a beauty ripe for the chamber of Love.

21.—RUFINUS

DID I not tell thee, Prodike, that we are growing old, did I not foretell that the dissolvers of love shall come soon? Now they are here, the wrinkles and the grey hairs, a shrivelled body, and a mouth lacking all its former charm. Does anyone approach thee now, thou haughty beauty, or flatter and beseech thee? No! like a wayside tomb we now pass thee by.

22.—BY THE SAME

LOVE, the giver of sweet gifts, gave me to thee, Boöpis, for a servant, yoking the steer that came himself to bend his neck to Desire, all of his own free will, at his own bidding, an abject slave who will never ask for bitter freedom, never, my dear, till he grows grey and old. May no evil eye ever look on our hopes to blight them!

[1] Discus puerorum ludicrum est, crepitaculum puellarum ; sed latet spurci aliquid.

23.—ΚΑΛΛΙΜΑΧΟΤ

Οὕτως ὑπνώσαις, Κωνώπιον, ὡς ἐμὲ ποιεῖς
 κοιμᾶσθαι ψυχροῖς τοῖσδε παρὰ προθύροις·
οὕτως ὑπνώσαις, ἀδικωτάτη, ὡς τὸν ἐραστὴν
 κοιμίζεις· ἐλέου δ᾽ οὐδ᾽ ὄναρ ἠντίασας.
γείτονες οἰκτείρουσι· σὺ δ᾽ οὐδ᾽ ὄναρ. ἡ πολιὴ δὲ
 αὐτίκ᾽ ἀναμνήσει ταῦτά σε πάντα κόμη.

24.—[ΦΙΛΟΔΗΜΟΤ]

Ψυχή μοι προλέγει φεύγειν πόθον Ἡλιοδώρας,
 δάκρυα καὶ ζήλους τοὺς πρὶν ἐπισταμένη.
φησὶ μέν· ἀλλὰ φυγεῖν οὔ μοι σθένος· ἡ γὰρ
 ἀναιδὴς
αὐτὴ καὶ προλέγει, καὶ προλέγουσα φιλεῖ.

25.—ΤΟΥ ΑΥΤΟΥ

Ὁσσάκι Κυδίλλης ὑποκόλπιος, εἴτε κατ᾽ ἦμαρ,
 εἴτ᾽ ἀποτολμήσας ἤλυθον ἑσπέριος,
οἶδ᾽ ὅτι πὰρ κρημνὸν τέμνω πόρον, οἶδ᾽ ὅτι ῥιπτῶ
 πάντα κύβον κεφαλῆς αἰὲν ὕπερθεν ἐμῆς.
ἀλλὰ τί μοι πλέον ἐστί; †γὰρ θρασύς, ἠδ᾽ ὅταν ἕλκῃ
 πάντοτ᾽ Ἔρως, ἀρχὴν οὐδ᾽ ὄναρ οἶδε φόβου.

26.—ΑΔΕΣΠΟΤΟΝ

Εἴτε σε κυανέῃσιν ἀποστίλβουσαν ἐθείραις,
 εἴτε πάλιν ξανθαῖς εἶδον, ἄνασσα, κόμαις,
ἴση ἀπ᾽ ἀμφοτέρων λάμπει χάρις. ἦ ῥά γε ταύταις
 θριξὶ συνοικήσει καὶ πολιῇσιν Ἔρως.

A. Lang, *Grass of Parnassus*, ed. 2, p. 163.

23.—CALLIMACHUS

MAYEST thou so sleep, Conopion, as thou makest me sleep by these cold portals; mayest thou sleep even so, cruel one, as thou sendest him who loves thee to sleep. Not a shadow of pity touched thee. The neighbours take pity on me, but thou not a shadow. One day shall the grey hairs come to remind thee of all this.

24.—[PHILODEMUS[1]]

MY soul warns me to fly from the love of Heliodora, for well it knows the tears and jealousies of the past. It commands, but I have no strength to fly, for the shameless girl herself warns me to leave her, and even while she warns she kisses me.

25.—BY THE SAME

As often as I come to Cydilla's embrace, whether I come in the day time, or more venturesome still in the evening, I know that I hold my path on the edge of a precipice, I know that each time I recklessly stake my life. But what advantage is it to me to know that? My heart is bold (?), and when Love ever leads it, it knows not at all even the shadow of fear.

26.—ANONYMOUS

WHETHER I see thee, my queen, with glossy raven locks, or again with fair hair, the same charm illumines thy head. Verily Love shall lodge still in this hair when it is grey.

[1] Probably by Meleager, and so too No. 25.

27.—ΡΟΥΦΙΝΟΥ

Ποῦ σοι κεῖνα, Μέλισσα, τὰ χρύσεα καὶ περίοπτα
　τῆς πολυθρυλήτου κάλλεα φαντασίης;
ποῦ δ᾿ ὀφρύες, καὶ γαῦρα φρονήματα, καὶ μέγας
　αὐχήν,
καὶ σοβαρῶν ταρσῶν χρυσοφόρος σπατάλη;
νῦν πενιχρὴ ψαφαρή τε κόμη, παρὰ ποσσί τε
　τρύχη·　　　　　　　　　　　　　　　　　 5
ταῦτα τὰ τῶν σπαταλῶν τέρματα παλλακίδων.

28.—ΤΟΥ ΑΥΤΟΥ

Νῦν μοι "χαῖρε" λέγεις, ὅτε σου τὸ πρόσωπον
　ἀπῆλθεν
κεῖνο, τὸ τῆς λύγδου, βάσκανε, λειότερον·
νῦν μοι προσπαίζεις, ὅτε τὰς τρίχας ἠφάνικάς σου,
　τὰς ἐπὶ τοῖς σοβαροῖς αὐχέσι πλαζομένας.
μηκέτι μοι, μετέωρε, προσέρχεο, μηδὲ συνάντα·　 5
　ἀντὶ ῥόδου γὰρ ἐγὼ τὴν βάτον οὐ δέχομαι.

29.—ΚΙΛΛΑΚΤΟΡΟΣ

Ἁδὺ τὸ βινεῖν ἐστί· τίς οὐ λέγει; ἀλλ᾿ ὅταν αἰτῇ
　χαλκόν, πικρότερον γίνεται ἐλλεβόρου.

30.—ΑΝΤΙΠΑΤΡΟΥ ΘΕΣΣΑΛΟΝΙΚΕΩΣ

Πάντα καλῶς, τό γε μήν, χρυσῆν ὅτι τὴν
　Ἀφροδίτην,
ἔξοχα καὶ πάντων εἶπεν ὁ Μαιονίδας.
ἢν μὲν γὰρ τὸ χάραγμα φέρῃς, φίλος, οὔτε θυρωρὸς
　ἐν ποσίν, οὔτε κύων ἐν προθύροις δέδεται·
ἢν δ᾿ ἑτέρως ἔλθῃς, καὶ ὁ Κέρβερος. ὦ πλεονέκται,　 5
　οἱ πλούτου, πενίην ὡς ἀδικεῖτε νόμοι.

142

27.—RUFINUS

Where, Melissa, now is the golden and admired brilliance of thy renowned beauty? Where are they, thy disdainful brow and thy proud spirit, thy long slender neck, and the rich gold clasps of thy haughty ankles? Now thy hair is unadorned and unkempt and rags hang about thy feet. Such is the end of prodigal harlots.

28.—By the Same

Now, you so chary of your favours, you bid me good-day, when the more than marble smoothness of your cheeks is gone; now you dally with me, when you have done away with the ringlets that tossed on your haughty neck. Come not near me, meet me not, scorner! I don't accept a bramble for a rose.

29.—CILLACTOR

Sweet is fruition, who denies it? but when it demands money it becomes bitterer than hellebore.

30.—ANTIPATER OF THESSALONICA

All 'Homer says is well said, but this most excellently that Aphrodite is golden. For if, my friend, you bring the coin, there is neither a porter in the way, nor a dog chained before the door. But if you come without it, there is Cerberus himself there. Oh! grasping code of wealth, how dost thou oppress poverty!

31.—ΤΟΥ ΑΥΤΟΥ

Χρύσεος ἦν γενεὴ καὶ χάλκεος ἀργυρέη τε
πρόσθεν· παντοίη δ᾽ ἡ Κυθέρεια τανῦν,
καὶ χρυσοῦν τίει, καὶ χάλκεον ἄνδρ᾽ ἐφίλησεν,
καὶ τοὺς ἀργυρέους οὔ ποτ᾽ ἀποστρέφεται.
Νέστωρ ἡ Παφίη. δοκέω δ᾽ ὅτι καὶ Δανάῃ Ζεὺς   5
οὐ χρυσός, χρυσοῦς δ᾽ ἦλθε φέρων ἑκατόν.

32.—ΜΑΡΚΟΥ ΑΡΓΕΝΤΑΡΙΟΥ

Ποιεῖς πάντα, Μέλισσα, φιλανθέος ἔργα μελίσσης·
οἶδα καὶ ἐς κραδίην τοῦτο, γύναι, τίθεμαι.
καὶ μέλι μὲν στάζεις ὑπὸ χείλεσιν ἡδὺ φιλεῦσα·
ἢν δ᾽ αἰτῇς, κέντρῳ τύμμα φέρεις ἄδικον.

33.—ΠΑΡΜΕΝΙΩΝΟΣ

Ἐς Δανάην ἔρρευσας, Ὀλύμπιε, χρυσός, ἵν᾽ ἡ παῖς
ὡς δώρῳ πεισθῇ, μὴ τρέσῃ ὡς Κρονίδην.

34.—ΤΟΥ ΑΥΤΟΥ

Ὁ Ζεὺς τὴν Δανάην χρυσοῦ, κἀγὼ δὲ σὲ χρυσοῦ·
πλείονα γὰρ δοῦναι τοῦ Διὸς οὐ δύναμαι.

35.—ΡΟΥΦΙΝΟΥ

Πυγὰς αὐτὸς ἔκρινα τριῶν· εἵλοντο γὰρ αὐταί,
δείξασαι γυμνὴν ἀστεροπὴν μελέων.
καί ῥ᾽ ἡ μὲν τροχαλοῖς σφραγιζομένη γελασίνοις
λευκῇ ἀπὸ γλουτῶν ἤνθεεν εὐαφίῃ·

31.—By the Same

Formerly there were three ages, a golden, a silver, and a brazen, but Cytherea is now all three. She honours the man of gold, and she kisses the brazen man [1] and she never turns her back on the silver men.[2] She is a very Nestor [3]; I even think that Zeus came to Danae, not turned to gold, but bringing a hundred gold sovereigns.

32.—MARCUS ARGENTARIUS

You do everything, Melissa, that your namesake the flower-loving bee does. I know this and take it to heart. You drop honey from your lips, when you sweetly kiss, and when you ask for money you sting me most unkindly.

33.—PARMENION

Thou didst fall in rain of gold on Danae, Olympian Zeus, that the child might yield to thee as to a gift, and not tremble before thee as before a god.

34.—By the Same

Zeus bought Danae for gold, and I buy you for a gold coin. I can't give more than Zeus did.

35.—RUFINUS

I judged the hinder charms of three; for they themselves chose me, showing me the naked splendour of their limbs. Et prima quidem signata sulculis rotundis candido florebat et molli decore;

---

[1] The soldier.   [2] Bankers, etc.
[3] She is to the three ages or sorts of men what Nestor was to the three generations in which he lived.

τῆς δὲ διαιρομένης φοινίσσετο χιονέη σάρξ,   5
  πορφυρέοιο ῥόδου μᾶλλον ἐρυθροτέρη·
ἡ δὲ γαληνιόωσα χαράσσετο κύματι κωφῷ,
  αὐτομάτη τρυφερῷ χρωτὶ σαλευομένη.
εἰ ταύτας ὁ κριτὴς ὁ θεῶν ἐθεήσατο πυγάς,
  οὐκέτ᾽ ἂν οὐδ᾽ ἐσιδεῖν ἤθελε τὰς προτέρας.   10

36.—ΤΟΥ ΑΥΤΟΥ

Ἤρισαν ἀλλήλαις Ῥοδόπη, Μελίτη, Ῥοδόκλεια,
  τῶν τρισσῶν τίς ἔχει κρείσσονα Μηριόνην,
καί με κριτὴν εἵλοντο· καὶ ὡς θεαὶ αἱ περίβλεπτοι
  ἔστησαν γυμναί, νέκταρι λειβόμεναι.
καὶ Ῥοδόπης μὲν ἔλαμπε μέσος μηρῶν Πολύφημος[1] 5
  οἷα ῥοδὼν πολίῳ σχιζόμενος Ζεφύρῳ. . . . .
τῆς δὲ Ῥοδοκλείης ὑάλῳ ἴσος, ὑγρομέτωπος,
  οἷα καὶ ἐν νηῷ πρωτογλυφὲς ξόανον.
ἀλλὰ σαφῶς ἃ πέπονθε Πάρις διὰ τὴν κρίσιν εἰδώς,
  τὰς τρεῖς ἀθανάτας εὐθὺ συνεστεφάνουν.   10

37.—ΤΟΥ ΑΥΤΟΥ

Μήτ᾽ ἰσχνὴν λίην περιλάμβανε, μήτε παχεῖαν·
  τούτων δ᾽ ἀμφοτέρων τὴν μεσότητα θέλε.
τῇ μὲν γὰρ λείπει σαρκῶν χύσις, ἡ δὲ περισσὴν
  κέκτηται· λεῖπον μὴ θέλε, μηδὲ πλέον.

38.—ΝΙΚΑΡΧΟΥ

Εὐμεγέθης πείθει με καλὴ γυνή, ἄν τε καὶ ἀκμῆς
  ἅπτητ᾽, ἄν τε καὶ ᾖ, Σιμύλε, πρεσβυτέρη.
ἡ μὲν γάρ με νέα περιλήψεται, ἡ δὲ παλαιὴ
  γραῖά με καὶ ῥυσή, Σιμύλε, λειχάσεται.

---

[1] I write Πολύφημος: πολύτιμος MS. In the next line I
suggest that Ζεφύρῳ was the last word of the missing couplet
and that here we should substitute ποταμῷ. I render so.

alterius vero divaricatae nivea caro rubescebat pur-
purea rosa rubicundior ; tertia velut mare tranquillum
sulcabatur fluctibus mutis, delicata eius cute sponte
palpitante. If Paris who judged the goddesses had
seen three such, he would not have wished to look
again on the former ones.

36.—By the Same

RHODOPE, Melita, and Rhodoclea strove with each
other, quaenam habeat potiorem Merionem,[1] and
chose me as judge, and like those goddesses famous
for their beauty, stood naked, dipped in nectar. Et
Rhodopes quidem inter femora fulgebat Polyphemus
velut rosarium cano scissum amne.[2] . . . Rhodo-
cleae vero feminal vitro simile erat, udaque ejus
superficies velut in templo statuae recens sculptae.
But as I knew well what Paris suffered owing to
his judgment, I at once gave the prize to all the
three goddesses.

37.—By the Same

TAKE not to your arms a woman who is too slender
nor one too stout, but choose the mean between the
two. The first has not enough abundance of flesh,
and the second has too much. Choose neither
deficiency nor excess.

38.—NICARCHUS

A FINE and largely built woman attracts me,
Similus, whether she be in her prime, or elderly. If
she be young she will clasp me, if she be old and
wrinkled, me fellabit.

---

[1] *i.e.* feminal.   [2] A couplet on Melite wanting.

39.—ΤΟΥ ΑΥΤΟΥ

Οὐκ ἀποθνήσκειν δεῖ με; τί μοι μέλει, ἤν τε ποδαγρὸς
  ἤν τε δρομεὺς γεγονὼς εἰς Ἀΐδην ὑπάγω;
πολλοὶ γάρ μ᾽ ἀροῦσιν. ἔα χωλόν με γενέσθαι·
  τῶνδ᾽ ἔνεκεν γὰρ ἴδ᾽ ὡς οὔποτ᾽ ἐῶ θιάσους.

40.—ΤΟΥ ΑΥΤΟΥ

Τῆς μητρὸς μὴ ἄκουε, Φιλουμένη· ἢν γὰρ ἀπέλθω
  καὶ θῶ ἅπαξ ἔξω τὸν πόδα τῆς πόλεως,
τῶν καταπαιζόντων μὴ σχῇς λόγον, ἀλλά γ᾽ ἐκείνοις
  ἐμπαίξασ᾽, ἄρξαι πλεῖόν ἐμοῦ τι ποεῖν·
πάντα λίθον κίνει. σαυτὴν τρέφε, καὶ γράφε
    πρός με
  εἰς ποίην ἀκτὴν εὐφρόσυνον γέγονας.
εὐτακτεῖν πειρῶ· τὸ δ᾽ ἐνοίκιον, ἤν τι περισσὸν
  γίνηται, καὶ ἐμοὶ φρόντισον ἱμάτιον.
ἢν ἐν γαστρὶ λάβῃς, τέκε, ναὶ τέκε· μὴ θορυβηθῇς·
  εὑρήσει πόθεν ἔστ᾽, ἐλθὸν ἐς ἡλικίην.

41.—ΡΟΥΦΙΝΟΥ

Τίς γυμνὴν οὕτω σε καὶ ἐξέβαλεν καὶ ἔδειρεν;
  τίς ψυχὴν λιθίνην εἶχε, καὶ οὐκ ἔβλεπε;
μοιχὸν ἴσως ηὕρηκεν ἀκαίρως κεῖνος ἐσελθών.
  γινόμενον· πᾶσαι τοῦτο ποοῦσι, τέκνον.
πλὴν ἀπὸ νῦν, ὅταν ᾖ τις ἔσω, κεῖνος δ᾽ ὅταν ἔξω,
  τὸ πρόθυρον σφήνου, μὴ πάλι ταὐτὸ πάθῃς.

42.—ΤΟΥ ΑΥΤΟΥ

Μισῶ τὴν ἀφελῆ, μισῶ τὴν σώφρονα λίαν·
  ἡ μὲν γὰρ βραδέως, ἡ δὲ θέλει ταχέως.

39.—By the Same

Must I not die? What care I if I go to Hades with gouty legs or in training for a race? I shall have many to carry me; so let me become lame, if I wish. As far as that goes, as you see, I am quite easy, and never miss a banquet.

40.—By the Same

Don't listen to your mother, Philumena; for once I am off and out of the town, pay no attention to those who make fun of us, but give them tit for tat, and try to be more successful than I was. Leave no stone unturned, make your own living, and write and tell me what pleasances you have visited. Try and behave with propriety. If you have anything over, pay the rent and get a coat for me. If you get with child, bring it to the birth, I entreat you. Don't be troubled about that: when it grows up it will find out who its father was.

41.—RUFINUS

Who beat you and turned you out half-naked like this? Who had so stony a heart and no eyes to see? Perhaps he arrived inopportunely and found you with a lover. That is a thing that happens; all women do it, my child. But henceforth when someone is in, and he is out, bolt the outer door, lest the same thing happen to you again.

42.—By the Same

I dislike a woman who is too facile and I dislike one who is too prudish. The one consents too quickly, the other too slowly.

43.—ΤΟΥ ΑΥΤΟΥ

Ἐκβάλλει γυμνήν τις, ἐπὴν εὕρῃ ποτὲ μοιχόν,
  ὡς μὴ μοιχεύσας, ὡς ἀπὸ Πυθαγόρου;
εἶτα, τέκνον, κλαίουσα κατατρίψεις τὸ πρόσωπον,
  καὶ παραριγώσεις μαινομένου προθύροις;
ἔκμαξαι, μὴ κλαῖε, τέκνον· χεὑρήσομεν ἄλλον,   5
  τὸν μὴ καὶ τὸ βλέπειν εἰδότα καὶ τὸ δέρειν.

44.—ΤΟΥ ΑΥΤΟΥ

Λέμβιον, ἡ δ' ἑτέρα Κερκούριον, αἱ δύ' ἑταῖραι
  αἰὲν ἐφορμοῦσιν τῷ Σαμίων λιμένι.
ἀλλά, νέοι, πανδημὶ τὰ λῃστρικὰ τῆς Ἀφροδίτης
  φεύγεθ'· ὁ συμμίξας καὶ καταδὺς πίεται.

45.—ΚΙΛΛΑΚΤΟΡΟΣ

Παρθενικὰ κούρα τὰ ἃ κέρματα πλείονα ποιεῖ,
  οὐκ ἀπὸ τᾶς τέχνας, ἀλλ' ἀπὸ τᾶς φύσιος.

46.—ΦΙΛΟΔΗΜΟΥ

α. Χαῖρε σύ. β. Καὶ σύ γε χαῖρε. α. Τί δεῖ σε
    καλεῖν; β. Σὲ δέ; α. Μή πω
τοῦτο φιλόσπουδος. β. Μηδὲ σύ· α. Μή τιν' ἔχεις ;
β. Ἀεὶ τὸν φιλέοντα. α. Θέλεις ἅμα σήμερον ἡμῖν
    δειπνεῖν; β. Εἰ σὺ θέλεις. α. Εὖγε· πόσου παρέσῃ;
β. Μηδέν μοι προδίδου. α. Τοῦτο ξένον. β. Ἀλλ'
    ὅσον ἄν σοι
κοιμηθέντι δοκῇ, τοῦτο δός.   α. Οὐκ ἀδικεῖς.

43.—BY THE SAME

DOES any man turn his girl out of doors half-dressed, just because he finds a lover with her,— just as if he had never been guilty of adultery, as if he were a Pythagorean? And, so, my dear child, you will spoil your face with crying, will you, and shiver outside the maniac's door? Wipe your eyes and stop crying, my dear, and we'll find another who is not so good at seeing things and at beating.

44.—BY THE SAME

LEMBION and Kerkurion,[1] the two whores, are always riding off the harbour of Samos. Fly, all ye youth, from Aphrodite's corsairs; he who engages, and is sunk, is swallowed up.

45.—CILLACTOR

A YOUNG girl increases her little store not by her art, but by her nature.[2]

46.—PHILODEMUS

He. Good-evening. *She.* Good-evening. *He.* What may your name be? *She.* And yours? *He.* Don't be so inquisitive all at once. *She.* Well don't you. *He.* Are you engaged? *She.* To anyone that likes me. *He.* Will you come to supper to-night? *She.* If you like. *He.* Very well! How much shall it be? *She.* Don't give me anything in advance. *He.* That is strange. *She.* Give me what you think right after sleeping with me. *He.* That is quite

[1] Names of two varieties of small boats adopted as *noms de guerre* by these courtesans.   [2] = loca naturalia.

ποῦ γίνη; πέμψω.   β. Καταμάνθανε.   a. Πηνίκα
  δ᾽ ἥξεις;
β. Ἢν σὺ θέλεις ὥρην.   a. Εὐθὺ θέλω.   β. Πρόαγε.

47.—ΡΟΥΦΙΝΟΥ

Πολλάκις ἠρασάμην σε λαβὼν ἐν νυκτί, Θάλεια,
  πληρῶσαι θαλερῇ θυμὸν ἐρωμανίῃ·
νῦν δ᾽ ὅτε <μοι> γυμνὴ γλυκεροῖς μελέεσσι πέπλησαι,
  ἔκλυτος ὑπναλέῳ γυῖα κέκμηκα κόπῳ.
θυμὲ τάλαν, τί πέπονθας; ἀνέγρεο, μηδ᾽ ἀπόκαμνε·   5
  ζητήσεις ταύτην τὴν ὑπερευτυχίην.

48.—ΤΟΥ ΑΥΤΟΥ

Ὄμματα μὲν χρύσεια, καὶ ὑαλόεσσα παρειή,
  καὶ στόμα πορφυρέης τερπνότερον κάλυκος,
δειρὴ λυγδινέη, καὶ στήθεα μαρμαίροντα,
  καὶ πόδες ἀργυρέης λευκότεροι Θέτιδος.
εἰ δέ τι καὶ πλοκαμῖσι διαστίλβουσιν ἄκανθαι,   5
  τῆς λευκῆς καλάμης οὐδὲν ἐπιστρέφομαι.

49.—ΓΑΛΛΟΥ

Ἡ τρισὶ λειτουργοῦσα πρὸς ἓν τάχος ἀνδράσι Λύδη,
  τῷ μὲν ὑπὲρ νηδύν, τῷ δ᾽ ὑπό, τῷ δ᾽ ὄπιθεν,
εἰσδέχομαι φιλόπαιδα, γυναικομανῆ, φιλυβριστήν.
  εἰ σπεύδεις, ἐλθὼν σὺν δυσί, μὴ κατέχου.

50.—ΑΔΕΣΠΟΤΟΝ

Καὶ πενίη καὶ ἔρως δύο μοι κακά· καὶ τὸ μὲν οἴσω
  κούφως· πῦρ δὲ φέρειν Κύπριδος οὐ δύναμαι.

fair. Where do you live? I will send. *She.* I will
tell you. *He.* And when will you come? *She.* Any
time you like. *He.* I would like now. *She.* Then
go on in front.

47.—RUFINUS

I OFTEN prayed, Thalia, to have you with me
at night and satisfy my passion by fervent caresses.
And, now you are close to me naked with your sweet
limbs, I am all languid and drowsy. O wretched
spirit, what hath befallen thee? Awake and faint
not. Some day shalt thou seek in vain this supreme
felicity.

48.—BY THE SAME

GOLDEN are her eyes and her cheeks like crystal,
and her mouth more delightful than a red rose.
Her neck is of marble and her bosom polished;
her feet are whiter than silver Thetis.[1] If here and
there the thistle-down glistens amid her dark locks,
I heed not the white aftermath.

49.—GALLUS

LYDE, quae tribus viris eadem celeritate inservit,
huic supra ventrem, illi subter, alii a postico.
"Admitto" inquit "paediconem, mulierosum, ir-
rumatorem. Si festinas, etiam si cum duobus in-
gressus sis, ne te cohibeas."

50.—ANONYMOUS

POVERTY and Love are my two woes. Poverty I
will bear easily, but the fire of Cypris I cannot.

[1] Alluding to her Homeric epithet "silver-footed."

GREEK ANTHOLOGY

51.—ΑΔΕΣΠΟΤΟΝ

Ἠράσθην, ἐφίλουν, ἔτυχον, κατέπραξ᾽, ἀγαπῶμαι·
τίς δέ, καὶ ἧς, καὶ πῶς, ἡ θεὸς οἶδε μόνη.

52.—ΔΙΟΣΚΟΡΙΔΟΥ

Ὅρκον κοινὸν Ἔρωτ᾽ ἀνεθήκαμεν· ὅρκος ὁ πιστὴν
Ἀρσινόης θέμενος Σωσιπάτρῳ φιλίην.
ἀλλ᾽ ἡ μὲν ψευδὴς κενὰ δ᾽ ὅρκια, τῷ δ᾽ ἐφυλάχθη
ἵμερος· ἡ δὲ θεῶν οὐ φανερὴ δύναμις.
θρήνους, ὦ Ὑμέναιε, παρὰ κλησιν αὔσαις   5
Ἀρσινόης, παστῷ μεμψάμενος προδότῃ.

53.—ΤΟΥ ΑΥΤΟΥ

Ἡ πιθανή μ᾽ ἔτρωσεν Ἀριστονόη, φίλ᾽ Ἄδωνι,
κοψαμένη τῇ σῇ στήθεα πὰρ καλύβῃ.
εἰ δώσει ταύτην καὶ ἐμοὶ χάριν, ἢν ἀποπνεύσω,
μὴ πρόφασις, σύμπλουν σύμ με λαβὼν ἀπάγου.

54.—ΤΟΥ ΑΥΤΟΥ

Μήποτε γαστροβαρῆ πρὸς σὸν λέχος ἀντιπρόσωπον
παιδογόνῳ κλίνῃς Κύπριδι τερπόμενος.
μεσσόθι γὰρ μέγα κῦμα καὶ οὐκ ὀλίγος πόνος ἔσται,
τῆς μὲν ἐρεσσομένης, σοῦ δὲ σαλευομένου.
ἀλλὰ πάλιν στρέψας ῥοδοειδέϊ τέρπεο πυγῇ,   5
τὴν ἄλοχον νομίσας ἀρσενόπαιδα Κύπριν.

55.—ΤΟΥ ΑΥΤΟΥ

Δωρίδα τὴν ῥοδόπυγον ὑπὲρ λεχέων διατείνας
ἄψεσιν ἐν χλοεροῖς ἀθάνατος γέγονα.

154

51.—Anonymous

I fell in love, I kissed, I was favoured, I enjoyed,
I am loved; but who am I, and who is she, and how
it befel, Cypris alone knows.

52.—DIOSCORIDES

To Love we offered the vow we made together;
by an oath Arsinoe and Sosipater plighted their
troth. But false is she, and her oath was vain, while
his love survives, and yet the gods have not mani-
fested their might. For a wedding song, Hymen,
chant a dirge at her door, rebuking her faithless
bed.

53.—By the Same

Winning Aristonoe wounded me, dear Adonis,
tearing her breasts by thy bier. If she will do me
the same honour, when I die, I hesitate not; take
me away with thee on thy voyage.

54.—By the Same

Gravidam ne adversam ad lectum inclines pro-
creatrice venere te oblectans. In medio enim ingens
fluctus, nec parvus labor erit, remigante illa, teque
jactato, sed conversae roseis gaude natibus, uxorem
docens masculae veneri se praestare.

55.—By the Same

Doride roseis natibus puella super grabatulum
distenta in floribus roscidis immortalis factus sum.

ἡ γὰρ ὑπερφυέεσσι μέσον διαβᾶσά με ποσσίν,
ἤνυσεν ἀκλινέως τὸν Κύπριδος δόλιχον, ·
ὄμμασι νωθρὰ βλέπουσα· τὰ δ' ἠΰτε πνεύματι
    φύλλα,   5
ἀμφισαλευομένης, ἔτρεμε πορφύρεα,
μέχρις ἀπεσπείσθη λευκὸν μένος ἀμφοτέροισιν,
καὶ Δωρὶς παρέτοις ἐξεχύθη μέλεσι.

56.—ΤΟΥ ΑΥΤΟΥ

Ἐκμαίνει χείλη με ῥοδόχροα, ποικιλόμυθα,
    ψυχοτακῆ στόματος νεκταρέου πρόθυρα,
καὶ γλῆναι λασίαισιν ὑπ' ὀφρύσιν ἀστράπτουσαι,
    σπλάγχνων ἡμετέρων δίκτυα καὶ παγίδες,
καὶ μαζοὶ γλαγόεντες, ἐΰζυγες, ἱμερόεντες,   5
    εὐφυέες, πάσης τερπνότεροι κάλυκος.
ἀλλὰ τί μηνύω κυσὶν ὀστέα; μάρτυρές εἰσιν
    τῆς ἀθυροστομίης οἱ Μίδεοι κάλαμοι.

57.—ΜΕΛΕΑΓΡΟΥ

Τὴν περιφρυγομένην ψυχὴν ἂν πολλάκι καίῃς,
    φεύξετ', Ἔρως· καὐτή, σχέτλι', ἔχει πτέρυγας.

58.—ΑΡΧΙΟΥ

Νήπι' Ἔρως, πορθεῖς μὲ τὸ κρήγυον· εἰς μὲ κένωσον
    πᾶν σὺ βέλος, λοιπὴν μηκέτ' ἀφεὶς γλυφίδα,
ὡς ἂν μοῦνον ἕλοις ἰοῖς ἐμέ, καί τινα χρῄζων
    ἄλλον ὀϊστεῦσαι, μηκέτ' ἔχοις ἀκίδα.

59.—ΤΟΥ ΑΥΤΟΥ

" Φεύγειν δεῖ τὸν Ἔρωτα " κενὸς πόνος· οὐ γὰρ ἀλύξω
    πεζὸς ὑπὸ πτηνοῦ πυκνὰ διωκόμενος.

Lilla C. Perry, *From the Garden of Hellas*, p. 109.

Ipsa enim mirabilibus pedibus medium me amplexa,
rectamque se tenens, absolvit longum cursum Veneris,
oculis languidum tuens; hi autem velut vento folia
tremebant purpurei, dum circumagitabatur, donec
effusum est album robur ambobus et Doris solutis
jacuit membris.

56.—By the Same

THEY drive me mad, those rosy prattling lips,
soul-melting portals of the ambrosial mouth, and
the eyes that flash under thick eyebrows, nets and
traps of my heart, and those milky paps well-mated,
full of charm, fairly formed, more delightful than
any flower. But why am I pointing out bones to
dogs? Midas' reeds testify to what befalls tale-
tellers.

57.—MELEAGER

LOVE, if thou burnest too often my scorched soul,
she will fly away; she too, cruel boy, has wings.

58.—ARCHIAS

LITTLE Love, thou layest me waste of a truth;
empty all thy quiver on me, leave not an arrow. So
shalt thou slay me alone with thy shafts, and when
thou wouldst shoot at another, thou shalt not find
wherewith.

59.—By the Same

You say " one should fly from Love." It is labour
lost; how shall I on foot escape from a winged
creature that pursues me close?

60.—ΡΟΥΦΙΝΟΥ

Παρθένος ἀργυρόπεζος ἐλούετο, χρύσεα μαζῶν
χρωτὶ γαλακτοπαγεῖ μῆλα διαινομένη·
πυγαὶ δ' ἀλλήλαις περιηγέες εἱλίσσοντο,
ὕδατος ὑγροτέρῳ χρωτὶ σαλευόμεναι.
τὸν δ' ὑπεροιδαίνοντα κατέσκεπε πεπταμένη χεὶρ
οὐχ ὅλον Εὐρώταν, ἀλλ' ὅσον ἠδύνατο.

61.—ΤΟΥ ΑΥΤΟΥ

Τῇ κυανοβλεφάρῳ παίζων κόνδακα Φιλίππῃ,
ἐξ αὐτῆς κραδίης ἡδὺ γελᾶν ἐπόουν·
" Δώδεκά σοι βέβληκα, καὶ αὔριον ἄλλα βαλῶ σοι,
ἢ πλέον, ἠὲ πάλιν δώδεκ' ἐπιστάμενος."
εἶτα κελευομένη† ἦλθεν· γελάσας δὲ πρὸς αὐτήν·
" Εἴθε σε καὶ νύκτωρ ἐρχομένην ἐκάλουν."

62.—ΤΟΥ ΑΥΤΟΥ

Οὔπω σου τὸ καλὸν χρόνος ἔσβεσεν, ἀλλ' ἔτι πολλὰ
λείψανα τῆς προτέρης σώζεται ἡλικίης,
καὶ χάριτες μίμνουσιν ἀγήραοι, οὐδὲ τὸ κάλλος
τῶν ἱλαρῶν μήλων ἢ ῥόδου ἐξέφυγεν.
ὦ πόσσους κατέφλεξε τὸ πρὶν θεοείκελον ἄνθος.

63.—ΜΑΡΚΟΥ ΑΡΓΕΝΤΑΡΙΟΥ

Ἀντιγόνη, Σικελὴ πάρος ἦσθά μοι· ὡς δ' ἐγενήθης
Αἰτωλή, κἀγὼ Μῆδος ἰδοὺ γέγονα.

64.—ΑΣΚΛΗΠΙΑΔΟΥ

Νῖφε, χαλαζοβόλει, ποίει σκότος, αἶθε, κεραύνου,
πάντα τὰ πορφύροντ' ἐν χθονὶ σεῖε νέφη·

60.—RUFINUS

THE silver-footed maiden was bathing, letting the water fall on the golden apples of her breast, smooth like curdled milk. Her rounded buttocks, their flesh more fluid than water, rolled and tossed as she moved. Her outspread hand covered swelling Eurotas, not the whole but as much as it could.

61.—BY THE SAME

PLAYING at *Condax*[1] with dark-eyed Philippa I made her laugh sweetly with all her heart. " I have thrown you " I said "twelve, and to-morrow I will throw you another twelve or even more, as I know how." Then when she was told she came, and laughing I said to her "I wish I had called you at night too when you were coming."

62.—BY THE SAME

TIME has not yet quenched your beauty, but many relics of your prime survive. Your charm has not aged, nor has the loveliness departed from your bright apples or your rose. Ah! how many hearts did that once god-like beauty burn to ashes![2]

63.—MARCUS ARGENTARIUS

ANTIGONE, I used to think you were Sicilian, but now you have become an Aetolian[3] I have become a Mede.[4]

64.—ASCLEPIADES

SNOW, hail, make darkness, lighten, thunder, shake out upon the earth all thy black clouds! If thou

---

[1] We do not know what the game was, and the jokes in the epigram are quite unintelligible.   [2] The last line is lost.
[3] A beggar, from αἰτέω.   [4] *i.e.* μὴ δός, don't give.

ἢν γάρ με κτείνῃς, τότε παύσομαι· ἢν δέ μ' ἀφῇς ζῆν,
  καὶ διαδὺς τούτων χείρονα, κωμάσομαι·
ἕλκει γάρ μ' ὁ κρατῶν καὶ σοῦ θεός, ᾧ ποτε   5
  πεισθείς,
  Ζεῦ, διὰ χαλκείων χρυσὸς ἔδυς θαλάμων.

65.—ΑΔΕΣΠΟΤΟΝ

Αἰετὸς ὁ Ζεὺς ἦλθεν ἐπ' ἀντίθεον Γανυμήδην,
  κύκνος ἐπὶ ξανθὴν μητέρα τὴν Ἑλένης.
οὕτως ἀμφότερ' ἐστὶν ἀσύγκριτα· τῶν δύο δ' αὐτῶν
  ἄλλοις ἄλλο δοκεῖ κρεῖσσον, ἐμοὶ τὰ δύο.

66.—ΡΟΥΦΙΝΟΥ

Εὐκαίρως μονάσασαν ἰδὼν Προδίκην ἱκέτευον,
  καὶ τῶν ἀμβροσίων ἀψάμενος γονάτων,
" Σῶσον," ἔφην, "ἄνθρωπον ἀπολλύμενον παρὰ μικρ
  καὶ φεῦγον ζωῆς πνεῦμα σύ μοι χάρισαι."
ταῦτα λέγοντος ἔκλαυσεν· ἀποψήσασα δὲ δάκρυ,   5
  ταῖς τρυφεραῖς ἡμᾶς χερσὶν ὑπεξέβαλεν.

67.—ΚΑΠΙΤΩΝΟΣ

Κάλλος ἄνευ χαρίτων τέρπει μόνον, οὐ κατέχει δέ,
  ὡς ἄτερ ἀγκίστρου νηχόμενον δέλεαρ.

68.—ΛΟΥΚΙΛΛΙΟΥ, οἱ δὲ ΠΟΛΕΜΩΝΟΣ
ΤΟΥ ΠΟΝΤΙΚΟΥ

Ἢ τὸ φιλεῖν περίγραψον, Ἔρως, ὅλον, ἢ τὸ φιλεῖσθ
  πρόσθες, ἵν' ἢ λύσῃς τὸν πόθον, ἢ κεράσῃς.

R. Garnett, *A Chaplet from the Greek Anthology*, lii.

slayest me, then I shall cease, but if thou lettest me live, though I pass through worse than this, I will go with music to her doors; for the god compels me who is thy master too, Zeus, he at whose bidding thou, turned to gold, didst pierce the brazen chamber.

65.—ANONYMOUS

ZEUS came as an eagle to god-like Ganymede, as a swan came he to the fair-haired mother of Helen.[1] So there is no comparison between the two things; one person likes one, another likes the other; I like both.

66.—RUFINUS

FINDING Prodike happily alone, I besought her, and clasping her ambrosial knees, " Save," I said " a man who is nearly lost, and grant me the little breath that has not left me." When I said this, she wept, but wiped away the tears and with her tender hands gently repulsed me.

67.—CAPITO

BEAUTY without charm only pleases us, but does not hold us; it is like a bait floating without a hook.

68.—LUCILIUS OR POLEMO OF PONTUS

EITHER put an entire stop to loving, Eros, or else add being loved, so that you may either abolish desire or temper it.

[1] Leda.

69.—ΡΟΥΦΙΝΟΥ

Παλλὰς ἐσαθρήσασα καὶ Ἥρη χρυσοπέδιλος
  Μαιονίδ᾽, ἐκ κραδίης ἴαχον ἀμφότεραι·
" Οὐκέτι γυμνούμεσθα· κρίσις μία ποιμένος ἀρκεῖ·
  οὐ καλὸν ἡττᾶσθαι δὶς περὶ καλλοσύνης."

70.—ΤΟΥ ΑΥΤΟΥ

Κάλλος ἔχεις Κύπριδος, Πειθοῦς στόμα, σῶμα καὶ
    ἀκμὴν
  εἰαρινῶν Ὡρῶν, φθέγμα δὲ Καλλιόπης,
νοῦν καὶ σωφροσύνην Θέμιδος, καὶ χεῖρας Ἀθήνης·
  σὺν σοὶ δ᾽ αἱ Χάριτες τέσσαρές εἰσι, φίλη.

71.—ΤΟΥ ΑΥΤΟΥ
οἱ δὲ ΠΑΛΛΑΔΑ ΑΛΕΞΑΝΔΡΕΩΣ

Πρωτομάχου πατρὸς καὶ Νικομάχης γεγαμηκὼς
  θυγατέρα, Ζήνων, ἔνδον ἔχεις πόλεμον.
ζήτει Λυσίμαχον μοιχὸν φίλον, ὅς σ᾽ ἐλεήσας
  ἐκ τῆς Πρωτομάχου λύσεται Ἀνδρομάχης.

72.—ΤΟΥ ΑΥΤΟΥ

Τοῦτο βίος, τοῦτ᾽ αὐτό· τρυφὴ βίος. ἔρρετ᾽ ἀνίαι·
  ζωῆς ἀνθρώποις ὀλίγος χρόνος. ἄρτι Λύαιος,
ἄρτι χοροί, στέφανοί τε φιλανθέες, ἄρτι γυναῖκες·
  σήμερον ἐσθλὰ πάθω· τὸ γὰρ αὔριον οὐδενὶ δῆλον.

69.—RUFINUS

When Pallas and golden-sandalled Hera looked on Maeonis, they both cried out from their hearts: "We will not strip again; one decision of the shepherd is enough; it is a disgrace to be worsted twice in the contest of beauty."

70.—By the Same

Thou hast the beauty of Cypris, the mouth of Peitho, the form and freshness of the spring Hours, the voice of Calliope, the wisdom and virtue of Themis, the skill of Athene. With thee, my beloved, the Graces are four.

71.—PALLADAS OF ALEXANDRIA

Zenon, since you have married the daughter of Protomachus (first in fight) and of Nicomache (conquering in fight) you have war in your house. Search for a kind seducer, a Lysimachus (deliverer from fight) who will take pity on you and deliver you from Andromache (husband-fighter) the daughter of Protomachus.

72.—By the Same

This is life, and nothing else is; life is delight; away, dull care! Brief are the years of man. To-day wine is ours, and the dance, and flowery wreaths, and women. To-day let me live well; none knows what may be to-morrow.

73.—ΡΟΥΦΙΝΟΥ

Δαίμονες, οὐκ ᾔδειν ὅτι λούεται ἡ Κυθέρεια,
   χερσὶ καταυχενίους λυσαμένη πλοκάμους.
ἱλήκοις, δέσποινα, καὶ ὄμμασιν ἡμετέροισι
   μήποτε μηνίσῃς, θεῖον ἰδοῦσι τύπον.
νῦν ἔγνων· Ῥοδόκλεια, καὶ οὐ Κύπρις. εἶτα τὸ   5
   κάλλος
τοῦτο πόθεν; σύ, δοκῶ, τὴν θεὸν ἐκδέδυκας.

74.—ΤΟΥ ΑΥΤΟΥ

Πέμπω σοί, Ῥοδόκλεια, τόδε στέφος, ἄνθεσι καλοῖς
   αὐτὸς ὑφ᾽ ἡμετέραις πλεξάμενος παλάμαις.
ἔστι κρίνον, ῥοδέη τε κάλυξ, νοτερή τ᾽ ἀνεμώνη,
   καὶ νάρκισσος ὑγρός, καὶ κυαναυγὲς ἴον.
ταῦτα στεψαμένη, λῆξον μεγάλαυχος ἐοῦσα·   5
   ἀνθεῖς καὶ λήγεις καὶ σὺ καὶ ὁ στέφανος.

G. H. Cobb, *Poems from the Greek Anthology*, p. 1; J. A.
Pott, *Greek Love Songs and Epigrams*, i. p. 123.

75.—ΤΟΥ ΑΥΤΟΥ

Γείτονα παρθένον εἶχον Ἀμυμώνην, Ἀφροδίτη,
   ἥ μου τὴν ψυχὴν ἔφλεγεν οὐκ ὀλίγον.
αὕτη μοι προσέπαιξε,[1] καί, εἴ ποτε καιρός, ἐτόλμων·
   ἠρυθρία. τί πλέον; τὸν πόνον ᾐσθάνετο·
ἤνυσα πολλὰ καμών. παρακήκοα νῦν ὅτι τίκτει·   5
   ὥστε τί ποιοῦμεν; φεύγομεν ἢ μένομεν;

76.—ΤΟΥ ΑΥΤΟΥ

Αὕτη πρόσθεν ἔην ἐρατόχροος, εἰαρόμασθος,
   εὔσφυρος, εὐμήκης, εὔοφρυς, εὐπλόκαμος·

[1] I suggest προσέπαιζε.

164

73.—RUFINUS

YE gods! I knew not that Cytherea was bathing, releasing with her hands her hair to fall upon her neck. Have mercy on me, my queen, and be not wrath with my eyes that have looked on thy immortal form. Now I see! It is Rhodoclea and not Cypris. Then whence this beauty! Thou, it would seem, hast despoiled the goddess.

74.—BY THE SAME

I SEND thee this garland, Rhodoclea, that with my own hands I wove out of beautiful flowers. There are lilies and roses and dewy anemones, and tender narcissus and purple-gleaming violets. Wear it and cease to be vain. Both thou and the garland flower and fade.

75.—BY THE SAME

KNOW Aphrodite that Amymone, a young girl, was my neighbour and set my heart on fire not a little. She herself would jest with me, and whenever I had the opportunity I grew venturesome. She used to blush. Well! that did not help matters; she felt the pang. With great pains I succeeded; I am told now that she is with child. So what am I to do, be off or remain?

76.—BY THE SAME

ONCE her complexion was lovely, her breasts like the spring-tide; all were good, her ankles, her

ἠλλάχθη δὲ χρόνῳ καὶ γήραϊ καὶ πολιαῖσι,
  καὶ νῦν τῶν προτέρων οὐδ' ὄναρ οὐδὲν ἔχει,
ἀλλοτρίας δὲ τρίχας, καὶ ῥυσῶδες τὸ πρόσωπον,   5
  οἷον γηράσας οὐδὲ πίθηκος ἔχει.

77.—ΤΟΥ ΑΥΤΟΥ

Εἰ τοίην χάριν εἶχε γυνὴ μετὰ Κύπριδος εὐνήν,
  οὐκ ἄν τοι κόρον ἔσχεν ἀνὴρ ἀλόχοισιν ὁμιλῶν.
πᾶσαι γὰρ μετὰ Κύπριν ἀτερπέες εἰσὶ γυναῖκες.

78.—ΠΛΑΤΩΝΟΣ

Τὴν ψυχήν, Ἀγάθωνα φιλῶν, ἐπὶ χείλεσιν ἔσχον·
  ἦλθε γὰρ ἡ τλήμων ὡς διαβησομένη.

79.—ΤΟΥ ΑΥΤΟΥ

Τῷ μήλῳ βάλλω σε· σὺ δ' εἰ μὲν ἑκοῦσα φιλεῖς με,
  δεξαμένη, τῆς σῆς παρθενίης μετάδος·
εἰ δ' ἄρ' ὃ μὴ γίγνοιτο νοεῖς, τοῦτ' αὐτὸ λαβοῦσα
  σκέψαι τὴν ὥρην ὡς ὀλιγοχρόνιος.

80.—ΤΟΥ ΑΥΤΟΥ

Μῆλον ἐγώ· βάλλει με φιλῶν σέ τις. ἀλλ'
    ἐπίνευσον,
  Ξανθίππη· κἀγὼ καὶ σὺ μαραινόμεθα.

81.—ΔΙΟΝΥΣΙΟΥ ΣΟΦΙΣΤΟΥ

Ἡ τὰ ῥόδα, ῥοδόεσσαν ἔχεις χάριν· ἀλλὰ τι
    πωλεῖς;
  σαυτήν, ἢ τὰ ῥόδα; ἠὲ συναμφότερα;

J. A. Pott, Greek Love Songs and Epigrams, i. p. 51.

height, her forehead, her hair. But time and old age and grey locks have wrought a change and now she is not the shadow of her former self, but wears false hair and has a wrinkled face, uglier even than an old monkey's.

77.—By the Same

If women had as much charm when all is over as before, men would never tire of intercourse with their wives, but all women are displeasing then.

78.—PLATO

My soul was on my lips as I was kissing Agathon. Poor soul! she came hoping to cross over to him.

79.—By the Same

I throw the apple at thee, and thou, if thou lovest me from thy heart, take it and give me of thy maidenhead; but if thy thoughts be what I pray they are not, take it still and reflect how short-lived is beauty.

80.—By the Same

I am an apple; one who loves thee throws me at thee. But consent, Xanthippe; both thou and I decay.

81.—DIONYSIUS THE SOPHIST

You with the roses, rosy is your charm; but what do you sell, yourself or the roses, or both?

82.—ΑΔΕΣΠΟΤΟΝ

Ὦ σοβαρὴ βαλάνισσα, τί δή ποτέ μ' ἔκπυρα
  λούεις;
πρίν μ' ἀποδύσασθαι, τοῦ πυρὸς αἰσθάνομαι.

83.—ΑΔΕΣΠΟΤΟΝ

Εἴθ' ἄνεμος γενόμην, σὺ δ' ἐπιστείχουσα παρ'
  αὐγὰς
στήθεα γυμνώσαις, καί με πνέοντα λάβοις.

J. A. Pott, *Greek Love Songs and Epigrams*, i. pp. 145-6.

84.—ΑΛΛΟ

Εἴθε ῥόδον γενόμην ὑποπόρφυρον, ὄφρα με χερσὶν
ἀρσαμένη χαρίσῃ στήθεσι χιονέοις.

J. A. Pott, *Greek Love Songs and Epigrams*, i. pp. 145-6.

85.—ΑΣΚΛΗΠΙΑΔΟΥ

Φείδῃ παρθενίης· καὶ τί πλέον; οὐ γὰρ ἐς Ἅδην
ἐλθοῦσ' εὑρήσεις τὸν φιλέοντα, κόρη.
ἐν ζωοῖσι τὰ τερπνὰ τὰ Κύπριδος· ἐν δ' Ἀχέροντι
ὀστέα καὶ σποδιή, παρθένε, κεισόμεθα.

A. Lang, *Grass of Parnassus*, ed. 2, p. 171.

86.—ΚΛΑΥΔΙΑΝΟΥ

Ἵλαθί μοι, φίλε Φοῖβε· σὺ γὰρ θοὰ τόξα τιταίνων
ἐβλήθης ὑπ' Ἔρωτος ὑπ' ὠκυπόροισιν ὀϊστοῖς.

82.—ANONYMOUS

PROUD waitress of the bath, why dost thou bathe me so fiercely? Before I have stripped I feel the fire.

83.—ANONYMOUS

OH, would I were the wind, that walking on the shore thou mightest bare thy bosom and take me to thee as I blow.

84.—ANONYMOUS

OH, would I were a pink rose, that thy hand might pluck me to give to thy snowy breasts.

85.—ASCLEPIADES

THOU grudgest thy maidenhead? What avails it? When thou goest to Hades thou shalt find none to love thee there. The joys of Love are in the land of the living, but in Acheron, dear virgin, we shall lie dust and ashes.

86.—CLAUDIANUS

HAVE mercy on me, dear Phoebus; for thou, drawer of the swift bow, wast wounded by the swift arrows of Love.

87.—ΡΟΥΦΙΝΟΥ

Ἀρνεῖται τὸν ἔρωτα Μελισσιάς, ἀλλὰ τὸ σῶμα
κέκραγ' ὡς βελέων δεξάμενον φαρέτρην,
καὶ βάσις ἀστατέουσα, καὶ ἄστατος ἄσθματος
ὁρμή,
καὶ κοῖλαι βλεφάρων ἰοτυπεῖς βάσιες.
ἀλλά, Πόθοι, πρὸς μητρὸς ἐϋστεφάνου Κυθερείης,   5
φλέξατε τὴν ἀπιθῆ, μέχρις ἐρεῖ " Φλέγομαι."

88.—ΤΟΥ ΑΥΤΟΥ

Εἰ δυσὶν οὐκ ἴσχυσας ἴσην φλόγα, πυρφόρε, καῦσαι,
τὴν ἑνὶ καιομένην ἢ σβέσον ἢ μετάθες.

89.—ΜΑΡΚΟΥ ΑΡΓΕΝΤΑΡΙΟΥ

Οὐκ ἔσθ' οὗτος ἔρως, εἴ τις καλὸν εἶδος ἔχουσαν
βούλετ' ἔχειν, φρονίμοις ὄμμασι πειθόμενος·
ἀλλ' ὅστις κακόμορφον ἰδών, τετορημένος ἰοῖς
στέργει, μαινομένης ἐκ φρενὸς αἰθόμενος,
οὗτος ἔρως, πῦρ τοῦτο· τὰ γὰρ καλὰ πάντας ὁμοίως   5
τέρπει τοὺς κρίνειν εἶδος ἐπισταμένους.

90.—ΑΔΕΣΠΟΤΟΝ

Πέμπω σοι μύρον ἡδύ, μύρῳ τὸ μύρον θεραπεύων,
ὡς Βρομίῳ σπένδων νᾶμα τὸ τοῦ Βρομίου.

91.—ΑΔΕΣΠΟΤΟΝ

Πέμπω σοὶ μύρον ἡδύ, μύρῳ παρέχων χάριν, οὐ
σοί·
αὐτὴ γὰρ μυρίσαι καὶ τὸ μύρον δύνασαι.

170

87.—RUFINUS

MELISSIAS denies she is in love, but her body cries aloud that it has received a whole quiverful of arrows. Unsteady is her step and she takes her breath in snatches, and there are dark purple hollows under her eyes. But, ye Loves, by your mother, fair-wreathed Cytherea, burn the rebellious maid, till she cry, " I am burning !"

88.—BY THE SAME

LINKMAN Love, if thou canst not set two equally alight, put out or transfer the flame that burns in one.

89.—MARCUS ARGENTARIUS

THAT is not love if one, trusting his judicious eyes, wishes to possess a beauty. But he who seeing a homely face is pierced by the arrows and loves, set alight by fury of the heart—that is love, that is fire ; for beauty delights equally all who are good judges of form.

90.—ANONYMOUS

I SEND thee sweet perfume, ministering to scent with scent, even as one who to Bacchus offers the flowing gift of Bacchus.

91.—ANONYMOUS

I SEND thee sweet perfume, not so much honouring thee as it ; for thou canst perfume the perfume.

92.—ΡΟΥΦΙΝΟΥ

Ὑψοῦται Ῥοδόπη τῷ κάλλεϊ· κἤν ποτε "χαῖρε"
    εἴπω, ταῖς σοβαραῖς ὀφρύσιν ἠσπάσατο.
ἤν ποτε καὶ στεφάνους προθύρων ὕπερ ἐκκρε-
    μάσωμαι,
    ὀργισθεῖσα πατεῖ τοῖς σοβαροῖς ἴχνεσιν.
ὦ ῥυτίδες, καὶ γῆρας ἀνηλεές, ἔλθετε θᾶσσον,
    σπεύσατε· κἂν ὑμεῖς πείσατε τὴν Ῥοδόπην.

93.—ΤΟΥ ΑΥΤΟΥ

Ὥπλισμαι πρὸς Ἔρωτα περὶ στέρνοισι λογισμόν,
    οὐδέ με νικήσει, μοῦνος ἐὼν πρὸς ἕνα·
θνατὸς δ᾽ ἀθανάτῳ συστήσομαι· ἢν δὲ βοηθὸν
    Βάκχον ἔχῃ, τί μόνος πρὸς δύ᾽ ἐγὼ δύναμαι;
J. A. Pott, *Greek Love Songs and Epigrams*, i. p. 124.

94.—ΤΟΥ ΑΥΤΟΥ

Ὄμματ᾽ ἔχεις Ἥρης, Μελίτη, τὰς χεῖρας Ἀθήνης,
    τοὺς μαζοὺς Παφίης, τὰ σφυρὰ τῆς Θέτιδος.
εὐδαίμων ὁ βλέπων σε· τρισόλβιος ὅστις ἀκούει·
    ἡμίθεος δ᾽ ὁ φιλῶν· ἀθάνατος δ᾽ ὁ γαμῶν.

95.—ΑΔΕΣΠΟΤΟΝ

Τέσσαρες αἱ Χάριτες, Παφίαι δύο, καὶ δέκα
    Μοῦσαι·
Δερκυλὶς ἐν πάσαις Μοῦσα, Χάρις, Παφίη.

96.—ΜΕΛΕΑΓΡΟΥ

Ἰξὸν ἔχεις τὸ φίλημα, τὰ δ᾽ ὄμματα, Τιμάριον,
    πῦρ·
    ἢν ἐσίδῃς, καίεις· ἢν δὲ θίγῃς, δέδεκας.
172

92.—RUFINUS

RHODOPE is exalted by her beauty, and if I chance to say "Good day," salutes me only with her proud eyebrows. If I ever hang garlands over her door, she crushes them under her haughty heels in her wrath. Come quicker, wrinkles and pitiless old age; make haste. Do you at least unbend Rhodope.

93.—BY THE SAME

I HAVE armed my breast with wisdom against Love; nor will he conquer, if it be a single combat. I, a mortal, will stand up against an immortal. But if he has Bacchus to help him, what can I alone against two?

94.—BY THE SAME

THOU hast Hera's eyes, Melite, and Athene's hands, the breasts of Aphrodite, and the feet of Thetis. Blessed is he who looks on thee, thrice blessed he who hears thee talk, a demigod he who kisses thee, and a god he who takes thee to wife.

95.—ANONYMOUS

FOUR are the Graces, there are two Aphrodites and ten Muses. Dercylis is one of all, a Grace, an Aphrodite, and a Muse.

96.—MELEAGER

TIMARION, thy kiss is bird-lime, thy eyes are fire. If thou lookest at me, thou burnest, if thou touchest me, thou hast caught me fast.

97.—ΡΟΥΦΙΝΟΥ

Εἰ μὲν ἐπ' ἀμφοτέροισιν, Ἔρως, ἴσα τόξα τιταίνεις,
εἶ θεός· εἰ δὲ ῥέπεις πρὸς μέρος, οὐ θεὸς εἶ.

J. A. Pott, *Greek Love Songs and Epigrams*, i. p. 126.

98.—ΑΔΗΛΟΝ, οἱ δὲ ΑΡΧΙΟΥ

Ὁπλίζευ, Κύπρι, τόξα, καὶ εἰς σκοπὸν ἥσυχος ἐλθὲ
ἄλλον· ἐγὼ γὰρ ἔχω τραύματος οὐδὲ τόπον.

J. A. Pott, *Greek Love Songs and Epigrams*, i. p. 151.

99.—ΑΔΗΛΟΝ

Ἤθελον, ὦ κιθαρῳδέ, παραστάς, ὡς κιθαρίζεις,
τὴν ὑπάτην κροῦσαι, τήν τε μέσην χαλάσαι.

100.—ΑΔΗΛΟΝ

Εἴ μοί τις μέμφοιτο, δαεὶς ὅτι λάτρις Ἔρωτος
φοιτῶ, θηρευτὴν ὄμμασιν ἰξὸν ἔχων,
εἰδείη καὶ Ζῆνα, καὶ Ἄϊδα, τόν τε θαλάσσης
σκηπτοῦχον, μαλερῶν δοῦλον ἐόντα πόθων.
εἰ δὲ θεοὶ τοιοίδε, θεοῖς δ' ἐνέπουσιν ἔπεσθαι
ἀνθρώπους, τί θεῶν ἔργα μαθὼν ἀδικῶ;

101.—ΑΔΕΣΠΟΤΟΝ

α. Χαῖρε κόρη. β. Καὶ δὴ σύ. α. Τίς ἡ προϊοῦσα;
β. Τί πρὸς σέ;
α. Οὐκ ἀλόγως ζητῶ. β. Δεσπότις ἡμετέρη.
α. Ἐλπίζειν ἔστι; β. Ζητεῖς δὲ τί; α. Νύκτα.
β. Φέρεις τι;
α. Χρυσίον. β. Εὐθύμει. α. Καὶ τόσον. β. Οὐ
δύνασαι.

97.—RUFINUS

Love, if thou aimest thy bow at both of us impartially thou art a god, but if thou favourest one, no god art thou.

98.—ARCHIAS or Anonymous

Prepare thy bow, Cypris, and find at thy leisure another target; for I have no room at all left for a wound.

99.—Anonymous

Vellem, O citharoede, adstans tibi lyram pulsanti summam pulsare, mediam vero laxare.

100.—Anonymous

If anyone blame me because, a skilled servant of Love, I go to the chase, my eyes armed with bird-lime to catch ladies, let him know that Zeus and Hades and the Lord of the Sea were slaves of violent desire. If the gods are such and they bid men follow their example, what wrong do I do in learning their deeds?

101.—Anonymous

He. Good day, my dear. *She.* Good day. *He.* Who is she who is walking in front of you? *She.* What is that to you? *He.* I have a reason for asking. *She.* My mistress. *He.* May I hope? *She.* What do you want? *He.* A night. *She.* What have you for her? *He.* Gold. *She.* Then take heart. *He.* So much (*shewing the amount*). *She.* You can't.

102.—ΜΑΡΚΟΥ ΑΡΓΕΝΤΑΡΙΟΥ

Τὴν ἰσχνὴν Διόκλειαν, ἀσαρκοτέρην Ἀφροδίτην,
ὄψεαι, ἀλλὰ καλοῖς ἤθεσι τερπομένην.
οὐ πολύ μοι τὸ μεταξὺ γενήσεται· ἀλλ' ἐπὶ λεπτὰ
στέρνα πεσών, ψυχῆς κείσομαι ἐγγυτάτω.

103.—ΡΟΥΦΙΝΟΥ

Μέχρι τινος, Προδίκη, παρακλαύσομαι; ἄχρι τίνος σε
γουνάσομαι, στερεή, μηδὲν ἀκουόμενος;
ἤδη καὶ λευκαί σοι ἐπισκιρτῶσιν ἔθειραι,
καὶ τάχα μοι δώσεις ὡς Ἑκάβη Πριάμῳ.

104.—ΜΑΡΚΟΥ ΑΡΓΕΝΤΑΡΙΟΥ

Αἶρε τὰ δίκτυα ταῦτα, κακόσχολε, μηδ' ἐπιτηδὲς
ἰσχίον ἐρχομένη σύστρεφε, Λυσιδίκη.
εὖ[1] σε περισφίγγει λεπτὸς στολιδώμασι πέπλος,
πάντα δέ σου βλέπεται γυμνά, καὶ οὐ βλέπεται.
εἰ τόδε σοι χαρίεν καταφαίνεται, αὐτὸς ὁμοίως   5
ὀρθὸν ἔχων βύσσῳ τοῦτο περισκεπάσω.

105.—ΤΟΥ ΑΥΤΟΥ

Ἄλλος ὁ Μηνοφίλας λέγεται παρὰ μαχλάσι κόσμος,
ἄλλος, ἐπεὶ πάσης γεύεται ἀκρασίης.
ἀλλ' ἴτε Χαλδαῖοι κείνης πέλας· ἦ γὰρ ὁ ταύτης
οὐρανὸς ἐντὸς ἔχει καὶ κύνα καὶ διδύμους.

106.—ΔΙΟΤΙΜΟΥ ΜΙΛΗΣΙΟΥ

Γραῖα, φίλη θρέπτειρα, τί μου προσιόντος ὑλακτεῖς,
καὶ χαλεπὰς βάλλεις δὶς τόσον εἰς ὀδύνας;

---

[1] I write εὖ : οὐ MS.

102.—MARCUS ARGENTARIUS

"You will see Dioclea, a rather slim little Venus, but blessed with a sweet disposition." "Then there won't be much between us, but falling on her thin bosom I will lie all the nearer to her heart."

103.—RUFINUS

For how long, Prodice, shall I weep at thy door? Till when shall thy hard heart be deaf to my prayers? Already the grey hairs begin to invade thee, and soon thou shalt give thyself to me as Hecuba to Priam.

104.—MARCUS ARGENTARIUS

Take off these nets, Lysidice, you tease, and don't roll your hips on purpose, as you walk. The folds of your thin dress cling well to you, and all your charms are visible as if naked, and yet are invisible. If this seems amusing to you, I myself will dress in gauze too (hoc erectum bysso velabo.)

105.—By the Same

Alius Menophilae qui dicitur inter reliqua scorta mundus (vel decentia), alius ubi omnem adhibet impudicitiam. At vos Chaldaei accedite ad hanc; caelum (vel palatum) enim eius et Canem et Geminos intus habet.

106.—DIOTIMUS OF MILETUS

Granny, dear nurse, why do you bark at me when I approach, and cast me into torments twice

παρθενικὴν γὰρ ἄγεις περικαλλέα, τῆς ἐπιβαίνων
  ἴχνεσι τὴν ἰδικὴν οἶμον ἴδ᾽ ὡς φέρομαι,
εἶδος ἐσαυγάζων μοῦνον γλυκύ. τίς φθόνος ὅσσων, 5
  δύσμορε; καὶ μορφὰς ἀθανάτων βλέπομεν.

107.—ΦΙΛΟΔΗΜΟΥ

" Γινώσκω, χαρίεσσα, φιλεῖν πάνυ τὸν φιλέοντα,
  καὶ πάλι γινώσκω τόν με δακόντα δακεῖν·
μὴ λύπει με λίην στέργοντά σε, μηδ᾽ ἐρεθίζειν
  τὰς βαρυοργήτους σοι θέλε Πιερίδας."
τοῦτ᾽ ἐβόων αἰεὶ καὶ προύλεγον· ἀλλ᾽ ἴσα πόντῳ 5
  Ἰονίῳ μύθων ἔκλυες ἡμετέρων.
τοιγὰρ νῦν σὺ μὲν ὧδε μέγα κλαίουσα βαΰζεις·
  ἡμεῖς δ᾽ ἐν κόλποις ἤμεθα Ναϊάδος.

108.—ΚΡΙΝΑΓΟΡΟΥ

Δειλαίη, τί σε πρῶτον ἔπος, τί δὲ δεύτατον εἴπω;
  δειλαίη· τοῦτ᾽ ἐν παντὶ κακῷ ἔτυμον.
οἴχεαι, ὦ χαρίεσσα γύναι, καὶ ἐς εἴδεος ὥρην
  ἄκρα καὶ εἰς ψυχῆς ἦθος ἐνεγκαμένη.
Πρώτη σοὶ ὄνομ᾽ ἔσκεν ἐτήτυμον· ἦν γὰρ ἅπαντα 5
  δεύτερ᾽ ἀμιμήτων τῶν ἐπὶ σοὶ χαρίτων.

109.—ΑΝΤΙΠΑΤΡΟΥ <ΘΕΣΣΑΛΟΝΙΚΕΩΣ>

Δραχμῆς Εὐρώπην τὴν Ἀτθίδα, μήτε φοβηθεὶς
  μηδένα, μήτ᾽ ἄλλως ἀντιλέγουσαν, ἔχε,
καὶ στρωμνὴν παρέχουσαν ἀμεμφέα, χὠπότε χειμών,
  ἄνθρακας. ἦ ῥα μάτην, Ζεῦ φίλε, βοῦς ἐγένου.

178

as cruel. You accompany a lovely girl, and look how treading in her steps I go my own way, only gazing at her sweet form. Why be jealous of eyes, ill-fated nurse? We are allowed to look on the forms of even the immortals.

107.—PHILODEMUS

" I KNOW, charming lady, how to love him who loves me, and again I know right well how to bite him who bites me. Do not vex too much one who loves thee, or try to provoke the heavy wrath of the Muses." So I ever cried to thee and warned, but thou didst hearken to my words no more than the Ionian Sea. So now thou sobbest sorely and complainest, while I sit in Naias' lap.

108.—CRINAGORAS

(Epitaph on a lady called Prote)

UNHAPPY! what first shall I say, what last? Unhappy! that is the essence of all woe. Thou art gone, O lovely lady, excelling in the beauty of thy body, in the sweetness of thy soul. Rightly they named thee Prote (First): for all was second to the peerless charm that was thine.

109.—ANTIPATER OF THESSALONICA

YOU can have the Attic Europa for a drachma with none to fear and no opposition on her part, and she has perfectly clean sheets and a fire in winter. It was quite superfluous for you, dear Zeus, to turn into a bull.

110.—ΜΑΡΚΟΥ ΑΡΓΕΝΤΑΡΙΟΥ

Ἔγχει Λυσιδίκης κυάθους δέκα, τῆς δὲ ποθεινῆς
  Εὐφράντης ἕνα μοι, λάτρι, δίδου κύαθον.
φήσεις Λυσιδίκην με φιλεῖν πλέον. οὐ μὰ τὸν ἡδὺν
  Βάκχον, ὃν ἐν ταύτῃ λαβροποτῶ κύλικι·
ἀλλά μοι Εὐφράντῃ μία πρὸς δέκα· καὶ γὰρ
    ἀπείρους
  ἀστέρας ἓν μήνης φέγγος ὑπερτίθεται.

111.—ΑΝΤΙΦΙΛΟΥ

Εἶπον ἐγὼ καὶ πρόσθεν, ὅτ᾿ ἦν ἔτι φίλτρα Τερείνης
  νήπια, "Συμφλέξει πάντας ἀεξομένη."
οἱ δ᾿ ἐγέλων τὸν μάντιν. ἴδ᾿, ὁ χρόνος ὅν ποτ᾿ ἐφώνουν,
  οὗτος· ἐγὼ δὲ πάλαι τραύματος ᾐσθανόμην.
καὶ τί πάθω; λεύσσειν μέν, ὅλαι φλόγες· ἢν δ᾿
    ἀπονεύσω,
  φροντίδες· ἢν δ᾿ αἰτῶ, "παρθένος." οἰχόμεθα.

112.—ΦΙΛΟΔΗΜΟΥ

Ἠράσθην· τίς δ᾿ οὐχί; κεκώμακα· τίς δ᾿ ἀμύητος
  κώμων; ἀλλ᾿ ἐμάνην· ἐκ τίνος; οὐχὶ θεοῦ;
ἐρρίφθω· πολιὴ γὰρ ἐπείγεται ἀντὶ μελαίνης
  θρὶξ ἤδη, συνετῆς ἄγγελος ἡλικίης.
καὶ παίζειν ὅτε καιρός, ἐπαίξαμεν· ἡνίκα καὶ νῦν
  οὐκέτι, λωϊτέρης φροντίδος ἁψόμεθα.

113.—ΜΑΡΚΟΥ ΑΡΓΕΝΤΑΡΙΟΥ

Ἠράσθης πλουτῶν, Σωσίκρατες· ἀλλὰ πένης ὢν
  οὐκέτ᾿ ἐρᾷς· λιμὸς φάρμακον οἷον ἔχει.

110.—MARCUS ARGENTARIUS

POUR in ten ladles of Lysidice,[1] cup-bearer, and of charming Euphrante give me one ladle. You will say I love Lysidice best. No! I swear by sweet Bacchus, whom I drain from this cup. But Euphrante is as one to ten. Doth not the light of the moon that is single overcome that of countless stars?

111.—ANTIPHILUS

I SAID even formerly, when Tereina's charms were yet infantile, "She will consume us all when she grows up." They laughed at my prophecy: but lo! the time I once foretold is come, and for long I suffer myself from the wound. What am I to do? To look on her is pure fire, and to look away is trouble of heart, and if I pay my suit to her, it is "I am a maid." All is over with me.

112.—PHILODEMUS

I LOVED. Who hath not? I made revels in her honour. Who is uninitiated in those mysteries? But I was distraught. By whom? Was it not by a god?—Good-bye to it; for already the grey locks hurry on to replace the black, and tell me I have reached the age of discretion. While it was playtime I played; now it is over I will turn to more worthy thoughts.

113.—MARCUS ARGENTARIUS

You fell in love, Sosicrates, when rich; now you are poor, you are in love no longer. What an

[1] It was customary, when the cup-bearer ladled the wine into the cup, to pronounce the name of the lady one wished to toast.

ἡ δὲ πάρος σε καλεῦσα μύρον καὶ τερπνὸν Ἄδωνιν
Μηνοφίλα, νῦν σου τοὔνομα πυνθάνεται,
" Τίς πόθεν εἶς ἀνδρῶν, πόθι τοι πτόλις;" ἢ μόλις
 ἔγνως   5
τοῦτ᾽ ἔπος, ὡς οὐδεὶς οὐδὲν ἔχοντι φίλος.

W. Cowper, *Works* (Globe ed.), p. 504.

114.—ΜΑΙΚΙΟΥ

Ἡ χαλεπὴ κατὰ πάντα Φιλίστιον, ἡ τὸν ἐραστὴν
μηδέποτ᾽ ἀργυρίου χωρὶς ἀνασχομένη,
φαίνετ᾽ ἀνεκτοτέρη νῦν ἢ πάρος. οὐ μέγα θαῦμα
φαίνεσθ᾽· ἠλλάχθαι τὴν φύσιν οὐ δοκέω.
καὶ γὰρ πρηϋτέρη ποτὲ γίνεται ἀσπὶς ἀναιδής;   5
δάκνει δ᾽ οὐκ ἄλλως ἢ θανατηφορίην.

115.—ΦΙΛΟΔΗΜΟΥ

Ἠράσθην Δημοῦς Παφίης γένος· οὐ μέγα θαῦμα·
καὶ Σαμίης Δημοῦς δεύτερον· οὐχὶ μέγα·
καὶ πάλι Ναξιακῆς Δημοῦς τρίτον· οὐκέτι ταῦτα
παίγνια· καὶ Δημοῦς τέτρατον Ἀργολίδος.
αὐταί που Μοῖραί με κατωνόμασαν Φιλόδημον,   5
ὡς αἰεὶ Δημοῦς θερμὸς ἔχει με πόθος.

116.—ΜΑΡΚΟΥ ΑΡΓΕΝΤΑΡΙΟΥ

Θῆλυς ἔρως κάλλιστος ἐνὶ θνητοῖσι τέτυκται,
ὅσσοις ἐς φιλίην σεμνὸς ἔνεστι νόος.
εἰ δὲ καὶ ἀρσενικὸν στέργεις πόθον, οἶδα διδάξαι
φάρμακον, ᾧ παύσεις τὴν δυσέρωτα νόσον.
στρέψας Μηνοφίλαν εὐίσχιον, ἐν φρεσὶν ἔλπου   5
αὐτὸν ἔχειν κόλποις ἄρσενα Μηνόφιλον.

admirable cure is hunger! And Menophila, who
used to call you her sweety and her darling Adonis,
now asks your name. "What man art thou, and
whence, thy city where?"[1] You have perforce
learnt the meaning of the saying, "None is the friend
of him who has nothing."

114.—MAECIUS

THAT persistently cruel Philistion, who never
tolerated an admirer unless he had money, seems
less insufferable now than formerly. It is not a great
miracle her seeming so, but I don't believe her nature
is changed. The merciless aspic grows tamer at
times, but when it bites, it always means death.

115.—PHILODEMUS

I FELL in love with Demo of Paphos—nothing
surprising in that: and again with Demo of Samos—
well that was not so remarkable: and thirdly with
Demo of Naxos—then the matter ceased to be a
joke: and in the fourth place with Demo of Argos.
The Fates themselves seem to have christened me
Philodeme[2]; as I always feel ardent desire for some
Demo.

116.—MARCUS ARGENTARIUS

THE love of women is best for those men who are
serious in their attachments. Si vero et masculus
amor tibi placet, scio remedium, quo sedabis pravum
istum morbum. Invertens Menophilam pulchriclunem
crede masculum Menophilum amplecti.

[1] Homer.
[2] The name means of course "Lover of the people."

117.—ΜΑΙΚΙΟΥ

Θερμαίνει μ' ὁ καλὸς Κορνήλιος· ἀλλὰ φοβοῦμαι
τοῦτο τὸ φῶς, ἤδη πῦρ μέγα γιγνόμενον.

118.—ΜΑΡΚΟΥ ΑΡΓΕΝΤΑΡΙΟΥ

'Ισιὰς ἡδύπνευστε, καὶ εἰ δεκάκις μύρον ὄσδεις,
ἔγρεο καὶ δέξαι χερσὶ φίλαις στέφανον,
ὃν νῦν μὲν θάλλοντα, μαραινόμενον δὲ πρὸς ἠῶ
ὄψεαι, ὑμετέρης σύμβολον ἡλικίης.

A. Esdaile, *Poems and Translations*, p. 49.

119.—ΚΡΙΝΑΓΟΡΟΥ

Κἢν ῥίψῃς ἐπὶ λαιά, καὶ ἢν ἐπὶ δεξιὰ ῥίψῃς,
Κριναγόρη, κενεοῦ σαυτὸν ὕπερθε λέχους,
εἰ μή σοι χαρίεσσα παρακλίνοιτο Γέμελλα,
γνώσῃ κοιμηθεὶς οὐχ ὕπνον, ἀλλὰ κόπον.

120.—ΦΙΛΟΔΗΜΟΥ

Καὶ νυκτὸς μεσάτης τὸν ἐμὸν κλέψασα σύνευνον
ἦλθον, καὶ πυκινῇ τεγγομένη ψακάδι.
τοὔνεκ' ἐν ἀπρήκτοισι καθήμεθα, κοὐχὶ λαλεῦντες
εὔδομεν, ὡς εὔδειν τοῖς φιλέουσι θέμις;

121.—ΤΟΥ ΑΥΤΟΥ

Μικκὴ καὶ μελανεῦσα Φιλαίνιον, ἀλλὰ σελίνων
οὐλοτέρη, καὶ μνοῦ χρῶτα τερεινοτέρη,
καὶ κεστοῦ φωνεῦσα μαγώτερα, καὶ παρέχουσα
πάντα, καὶ αἰτῆσαι πολλάκι φειδομένη·
τοιαύτην στέργοιμι Φιλαίνιον, ἄχρις ἂν εὕρω
ἄλλην, ὦ χρυσέη Κύπρι, τελειοτέρην.

117.—MAECIUS

Cornelius' beauty melts me; but I fear this flame, which is already becoming a fierce fire.

118.—MARCUS ARGENTARIUS

Isias, though thy perfumed breath be ten times sweeter than spikenard, awake, and take this garland in thy dear hands. Now it is blooming, but as dawn approaches thou wilt see it fading, a symbol of thine own fresh youth.

119.—CRINAGORAS

Crinagoras, though thou tossest now to the left, now to the right on thy empty bed, unless lovely Gemella lie by thee, thy rest will bring thee no sleep, but only weariness.

120.—PHILODEMUS

By midnight, eluding my husband, and drenched by the heavy rain, I came. And do we then sit idle, not talking and sleeping, as lovers ought to sleep?

121.—By the Same

Philaenion is short and rather too dark, but her hair is more curled than parsley, and her skin is more tender than down: there is more magic in her voice than in the cestus of Venus, and she never refuses me anything and often refrains from begging for a present. Such a Philaenion grant me, golden Cypris, to love, until I find another more perfect.

122.—ΔΙΟΔΩΡΟΤ

Μὴ σύ γε, μηδ' εἴ τοι πολὺ φέρτερος εἴδεται
        ὅσσων
ἀμφοτέρων, κλεινοῦ κοῦρε Μεγιστοκλέους,
κἢν στίλβῃ Χαρίτεσσι λελουμένος, ἀμφιδονοίης
        τὸν καλόν· οὐ γὰρ ὁ παῖς ἤπιος οὐδ' ἄκακος,
ἀλλὰ μέλων πολλοῖσι, καὶ οὐκ ἀδίδακτος ἐρώτων.   5
        τὴν φλόγα ῥιπίζειν δείδιθι, δαιμόνιε.

123.—ΦΙΛΟΔΗΜΟΤ

Νυκτερινή, δίκερως, φιλοπάννυχε, φαῖνε, Σελήνη,
        φαῖνε, δι' εὐτρήτων βαλλομένη θυρίδων·
αὔγαζε χρυσέην Καλλίστιον· ἐς τὰ φιλεύντων
        ἔργα κατοπτεύειν οὐ φθόνος ἀθανάτῃ.
ὀλβίζεις καὶ τήνδε καὶ ἡμέας, οἶδα, Σελήνη·   5
        καὶ γὰρ σὴν ψυχὴν ἔφλεγεν Ἐνδυμίων.

124.—ΤΟΥ ΑΥΤΟΥ

Οὔπω σοι καλύκων γυμνὸν θέρος, οὐδὲ μελαίνει
        βότρυς ὁ παρθενίους πρωτοβολῶν χάριτας·
ἀλλ' ἤδη θοὰ τόξα νέοι θήγουσιν Ἔρωτες,
        Λυσιδίκη, καὶ πῦρ τύφεται ἐγκρύφιον.
φεύγωμεν, δυσέρωτες, ἕως βέλος οὐκ ἐπὶ νευρῇ·   5
        μάντις ἐγὼ μεγάλης αὐτίκα πυρκαϊῆς.

125.—ΒΑΣΣΟΥ

Οὐ μέλλω ῥεύσειν χρυσός ποτε· βοῦς δὲ γένοιτο
        ἄλλος, χὠ μελίθρους κύκνος ἐπηόνιος.
Ζηνὶ φυλασσέσθω τάδε παίγνια· τῇ δὲ Κορίννῃ
        τοὺς ὀβολοὺς δώσω τοὺς δύο, κοὐ πέτομαι.

186

122.—DIODORUS

Son of illustrious Megistocles, I beseech thee, not even though he seem to thee more precious than thy two eyes, though he be glowing from the bath of the Graces, hum not around the lovely boy. Neither gentle nor simple-hearted is he, but courted by many, and no novice in love. Beware, my friend, and fan not the flame.

123.—PHILODEMOS

Shine, Moon of the night, horned Moon, who lovest to look on revels, shine through the lattice and let thy light fall on golden Callistion. It is no offence for an immortal to pry into the secrets of lovers. Thou dost bless her and me, I know, O Moon ; for did not Endymion set thy soul afire ?

124.—By the Same

Thy summer's flower hath not yet burst from the bud, the grape that puts forth its first virgin charm is yet green, but already the young Loves sharpen their swift arrows, Lysidice, and a hidden fire is smouldering. Let us fly, we unlucky lovers, before the arrow is on the string. I foretell right soon a vast conflagration.

125.—BASSUS

I am never going to turn into gold, and let some one else become a bull or the melodious swan of the shore. Such tricks I leave to Zeus, and instead of becoming a bird I will give Corinna my two obols.

126.—ΦΙΛΟΔΗΜΟΥ

Πέντε δίδωσιν ἑνὸς τῇ δεῖνα ὁ δεῖνα τάλαντα,
　καὶ βινεῖ φρίσσων, καὶ μὰ τὸν οὐδὲ καλήν·
πέντε δ᾽ ἐγὼ δραχμὰς τῶν δώδεκα Λυσιανάσσῃ,
　καὶ βινῶ πρὸς τῷ κρείσσονα καὶ φανερῶς.
πάντως ἤτοι ἐγὼ φρένας οὐκ ἔχω, ἢ τό γε λοιπὸν　5
　τοὺς κείνου πελέκει δεῖ διδύμους ἀφελεῖν.

127.—ΜΑΡΚΟΥ ΑΡΓΕΝΤΑΡΙΟΥ

Παρθένον ᾽Αλκίππην ἐφίλουν μέγα, καί ποτε
　πείσας
αὐτὴν λαθριδίως εἶχον ἐπὶ κλισίῃ.
ἀμφοτέρων δὲ στέρνον ἐπάλλετο, μή τις ἐπέλθῃ,
　μή τις ἴδῃ τὰ πόθων κρυπτὰ περισσοτέρων.
μητέρα δ᾽ οὐκ ἔλαθεν κείνης λάλον· ἀλλ᾽ ἐσιδοῦσα　5
　ἐξαπίνης, "῾Ερμῆς κοινός," ἔφη, "θύγατερ."

128.—ΤΟΥ ΑΥΤΟΥ

Στέρνα περὶ στέρνοις, μαστῷ δ᾽ ἐπὶ μαστὸν ἐρείσας,
　χείλεά τε γλυκεροῖς χείλεσι συμπιέσας
᾽Αντιγόνης, καὶ χρῶτα λαβὼν πρὸς χρῶτα, τὰ
　λοιπὰ
σιγῶ, μάρτυς ἐφ᾽ οἷς λύχνος ἐπεγράφετο.

129.—ΑΥΤΟΜΕΔΟΝΤΟΣ

Τὴν ἀπὸ τῆς ᾽Ασίης ὀρχηστρίδα, τὴν κακοτέχνοις
　σχήμασιν ἐξ ἁπαλῶν κινυμένην ὀνύχων,

126 —PHILODEMUS

So-and-so gives so-and-so five talents for once, and possesses her in fear and trembling, and, by Heaven, she is not even pretty. I give Lysianassa five drachmas for twelve times, and she is better looking, and there is no secret about it. Either I have lost my wits, or he ought to be rendered incapable of such conduct for the future.

127.—MARCUS ARGENTARIUS

I was very fond of a young girl called Alcippe, and once, having succeeded in persuading her, I brought her secretly to my room. Both our hearts were beating, lest any superfluous person should surprise us and witness our secret love. But her mother overheard her talk, and looking in suddenly, said, "We go shares, my daughter." [1]

128.—By the Same

Breast to breast supporting my bosom on hers, and pressing her sweet lips to mine I clasped Antigone close with naught between us. Touching the rest, of which the lamp was entered as witness, I am silent.

129.—AUTOMEDON

The dancing-girl from Asia who executes those lascivious postures, quivering from her tender finger-

[1] Treasure-trove was supposed to come from Hermes. Hence the proverb.

αἰνέω, οὐχ ὅτι πάντα παθαίνεται, οὐδ᾽ ὅτι βάλλει
  τὰς ἁπαλὰς ἁπαλῶς ὧδε καὶ ὧδε χέρας·
ἀλλ᾽ ὅτι καὶ τρίβακον περὶ πάσσαλον ὀρχήσασθαι   5
  οἶδε, καὶ οὐ φεύγει γηραλέας ῥυτίδας.
γλωττίζει, κνίζει, περιλαμβάνει· ἢν δ᾽ ἐπιρίψῃ
  τὸ σκέλος, ἐξ ᾅδου τὴν κορύνην ἀνάγει.

130.—ΜΑΙΚΙΟΤ

Τί στυγνή; τί δὲ ταῦτα κόμης εἰκαῖα, Φιλαινί,
  σκύλματα, καὶ νοτερῶν σύγχυσις ὀμματίων;
μὴ τὸν ἐραστὴν εἶδες ἔχονθ᾽ ὑποκόλπιον ἄλλην;
  εἰπὸν ἐμοί· λύπης φάρμακ᾽ ἐπιστάμεθα.
δακρύεις, οὐ φὴς δέ· μάτην ἀρνεῖσθ᾽ ἐπιβάλλῃ·   5
  ὀφθαλμοὶ γλώσσης ἀξιοπιστότεροι.

131.—ΦΙΛΟΔΗΜΟΤ

Ψαλμός, καὶ λαλιή, καὶ κωτίλον ὄμμα, καὶ ᾠδὴ
  Ξανθίππης, καὶ πῦρ ἄρτι καταρχόμενον,
ὦ ψυχή, φλέξει σε· τὸ δ᾽ ἐκ τίνος, ἢ πότε, καὶ
    πῶς,
  οὐκ οἶδα· γνώσῃ, δύσμορε, τυφομένη.

132.—ΤΟΥ ΑΥΤΟΥ

Ὦ ποδός, ὦ κνήμης, ὦ τῶν ἀπόλωλα δικαίως
  μηρῶν, ὦ γλουτῶν, ὦ κτενός, ὦ λαγόνων,
ὦ ὤμοιν, ὦ μαστῶν, ὦ τοῦ ῥαδινοῖο τραχήλου,
  ὦ χειρῶν, ὦ τῶν μαίνομαι ὀμματίων,
ὦ κατατεχνοτάτου κινήματος, ὦ περιάλλων   5
  γλωττισμῶν, ὦ τῶν θῦ᾽ ἐμὲ φωναρίων.
εἰ δ᾽ Ὀπικὴ καὶ Φλῶρα καὶ οὐκ ἄδουσα τὰ Σαπφοῦς,
  καὶ Περσεὺς Ἰνδῆς ἠράσατ᾽ Ἀνδρομέδης.

tips, I praise not because she can express all variations
of passion, or because she moves her pliant arms so
softly this way and that, sed quod et pannosum
super clavum saltare novit et non fugit seniles rugas.
Lingua basiatur, vellicat, amplectitur; si vero femur
superponat clavum vel ex orco reducit.

130.—MAECIUS

WHY so gloomy, and what do these untidy ruffled
locks mean, Philaenis, and those eyes suffused with
tears? Did you see your lover with a rival on his
lap? Tell me; I know a cure for sorrow. You cry,
but don't confess; in vain you seek to deny; eyes
are more to be trusted than the tongue.

131.—PHILODEMUS

XANTHIPPE'S touch on the lyre, and her talk, and
her speaking eyes, and her singing, and the fire that
is just alight, will burn thee, my heart, but from
what beginning or when or how I know not. Thou,
unhappy heart, shalt know when thou art smoulder-
ing.

132.—BY THE SAME

O FEET, O legs, O thighs for which I justly died,
O nates, O pectinem, O flanks, O shoulders, O breasts,
O slender neck, O arms, O eyes I am mad for,
O accomplished movement, O admirable kisses, O
exclamations that excite! If she is Italian and her
name is Flora and she does not sing Sappho, yet
Perseus was in love with Indian Andromeda.

133.—ΜΑΙΚΙΟΤ

'Ωμοσ' ἐγώ, δύο νύκτας ἀφ' Ἡδυλίου, Κυθέρεια,
σὸν κράτος, ἡσυχάσειν· ὡς δοκέω δ', ἐγέλας,
τοὐμὸν ἐπισταμένη τάλανος κακόν· οὐ γὰρ ὑποίσω
τὴν ἑτέρην, ὅρκους δ' εἰς ἀνέμους τίθεμαι.
αἱροῦμαι δ' ἀσεβεῖν κείνης χάριν, ἢ τὰ σὰ τηρῶν   5
ὅρκι' ἀποθνήσκειν, πότνι', ὑπ' εὐσεβίης.

134.—ΠΟΣΕΙΔΙΠΠΟΤ

Κεκροπὶ ῥαῖνε λάγυνε πολύδροσον ἰκμάδα Βάκχου,
ῥαῖνε· δροσιζέσθω συμβολικὴ πρόποσις.
σιγάσθω Ζήνων ὁ σοφὸς κύκνος, ἅ τε Κλεάνθους
μοῦσα· μέλοι δ' ἡμῖν ὁ γλυκύπικρος ἔρως.

135.—ΑΔΗΛΟΝ

Στρογγύλη, εὐτόρνευτε, μονούατε, μακροτράχηλε,
ὑψαύχην, στεινῷ φθεγγομένη στόματι,
Βάκχου καὶ Μουσέων ἱλαρὴ λάτρι καὶ Κυθερείης,
ἡδύγελως, τερπνὴ συμβολικῶν ταμίη,
τίφθ' ὁπόταν νήφω, μεθύεις σύ μοι, ἢν δὲ μεθυσθῶ,   5
ἐκνήφεις; ἀδικεῖς συμποτικὴν φιλίην.

136.—ΜΕΛΕΑΓΡΟΤ

Ἔγχει, καὶ πάλιν εἰπέ, πάλιν, πάλιν "Ἡλιοδώρας"
εἰπέ, σὺν ἀκρήτῳ τὸ γλυκὺ μίσγ' ὄνομα·
καί μοι τὸν βρεχθέντα μύροις καὶ χθιζὸν ἐόντα,
μναμόσυνον κείνας, ἀμφιτίθει στέφανον.
δακρύει φιλέραστον ἰδοὺ ῥόδον, οὕνεκα κείναν
ἄλλοθι, κοὐ κόλποις ἁμετέροις ἐσορᾷ.

A. Lang, *Grass of Parnassus*, ed. 2, p. 187 ; H. C. Beeching,
In a Garden, p. 98.

133.—MAECIUS

By thy majesty, Cytherea, I swore to keep away two
nights from Hedylion, and knowing the complaint of
my poor heart, methinks thou didst smile. For I will
not support the second, and I cast my oath to the
winds. I choose rather to be impious to thee for her
sake than by keeping my oath to thee to die of piety.

134.—POSEIDIPPUS

Shower on us, O Attic jug, the dewy rain of
Bacchus ; shower it and refresh our merry picnic.
Let Zeno, the learned swan, be kept silent, and
Cleanthes' Muse,[1] and let our converse be of Love
the bitter-sweet.

135.—Anonymous
To his Jug

Round, well-moulded, one-eared, long-necked,
babbling with thy little mouth, merry waitress of
Bacchus and the Muses and Cytherea, sweetly-
laughing treasuress of our club, why when I am sober
are you full and when I get tipsy do you become
sober ? You don't keep the laws of conviviality.

136.—MELEAGER
To the Cup-bearer

Fill up the cup and say again, again, again,
"Heliodora's."[2] Speak the sweet name, temper the
wine with but that alone. And give me, though it
be yesternight's, the garland dripping with scent to
wear in memory of her. Look how the rose that
favours Love is weeping, because it sees her elsewhere
and not in my bosom.

[1] He did write poems, but "Muse" refers to his writings
in general.   [2] For this custom see above, No. 110.

137.—ΤΟΥ ΑΥΤΟΥ

Ἔγχει τᾶς Πειθοῦς καὶ Κύπριδος Ἡλιοδώρας,
  καὶ πάλι τᾶς αὐτᾶς ἀδυλόγω Χάριτος.
αὐτὰ γὰρ μῖ ἐμοὶ γράφεται θεός, ἃς τὸ ποθεινὸν
  οὔνομ᾽ ἐν ἀκρήτῳ συγκεράσας πίομαι.

138.—ΔΙΟΣΚΟΡΙΔΟΥ

Ἵππον Ἀθήνιον ᾖσεν ἐμοὶ κακόν· ἐν πυρὶ πᾶσα
  Ἴλιος ἦν, κἀγὼ κείνῃ ἅμ᾽ ἐφλεγόμαν,
οὐ δείσας Δαναῶν δεκέτη πόνον· ἐν δ᾽ ἑνὶ φέγγει
  τῷ τότε καὶ Τρῶες κἀγὼ ἀπωλόμεθα.

139.—ΜΕΛΕΑΓΡΟΥ

Ἁδὺ μέλος, ναὶ Πᾶνα τὸν Ἀρκάδα, πηκτίδι μέλπεις,
  Ζηνοφίλα, ναὶ Πᾶν᾽, ἁδὺ κρέκεις τι μέλος.
ποῖ σε φύγω; πάντη με περιστείχουσιν Ἔρωτες,
  οὐδ᾽ ὅσον ἀμπνεῦσαι βαιὸν ἐῶσι χρόνον.
ἢ γάρ μοι μορφὰ βάλλει πόθον, ἢ πάλι μοῦσα,
  ἢ χάρις, ἢ . . . τί λέγω; πάντα· πυρὶ φλέγομαι.

140.—ΤΟΥ ΑΥΤΟΥ

Ἡδυμελεῖς Μοῦσαι σὺν πηκτίδι, καὶ λόγος ἔμφρων
  σὺν Πειθοῖ, καὶ Ἔρως κάλλος ὑφηνιοχῶν,
Ζηνοφίλα, σοὶ σκῆπτρα Πόθων ἀπένειμαν, ἐπεί σοι
  αἱ τρισσαὶ Χάριτες τρεῖς ἔδοσαν χάριτας.

137.—By the Same

To the Cup-bearer

One ladle for Heliodora Peitho and one for Heliodora Cypris and one for Heliodora, the Grace sweet of speech. For I describe her as one goddess, whose beloved name I mix in the wine to drink.

138.—DIOSCORIDES

Athenion sang "The Horse," an evil horse for me. All Troy was in flames and I burning with it. I had braved the ten years' effort of the Greeks, but in that one blaze the Trojans and I perished.

139.—MELEAGER

Sweet is the melody, by Pan of Arcady, that thou strikest from thy lyre, Zenophila; yea, by Pan, passing sweet is thy touch. Whither shall I fly from thee? The Loves encompass me about, and give me not even a little time to take breath; for either Beauty throws desire at me, or the Muse, or the Grace or—what shall I say? All of these! I burn with fire.

140.—By the Same

The melodious Muses, giving skill to thy touch, and Peitho endowing thy speech with wisdom, and Eros guiding thy beauty aright, invested thee, Zenophila, with the sovereignty of the Loves, since the Graces three gave thee three graces.

GREEK ANTHOLOGY

141.—ΤΟΥ ΑΥΤΟΥ

Ναὶ τὸν Ἔρωτα, θέλω τὸ παρ' οὔασιν Ἡλιοδώρας
φθέγμα κλύειν ἢ τὰς Λατοΐδεω κιθάρας.

142.—ΑΔΗΛΟΝ

Τίς, ῥόδον ὁ στέφανος Διονυσίου, ἢ ῥόδον αὐτὸς
τοῦ στεφάνου; δοκέω, λείπεται ὁ στέφανος.

143.—ΜΕΛΕΑΓΡΟΥ

Ὁ στέφανος περὶ κρατὶ μαραίνεται Ἡλιοδώρας·
αὐτὴ δ' ἐκλάμπει τοῦ στεφάνου στέφανος.

144.—ΤΟΥ ΑΥΤΟΥ

Ἤδη λευκόϊον θάλλει, θάλλει δὲ φίλομβρος
νάρκισσος, θάλλει δ' οὐρεσίφοιτα κρίνα·
ἤδη δ' ἡ φιλέραστος, ἐν ἄνθεσιν ὥριμον ἄνθος,
Ζηνοφίλα Πειθοῦς ἡδὺ τέθηλε ῥόδον.
λειμῶνες, τί μάταια κόμαις ἔπι φαιδρὰ γελᾶτε;
ἁ γὰρ παῖς κρέσσων ἁδυπνόων στεφάνων.

H. C. Beeching, *In a Garden*, p. 100 ; A. Lang, in G. R.
Thomson's *Selections from the Greek Anthology*, p. 151 ; Alma
Strettell, *ib.* p. 152 ; J. A. Pott, *Greek Love Songs and Epi-
grams*, ii. p. 66.

145.—ΑΣΚΛΗΠΙΑΔΟΥ

Αὐτοῦ μοι στέφανοι παρὰ δικλίσι ταῖσδε κρεμαστοὶ
μίμνετε, μὴ προπετῶς φύλλα τινασσόμενοι,
οὓς δακρύοις κατέβρεξα· κάτομβρα γὰρ ὄμματ'
ἐρώντων·
ἀλλ', ὅταν οἰγομένης αὐτὸν ἴδητε θύρης,
στάξαθ' ὑπὲρ κεφαλῆς ἐμὸν ὑετόν, ὡς ἂν †ἄμεινον[1]
ἡ ξανθή γε κόμη τἀμὰ πίῃ δάκρυα.

[1] The corrupt ἄμεινον has probably taken the place of a
proper name.

196

141.—By the Same

By Love I swear, I had rather hear Heliodora's whisper in my ear than the harp of the son of Leto.

142.—Anonymous

Which is it? is the garland the rose of Dionysius, or is he the garland's rose? I think the garland is less lovely.

143.—MELEAGER

The flowers are fading that crown Heliodora's brow, but she glows brighter and crowns the wreath.

144.—By the Same

Already the white violet is in flower and narcissus that loves the rain, and the lilies that haunt the hillside, and already she is in bloom, Zenophila, love's darling, the sweet rose of Persuasion, flower of the flowers of spring. Why laugh ye joyously, ye meadows, vainglorious for your bright tresses? More to be preferred than all sweet-smelling posies is she.

145.—ASCLEPIADES

Abide here, my garlands, where I hang ye by this door, nor shake off your leaves in haste, for I have watered you with my tears—rainy are the eyes of lovers. But when the door opens and ye see him, shed my rain on his head, that at least his fair hair may drink my tears.

146.—ΚΑΛΛΙΜΑΧΟΥ

Τέσσαρες αἱ Χάριτες· ποτὶ γὰρ μία ταῖς τρισὶ
κείναις
ἄρτι ποτεπλάσθη, κἤτι μύροισι νοτεῖ
εὐαίων ἐν πᾶσιν ἀρίζαλος Βερενίκα,
ἆς ἄτερ οὐδ' αὐταὶ ταὶ Χάριτες Χάριτες.

147.—ΜΕΛΕΑΓΡΟΥ

Πλέξω λευκόϊον, πλέξω δ' ἀπαλὴν ἅμα μύρτοις
νάρκισσον, πλέξω καὶ τὰ γελῶντα κρίνα,
πλέξω καὶ κρόκον ἡδύν· ἐπιπλέξω δ' ὑάκινθον
πορφυρέην, πλέξω καὶ φιλέραστα ῥόδα,
ὡς ἂν ἐπὶ κροτάφοις μυροβοστρύχου Ἡλιοδώρας   5
εὐπλόκαμον χαίτην ἀνθοβολῇ στέφανος.

J. A. Pott, *Greek Love Songs and Epigrams*, i. p. 75 ; H.C.
Beeching, *In a Garden*, p. 98.

148.—ΤΟΥ ΑΥΤΟΥ

Φαμί ποτ' ἐν μύθοις τὰν εὔλαλον Ἡλιοδώραν
νικάσειν αὐτὰς τὰς Χάριτας χάρισιν.

149.—ΤΟΥ ΑΥΤΟΥ

Τίς μοι Ζηνοφίλαν λαλιὰν παρέδειξεν ἑταίραν;
τίς μίαν ἐκ τρισσῶν ἤγαγέ μοι Χάριτα;
ἦ ῥ' ἐτύμως ἀνὴρ κεχαρισμένον ἄνυσεν ἔργον,
δῶρα διδούς, καὐτὰν τὰν Χάριν ἐν χάριτι.

150.—ΑΣΚΛΗΠΙΑΔΟΥ

'Ωμολόγησ' ἥξειν εἰς νύκτα μοι ἡ 'πιβόητος
Νικώ, καὶ σεμνὴν ὤμοσε Θεσμοφόρον·

146.—CALLIMACHUS

THE Graces are four, for beside those three standeth a new-erected one, still dripping with scent, blessed Berenice,[1] envied by all, and without whom not even the Graces are Graces.

147.—MELEAGER

I WILL plait in white violets and tender narcissus mid myrtle berries, I will plait laughing lilies too and sweet crocus and purple hyacinths and the roses that take joy in love, so that the wreath set on Heliodora's brow, Heliodora with the scented curls, may scatter flowers on her lovely hair.

148.—BY THE SAME

I FORETELL that one day in story sweet-spoken Heliodora will surpass by her graces the Graces themselves.

149.—BY THE SAME

WHO pointed Zenophila out to me, my talkative mistress? Who brought to me one of the three Graces? He really did a graceful deed, giving me a present and throwing in the Grace herself gratis.

150.—ASCLEPIADES

THE celebrated Nico promised to come to me for to-night and swore by solemn Demeter. She

---

[1] Berenice II, Queen of Egypt.

κοὐχ ἥκει, φυλακὴ δὲ παροίχεται. ἆρ' ἐπιορκεῖν
ἤθελε; τὸν λύχνον, παῖδες, ἀποσβέσατε.

151.—ΜΕΛΕΑΓΡΟΥ

Ὀξυβόαι κώνωπες, ἀναιδέες, αἵματος ἀνδρῶν
    σίφωνες, νυκτὸς κνώδαλα διπτέρυγα,
βαιὸν Ζηνοφίλαν, λίτομαι, πάρεθ' ἥσυχον ὕπνον
    εὕδειν, τἀμὰ δ' ἰδοὺ σαρκοφαγεῖτε μέλη.
καίτοι πρὸς τί μάτην αὐδῶ; καὶ θῆρες ἄτεγκτοι   5
    τέρπονται τρυφερῷ χρωτὶ χλιαινόμενοι.
ἀλλ' ἔτι νῦν προλέγω, κακὰ θρέμματα, λήγετε
    τόλμης,
ἢ γνώσεσθε χερῶν ζηλοτύπων δύναμιν.

152.—ΤΟΥ ΑΥΤΟΥ

Πταίης μοι, κώνωψ, ταχὺς ἄγγελος, οὔασι δ'
    ἄκροις
Ζηνοφίλας ψαύσας προσψιθύριζε τάδε·
"'Ἄγρυπνος μίμνει σε· σὺ δ', ὦ λήθαργε φι-
    λούντων,
    εὕδεις." εἶα, πέτευ· ναί, φιλόμουσε, πέτευ·
ἥσυχα δὲ φθέγξαι, μὴ καὶ σύγκοιτον ἐγείρας   5
    κινήσῃς ἐπ' ἐμοὶ ζηλοτύπους ὀδύνας.
ἢν δ' ἀγάγῃς τὴν παῖδα, δορᾷ στέψω σε λέοντος,
    κώνωψ, καὶ δώσω χειρὶ φέρειν ῥόπαλον.

153.—ΑΣΚΛΗΠΙΑΔΟΥ

Νικαρέτης τὸ Πόθοισι βεβαμμένον [1] ἡδὺ πρόσωπον,
    πυκνὰ δι' ὑψορόφων φαινόμενον θυρίδων,
αἱ χαροπαὶ Κλεοφῶντος ἐπὶ προθύροις ἐμάραναν,
    Κύπρι φίλη, γλυκεροῦ βλέμματος ἀστεροπαί.

---

[1] βεβαμμένον Wilamowitz: βεβλημένον MS.

comes not and the first watch of night is past. Did she mean then to forswear herself? Servants, put out the light.

151.—MELEAGER

Ye shrill-voiced mosquitoes, ye shameless pack, suckers of men's blood, Night's winged beasts of prey, let Zenophila, I beseech ye, sleep a little in peace, and come and devour these my limbs. But why do I supplicate in vain? Even pitiless wild beasts rejoice in the warmth of her tender body. But I give ye early warning, cursed creatures: no more of this audacity, or ye shall feel the strength of jealous hands.

152.—By the Same

Fly for me, mosquito, swiftly on my message, and lighting on the rim of Zenophila's ear whisper thus into it : "He lies awake expecting thee, and thou sleepest, O thou sluggard, who forgettest those who love thee." Whrr! away! yea, sweet piper, away! But speak lowly to her, lest thou awake her companion of the night and arouse jealousy of me to pain her. But if thou bringest me the girl, I will hood thy head, mosquito, with the lion's skin and give thee a club to carry in thy hand.[1]

153.—ASCLEPIADES

Nicarete's sweet face, bathed by the Loves, peeping often from her high casement, was blasted, dear Cypris, by the flame that lightened from the sweet blue eyes of Cleophon, standing by her door.

[1] *i.e.* I will give you the attributes of Heracles.

154.—ΜΕΛΕΑΓΡΟΥ

Ναὶ τὰν νηξαμέναν χαροποῖς ἐνὶ κύμασιν Κύπριν,
ἔστι καὶ ἐκ μορφᾶς ἁ Τρυφέρα τρυφερά.

155.—ΤΟΥ ΑΥΤΟΥ

Ἐντὸς ἐμῆς κραδίης τὴν εὔλαλον Ἡλιοδώραν
ψυχὴν τῆς ψυχῆς αὐτὸς ἔπλασσεν Ἔρως.

156.—ΤΟΥ ΑΥΤΟΥ

Ἁ φίλερως χαροποῖς Ἀσκληπιὰς οἷα γαλήνης
ὄμμασι συμπείθει πάντας ἐρωτοπλοεῖν.

W. G. Headlam, *Fifty Poems of Meleager*, xliii ; A. Esdaile,
The Poetry Review, Sept. 1913.

157.—ΤΟΥ ΑΥΤΟΥ

Τρηχὺς ὄνυξ ὑπ᾽ Ἔρωτος ἀνέτραφες Ἡλιοδώρας·
ταύτης γὰρ δύνει κνίσμα καὶ ἐς κραδίην.

158.—ΑΣΚΛΗΠΙΑΔΟΥ

Ἑρμιόνῃ πιθανῇ ποτ᾽ ἐγὼ συνέπαιζον, ἐχούσῃ
ζωνίον ἐξ ἀνθέων ποικίλον, ὦ Παφίη,
χρύσεα γράμματ᾽ ἔχον· διόλου δ᾽ ἐγέγραπτο,
  "Φίλει με·
καὶ μὴ λυπηθῇς, ἤν τις ἔχῃ μ᾽ ἕτερος."

J. A. Pott, *Greek Love Songs and Epigrams*, i. p. 28.

159.—ΣΙΜΩΝΙΔΟΥ

Βοίδιον ηὑλητρὶς καὶ Πυθιάς, αἵ ποτ᾽ ἐρασταί,
σοί, Κύπρι, τὰς ζώνας τάς τε γραφὰς ἔθεσαν.
ἔμπορε καὶ φορτηγέ, τὸ σὸν βαλλάντιον οἶδεν
καὶ πόθεν αἱ ζῶναι καὶ πόθεν οἱ πίνακες.

154.—MELEAGER

By Cypris, swimming through the blue waves, Tryphera is truly by right of her beauty tryphera (delicate).

155.—By the Same

Within my heart Love himself fashioned sweet-spoken Heliodora, soul of my soul.

156.—By the Same

Love-loving Asclepias, with her clear blue eyes, like summer seas, persuadeth all to make the love-voyage.

157.—By the Same

Love made it grow and sharpened it, Heliodora's finger-nail; for her light scratching reaches to the heart.

158.—ASCLEPIADES

I played once with captivating Hermione, and she wore, O Paphian Queen, a zone of many colours bearing letters of gold; all round it was written, "Love me and be not sore at heart if I am another's."

159.—SIMONIDES

Boidion, the flute-player, and Pythias, both most lovable once upon a time, dedicate to thee, Cypris, these zones and pictures. Merchant and skipper, thy purse knows whence the zones and whence the pictures.

160.—ΜΕΛΕΑΓΡΟΥ

Δημὼ λευκοπάρειε, σὲ μέν τις ἔχων ὑπόχρωτα
  τέρπεται· ἁ δ' ἐν ἐμοὶ νῦν στενάχει κραδία.
εἰ δέ σε σαββατικὸς κατέχει πόθος, οὐ μέγα θαῦμα·
  ἔστι καὶ ἐν ψυχροῖς σάββασι θερμὸς Ἔρως.

161.—ΗΔΥΛΟΥ, οἱ δὲ ΑΣΚΛΗΠΙΑΔΟΥ

Εὐφρὼ καὶ Θαῒς καὶ Βοίδιον, αἱ Διομήδους
  γραῖαι, ναυκλήρων ὁλκάδες εἰκόσοροι,
Ἀγιν καὶ Κλεοφῶντα καὶ Ἀνταγόρην, ἔν' ἑκάστη,
  γυμνούς, ναυηγῶν ἥσσονας, ἐξέβαλον.
ἀλλὰ σὺν αὐταῖς νηυσὶ τὰ ληστρικὰ τῆς Ἀφροδίτης   5
  φεύγετε· Σειρήνων αἵδε γὰρ ἐχθρότεραι.

162.—ΑΣΚΛΗΠΙΑΔΟΥ

Ἡ λαμυρή μ' ἔτρωσε Φιλαίνιον· εἰ δὲ τὸ τραῦμα
  μὴ σαφές, ἀλλ' ὁ πόνος δύεται εἰς ὄνυχα.
οἴχομ', Ἔρωτες, ὄλωλα, διοίχομαι· εἰς γὰρ ἑταίραν
  νυστάζων ἐπέβην, οἶδ', ἔθιγον τ' Ἀΐδα.

163.—ΜΕΛΕΑΓΡΟΥ

Ἀνθοδίαιτε μέλισσα, τί μοι χροὸς Ἡλιοδώρας
  ψαύεις, ἐκπρολιποῦσ' εἰαρινὰς κάλυκας;
ἦ σύ γε μηνύεις ὅτι καὶ γλυκὺ καὶ δυσύποιστον,
  πικρὸν ἀεὶ κραδίᾳ, κέντρον Ἔρωτος ἔχει;
ναὶ δοκέω, τοῦτ' εἶπας. Ἰώ, φιλέραστε, παλίμπους   5
  στεῖχε· πάλαι τὴν σὴν οἴδαμεν ἀγγελίην.

A. J. Butler, *Amaranth and Asphodel*, p. 39.

160.—MELEAGER

WHITE-CHEEKED Demo, some one hath thee naked next him and is taking his delight, but my own heart groans within me. If thy lover is some Sabbath-keeper [1] no great wonder! Love burns hot even on cold Sabbaths.

161.—HEDYLUS OR ASCLEPIADES

EUPHRO, Thais and Boidion, Diomede's old women, the twenty-oared transports of ship-captains, have cast ashore, one apiece, naked and worse off than shipwrecked mariners, Agis, Cleophon and Antagoras. But fly from Aphrodite's corsairs and their ships; they are worse foes than the Sirens.

162.—ASCLEPIADES

CRUEL Philaenion has bitten me; though the bite does not show, the pain reaches to my finger-tips. Dear Loves, I am gone, 'tis over with me, I am past hope; for half-asleep I trod upon a whore,[2] I know it, and her touch was death.

163.—MELEAGER

O FLOWER-nurtured bee, why dost thou desert the buds of spring and light on Heliodora's skin? Is it that thou wouldst signify that she hath both sweets and the sting of Love, ill to bear and ever bitter to the heart? Yea, meseems, this is what thou sayest. "Off with thee back to thy flowers, thou flirt! It is stale news thou bringest me."

[1] i.e. a Jew.
[2] ἑταίραν "a whore" is put contra expectationem for ἔχιδναν "a viper."

164.—ΑΣΚΛΗΠΙΑΔΟΥ

Νύξ· σὲ γὰρ οὐκ ἄλλην μαρτύρομαι, οἷά μ᾽ ὑβρίζει
Πυθιὰς ἡ Νικοῦς, οὖσα φιλεξαπάτις·
κληθείς, οὐκ ἄκλητος, ἐλήλυθα. ταὐτὰ παθοῦσα
σοὶ μέμψαιτ᾽ ἔτ᾽ ἐμοῖς στᾶσα παρὰ προθύροις.

165.—ΜΕΛΕΑΓΡΟΥ

Ἓν τόδε, παμμήτειρα θεῶν, λίτομαί σε, φίλη Νύξ,
ναὶ λίτομαι, κώμων σύμπλανε, πότνια Νύξ,
εἴ τις ὑπὸ χλαίνῃ βεβλημένος Ἡλιοδώρας
θάλπεται, ὑπναπάτῃ χρωτὶ χλιαινόμενος,
κοιμάσθω μὲν λύχνος· ὁ δ᾽ ἐν κόλποισιν ἐκείνης   5
ῥιπτασθεὶς κείσθω δεύτερος Ἐνδυμίων.

166.—ΤΟΥ ΑΥΤΟΥ

Ὦ νύξ, ὦ φιλάγρυπνος ἐμοὶ πόθος Ἡλιοδώρας,
καὶ †σκολιῶν ὄρθρων[1] κνίσματα δακρυχαρῆ,
ἆρα μένει στοργῆς ἐμὰ λείψανα, καὶ τὸ φίλημα
μνημόσυνον ψυχρᾷ θάλπετ᾽ ἐν εἰκασίᾳ;
ἆρά γ᾽ ἔχει σύγκοιτα τὰ δάκρυα, κἀμὸν ὄνειρον   5
ψυχαπάτην στέρνοις ἀμφιβαλοῦσα φιλεῖ;
ἢ νέος ἄλλος ἔρως, νέα παίγνια; Μήποτε, λύχνε,
ταῦτ᾽ ἐσίδῃς, εἴης δ᾽ ἧς παρέδωκα φύλαξ.

167.—ΑΣΚΛΗΠΙΑΔΟΥ

Ὑετὸς ἦν καὶ νύξ, καὶ τὸ τρίτον ἄλγος ἔρωτι,
οἶνος· καὶ βορέης ψυχρός, ἐγὼ δὲ μόνος.

---

[1] The first hand in MS. has ὀρθῶν.

BOOK V. 164-167

164.—ASCLEPIADES

NIGHT, for I call thee alone to witness, look how shamefully Nico's Pythias, ever loving to deceive, treats me. I came at her call and not uninvited. May she one day stand at my door and complain to thee that she suffered the like at my hands.

165.—MELEAGER.

MOTHER of all the gods, dear Night, one thing I beg, yea I pray to thee, holy Night, companion of my revels. If some one lies cosy beneath Heliodora's mantle, warmed by her body's touch that cheateth sleep, let the lamp close its eyes and let him, cradled on her bosom, lie there a second Endymion.[1]

166.—BY THE SAME

O NIGHT, O longing for Heliodora that keepest me awake, O tormenting visions of the dawn full of tears and joy,[2] is there any relic left of her love for me? Is the memory of my kiss still warm in the cold ashes of fancy? Has she no bed-fellow but her tears and does she clasp to her bosom and kiss the cheating dream of me? Or is there another new love, new dalliance? Mayst thou never look on this, dear lamp; but guard her well whom I committed to thy care.

167.—ASCLEPIADES

IT was night, it was raining, and, love's third burden, I was in wine; the north wind blew cold

[1] *i.e.* sound asleep.
[2] The text is corrupt here, and no satisfactory emendation has been proposed. The rendering is therefore quite conjectural.

ἀλλ' ὁ καλὸς Μόσχος πλέον ἴσχυεν. "Αἰ σὺ γὰρ
οὕτως
ἤλυες, οὐδὲ θύρην πρὸς μίαν ἡσυχάσας."
τῇδε τοσαῦτ' ἐβόησα βεβρεγμένος· "῎Αχρι τίνος,
Ζεῦ;
Ζεῦ φίλε, σίγησον· καὐτὸς ἐρᾶν ἔμαθες."

168.—ΑΔΗΛΟΝ

Καὶ πυρὶ καὶ νιφετῷ με καί, εἰ βούλοιο, κεραυνῷ
βάλλε, καὶ εἰς κρημνοὺς ἕλκε καὶ εἰς πελάγη·
τὸν γὰρ ἀπαυδήσαντα πόθοις καὶ ῎Ερωτι δαμέντα
οὐδὲ Διὸς τρύχει πῦρ ἐπιβαλλόμενον.

169.—ΑΣΚΛΗΠΙΑΔΟΥ

Ἡδὺ θέρους διψῶντι χιὼν ποτόν· ἡδὺ δὲ ναύταις
ἐκ χειμῶνος ἰδεῖν εἰαρινὸν ζέφυρον·
ἥδιον δ' ὁπόταν κρύψῃ μία τοὺς φιλέοντας
χλαῖνα, καὶ αἰνῆται Κύπρις ὑπ' ἀμφοτέρων.

A. Esdaile, *Poetry Review*, Sept. 1913.

170.—ΝΟΣΣΙΔΟΣ

"῎Αδιον οὐδὲν ἔρωτος, ἃ δ' ὄλβια, δεύτερα πάντα
ἐστίν· ἀπὸ στόματος δ' ἔπτυσα καὶ τὸ μέλι."
τοῦτο λέγει Νοσσίς· τίνα δ' ἃ Κύπρις οὐκ
ἐφίλασεν,
οὐκ οἶδεν κήνα γ'[1] ἄνθεα ποῖα ῥόδα.

R. G. McGregor, *The Greek Anthology*, p. 20.

[1] γ' Reitzenstein ; τ' MS.

and I was alone. But lovely Moschus overpowered
all. " Would thou didst wander so, and didst not
rest at one door." So much I exclaimed there,
drenched through. " How long Zeus ? Peace, dear
Zeus ! Thou too didst learn to love."[1]

168.—ANONYMOUS

HURL fire and snow upon me, and if thou wilt,
strike me with thy bolt, or sweep me to the cliffs or
to the deep. For he who is worn out by battle with
Desire and utterly overcome by Love, feels not even
the blast of Jove's fire.

169. ASCLEPIADES

SWEET in summer a draught of snow to him who
thirsts, and sweet for sailors after winter's storms
to feel the Zephyr of the spring. But sweeter still
when one cloak doth cover two lovers and Cypris
hath honour from both

170. NOSSIS

" NOTHING is sweeter than love; all delightful
things are second to it, and even the honey I spat
from my mouth." Thus saith Nossis, but if there be
one whom Cypris hath not kissed, she at least knows
not what flowers roses are.

---

[1] The epigram is very obscure and probably corrupt. The
last words are addressed to Zeus as the weather god, but it
is not evident who "thou" in line 3 is. The MS. there, it
should be mentioned, has καὶ σὺ — ἤλυθες, "And thou didst
come."

171.—ΜΕΛΕΑΓΡΟΥ

Τὸ σκύφος ἁδὺ γέγηθε, λέγει δ' ὅτι τᾶς φιλέρωτος
  Ζηνοφίλας ψαύει τοῦ λαλιοῦ στόματος.
ὄλβιον· εἴθ' ὑπ' ἐμοῖς νῦν χείλεσι χείλεα θεῖσα
  ἀπνευστὶ ψυχὰν τὰν ἐν ἐμοὶ προπίοι.

172.—ΤΟΥ ΑΥΤΟΥ

Ὄρθρε, τί μοι, δυσέραστε, ταχὺς περὶ κοῖτον
    ἐπέστης
  ἄρτι φίλας Δημοῦς χρωτὶ χλιαινομένῳ;
εἴθε πάλιν στρέψας ταχινὸν δρόμον Ἕσπερος εἴης,
  ὦ γλυκὺ φῶς βάλλων εἰς ἐμὲ πικρότατον.
ἤδη γὰρ καὶ πρόσθεν ἐπ' Ἀλκμήνῃ Διὸς ἦλθες   5
  ἀντίος· οὐκ ἀδαὴς ἐσσὶ παλινδρομίης.

173.—ΤΟΥ ΑΥΤΟΥ

Ὄρθρε, τί νῦν, δυσέραστε, βραδὺς περὶ κόσμον
    ἑλίσσῃ,
  ἄλλος ἐπεὶ Δημοῦς θάλπεθ' ὑπὸ χλανίδι;
ἀλλ' ὅτε τὰν ῥαδινὰν κόλποις ἔχον, ὠκὺς ἐπέστης,
  ὡς βάλλων ἐπ' ἐμοὶ φῶς ἐπιχαιρέκακον.

A. Esdaile, *Poetry Review*, Sept. 1913.

174.—ΤΟΥ ΑΥΤΟΥ

Εὕδεις, Ζηνοφίλα, τρυφερὸν θάλος. εἴθ' ἐπὶ σοὶ νῦν
  ἄπτερος εἰσήειν Ὕπνος ἐπὶ βλεφάροις,
ὡς ἐπὶ σοὶ μηδ' οὗτος, ὁ καὶ Διὸς ὄμματα θέλγων,
  φοιτήσαι, κάτεχον δ' αὐτὸς ἐγώ σε μόνος.

171.—MELEAGER

THE wine-cup feels sweet joy and tells me how it touches the prattling mouth of Zenophila the friend of love. Happy cup! Would she would set her lips to mine and drink up my soul at one draught.

172.—BY THE SAME

WHY dost thou, Morning Star, the foe of love, look down on my bed so early, just as I lie warm in dear Demo's arms? Would that thou couldst reverse thy swift course and be the Star of Eve again, thou whose sweet rays fall on me most bitter. Once of old, when he lay with Alcmena, thou didst turn back in sight of Zeus; thou art not unpractised in returning on thy track.

173.—BY THE SAME

O MORNING-STAR, the foe of love, slowly dost thou revolve around the world, now that another lies warm beneath Demo's mantle. But when my slender love lay in my bosom, quickly thou camest to stand over us, as if shedding on me a light that rejoiced at my grief.

174.—BY THE SAME

THOU sleepest, Zenophila, tender flower. Would I were Sleep, though wingless, to creep under thy lashes, so that not even he who lulls the eyes of Zeus, might visit thee, but I might have thee all to myself.

175.—ΤΟΥ ΑΥΤΟΥ

Οἶδ' ὅτι μοι κενὸς ὅρκος, ἐπεί σέ γε τὴν φιλάσωτον
  μηνύει μυρόπνους ἀρτιβρεχὴς πλόκαμος,
μηνύει δ' ἄγρυπνον ἰδοὺ βεβαρημένον ὄμμα,
  καὶ σφιγκτὸς στεφάνων ἀμφὶ κόμαισι μίτος·
ἔσκυλται δ' ἀκόλαστα πεφυρμένος ἄρτι κίκιννος,
  πάντα δ' ὑπ' ἀκρήτου γυῖα σαλευτὰ φορεῖς.
ἔρρε, γύναι πάγκοινε· καλεῖ σε γὰρ ἡ φιλόκωμος
  πηκτὶς καὶ κροτάλων χειροτυπὴς πάταγος.

176.—ΤΟΥ ΑΥΤΟΥ

Δεινὸς Ἔρως, δεινός. τί δὲ τὸ πλέον, ἢν πάλιν εἴπω,
  καὶ πάλιν, οἰμώζων πολλάκι, "δεινὸς Ἔρως";
ἦ γὰρ ὁ παῖς τούτοισι γελᾷ, καὶ πυκνὰ κακισθεὶς
  ἥδεται· ἢν δ' εἴπω λοίδορα, καὶ τρέφεται.
θαῦμα δέ μοι, πῶς ἆρα διὰ γλαυκοῖο φανεῖσα
  κύματος, ἐξ ὑγροῦ, Κύπρι, σὺ πῦρ τέτοκας.

177.—ΤΟΥ ΑΥΤΟΥ

Κηρύσσω τὸν Ἔρωτα, τὸν ἄγριον· ἄρτι γὰρ ἄρτι
  ὀρθρινὸς ἐκ κοίτας ᾤχετ' ἀποπτάμενος.
ἔστι δ' ὁ παῖς γλυκύδακρυς, ἀείλαλος, ὠκύς, ἀθαμβής,
  σιμὰ γελῶν, πτερόεις νῶτα, φαρετροφόρος.
πατρὸς δ' οὐκέτ' ἔχω φράζειν τίνος· οὔτε γὰρ Αἰθήρ,
  οὐ Χθὼν φησὶ τεκεῖν τὸν θρασύν, οὐ Πέλαγος·
πάντῃ γὰρ καὶ πᾶσιν ἀπέχθεται. ἀλλ' ἐσορᾶτε
  μή που νῦν ψυχαῖς ἄλλα τίθησι λίνα.
καίτοι κεῖνος, ἰδού, περὶ φωλεόν. Οὔ με λέληθας,
  τοξότα, Ζηνοφίλας ὄμμασι κρυπτόμενος.

H. C. Beeching, *In a Garden*, p. 101.

175.—By the Same

I know thy oath is void, for they betray thy wantonness, these locks still moist with scented essences. They betray thee, thy eyes all heavy for want of sleep, and the garland's track all round thy head. Thy ringlets are in unchaste disorder all freshly touzled, and all thy limbs are tottering with the wine. Away from me, public woman; they are calling thee, the lyre that loves the revel and the clatter of the castanets rattled by the fingers.

176.—By the Same

Dreadful is Love, dreadful! But what avails it though I say it again and yet again and with many a sigh, " Love is dreadful " ? For verily the boy laughs at this, and delights in being ever reproached, and if I curse, he even grows apace. It is a wonder to me, Cypris, how thou, who didst rise from the green sea, didst bring forth fire from water.

177.—By the Same

The town-crier is supposed to speak

Lost ! Love, wild Love ! Even now at dawn he went his way, taking wing from his bed. The boy is thus,—sweetly-tearful, ever chattering, quick and impudent, laughing with a sneer, with wings on his back, and a quiver slung on it. As for his father's name I can't give it you ; for neither Sky nor Earth nor Sea confess to the rascal's parentage. For everywhere and by all he is hated ; but look to it in case he is setting now new springes for hearts. But wait ! there he is near his nest ! Ah ! little archer, so you thought to hide from me there in Zenophila's eyes !

178.—ΤΟΥ ΑΥΤΟΥ

Πωλείσθω, καὶ ματρὸς ἔτ᾽ ἐν κόλποισι καθεύδων,
    πωλείσθω. τί δέ μοι τὸ θρασὺ τοῦτο τρέφειν;
καὶ γὰρ σιμὸν ἔφυ καὶ ὑπόπτερον, ἄκρα δ᾽ ὄνυξιν
    κνίζει, καὶ κλαῖον πολλὰ μεταξὺ γελᾷ·
πρὸς δ᾽ ἔτι λοιπὸν ἄθρεπτον, ἀείλαλον, ὀξὺ
    δεδορκός,   5
ἄγριον, οὐδ᾽ αὐτῇ μητρὶ φίλῃ τιθασόν·
πάντα τέρας. τοιγὰρ πεπράσεται. εἴ τις ἀπόπλους
    ἔμπορος ὠνεῖσθαι παῖδα θέλει, προσίτω.
καίτοι λίσσετ᾽, ἰδού, δεδακρυμένος. οὔ σ᾽ ἔτι
    πωλῶ·
θάρσει· Ζηνοφίλᾳ σύντροφος ὧδε μένε.   10

179.—ΤΟΥ ΑΥΤΟΥ

Ναὶ τὰν Κύπριν, Ἔρως, φλέξω τὰ σὰ πάντα
    πυρώσας,
    τόξα τε καὶ Σκυθικὴν ἰοδόκον φαρέτρην·
φλέξω, ναί. τί μάταια γελᾷς, καὶ σιμὰ σεσηρὼς
    μυχθίζεις; τάχα που σαρδάνιον γελάσεις.
ἦ γάρ σευ τὰ ποδηγὰ Πόθων ὠκύπτερα κόψας,   5
    χαλκόδετον σφίγξω σοῖς περὶ ποσσὶ πέδην.
καίτοι Καδμεῖον κράτος οἴσομεν, εἴ σε πάροικον
    ψυχῇ συζεύξω, λύγκα παρ᾽ αἰπολίοις.
ἀλλ᾽ ἴθι, δυσνίκητε, λαβὼν δ᾽ ἔπι κοῦφα πέδιλα
    ἐκπέτασον ταχινὰς εἰς ἑτέρους πτέρυγας.   10

180.—ΤΟΥ ΑΥΤΟΥ

Τί ξένον, εἰ βροτολοιγὸς Ἔρως τὰ πυρίπνοα τόξα
    βάλλει, καὶ λαμυροῖς ὄμμασι πικρὰ γελᾷ;

178.—By the Same

SELL it! though it is still sleeping on its mother's breast. Sell it! why should I bring up such a little devil? For it is snub-nosed, and has little wings, and scratches lightly with its nails, and while it is crying often begins to laugh. Besides, it is impossible to suckle it; it is always chattering and has the keenest of eyes, and it is savage and even its dear mother can't tame it. It is a monster all round; so it shall be sold. If any trader who is just leaving wants to buy a baby, let him come hither. But look! it is supplicating, all in tears. Well! I will not sell thee then. Be not afraid; thou shalt stay here to keep Zenophila company.

179.—By the Same

BY Cypris, Love, I will throw them all in the fire, thy bow and Scythian quiver charged with arrows. Yea, I will burn them, by—. Why laugh so sillily and snicker, turning up thy nose? I will soon make thee laugh to another tune. I will cut those rapid wings that show Desire the way, and chain thy feet with brazen fetters. But a sorry victory shall I gain if I chain thee next my heart, like a wolf by a sheep-fold.[1] No! be off! thou art ill to conquer; take besides these light, winged shoes, and spreading thy swift wings go visit others.

180.—By the Same

WHAT wonder if murderous Love shoots those arrows that breathe fire, and laughs bitterly with

[1] Literally "a lynx by a goat-fold."

οὐ μάτηρ στέργει μὲν Ἄρη, γαμέτις δὲ τέτυκται
Ἀφαίστου, κοινὰ καὶ πυρὶ καὶ ξίφεσιν;
ματρὸς δ᾽ οὐ μάτηρ ἀνέμων μάστιξι Θάλασσα   5
τραχὺ βοᾷ; γενέτας δ᾽ οὔτε τις οὔτε τινός.
τοὔνεκεν Ἀφαίστου μὲν ἔχει φλόγα, κύμασι δ᾽ ὀργὰν
στέρξεν ἴσαν, Ἄρεως δ᾽ αἱματόφυρτα βέλη.

181.—ΑΣΚΛΗΠΙΑΔΟΥ

Τῶν †καρίων ἡμῖν λάβε †κώλακας (ἀλλὰ πόθ᾽ ἥξει),
καὶ πέντε στεφάνους τῶν ῥοδίνων. τί τὸ πάξ;
οὐ φὴς κέρματ᾽ ἔχειν; διολώλαμεν. οὐ τροχιεῖ τις
τὸν Λαπίθην; λῃστήν, οὐ θεράποντ᾽ ἔχομεν.
οὐκ ἀδικεῖς; οὐδέν; φέρε τὸν λόγον· ἐλθὲ λαβοῦσα,   5
Φρύνη, τὰς ψήφους.   ὢ μεγάλου κινάδους.
πέντ᾽ οἶνος δραχμῶν· ἀλλᾶς δύο . . .
ὦτα λέγεις σκόμβροι †θέσμυκες σχάδονες.
αὔριον αὐτὰ καλῶς λογιούμεθα· νῦν δὲ πρὸς
Αἴσχραν
τὴν μυρόπωλιν ἰών, πέντε λάβ᾽ ἀργυρέας.   10
εἰπὲ δὲ σημεῖον, Βάκχων ὅτι πέντ᾽ ἐφίλησεν
ἑξῆς, ὧν κλίνη μάρτυς ἐπεγράφετο.

182.—ΜΕΛΕΑΓΡΟΥ

Ἄγγειλον τάδε, Δορκάς· ἰδοὺ πάλι δεύτερον αὐτῇ
καὶ τρίτον ἄγγειλον, Δορκάς, ἅπαντα.   τρέχε·
μηκέτι μέλλε, πέτου—βραχύ μοι, βραχύ, Δορκάς,
ἐπίσχες.
Δορκάς, ποῖ σπεύδεις, πρίν σε τὰ πάντα μαθεῖν;

cruel eyes! Is not Ares his mother's lover, and
Hephaestus her lord, the fire and the sword sharing
her? And his mother's mother the Sea, does she
not roar savagely flogged by the winds? And his
father has neither name nor pedigree. So hath he
Hephaestus' fire, and yearns for anger like the waves,
and loveth Ares' shafts dipped in blood.

181.—ASCLEPIADES

BUY us some . . . (but when will he come?) and
five rose wreaths.—Why do you say "pax"[1]? You
say you have no change! We are ruined; won't
someone string up the Lapith beast! I have a
brigand not a servant. So you are not at fault!
Not at all! Bring your account. Phryne, fetch me
my reckoning counters. Oh the rascal! Wine, five
drachmae! Sausage, two! ormers you say, mackerel
. . . . honeycombs! We will reckon them up cor-
rectly to-morrow; now go to Aeschra's perfumery
and get five silver bottles (?) Tell her as a token
that Bacchon kissed her five times right off, of which
fact her bed was entered as a witness.[2]

182.—MELEAGER

GIVE her this message, Dorcas; look! tell her it
twice and repeat the whole a third time. Off with
you! don't delay, fly!—just wait a moment, Dorcas!
Dorcas, where are you off to before I've told you all?

[1] *i.e.* that will do.
[2] The epigram is exceedingly corrupt. The point seems to
lie as in No. 185 in his giving an expensive order after all
his complaint about charges.

πρόσθες δ' οἷς εὕρηκα πάλαι—μᾶλλον δέ (τί ληρῶ;) 5
μηδὲν ὅλως εἴπῃς—ἀλλ' ὅτι—πάντα λέγε·
μὴ φείδου τὰ ἅπαντα λέγειν. καίτοι τί σε, Δορκάς,
ἐκπέμπω, σὺν σοὶ καὐτός, ἰδού, προάγων;

J. H. Merivale, in *Collections from the Greek Anthology*,
1833, p. 220 ; J. A. Pott, *Greek Love Songs and Epigrams*, i. 67.

183.—ΠΟΣΕΙΔΙΠΠΟΥ

Τέσσαρες οἱ πίνοντες· ἐρωμένη ἔρχεθ' ἑκάστῳ·
ὀκτὼ γινομένοις ἐν Χίον οὐχ ἱκανόν.
παιδάριον, βαδίσας πρὸς Ἀρίστιον, εἰπὲ τὸ πρῶτον
ἡμιδεὲς πέμψαι· χοῦς γὰρ ἄπεισι δύο
ἀσφαλέως· οἶμαι δ' ὅτι καὶ πλέον. ἀλλὰ τρόχαζε· 5
ὥρας γὰρ πέμπτης πάντες ἀθροιζόμεθα.

184.—ΜΕΛΕΑΓΡΟΥ

Ἔγνων, οὔ μ' ἔλαθες· τί θεούς; οὐ γάρ με λέληθας·
ἔγνων· μηκέτι νῦν ὄμνυε· πάντ' ἔμαθον.
ταῦτ' ἦν, ταῦτ', ἐπίορκε; μόνη σὺ πάλιν, μόνη
ὑπνοῖς;
ὦ τόλμης· καὶ νῦν, νῦν ἔτι φησί, μόνη.
οὐχ ὁ περίβλεπτός σε Κλέων; κἂν μὴ ... τί δ'
ἀπειλῶ;
ἔρρε, κακὸν κοίτης θηρίον, ἔρρε τάχος.
καίτοι σοι δώσω τερπνὴν χάριν· οἶδ' ὅτι βούλει
κεῖνον ὁρᾶν· αὐτοῦ δέσμιος ὧδε μένε.

185.—ΑΣΚΛΗΠΙΑΔΟΥ

Εἰς ἀγορὰν βαδίσας, Δημήτριε, τρεῖς παρ' Ἀμύντου
γλαυκίσκους αἴτει, καὶ δέκα φυκίδια·

Just add to what I told you before—or rather (what
a fool I am!) don't say anything at all—only that—
Tell her everything, don't hesitate to say everything.
But why am I sending you, Dorcas? Don't you see
I am going with you—in front of you?

183.—POSIDIPPUS

WE are four at the party, and each brings his
mistress; since that makes eight, one jar of Chian is
not enough. Go, my lad, to Aristius and tell him
the first he sent was only half full; it is two gallons
short certainly; I think more. But look sharp, for
we all meet at five.[1]

184.—MELEAGER

I KNOW it; you did not take me in; why call on
the gods? I have found you out; I am certain; don't
go on swearing you didn't; I know all about it. That
was what it was then, you perjured girl! Once more
you sleep alone, do you, alone? Oh her brazen
impudence! still she continues to say "Alone." Did
not that fine gallant Cleon, eh?—and if not he—
but why threaten? Away with you, get out double
quick, you evil beast of my bed! Nay but I shall
do just what will please you best; I know you long
to see him; so stay where you are my prisoner.

185.—ASCLEPIADES

Go to the market, Demetrius, and get from
Amyntas three small herrings and ten little lemon-

---

[1] About 11 A.M.

καὶ κυφὰς καρῖδας (ἀριθμήσει δέ σοι αὐτός)
  εἴκοσι καὶ τέτορας δεῦρο λαβὼν ἄπιθι.
καὶ παρὰ Θαυβορίοι ῥοδίνους ἓξ πρόσλαβε ...   5
  καὶ Τρυφέραν ταχέως ἐν παρόδῳ κάλεσον.

186.—ΠΟΣΕΙΔΙΠΠΟΥ

Μή με δόκει πιθανοῖς ἀπατᾶν δάκρυσσι, Φιλαινί.
  οἶδα· φιλεῖς γὰρ ὅλως οὐδένα μεῖζον ἐμοῦ,
τοῦτον ὅσον παρ᾽ ἐμοὶ κέκλισαι χρόνον· εἰ δ᾽
    ἕτερός σε
εἶχε, φιλεῖν ἂν ἔφης μεῖζον ἐκεῖνον ἐμοῦ.

187.—ΜΕΛΕΑΓΡΟΥ

Εἰπὲ Λυκαινίδι, Δορκάς· "᾽Ἴδ᾽ ὡς ἐπίτηκτα φι-
    λοῦσα
ἥλως· οὐ κρύπτει πλαστὸν ἔρωτα χρόνος."

188.—ΛΕΩΝΙΔΟΥ

Οὐκ ἀδικέω τὸν Ἔρωτα. γλυκύς, μαρτύρομαι
    αὐτὴν
  Κύπριν· βέβλημαι δ᾽ ἐκ δολίου κέραος,
καὶ πᾶς τεφροῦμαι· θερμὸν δ᾽ ἐπὶ θερμῷ ἰάλλει
  ἄτρακτον, λωφᾷ δ᾽ οὐδ᾽ ὅσον ἰοβολῶν.
χὠ θνητὸς τὸν ἀλιτρὸν ἐγώ, κεἰ πτηνὸς ὁ δαίμων,   5
  τίσομαι· ἐγκλήμων δ᾽ ἔσσομ᾽ ἀλεξόμενος;

189.—ΑΣΚΛΗΠΙΑΔΟΥ

Νὺξ μακρὴ καὶ χεῖμα, μέσην δ᾽ ἐπὶ Πλειάδα
    δύνει·
  κἀγὼ πὰρ προθύροις νίσσομαι ὑόμενος,

soles[1]; and get two dozen fresh prawns (he will count them for you) and come straight back. And from Thauborius get six rose-wreaths—and, as it is on your way, just look in and invite Tryphera.[2]

186.—POSIDIPPUS

Don't think to deceive me, Philaenis, with your plausible tears. I know; you love absolutely no one more than me, as long as you are lying beside me; but if you were with someone else, you would say you loved him more than me.

187.—MELEAGER

Tell to Lycaenis, Dorcas, "See how thy kisses are proved to be false coin. Time will ever reveal a counterfeit love."

188.—LEONIDAS OF TARENTUM

It is not I who wrong Love. I am gentle, I call Cypris to witness; but he shot me from a treacherous bow, and I am all being consumed to ashes. One burning arrow after another he speeds at me and not for a moment does his fire slacken. Now I, a mortal, shall avenge myself on the transgressor though the god be winged. Can I be blamed for self-defence?

189.—ASCLEPIADES

The night is long, and it is winter weather, and night sets when the Pleiads are half-way up the sky. I pass and repass her door, drenched by the rain,

[1] I give these names of fish *verbi gratia*, only as being cheap.　　[2] The joke lies in the *crescendo*.

τρωθεὶς τῆς δολίης κείνης πόθῳ· οὐ γὰρ ἔρωτα
Κύπρις, ἀνιηρὸν δ᾽ ἐκ πυρὸς ἧκε βέλος.

190.—ΜΕΛΕΑΓΡΟΥ

Κῦμα τὸ πικρὸν Ἔρωτος, ἀκοίμητοί τε πνέοντες
Ζῆλοι, καὶ κώμων χειμέριον πέλαγος,
ποῖ φέρομαι; πάντη δὲ φρενῶν οἴακες ἀφεῖνται.
ἢ πάλι τὴν τρυφερὴν Σκύλλαν ἐποψόμεθα;

191.—ΤΟΥ ΑΥΤΟΥ

Ἄστρα, καὶ ἡ φιλέρωσι καλὸν φαίνουσα Σελήνη,
καὶ Νύξ, καὶ κώμων σύμπλανον ὀργάνιον,
ἆρά γε τὴν φιλάσωτον ἔτ᾽ ἐν κοίταισιν ἀθρήσω
ἄγρυπνον, λύχνῳ πόλλ᾽ ἀποκλαομένην;
ἢ τιν᾽ ἔχει σύγκοιτον ; ἐπὶ προθύροισι μαράνας
δάκρυσιν ἐκδήσω τοὺς ἱκέτας στεφάνους,
ἐν τόδ᾽ ἐπιγράψας· "Κύπρι, σοὶ Μελέαγρος, ὁ
μύστης
σῶν κώμων, στοργῆς σκῦλα τάδ᾽ ἐκρέμασεν."

192.—ΤΟΥ ΑΥΤΟΥ

Γυμνὴν ἢν ἐσίδῃς Καλλίστιον, ὦ ξένε, φήσεις·
"Ἤλλακται διπλοῦν γράμμα Συρηκοσίων."

193.—ΔΙΟΣΚΟΡΙΔΟΥ

Ἡ τρυφερή μ᾽ ἤγρευσε Κλεὼ τὰ γαλάκτιν᾽,
Ἄδωνι,
τῇ σῇ κοψαμένη στήθεα παννυχίδι.

222

smitten by desire of her, the deceiver. It is not love that Cypris smote me with, but a tormenting arrow red-hot from the fire.

190.—MELEAGER

O briny wave of Love, and sleepless gales of Jealousy, and wintry sea of song and wine, whither am I borne? This way and that shifts the abandoned rudder of my judgement. Shall we ever set eyes again on tender Scylla?

191.—By the Same

O stars, and moon, that lightest well Love's friends on their way, and Night, and thou, my little mandoline, companion of my serenades, shall I see her, the wanton one, yet lying awake and crying much to her lamp; or has she some companion of the night? Then will I hang at her door my suppliant garlands, all wilted with my tears, and inscribe thereon but these words, "Cypris, to thee doth Meleager, he to whom thou hast revealed the secrets of thy revels, suspend these spoils of his love."

192.—By the Same

Stranger, were you to see Callistion naked, you would say that the double letter of the Syracusans [1] has been changed into T. [2]

193.—DIOSCORIDES

Tender Cleo took me captive, Adonis, as she beat her breasts white as milk at thy night funeral

---

[1] *i.e.* the Greek X, said to be the invention of Epicharmus.
[2] She should have been called Callischion, "with beautiful flanks."

εἰ δώσει κἀμοὶ ταύτην χάριν, ἢν ἀποπνεύσω,
    μὴ πρόφασις, σύμπλουν σύν με λαβὼν ἀπάγου.

194.—ΠΟΣΕΙΔΙΠΠΟΥ ἢ ΑΣΚΛΗΠΙΑΔΟΥ

Αὐτοὶ τὴν ἀπαλὴν Εἰρήνιον ἦγον Ἔρωτες,
    Κύπριδος ἐκ χρυσέων ἐρχομένην θαλάμων,
ἐκ τριχὸς ἄχρι ποδῶν ἱερὸν θάλος, οἷά τε λύγδου
    γλυπτήν, παρθενίων βριθομένην χαρίτων·
καὶ πολλοὺς τότε χερσὶν ἐπ᾽ ἠϊθέοισιν ὀϊστοὺς
    τόξου πορφυρέης ἧκαν ἀφ᾽ ἁρπεδόνης.

195.—ΜΕΛΕΑΓΡΟΥ

Αἱ τρισσαὶ Χάριτες τρισσὸν στεφάνωμα συνείραν
    Ζηνοφίλᾳ, τρισσᾶς σύμβολα καλλοσύνας·
ἁ μὲν ἐπὶ χρωτὸς θεμένα πόθον, ἁ δ᾽ ἐπὶ μορφᾶς
    ἵμερον, ἁ δὲ λόγοις τὸ γλυκύμυθον ἔπος.
τρισσάκις εὐδαίμων, ἇς καὶ Κύπρις ὥπλισεν εὐνάν,
    καὶ Πειθὼ μύθους, καὶ γλυκὺ κάλλος Ἔρως.

196.—ΤΟΥ ΑΥΤΟΥ

Ζηνοφίλᾳ κάλλος μὲν Ἔρως, σύγκοιτα δὲ φίλτρα
    Κύπρις ἔδωκεν ἔχειν, αἱ Χάριτες δὲ χάριν.

197.—ΤΟΥ ΑΥΤΟΥ

Ναὶ μὰ τὸν εὐπλόκαμον Τιμοῦς φιλέρωτα κίκιννον,
    ναὶ μυρόπνουν Δημοῦς χρῶτα τὸν ὑπναπάτην,
ναὶ πάλιν Ἰλιάδος φίλα παίγνια, ναὶ φιλάγρυπνον
    λύχνον, ἐμῶν κώμων πολλ᾽ ἐπιδόντα τέλη,

feast. Will she but do me the same honour, if I die, I hesitate not; take me with thee on thy voyage.[1]

194.—POSEIDIPPUS or ASCLEPIADES

The Loves themselves escorted soft Irene as she issued from the golden chamber of Cypris, a holy flower of beauty from head to foot, as though carved of white marble, laden with virgin graces. Full many an arrow to a young man's heart did they let fly from their purple bow-strings.

195.—MELEAGER

The Graces three wove a triple crown for Zenophila, a badge of her triple beauty. One laid desire on her skin and one gave love-longing to her shape, and one to her speech sweetness of words. Thrice blessed she, whose bed Cypris made, whose words were wrought by Peitho (Persuasion) and her sweet beauty by Love.

196.—By the Same

Zenophila's beauty is Love's gift, Cypris charmed her bed, and the Graces gave her grace.

197.—By the Same

Yea! by Timo's fair-curling love-loving ringlets, by Demo's fragrant skin that cheateth sleep, by the dear dalliance of Ilias, and my wakeful lamp, that looked often on the mysteries of my love-revels, I

[1] The bier of Adonis was committed to the sea. *cp.* No. 53 above.

225

βαιὸν ἔχω τό γε λειφθέν, Ἔρως, ἐπὶ χείλεσι
πνεῦμα·
εἰ δ' ἐθέλεις καὶ τοῦτ', εἰπέ, καὶ ἐκπτύσομαι.

198.—ΤΟΥ ΑΥΤΟΥ

Οὐ πλόκαμον Τιμοῦς, οὐ σάνδαλον Ἡλιοδώρας,
οὐ τὸ μυρόρραντον Δημαρίου πρόθυρον,
οὐ τρυφερὸν μείδημα βοώπιδος Ἀντικλείας,
οὐ τοὺς ἀρτιθαλεῖς Δωροθέας στεφάνους·
οὐκέτι σοὶ φαρέτρη . . . . . . πτερόεντας ὀϊστοὺς
κρύπτει, Ἔρως· ἐν ἐμοὶ πάντα γάρ ἐστι βέλη.

199.—ΗΔΥΛΟΥ

Οἶνος καὶ προπόσεις κατεκοίμισαν Ἀγλαονίκην
αἱ δόλιαι, καὶ ἔρως ἡδὺς ὁ Νικαγόρεω,
ἧς πάρα Κύπριδι ταῦτα μύροις ἔτι πάντα μυδῶντα
κεῖνται, παρθενίων ὑγρὰ λάφυρα πόθων,
σάνδαλα, καὶ μαλακαί, μαστῶν ἐνδύματα, μίτραι,
ὕπνου καὶ σκυλμῶν τῶν τότε μαρτύρια.

200.—ΑΔΗΛΟΝ

Ὁ κρόκος, οἵ τε μύροισιν ἔτι πνείοντες Ἀλεξοῦς
σὺν μίτραις κισσοῦ κυάνεοι στέφανοι
τῷ γλυκερῷ καὶ θῆλυ κατιλλώπτοντι Πριήπῳ
κεῖνται, τῆς ἱερῆς ξείνια παννυχίδος.

201.—ΑΔΗΛΟΝ

Ἠγρύπνησε Λεοντὶς ἕως πρὸς καλὸν ἑῷον
ἀστέρα, τῷ χρυσέῳ τερπομένη Σθενίῳ·
ἧς πάρα Κύπριδι τοῦτο τὸ σὺν Μούσαισι μελισθὲν
βάρβιτον ἐκ κείνης κεῖτ' ἔτι παννυχίδος.

226

swear to thee, Love, I have but a little breath left on my lips, and if thou wouldst have this too, speak but the word and I will spit it forth.

198.—By the Same

No, by Timo's locks, by Heliodora's sandal, by Demo's door that drips with scent, by great-eyed Anticlea's gentle smile, by the fresh garlands on Dorothea's brow, I swear it, Love, thy quiver hath no winged arrows left hidden; for all thy shafts are fixed in me.

199.—HEDYLUS

WINE and treacherous toasts and the sweet love of Nicagoras sent Aglaonicé to sleep; and here hath she dedicated to Cypris these spoils of her maiden love still all dripping with scent, her sandals and the soft band that held her bosom, witnesses to her sleep and his violence then.

200.—Anonymous

THE saffron robe of Alexo, and her dark green ivy crown, still smelling of myrrh, with her snood she dedicates to sweet Priapus with the effeminate melting eyes, in memory of his holy night-festival.

201.—Anonymous

LEONTIS lay awake till the lovely star of morn, taking her delight with golden Sthenius, and ever since that vigil it hangs here in the shrine of Cypris, the lyre the Muses helped her then to play.

202.—ΑΣΚΛΗΠΙΑΔΟΥ ἢ ΠΟΣΕΙΔΙΠΠΟΥ

Πορφυρέην μάστιγα, καὶ ἡνία σιγαλόεντα
Πλαγγὼν εὐίππων θῆκεν ἐπὶ προθύρων,
νικήσασα κέλητι Φιλαινίδα τὴν πολύχαρμον,
ἑσπερινῶν πώλων ἄρτι φρυασσομένων.
Κύπρι φίλη, σὺ δὲ τῇδε πόροις νημερτέα νίκης   5
δόξαν, ἀείμνηστον τήνδε τιθεῖσα χάριν.

203.—ΑΣΚΗΛΠΙΑΔΟΥ

Λυσιδίκη σοι, Κύπρι, τὸν ἱππαστῆρα μύωπα,
χρύσεον εὐκνήμου κέντρον ἔθηκε ποδός,
ᾧ πολὺν ὕπτιον ἵππον ἐγύμνασεν· οὐ δέ ποτ᾽ αὐτῆς
μηρὸς ἐφοινίχθη κοῦφα τινασσομένης·
ἦν γὰρ ἀκέντητος τελεοδρόμος· οὕνεκεν ὅπλον   5
σοὶ κατὰ μεσσοπύλης χρύσεον ἐκρέμασεν.

204.—ΜΕΛΕΑΓΡΟΥ

Οὐκέτι, Τιμάριον, τὸ πρὶν γλαφυροῖο κέλητος
πῆγμα φέρει πλωτὸν Κύπριδος εἰρεσίην·
ἀλλ᾽ ἐπὶ μὲν νώτοισι μετάφρενον, ὡς κέρας ἱστῷ,
κυρτοῦται, πολιὸς δ᾽ ἐκλέλυται πρότονος·
ἱστία δ᾽ αἰωρητὰ χαλᾷ σπαδονίσματα μαστῶν·   5
ἐκ δὲ σάλου στρεπτὰς γαστρὸς ἔχει ῥυτίδας·
νέρθε δὲ πάνθ᾽ ὑπέραντλα νεώς, κοίλη δὲ θάλασσα
πλημμύρει, γόνασιν δ᾽ ἔντρομός ἐστι σάλος.
δύστανός τοι ζωὸς ἔτ᾽ ὢν Ἀχερουσίδα λίμνην
πλεύσετ᾽ ἄνωθ᾽ ἐπιβὰς γραὸς ἐπ᾽ εἰκοσόρῳ.   10

228

202.—ASCLEPIADES or POSEIDIPPUS

PLANGO dedicated on the portals of the equestrian god her purple whip and her polished reins, after winning as a jockey her race with Philaenis, her practised rival, when the horses of the evening had just begun to neigh. Dear Cypris, give her unquestioned glory for her victory, stablishing for her this favour not to be forgotten.[1]

203.—ASCLEPIADES

LYSIDICE dedicated to thee, Cypris, her spur, the golden goad of her shapely leg, with which she trained many a horse on its back, while her own thighs were never reddened, so lightly did she ride; for she ever finished the race without a touch of the spur, and therefore hung on the great gate of thy temple this her weapon of gold.

204.—MELEAGER

No longer, Timo, do the timbers of your spruce corsair hold out against the strokes of Cypris' oarsmen, but your back is bent like a yard-arm lowered, and your grey forestays are slack, and your relaxed breasts are like flapping sails, and the belly of your ship is wrinkled by the tossing of the waves, and below she is all full of bilge-water and flooded with the sea, and her joints are shaky. Unhappy he who has to sail still alive across the lake of Acheron on this old coffin-galley.[2]

[1] In hoc epigr. et seq. de schemate venereo κέλητι jocatur.
[2] In eadem re ludit, sed hic κέλης navigium est.

229

205.—ΑΔΗΛΟΝ

Ἴϋγξ ἡ Νικοῦς, ἡ καὶ διαπόντιον ἕλκειν
    ἄνδρα καὶ ἐκ θαλάμων παῖδας ἐπισταμένη,
χρυσῷ ποικιλθεῖσα, διαυγέος ἐξ ἀμεθύστου
    γλυπτή, σοὶ κεῖται, Κύπρι, φίλον κτέανον,
πορφυρέης ἀμνοῦ μαλακῇ τριχὶ μέσσα δεθεῖσα,   5
    τῆς Λαρισσαίης ξείνια φαρμακίδος.

206.—ΛΕΩΝΙΔΟΥ

Μηλὼ καὶ Σατύρη τανυήλικες, Ἀντιγενείδεω
    παῖδες, ταὶ Μουσῶν εὔκολοι ἐργάτιδες·
Μηλὼ μὲν Μούσαις Πιμπληΐσι τοὺς ταχυχειλεῖς
    αὐλοὺς καὶ ταύτην πύξινον αὐλοδόκην·
ἡ φίλερως Σατύρη δὲ τὸν ἕσπερον οἰνοποτήρων   5
    σύγκωμον, κηρῷ ζευξαμένη, δόνακα,
ἡδὺν συριστῆρα, σὺν ᾧ πανεπόρφνιος ἠὼ
    ηὔγασεν αὐλείοις οὐ κοτέουσα θύραις.

207.—ΑΣΚΛΗΠΙΑΔΟΥ

Αἱ Σάμιαι Βιττὼ καὶ Νάννιον εἰς Ἀφροδίτης
    φοιτᾶν τοῖς αὐτῆς οὐκ ἐθέλουσι νόμοις,
εἰς δ᾽ ἕτερ᾽ αὐτομολοῦσιν, ἃ μὴ καλά. Δεσπότι Κύπρι,
    μίσει τὰς κοίτης τῆς παρὰ σοὶ φυγάδας.

208.—ΜΕΛΕΑΓΡΟΥ

Οὔ μοι παιδομανὴς κραδία· τί δὲ τερπνόν, Ἔρωτες,
    ἀνδροβατεῖν, εἰ μὴ δούς τι λαβεῖν ἐθέλει;
ἁ χεὶρ γὰρ τὰν χεῖρα. καλά με μένει παράκοιτις·
    ἔρροι πᾶς ἄρσην ἀρσενικαῖς λαβίσιν.

205.—ANONYMOUS

NICO's love-charm, that can compel a man to come from oversea and boys from their rooms, carved of transparent amethyst, set in gold and hung upon a soft thread of purple wool, she, the witch of Larissa presents to thee Cypris, to possess and treasure.

206.—LEONIDAS

MELO and Satyra, the daughters of Antigenides, now advanced in age, the willing work-women of the Muses, dedicate to the Pimpleian Muses, the one her swift-lipped flute and this its box-wood case, and Satyra, the friend of love, her pipe that she joined with wax, the evening companion of banqueters, the sweet whistler, with which all night long she waited to see the day dawn, fretting not because the portals would not open.[1]

207.—ASCLEPIADES

BITTO and Nannion of Samus will not go to the house of Cypris by the road the goddess ordains, but desert to other things which are not seemly. O Lady Cypris, look with hate on the truants from thy bed.

208.—MELEAGER

Cor meum non furit in pueros ; quid iucundum, Amores, virum inscendere, si non vis dando sumere ? Manus enim manum lavat. Pulcra me manet uxor. Facessant mares cum masculis forcipibus.

[1] I suppose this is the meaning. She was hired by time and gained by the exclusion of the man who hired her.

209.—ΠΟΣΕΙΔΙΠΠΟΥ ἢ ΑΣΚΛΗΠΙΑΔΟΥ

Σῇ, Παφίη Κυθέρεια, παρ' ἠόνι εἶδε Κλέανδρος
Νικοῦν ἐν χαροποῖς κύμασι νηχομένην·
καιόμενος δ' ὑπ' Ἔρωτος ἐνὶ φρεσὶν ἄνθρακας ὧνὴρ
ξηροὺς ἐκ νοτερῆς παιδὸς ἐπεσπάσατο.
χὠ μὲν ἐναυάγει γαίης ἔπι· τὴν δέ, θαλάσσης
ψαύουσαν, πρηεῖς εἴχοσαν αἰγιαλοί.
νῦν δ' ἴσος ἀμφοτέροις φιλίης πόθος· οὐκ ἀτελεῖς γὰρ
εὐχαί, τὰς κείνης εὔξατ' ἐπ' ἠιόνος.

210.—ΑΣΚΛΗΠΙΑΔΟΥ

Τῷ θαλλῷ Διδύμη με συνήρπασεν· ὤ μοι. ἐγὼ δὲ
τήκομαι, ὡς κηρὸς πὰρ πυρί, κάλλος ὁρῶν.
εἰ δὲ μέλαινα, τί τοῦτο; καὶ ἄνθρακες· ἀλλ' ὅτ' ἐκείνους
θάλψωμεν, λάμπουσ' ὡς ῥόδεαι κάλυκες.

211.—ΠΟΣΕΙΔΙΠΠΟΥ

Δάκρυα καὶ κῶμοι, τί μ' ἐγείρετε, πρὶν πόδας ἆραι
ἐκ πυρός, εἰς ἑτέρην Κύπριδος ἀνθρακιήν;
λήγω δ' οὔποτ' ἔρωτος· ἀεὶ δέ μοι ἐξ Ἀφροδίτης
ἄλγος ὁ μὴ †κρίνων¹ καινὸν ἄγει τι πόθος·

212.—ΜΕΛΕΑΓΡΟΥ

Αἰεί μοι δινεῖ μὲν ἐν οὔασιν ἦχος Ἔρωτος,
ὄμμα δὲ σῖγα Πόθοις τὸ γλυκὺ δάκρυ φέρει·
οὐδ' ἡ νύξ, οὐ φέγγος ἐκοίμισεν, ἀλλ' ὑπὸ φίλτρων
ἤδη που κραδία γνωστὸς ἔνεστι τύπος.
ὦ πτανοί, μὴ καί ποτ' ἐφίπτασθαι μέν, Ἔρωτες,   5
οἴδατ', ἀποπτῆναι δ' οὐδ' ὅσον ἰσχύετε;

¹ μὴ κρίνων must be wrong. I render as if it were μὴ κάμνων.
232

209.—POSEIDIPPUS or ASCLEPIADES

By thy strand, O Paphian Cytherea, Cleander saw Nico swimming in the blue sea, and burning with love he took to his heart dry coals from the wet maiden. He, standing on the land, was shipwrecked, but she in the sea was received gently by the beach. Now they are both equally in love, for the prayers were not in vain that he breathed on that strand.

210.—ASCLEPIADES

DIDYME by the branch she waved at me[1] has carried me clean away, alas! and looking on her beauty, I melt like wax before the fire. And if she is dusky, what is that to me? So are the coals, but when we light them, they shine as bright as roses.

211.—POSEIDIPPUS

TEARS and revel, why do you incite me before my feet are out of the flame to rush into another of Cypris' fires? Never do I cease from love, and tireless desire ever brings me some new pain from Aphrodite.

212.—MELEAGER

THE noise of Love is ever in my ears, and my eyes in silence bring their tribute of sweet tears to Desire. Nor night nor daylight lays love to rest, and already the spell has set its well-known stamp on my heart. O winged Loves, is it that ye are able to fly to us, but have no strength at all to fly away?

[1] cf. Plato, *Phaedr.* 230 D.

213.—ΠΟΣΕΙΔΙΠΠΟΥ

Πυθιάς, εἰ μὲν ἔχει τιν', ἀπέρχομαι· εἰ δὲ καθεύδει
ὧδε μόνη, μικρόν, πρὸς Διός, ἐσκαλέσαις.
εἰπὲ δὲ σημεῖον, μεθύων ὅτι καὶ διὰ κλωπῶν
ἦλθον, Ἔρωτι θρασεῖ χρώμενος ἡγεμόνι.

214.—ΜΕΛΕΑΓΡΟΥ

Σφαιριστὰν τὸν Ἔρωτα τρέφω· σοὶ δ', Ἡλιοδώρα,
βάλλει τὰν ἐν ἐμοὶ παλλομέναν κραδίαν.
ἀλλ' ἄγε συμπαίκταν δέξαι Πόθον· εἰ δ' ἀπὸ σεῦ
με
ῥίψαις, οὐκ οἴσει τὰν ἀπάλαιστρον ὕβριν.

215.—ΤΟΥ ΑΥΤΟΥ

Λίσσομ', Ἔρως, τὸν ἄγρυπνον ἐμοὶ πόθον Ἡλιο-
δώρας
κοίμισον, αἰδεσθεὶς Μοῦσαν ἐμὴν ἱκέτιν.
ναὶ γὰρ δὴ τὰ σὰ τόξα, τὰ μὴ δεδιδαγμένα βάλλειν
ἄλλον, ἀεὶ δ' ἐπ' ἐμοὶ πτηνὰ χέοντα βέλη,
εἰ καί με κτείναις, λείψω φωνὴν προϊέντα   5
γράμματ'· "Ἔρωτος ὅρα, ξεῖνε, μιαιφονίην."

216.—ΑΓΑΘΙΟΥ ΣΧΟΛΑΣΤΙΚΟΥ

Εἰ φιλέεις, μὴ πάμπαν ὑποκλασθέντα χαλάσσῃς
θυμὸν ὀλισθηρῇς ἔμπλεον ἱκεσίης·
ἀλλά τι καὶ φρονέοις στεγανώτερον, ὅσσον ἐρύσσαι
ὀφρύας, ὅσσον ἰδεῖν βλέμματι φειδομένῳ.
ἔργον γάρ τι γυναιξὶν ὑπερφιάλους ἀθερίζειν   5
καὶ κατακαγχάζειν τῶν ἄγαν οἰκτροτάτων.
κεῖνος δ' ἐστὶν ἄριστος ἐρωτικός, ὃς τάδε μίξει
οἶκτον ἔχων ὀλίγῃ ξυνὸν ἀγηνορίῃ.

213.—POSEIDIPPUS

If anyone is with Pythias, I am off, but if she sleeps alone, for God's sake admit me for a little, and say for a token that drunk, and through thieves, I came with daring Love for my guide.

214.—MELEAGER

This Love that dwells with me is fond of playing at ball, and to thee, Heliodora, he throws the heart that quivers in me. But come, consent to play with him, for if thou throwest me away from thee he will not brook this wanton transgression of the courtesies of sport.

215.—By the Same

I pray thee, Love, reverence the Muse who intercedes for me and lull to rest this my sleepless passion for Heliodora. I swear it by thy bow that hath learnt to shoot none else, but ever pours the winged shafts upon me, even if thou slayest me I will leave letters speaking thus: "Look, O stranger, on the murderous work of Love."

216.—AGATHIAS SCHOLASTICUS

If you love, do not wholly let your spirit bend the knee and cringe full of oily supplication, but be a little proof against approaches, so far at least as to draw up your eyebrows and look on her with a scanting air. For it is more or less the business of women to slight the proud, and to make fun of those who are too exceedingly pitiful. He is the best lover who mixes the two, tempering piteousness with just a little manly pride.

GREEK ANTHOLOGY

217.—ΠΑΥΛΟΥ ΣΙΛΕΝΤΙΑΡΙΟΥ

Χρύσεος ἀψαύστοιο διέτμαγεν ἄμμα κορείας
Ζεύς, διαδὺς Δανάας χαλκελάτους θαλάμους.
φαμὶ λέγειν τὸν μῦθον ἐγὼ τάδε· "Χάλκεα νικᾷ
τείχεα καὶ δεσμοὺς χρυσὸς ὁ πανδαμάτωρ."
χρυσὸς ὅλους ῥυτῆρας, ὅλας κληῖδας ἐλέγχει,   5
χρυσὸς ἐπιγνάμπτει τὰς σοβαροβλεφάρους·
καὶ Δανάας ἐλύγωσεν ὅδε φρένα. μή τις ἐραστὴς
λισσέσθω Παφίαν, ἀργύριον παρέχων.

218.—ΑΓΑΘΙΟΥ ΣΧΟΛΑΣΤΙΚΟΥ

Τὸν σοβαρὸν Πολέμωνα, τὸν ἐν θυμέλῃσι Μενάνδρου
κείραντα γλυκεροὺς τῆς ἀλόχου πλοκάμους,
ὁπλότερος Πολέμων μιμήσατο, καὶ τὰ Ῥοδάνθης
βόστρυχα παντόλμοις χερσὶν ἐληίσατο,
καὶ τραγικοῖς ἀχέεσσι τὸ κωμικὸν ἔργον ἀμείψας,   5
μάστιξεν ῥαδινῆς ἅψεα θηλυτέρης.
ζηλομανὲς τὸ κόλασμα· τί γὰρ τόσον ἤλιτε κούρη,
εἴ με κατοικτείρειν ἤθελε τειρόμενον;
Σχέτλιος· ἀμφοτέρους δὲ διέτμαγε, μέχρι καὶ αὐτοῦ
βλέμματος ἐνστήσας αἴθοπα βασκανίην,   10
ἀλλ᾽ ἔμπης τελέθει Μισούμενος· αὐτὰρ ἔγωγε
Δύσκολος, οὐχ ὁρόων τὴν Περικειρομένην.

219.—ΠΑΥΛΟΥ ΣΙΛΕΝΤΙΑΡΙΟΥ

Κλέψωμεν, Ῥοδόπη, τὰ φιλήματα, τήν τ᾽ ἐρατεινὴν
καὶ περιδήριτον Κύπριδος ἐργασίην.
ἡδὺ λαθεῖν, φυλάκων τε παναγρέα κανθὸν ἀλύξαι·
φώρια δ᾽ ἀμφαδίων λέκτρα μελιχρότερα.

217.—PAULUS SILENTIARIUS

Zeus, turned to gold, piercing the brazen chamber of Danae, cut the knot of intact virginity. I think the meaning of the story is this, "Gold, the subduer of all things, gets the better of brazen walls and fetters; gold loosens all reins and opens every lock, gold makes the ladies with scornful eyes bend the knee. It was gold that bent the will of Danae. No need for a lover to pray to Aphrodite, if he brings money to offer."

218.—AGATHIAS SCHOLASTICUS

The arrogant Polemo, who in Menander's drama cut off his wife's sweet locks, has found an imitator in a younger Polemo, who with audacious hands despoiled Rhodanthe of her locks, and even turning the comic punishment into a tragic one flogged the limbs of the slender girl. It was an act of jealous madness, for what great wrong did she do if she chose to take pity on my affliction? The villain! and he has separated us, his burning jealousy going so far as to prevent us even looking at each other. Well, at any rate, he is "The Hated Man" and I am "The Ill-Tempered Man," as I don't see "The Clipped Lady."[1]

219.—PAULUS SILENTIARIUS

Let us steal our kisses, Rhodope, and the lovely and precious work of Cypris. It is sweet not to be found out, and to avoid the all-entrapping eyes of guardians: furtive amours are more honied than open ones.

[1] The allusions are to the titles of three pieces of Menander. We now possess part of the last.

220.—ΑΓΑΘΙΟΥ ΣΧΟΛΑΣΤΙΚΟΥ

Εἰ καὶ νῦν πολιή σε κατεύνασε, καὶ τὸ θαλυκρὸν
    κεῖνο κατημβλύνθη κέντρον ἐρωμανίης,
ὤφελες, ὦ Κλεόβουλε, πόθους νεότητος ἐπιγνούς,
    νῦν καὶ ἐποικτείρειν ὁπλοτέρων ὀδύνας,
μηδ᾽ ἐπὶ τοῖς ξυνοῖς κοτέειν μέγα, μηδὲ κομάων
    τὴν ῥαδινὴν κούρην πάμπαν ἀπαγλαΐσαι.
ἀντὶ πατρὸς τῇ παιδὶ πάρος μεμέλησο ταλαίνῃ,
    καὶ νῦν ἐξαπίνης ἀντίπαλος γέγονας.

221.—ΠΑΥΛΟΥ ΣΙΛΕΝΤΙΑΡΙΟΥ

Μέχρι τίνος φλογόεσσαν ὑποκλέπτοντες ὀπωπὴν
    φώριον ἀλλήλων βλέμμα τιτυσκόμεθα;
λεκτέον ἀμφαδίην μελεδήματα· κἤν τις ἐρύξῃ
    μαλθακὰ λυσιπόνου πλέγματα συζυγίης,
φάρμακον ἀμφοτέροις ξίφος ἔσσεται· ἥδιον ἡμῖν
    ξυνὸν ἀεὶ μεθέπειν ἢ βίον ἢ θάνατον.

222.—ΑΓΑΘΙΟΥ

Εἰς Ἀριάδνην κιθαριστρίδα

Εἴ ποτε μὲν κιθάρης ἐπαφήσατο πλῆκτρον ἑλοῦσα
    κούρη, Τερψιχόρης ἀντεμέλιζε μίτοις·
εἴ ποτε δὲ τραγικῷ ῥοιζήματι ῥήξατο φωνήν,
    αὐτῆς Μελπομένης βόμβον ἀπεπλάσατο·
εἰ δὲ καὶ ἀγλαΐης κρίσις ἵστατο, μᾶλλον ἂν αὐτὴ
    Κύπρις ἐνικήθη, κἀνεδίκαζε Πάρις.
σιγῇ ἐφ᾽ ἡμείων, ἵνα μὴ Διόνυσος ἀκούσας
    τῶν Ἀριαδνείων ζῆλον ἔχοι λεχέων.

220.—AGATHIAS SCHOLASTICUS

IF grey hairs now have lulled your desires,
Cleobulus, and that glowing goad of love-madness
is blunted, you should, when you reflect on the
passions of your youth, take pity now on the pains
of younger people, and not be so very wroth at
weaknesses common to all mankind, robbing the
slender girl of all the glory of her hair. The poor
child formerly looked upon you as a father, (anti
patros), and now all at once you have become a foe
(antipalos).

221.—PAULUS SILENTIARIUS

How long shall we continue to exchange stolen
glances, endeavouring to veil their fire. We must
speak out and reveal our suffering, and if anyone
hinders that tender union which will end our pain,
the sword shall be the cure for both of us; for
sweeter for us, if we cannot live ever together, to go
together to death.

222.—AGATHIAS

To a harp-player and tragic actress called Ariadne

WHENEVER she strikes her harp with the plectrum,
it seems to be the echo of Terpsichore's strings, and
if she tunes her voice to the high tragic strain, it is
the hum of Melpomene that she reproduces. Were
there a new contest for beauty too, Cypris herself
were more likely to lose the prize than she, and Paris
would revise his judgement. But hush! let us keep
it to our own selves, lest Bacchus overhear and long
for the embraces of this Ariadne too.

223.—ΜΑΚΗΔΟΝΙΟΥ ΥΠΑΤΟΥ

Φωσφόρε, μὴ τὸν Ἔρωτα βιάζεο, μηδὲ διδάσκου,
  Ἄρεϊ γειτονέων, νηλεὲς ἦτορ ἔχειν·
ὡς δὲ πάρος, Κλυμένης ὁρόων Φαέθοντα μελάθρῳ,
  οὐ δρόμον ὠκυπόδην εἶχες ἐπ' ἀντολίης,
οὕτω μοι περὶ νύκτα, μόγις ποθέοντι φανεῖσαν,   5
  ἔρχεο δηθύνων, ὡς παρὰ Κιμμερίοις.

224.—ΤΟΥ ΑΥΤΟΥ

Λῆξον, Ἔρως, κραδίης τε καὶ ἥπατος· εἰ δ' ἐπιθυμεῖς
  βάλλειν, ἄλλο τί μου τῶν μελέων μετάβα.

225.—ΤΟΥ ΑΥΤΟΥ

Ἕλκος ἔχω τὸν ἔρωτα· ῥέει δέ μοι ἕλκεος ἰχώρ,
  δάκρυον, ὠτειλῆς οὔποτε τερσομένης.
εἰμὶ γὰρ ἐκ κακότητος ἀμήχανος, οὐδὲ Μαχάων
  ἤπιά μοι πάσσει φάρμακα δευομένῳ.
Τήλεφός εἰμι, κόρη, σὺ δὲ γίνεο πιστὸς Ἀχιλλεύς·   5
  κάλλεϊ σῷ παῦσον τὸν πόθον, ὡς ἔβαλες.

226.—ΠΑΥΛΟΥ ΣΙΛΕΝΤΙΑΡΙΟΥ

Ὀφθαλμοί, τέο μέχρις ἀφύσσετε νέκταρ Ἐρώτων,
  κάλλεος ἀκρήτου ζωροπόται θρασέες;
τῆλε διαθρέξωμεν ὅπη σθένος· ἐν δὲ γαλήνῃ
  νηφάλια σπείσω Κύπριδι Μειλιχίῃ.
εἰ δ' ἄρα που καὶ κεῖθι κατάσχετος ἔσσομαι οἴστρῳ,   5
  γίνεσθε κρυεροῖς δάκρυσι μυδαλέοι,
ἔνδικον ὀτλήσοντες ἀεὶ πόνον· ἐξ ὑμέων γάρ,
  φεῦ, πυρὸς ἐς τόσσην ἤλθομεν ἐργασίην.

J. A. Pott, *Greek Love Songs and Epigrams*, i. p. 120.

223.—MACEDONIUS THE CONSUL

O STAR of the morning, press not hard on Love, nor because thou movest near to Mars learn from him to be pitiless. But as once when thou sawest the Sun in Clymene's chamber, thou wentest more slowly down to the west, so on this night that I longed for, scarce hoping, tarry in thy coming, as in the Cimmerian land.

224.—BY THE SAME

CEASE Love to aim at my heart and liver, and if thou must shoot, let it be at some other part of me.

225.—BY THE SAME

MY love is a running sore that ever discharges tears for the wound stancheth not; I am in evil case and find no cure, nor have I any Machaon to apply the gentle salve that I need. I am Telephus, my child; be thou faithful Achilles and staunch with thy beauty the desire wherewith thy beauty smote me.[1]

226.—PAULUS SILENTIARIUS

How long, O eyes, quaffing boldly beauty's untempered wine, will ye drain the nectar of the Loves! Let us flee far away, far as we have the strength, and in the calm to a milder Cypris I will pour a sober offering. But if haply even there the fury possesses me, I will bid ye be wet with icy tears, and suffer for ever the pain ye deserve; for it was you alas! who cast me into such a fiery furnace.

[1] See note to No. 291.

227.—ΜΑΚΗΔΟΝΙΟΥ ΥΠΑΤΟΥ

Ἡμερίδας τρυγόωσιν ἐτήσιον, οὐδέ τις αὐτῶν
   τοὺς ἕλικας, κόπτων βότρυν, ἀποστρέφεται.
ἀλλά σε τὴν ῥοδόπηχυν, ἐμῆς ἀνάθημα μερίμνης,
   ὑγρὸν ἐνιπλέξας ἅμματι δεσμόν, ἔχω,
καὶ τρυγόω τὸν ἔρωτα· καὶ οὐ θέρος, οὐκ ἔαρ ἄλλο   5
   οἶδα μένειν, ὅτι μοι πᾶσα γέμεις χαρίτων.
ὧδε καὶ ἡβήσειας ὅλον χρόνον· εἰ δέ τις ἔλθῃ
   λοξὸς ἕλιξ ῥυτίδων, τλήσομαι ὡς φιλέων.

228.—ΠΑΥΛΟΥ ΣΙΛΕΝΤΙΑΡΙΟΥ

Εἰπὲ τίνι πλέξεις ἔτι βόστρυχον, ἢ τίνι χεῖρας
   φαιδρυνέεις, ὀνύχων ἀμφιτεμὼν ἀκίδα;
ἐς τί δὲ κοσμήσεις ἁλιανθέι φάρεα κόχλῳ,
   μηκέτι τῆς καλῆς ἐγγὺς ἐὼν Ῥοδόπης;
ὄμμασιν οἷς Ῥοδόπην οὐ δέρκομαι, οὐδὲ φαεινῆς   5
   φέγγος ἰδεῖν ἐθέλω χρύσεον Ἠριπόλης.

229.—ΜΑΚΗΔΟΝΙΟΥ ΥΠΑΤΟΥ

Τὴν Νιόβην κλαίουσαν ἰδών ποτε βουκόλος ἀνὴρ
   θάμβεεν, εἰ λείβειν δάκρυον οἶδε λίθος·
αὐτὰρ ἐμὲ στενάχοντα τόσης κατὰ νυκτὸς ὀμίχλην
   ἔμπνοος Εὐίππης οὐκ ἐλέαιρε λίθος.
αἴτιος ἀμφοτέροισιν ἔρως, ὀχετηγὸς ἀνίης   5
   τῇ Νιόβῃ τεκέων, αὐτὰρ ἐμοὶ παθέων.

230.—ΠΑΥΛΟΥ ΣΙΛΕΝΤΙΑΡΙΟΥ

Χρυσῆς εἰρύσσασα μίαν τρίχα Δωρὶς ἐθείρης,
   οἷα δορικτήτους δῆσεν ἐμεῦ παλάμας·

242

227.—MACEDONIUS THE CONSUL

Every year is the vintage, and none in gathering
the grapes looks with reluctance on the curling
tendrils. But thee, the rosy-armed, the crown of
my devotion, I hold enchained in the gentle knot
of my arms, and gather the vintage of love. No
other summer, no spring do I hope to see, for thou
art entirely full of delight. So may thy prime
endure for ever, and if some crooked tendril of a
wrinkle comes, I will suffer it, for that I love thee.

228.—PAULUS SILENTIARIUS

Tell me for whose sake shalt thou still tire thy
hair, and make thy hands bright, paring thy finger
nails? Why shalt thou adorn thy raiment with the
purple bloom of the sea, now that no longer thou art
near lovely Rhodope? With eyes that look not on
Rhodope I do not even care to watch bright Aurora
dawn in gold.

229.—MACEDONIUS THE CONSUL

A herdsman, looking on Niobe weeping, wondered
how a rock could shed tears. But Euippe's heart,
the living stone, takes no pity on me lamenting
through the misty darkness of so long a night. In
both cases the fault is Love's, who brought pain
to Niobe for her children and to me the pain of
passion.

230.—PAULUS SILENTIARIUS

Doris pulled one thread from her golden hair and
bound my hands with it, as if I were her prisoner.

243

αὐτὰρ ἐγὼ τὸ πρὶν μὲν ἐκάγχασα, δεσμὰ τινάξαι
  Δωρίδος ἱμερτῆς εὐμαρὲς οἰόμενος·
ὡς δὲ διαρρῆξαι σθένος οὐκ ἔχον, ἔστενον ἤδη,
  οἷά τε χαλκείῃ σφιγκτὸς ἀλυκτοπέδῃ.
καὶ νῦν ὁ τρισάποτμος ἀπὸ τριχὸς ἠέρτημαι,
  δεσπότις ἔνθ' ἐρύσῃ, πυκνὰ μεθελκόμενος.

231.—ΜΑΚΗΔΟΝΙΟΥ ΥΠΑΤΟΥ.

Τὸ στόμα ταῖς Χαρίτεσσι, προσώπατα δ' ἄνθεσι
    θάλλει,
  ὄμματα τῇ Παφίῃ, τὼ χέρε τῇ κιθάρῃ.
συλεύεις βλεφάρων φάος ὄμμασιν, οὖας ἀοιδῇ·
  πάντοθεν ἀγρεύεις τλήμονας ἠϊθέους.

232.—ΠΑΥΛΟΥ ΣΙΛΕΝΤΙΑΡΙΟΥ

Ἱππομένην φιλέουσα, νόον προσέρεισα Λεάνδρῳ·
  ἐν δὲ Λεανδρείοις χείλεσι πηγνυμένη,
εἰκόνα τὴν Ξάνθοιο φέρω φρεσί· πλεξαμένη δὲ
  Ξάνθον, ἐς Ἱππομένην νόστιμον ἦτορ ἄγω.
πάντα τὸν ἐν παλάμῃσιν ἀναίνομαι· ἄλλοτε δ' ἄλλον
  αἰὲν ἀμοιβαίοις πήχεσι δεχνυμένη,
ἀφνειὴν Κυθέρειαν ὑπέρχομαι. εἰ δέ τις ἡμῖν
  μέμφεται, ἐν πενίῃ μιμνέτω οἰογάμῳ.

233.—ΜΑΚΗΔΟΝΙΟΥ ΥΠΑΤΟΥ

"Αὔριον ἀθρήσω σε." τὸ δ' οὔ ποτε γίνεται ἡμῖν,
  ἠθάδος ἀμβολίης αἰὲν ἀεξομένης.
ταῦτά μοι ἱμείροντι χαρίζεαι· ἄλλα δ' ἐς ἄλλους
  δῶρα φέρεις, ἐμέθεν πίστιν ἀπειπαμένη.
"ὄψομαι ἑσπερίη σε." τί δ' ἕσπερός ἐστι γυναικῶν;
  γῆρας ἀμετρήτῳ πληθόμενον ῥυτίδι.

At first I laughed, thinking it easy to shake off charming Doris' fetters. But finding I had not strength to break them, I presently began to moan, as one held tight by galling irons. And now most ill-fated of men, I am hung on a hair and must ever follow where my mistress chooses to drag me.

231.—MACEDONIUS THE CONSUL

THY mouth blossoms with grace and thy cheeks bloom with flowers, thy eyes are bright with Love, and thy hands aglow with music. Thou takest captive eyes with eyes and ears with song; with thy every part thou trappest unhappy young men.

232.—PAULUS SILENTIARIUS

KISSING Hippomenes, my heart was fixed on Leander; clinging to Leander's lips, I bear the image of Xanthus in my mind; and embracing Xanthus my heart goes back to Hippomenes. Thus ever I refuse him I have in my grasp, and receiving one after another in my ever shifting arms, I court wealth of Love. Let whoso blames me remain in single poverty.

233.—MACEDONIUS THE CONSUL

" To-MORROW I will see thee." Yet to-morrow never comes, but ever, as thy way is, deferment is heaped upon deferment. That is all thou grantest to me who love thee; for others thou hast many gifts, for me but perfidy. " I will see thee in the evening." But what is the evening of women? Old age full of countless wrinkles.

234.—ΠΑΥΛΟΥ ΣΙΛΕΝΤΙΑΡΙΟΥ

Ὁ πρὶν ἀμαλθάκτοισιν ὑπὸ φρεσὶν ἡδὺν ἐν ἥβῃ
οἰστροφόρου Παφίης θεσμὸν ἀπειπάμενος,
γυιοβόροις βελέεσσιν ἀνέμβατος ὁ πρὶν Ἐρώτων,
αὐχένα σοὶ κλίνω, Κύπρι, μεσαιπόλιος.
δέξο με καγχαλόωσα, σοφὴν ὅτι Παλλάδα νικᾷς
νῦν πλέον ἢ τὸ πάρος μήλῳ ἔφ' Ἑσπερίδων.

235.—ΜΑΚΗΔΟΝΙΟΥ ΥΠΑΤΟΥ

Ἦλθες ἐμοὶ ποθέοντι παρ' ἐλπίδα· τὴν δ' ἐνὶ θυμῷ
ἐξεσάλαξας ὅλην θάμβεϊ φαντασίην,
καὶ τρομέω, κραδίη τε βυθῷ πελεμίζεται οἴστρῳ,
ψυχῆς πνιγομένης κύματι κυπριδίῳ.
ἀλλ' ἐμὲ τὸν ναυηγὸν ἐπ' ἠπείροιο φανέντα
σῶε, τεῶν λιμένων ἔνδοθι δεξαμένη.

236.—ΠΑΥΛΟΥ ΣΙΛΕΝΤΙΑΡΙΟΥ

Ναὶ τάχα Τανταλέης Ἀχερόντια πήματα ποινῆς
ἡμετέρων ἀχέων ἐστὶν ἐλαφρότερα.
οὐ γὰρ ἰδὼν σέο κάλλος, ἀπείργετο χείλεα μίξαι
χείλεϊ σῷ, ῥοδέων ἁβροτέρῳ καλύκων,
Τάνταλος ἀκριτόδακρυς, ὑπερτέλλοντα δὲ πέτρον
δείδιεν· ἀλλὰ θανεῖν δεύτερον οὐ δύναται.
αὐτὰρ ἐγὼ ζωός μὲν ἐὼν κατατήκομαι οἴστρῳ,
ἐκ δ' ὀλιγοδρανίης καὶ μόρον ἐγγὺς ἔχω.

237.—ΑΓΑΘΙΟΥ ΜΥΡΙΝΑΙΟΥ ΣΧΟΛΑΣ-
ΤΙΚΟΥ

Πᾶσαν ἐγὼ τὴν νύκτα κινύρομαι· εὖτε δ' ἐπέλθῃ
ὄρθρος ἐλινῦσαι μικρὰ χαριζόμενος,

234.—PAULUS SILENTIARIUS

I who formerly in my youth with stubborn heart refused to yield to the sweet empire of Cypris, wielder of the goad, I who was proof against the consuming arrows of the Loves, now grown half grey, bend the neck to thee, O Paphian queen. Receive me and laugh elate that thou conquerest wise Pallas now even more than when ye contended for the apple of the Hesperides.

235.—MACEDONIUS THE CONSUL

Against my hope thou art come to me, who longed for thee, and by the shock of wonder didst empty my soul of all its vain imagining. I tremble, and my heart in its depths quivers with passion; my soul is drowned by the wave of Love. But save me, the shipwrecked mariner, now near come to land, receiving me into thy harbour.

236.—PAULUS SILENTIARIUS

Yea, maybe it is lighter than mine, the pain that Tantalus suffers in hell. Never did he see thy beauty and never was denied the touch of thy lips, more tender than an opening rose—Tantalus ever in tears. He dreads the rock over his head but he cannot die a second time. But I, not yet dead, am wasted away by passion, and am enfeebled even unto death.

237.—AGATHIAS MYRINAEUS SCHOLASTICUS

All the night long I complain, and when dawn comes to give me a little rest, the swallows twitter

247

ἀμφιπεριτρύζουσι χελιδόνες, ἐς δέ με δάκρυ
βάλλουσιν, γλυκερὸν κῶμα παρωσάμεναι.
ὄμματα δ' οὐ λάοντα φυλάσσεται· ἡ δὲ Ῥοδάνθης   5
αὖθις ἐμοῖς στέρνοις φροντὶς ἀναστρέφεται.
ὦ φθονεραὶ παύσασθε λαλητρίδες· οὐ γὰρ ἔγωγε
τὴν Φιλομηλείην γλῶσσαν ἀπεθρισάμην·
ἀλλ' Ἴτυλον κλαίοιτε κατ' οὔρεα, καὶ γοάοιτε
εἰς ἔποπος κραναὴν αὖλιν ἐφεζόμεναι,   10
βαιὸν ἵνα κνώσσοιμεν· ἴσως δέ τις ἥξει ὄνειρος,
ὅς με Ῥοδανθείοις πήχεσιν ἀμφιβάλοι.

A. J. Butler, *Amaranth and Asphodel*, p. 9 ; J. A. Pott,
Greek Love Songs and Epigrams, ii. p. 107.

238.—ΜΑΚΗΔΟΝΙΟΥ ΥΠΑΤΟΥ

Τὸ ξίφος ἐκ κολεοῖο τί σύρεται; οὐ μὰ σέ, κούρη,
οὐχ ἵνα τι πρήξω Κύπριδος ἀλλότριον,
ἀλλ' ἵνα σοι τὸν Ἄρηα, καὶ ἀζαλέον περ ἐόντα,
δείξω τῇ μαλακῇ Κύπριδι πειθόμενον.
οὗτος ἐμοὶ ποθέοντι συνέμπορος, οὐδὲ κατόπτρου   5
δεύομαι, ἐν δ' αὐτῷ δέρκομαι αὐτὸν ἐγώ,
κἀλαὸς[1] ὡς ἐν ἔρωτι. σὺ δ' ἢν ἀπ' ἐμεῖο λάθηαι,
τὸ ξίφος ἡμετέρην δύσεται ἐς λαγόνα.

239.—ΠΑΥΛΟΥ ΣΙΛΕΝΤΙΑΡΙΟΥ.

Ἐσβέσθη φλογεροῖο πυρὸς μένος· οὐκέτι κάμνω,
ἀλλὰ καταθνήσκω ψυχόμενος, Παφίη·
ἤδη γὰρ μετὰ σάρκα δι' ὀστέα καὶ φρένας ἕρπει
παμφάγον ἀσθμαίνων οὗτος ὁ πικρὸς Ἔρως.
καὶ φλὸξ ἐν τελεταῖς ὅτε θύματα πάντα λαφύξῃ,   5
φορβῆς ἠπανίῃ ψύχεται αὐτομάτως.

[1] I write with some hesitation κἀλαὸς : καὶ καλὸς MS.

around and move me again to tears chasing sweet slumber away. I keep my eyes sightless, but again the thought of Rhodanthe haunts my heart. Hush ye spiteful babblers! It was not I who shore the tongue of Philomela. Go weep for Itylus on the hills, and lament sitting by the hoopoe's nest amid the crags; that I may sleep for a little season, and perchance some dream may come and cast Rhodanthe's arms about me.

238.—MACEDONIUS THE CONSUL

WHY do I draw my sword from the scabbard? It is not, dear, I swear it by thyself, to do aught foreign to Love's service, but to show thee that Ares [1] though he be of stubborn steel yields to soft Cypris. This is the companion of my love, and I need no mirror, but look at myself in it, though, being in love, I am blind. But if thou forgettest me, the sword shall pierce my flank.

239.—PAULUS SILENTIARIUS

THE raging flame is extinct; I suffer no longer, O Cypris; but I am dying of cold. For after having devoured my flesh, this bitter love, panting hard in his greed, creeps through my bones and vitals. So the altar fire, when it hath lapped up all the sacrifice, cools down of its own accord for lack of fuel to feed it.

[1] *i.e.* the sword.

GREEK ANTHOLOGY

240.—ΜΑΚΗΔΟΝΙΟΥ ΥΠΑΤΟΥ

Τῷ χρυσῷ τὸν ἔρωτα μετέρχομαι· οὐ γὰρ ἀρότρῳ
ἔργα μελισσάων γίνεται ἢ σκαπάνῃ,
ἀλλ' ἔαρι δροσερῷ· μέλιτός γε μὲν Ἀφρογενείης
ὁ χρυσὸς τελέθει ποικίλος ἐργατίνης.

241.—ΠΑΥΛΟΥ ΣΙΛΕΝΤΙΑΡΙΟΥ

" Σώζεό " σοι μέλλων ἐνέπειν, παλίνορσον ἰωὴν
ἂψ ἀνασειράζω, καὶ πάλιν ἄγχι μένω·
σὴν γὰρ ἐγὼ δασπλῆτα διάστασιν οἶά τε πικρὴν
νύκτα καταπτήσσω τὴν Ἀχεροντιάδα·
ἤματι γὰρ σέο φέγγος ὁμοίϊον· ἀλλὰ τὸ μέν που   5
ἄφθογγον· σὺ δέ μοι καὶ τὸ λάλημα φέρεις,
κεῖνο τὸ Σειρήνων γλυκερώτερον, ᾧ ἔπι πᾶσαι
εἰσὶν ἐμῆς ψυχῆς ἐλπίδες ἐκκρεμέες.

242.—ΕΡΑΤΟΣΘΕΝΟΥΣ ΣΧΟΛΑΣΤΙΚΟΥ

Ὡς εἶδον Μελίτην, ὠχρός μ' ἔλε· καὶ γὰρ ἀκοίτης
κείνῃ ἐφωμάρτει· τοῖα δ' ἔλεξα τρέμων·
" Τοῦ σοῦ ἀνακροῦσαι δύναμαι πυλεῶνος ὀχῆας,
δικλίδος ὑμετέρης τὴν βάλανον χαλάσας,
καὶ δισσῶν προθύρων πλαδαρὴν κρηπῖδα περῆσαι,   5
ἄκρον ἐπιβλῆτος μεσσόθι πηξάμενος; "
ἡ δὲ λέγει γελάσασα, καὶ ἀνέρα λοξὸν ἰδοῦσα·
" Τῶν προθύρων ἀπέχου, μή σε κύων ὀλέσῃ."

243.—ΜΑΚΗΔΟΝΙΟΥ ΥΠΑΤΟΥ

Τὴν φιλοπουλυγέλωτα κόρην ἐπὶ νυκτὸς ὀνείρου
εἶχον, ἐπισφίγξας πήχεσιν ἡμετέροις.

250

240.—MACEDONIUS THE CONSUL

I PURSUE Love with gold; for bees do not work with spade or plough, but with the fresh flowers of spring. Gold, however, is the resourceful toiler that wins Aphrodite's honey.

241.—PAULUS SILENTIARIUS

"FAREWELL" is on my tongue, but I hold in the word with a wrench and still abide near thee. For I shudder at this horrid parting as at the bitter night of hell. Indeed thy light is like the daylight; but that is mute, while thou bring'est me that talk, sweeter than the Sirens, on which all my soul's hopes hang.

242.—ERATOSTHENES SCHOLASTICUS

WHEN I saw Melite, I grew pale, for her husband was with her, but I said to her trembling, "May I push back the bolts of your door, loosening the bolt-pin, and fixing in the middle the tip of my key pierce the damp base of the folding door?" But she, laughing and glancing at her husband, said, "You had better keep away from my door, or the dog may worry you."

243.—MACEDONIUS THE CONSUL

I HELD the laughter-loving girl clasped in my arms in a dream. She yielded herself entirely to

πείθετό μοι ξύμπαντα, καὶ οὐκ ἀλέγιζεν, ἐμεῖο
κύπριδι παντοίῃ σώματος ἁπτομένου·
ἀλλὰ βαρύζηλός τις Ἔρως καὶ νύκτα λοχήσας   5
ἐξέχεεν φιλίην, ὕπνον ἀποσκεδάσας.
ὡδέ μοι οὐδ᾿ αὐτοῖσιν ἐν ὑπναλέοισιν ὀνείροις
ἄφθονός ἐστιν Ἔρως κέρδεος ἡδυγάμου.

244.—ΠΑΥΛΟΥ ΣΙΛΕΝΤΙΑΡΙΟΥ

Μακρὰ φιλεῖ Γαλάτεια καὶ ἔμψοφα, μαλθακὰ Δημώ,
Δωρὶς ὀδακτάζει.   τίς πλέον ἐξερέθει;
οὔατα μή κρίνωσι φιλήματα· γευσάμενοι δὲ
τριχθαδίων στομάτων, ψῆφον ἐποισόμεθα.
ἐπλάγχθης, κραδίη· τὰ φιλήματα μαλθακὰ Δημοῦς   5
ἔγνως καὶ δροσερῶν ἡδὺ μέλι στομάτων·
μίμν᾿ ἐπὶ τοῖς· ἀδέκαστον ἔχει στέφος. εἰ δέ τις ἄλλη
τέρπεται, ἐκ Δημοῦς ἡμέας οὐκ ἐρύσει.

245.—ΜΑΚΗΔΟΝΙΟΥ ΥΠΑΤΟΥ

Κιχλίζεις, χρεμέτισμα γάμου προκέλευθον ἱεῖσα·
ἡσυχά μοι νεύεις· πάντα μάτην ἐρέθεις.
ὤμοσα τὴν δυσέρωτα κόρην, τρισὶν ὤμοσα πέτραις,
μήποτε μειλιχίοις ὄμμασιν εἰσιδέειν.
παῖζε μόνη τὸ φίλημα· μάτην πόππυζε σεαυτῇ   5
χείλεσι γυμνοτάτοις, οὔ τινι μισγομένοις.
αὐτὰρ ἐγὼν ἑτέρην ὁδὸν ἔρχομαι· εἰσὶ γὰρ ἄλλαι
κρέσσονες εὐλέκτρου Κύπριδος ἐργάτιδες.

246.—ΠΑΥΛΟΥ ΣΙΛΕΝΤΙΑΡΙΟΥ

Μαλθακὰ μὲν Σαπφοῦς τὰ φιλήματα, μαλθακὰ γυίων
πλέγματα χιονέων, μαλθακὰ πάντα μέλη·

me and offered no protest to any of my caprices.
But some jealous Love lay in ambush for me
even at night, and frightening sleep away spilt
my cup of bliss. So even in the dreams of my
sleep Love envies me the sweet attainment of my
desire.

244.—PAULUS SILENTIARIUS

GALATEA's kisses are long and smack, Demo's are
soft, and Doris bites one. Which excites most? Let
not ears be judges of kisses; but I will taste the
three and vote. My heart, thou wert wrong; thou
knewest already Demo's soft kiss and the sweet
honey of her fresh mouth. Cleave to that; she wins
without a bribe; if any take pleasure in another, he
will not tear me away from Demo.

245.—MACEDONIUS THE CONSUL

You titter and neigh like a mare that courts the
male; you make quiet signs to me; you do every-
thing to excite me, but in vain. I swore, I swore
with three stones in my hand[1] that I would never
look with kindly eyes on the hard-hearted girl.
Practise kissing by yourself and smack your lips,
that pout in naked shamelessness, but are linked to
no man's. But I go another way, for there are other
better partners in the sports of Cypris.

246.—PAULUS SILENTIARIUS

SOFT are Sappho's kisses, soft the clasp of her
snowy limbs, every part of her is soft. But her heart

[1] Or possibly "to the three stones." The matter is obscure.

ψυχὴ δ' ἐξ ἀδάμαντος ἀπειθέος· ἄχρι γὰρ οἴων
ἔστιν ἔρως στομάτων, τἄλλα δὲ παρθενίης.
καὶ τίς ὑποτλαίη; τάχα τις τάχα τοῦτο ταλάσσας   5
δίψαν Τανταλέην τλήσεται εὐμαρέως.

247.—ΜΑΚΗΔΟΝΙΟΥ ΥΠΑΤΟΥ

Παρμενὶς οὐκ ἔργῳ· τὸ μὲν οὔνομα καλὸν ἀκούσας
ᾠσάμην· σὺ δέ μοι πικροτέρη θανάτου·
καὶ φεύγεις φιλέοντα, καὶ οὐ φιλέοντα διώκεις,
ὄφρα πάλιν κεῖνον καὶ φιλέοντα φύγῃς.
κεντρομανὲς δ' ἄγκιστρον ἔφυ στόμα, καί με δακόντα   5
εὐθὺς ἔχει ῥοδέου χείλεος ἐκκρεμέα.

248.—ΠΑΥΛΟΥ ΣΙΛΕΝΤΙΑΡΙΟΥ

Ὦ παλάμη πάντολμε, σὺ τὸν παγχρύσεον ἔτλης
ἀπρὶξ δραξαμένη βόστρυχον αὐερύσαι·
ἔτλης· οὐκ ἐμάλαξε τεὸν θράσος αἴλινος αὐδή,
σκύλμα κόμης, αὐχὴν μαλθακὰ κεκλιμένος.
νῦν θαμινοῖς πατάγοισι μάτην τὸ μέτωπον ἀράσσεις·   5
οὐκέτι γὰρ μαζοῖς σὸν θέναρ ἐμπελάσει.
μή, λίτομαι, δέσποινα, τόσην μὴ λάμβανε ποινήν·
μᾶλλον ἐγὼ τλαίην φάσγανον ἀσπασίως.

249.—ΕΙΡΗΝΑΙΟΥ ΡΕΦΕΡΕΝΔΑΡΙΟΥ

Ὦ σοβαρὴ Ῥοδόπη, Παφίης εἴξασα βελέμνοις
καὶ τὸν ὑπερφίαλον κόμπον ἀπωσαμένη,
ἀγκὰς ἑλοῦσά μ' ἔχεις παρὰ σὸν λέχος· ἐν δ' ἄρα
        δεσμοῖς
κεῖμαι, ἐλευθερίης οὐκ ἐπιδευόμενος.
οὕτω γὰρ ψυχή τε καὶ ἔκχυτα σώματα φωτῶν   5
συμφέρεται, φιλίης ῥεύμασι μιγνύμενα.

254

is of unyielding adamant. Her love reaches but to her lips, the rest is forbidden fruit. Who can support this? Perhaps, perhaps he who has borne it will find it easy to support the thirst of Tantalus.

247.—MACEDONIUS THE CONSUL

Constance (Parmenis) in name but not in deed! When I heard your pretty name I thought you might be, but to me you are more cruel than death. You fly from him who loves you and you pursue him who loves you not, that when he loves you, you may fly from him too in turn. Your mouth is a hook with madness in its tip: I bit, and straight it holds me hanging from its rosy lips.

248.—PAULUS SILENTIARIUS

O all-daring hand, how could you seize her tightly by her all-golden hair and drag her about? How could you? Did not her piteous cries soften you, her torn hair, her meekly bent neck? Now in vain you beat my forehead again and again. Nevermore shall your palm be allowed to touch her breasts. Nay, I pray thee, my lady, punish me not so cruelly: rather than that I would gladly die by the sword.

249.—IRENAEUS REFERENDARIUS

O haughty Rhodope, now yielding to the arrows of Cypris, and forswearing thy insufferable pride, you hold me in your arms by your bed, and I lie, it seems, in chains with no desire for liberty. Thus do souls and languid bodies meet, mingled by the streams of love.

250.—ΠΑΥΛΟΥ ΣΙΛΕΝΤΙΑΡΙΟΥ

Ἡδύ, φίλοι, μείδημα τὸ Λαΐδος· ἡδὺ κατ᾽ αὖ τῶν
  ἠπιοδινήτων δάκρυ χέει βλεφάρων.
χθιζά μοι ἀπροφάσιστον ἐπέστενεν, ἐγκλιδὸν ὤμῳ
  ἡμετέρῳ κεφαλὴν δηρὸν ἐρεισαμένη·
μυρομένην δ᾽ ἐφίλησα· τὰ δ᾽ ὡς δροσερῆς ἀπὸ πηγῆς   5
  δάκρυα μιγνυμένων πῖπτε κατὰ στομάτων.
εἶπε δ᾽ ἀνειρομένῳ, "Τίνος εἵνεκα δάκρυα λείβεις;"
  "Δείδια μή με λίπῃς· ἐστὲ γὰρ ὁρκαπάται."

251.—ΕΙΡΗΝΑΙΟΥ ΡΕΦΕΡΕΝΔΑΡΙΟΥ

Ὄμματα δινεύεις κρυφίων ἰνδάλματα πυρσῶν,
  χείλεα δ᾽ ἀκροβαφῆ λοξὰ παρεκτανύεις,
καὶ πολὺ κιχλίζουσα σοβεῖς εὐβόστρυχον αἴγλην,
  ἐκχυμένας δ᾽ ὁρόω τὰς σοβαρὰς παλάμας.
ἀλλ᾽ οὐ σῆς κραδίης ὑψαύχενος ὤκλασεν ὄγκος·
  οὔπω ἐθηλύνθης, οὐδὲ μαραινομένη.

252.—ΠΑΥΛΟΥ ΣΙΛΕΝΤΙΑΡΙΟΥ

Ῥίψωμεν, χαρίεσσα, τὰ φάρεα· γυμνὰ δὲ γυμνοῖς
  ἐμπελάσει γυίοις γυῖα περιπλοκάδην·
μηδὲν ἔοι τὸ μεταξύ· Σεμιράμιδος γὰρ ἐκεῖνο
  τεῖχος ἐμοὶ δοκέει λεπτὸν ὕφασμα σέθεν·
στήθεα δ᾽ ἐζεύχθω, τά [τε] χείλεα· τἆλλα δὲ σιγῇ
  κρυπτέον· ἐχθαίρω τὴν ἀθυροστομίην.

253.—ΕΙΡΗΝΑΙΟΥ ΡΕΦΕΡΕΝΔΑΡΙΟΥ

Τίπτε πέδον, Χρύσιλλα, κάτω νεύουσα δοκεύεις,
  καὶ ζώνην παλάμαις οἷά περ ἀκρολυτεῖς;
αἰδὼς νόσφι πέλει τῆς Κύπριδος· εἰ δ᾽ ἄρα σιγᾷς,
  νεύματι τὴν Παφίην δεῖξον ὑπερχομένη.

250.—PAULUS SILENTIARIUS

SWEET, my friends, is Lais' smile, and sweet again the tears she sheds from her gently waving eyes. Yesterday, after long resting her head on my shoulder, she sighed without a cause. She wept as I kissed her, and the tears flowing as from a cool fountain fell on our united lips. When I questioned her, " Why are you crying?" She said, "I am afraid of your leaving me, for all you men are forsworn."

251.—IRENAEUS REFERENDARIUS

YOU roll your eyes to express hidden fires and you grimace, twisting and protruding your reddened lips ; you giggle constantly and shake the glory of your curls, and your haughty hands, I see, are stretched out in despair. But your disdainful heart is not bent, and even in your decline you are not softened.

252.—PAULUS SILENTIARIUS

LET us throw off these cloaks, my pretty one, and lie naked, knotted in each other's embrace. Let nothing be between us ; even that thin tissue you wear seems thick to me as the wall of Babylon. Let our breasts and our lips be linked ; the rest must be veiled in silence. I hate a babbling tongue.

253.—IRENAEUS REFERENDARIUS

WHY, Chrysilla, do you bend your head and gaze at the floor, and why do your fingers trifle with your girdle's knot? Shame mates not with Cypris, and if you must be silent, by some sign at least tell me that you submit to the Paphian goddess.

254.—ΠΑΥΛΟΥ ΣΙΛΕΝΤΙΑΡΙΟΥ

Ὤμοσα μιμνάζειν σέο τηλόθεν, ἀργέτι κούρη,
    ἄχρι δυωδεκάτης, ὦ πόποι, ἠριπόλης·
οὐ δ᾽ ἔτλην ὁ τάλας· τὸ γὰρ αὖρον ἄμμι φαάνθη
    τηλοτέρω μήνης, ναὶ μὰ σέ, δωδεκάτης.
ἀλλὰ θεοὺς ἱκέτευε, φίλη, μὴ ταῦτα χαράξαι   5
    ὅρκια ποιναίης νῶτον ὕπερ σελίδος·
θέλγε δὲ σαῖς χαρίτεσσιν ἐμὴν φρένα· μὴ δέ με μάστιξ,
    πότνα, κατασμύξῃ καὶ σέο καὶ μακάρων.

255.—ΤΟΥ ΑΥΤΟΥ

Εἶδον ἐγὼ ποθέοντας· ὑπ᾽ ἀτλήτοιο δὲ λύσσης
    δηρὸν ἐν ἀλλήλοις χείλεα πηξάμενοι,
οὐ κόρον εἶχον ἔρωτος ἀφειδέος· ἱέμενοι δέ,
    εἰ θέμις, ἀλλήλων δύμεναι ἐς κραδίην,
ἀμφασίης ὅσον ὅσσον ὑπεπρήϋνον ἀνάγκην,   5
    ἀλλήλων μαλακοῖς φάρεσιν ἑσσάμενοι.
καί ῥ᾽ ὁ μὲν ἦν Ἀχιλῆι πανείκελος, οἷος ἐκεῖνος
    τῶν Λυκομηδείων ἔνδον ἔην θαλάμων·
κούρη δ᾽ ἀργυφέης ἐπιγουνίδος ἄχρι χιτῶνα
    ζωσαμένη, Φοίβης εἶδος ἀπεπλάσατο.   10
καὶ πάλιν ἠρήρειστο τὰ χείλεα· γυιοβόρον γὰρ
    εἶχον ἀλοφήτου λιμὸν ἐρωμανίης.
ῥεῖά τις ἡμερίδος στελέχη δύο σύμπλοκα λύσει,
    στρεπτά, πολυχρονίῳ πλέγματι συμφυέα,
ἢ κείνους φιλέοντας, ὑπ᾽ ἀντιπόροισί τ᾽ ἀγοστοῖς   15
    ὑγρὰ περιπλέγδην ἄψεα δησαμένους.
τρὶς μάκαρ, ὃς τοίοισι, φίλη, δεσμοῖσιν ἑλίχθη,
    τρὶς μάκαρ· ἀλλ᾽ ἡμεῖς ἄνδιχα καιόμεθα.

254.—PAULUS SILENTIARIUS

YE gods! I swore to stay away from thee, bright maiden, till the twelfth day dawned, but I, the long-enduring, could not endure it. Yea, by thyself I swear, the morrow seemed more than a twelvemonth. But pray to the gods, dear, not to engrave this oath of mine on the surface of the page that records my sins, and comfort my heart, too, with thy charm. Let not thy burning scourge, gracious lady, as well as the immortals' flay me.

255.—BY THE SAME

I SAW the lovers. In the ungovernable fury of their passion they glued their lips together in a long kiss; but that did not sate the infinite thirst of love. Longing, if it could be, to enter into each other's hearts, they sought to appease to a little extent the torment of the impossible by interchanging their soft raiment. Then he was just like Achilles among the daughters of Lycomedes, and she, her tunic girt up to her silver knee, counterfeited the form of Artemis. Again their lips met close, for the inappeasable hunger of passion yet devoured them. 'Twere easier to tear apart two vine stems that have grown round each other for years than to separate them as they kiss and with their opposed arms knot their pliant limbs in a close embrace. Thrice blessed he, my love, who is entwined by such fetters, thrice blessed! but *we* must burn far from each other.

259

256.—ΤΟΥ ΑΥΤΟΥ

Δικλίδας ἀμφετίναξεν ἐμοῖς Γαλάτεια προσώποις
ἕσπερος, ὑβριστὴν μῦθον ἐπευξαμενη.
" "Υβρις ἔρωτας ἔλυσε." μάτην ὅδε μῦθος ἀλᾶται·
ὕβρις ἐμὴν ἐρέθει μᾶλλον ἐρωμανίην.
ὤμοσα γὰρ λυκάβαντα μένειν ἀπάνευθεν ἐκείνης·
ὦ πόποι· ἀλλ' ἱκέτης πρώιος εὐθὺς ἔβην.

257.—ΠΑΛΛΑΔΑ

Νῦν καταγιγνώσκω καὶ τοῦ Διὸς ὡς ἀνεράστου,
μὴ μεταβαλλομένου τῆς σοβαρᾶς ἕνεκα·
οὔτε γὰρ Εὐρώπης, οὐ τῆς Δανάης περὶ κάλλος,
οὔθ' ἀπαλῆς Λήδης ἐστ' ἀπολειπομένῃ·
εἰ μὴ τὰς πόρνας παραπέμπεται· οἶδα γὰρ αὐτὸν
τῶν βασιλευουσῶν παρθενικῶν φθορέα.

258.—ΠΑΥΛΟΥ ΣΙΛΕΝΤΙΑΡΙΟΥ

Πρόκριτός ἐστι, Φίλιννα, τεὴ ῥυτὶς ἢ ὀπὸς ἥβης
πάσης· ἱμείρω δ' ἀμφὶς ἔχειν παλάμαις
μᾶλλον ἐγὼ σέο μῆλα καρηβαρέοντα κορύμβοις,
ἢ μαζὸν νεαρῆς ὄρθιον ἡλικίης.
σὸν γὰρ ἔτι φθινόπωρον ὑπέρτερον εἴαρος ἄλλης,
χεῖμα σὸν ἀλλοτρίου θερμότερον θέρεος.

259.—ΤΟΥ ΑΥΤΟΥ

Ὄμματά σευ βαρύθουσι, πόθου πνείοντα, Χαρικλοῖ,
οἷάπερ ἐκ λέκτρων ἄρτι διεγρομένης·
ἔσκυλται δὲ κόμη, ῥοδέης δ' ἀμάρυγμα παρειῆς
ὠχρὸς ἔχει λευκός, καὶ δέμας ἐκλέλυται.

256.—By the Same

GALATEA last evening slammed her door in my face, and added this insulting phrase ; "Scorn breaks up love." A foolish phrase that idly goes from mouth to mouth ! Scorn but inflames my passion all the more. I swore to remain a year away from her, but ye gods ! in the morning I went straightway to supplicate at her door.

257.—PALLADAS

Now I condemn Zeus as a tepid lover, since he did not transform himself for this haughty fair's sake. She is not second in beauty to Europa or Danae or tender Leda. But perhaps he disdains courtesans, for I know they were maiden princesses he used to seduce.

258.—PAULUS SILENTIARIUS

YOUR wrinkles, Philinna, are preferable to the juice of all youthful prime, and I desire more to clasp in my hands your apples nodding with the weight of their clusters, than the firm breasts of a young girl. Your autumn excels another's spring, and your winter is warmer than another's summer.

259.—By the Same

THY eyes, Chariclo, that breathe love, are heavy, as if thou hadst just risen from bed, thy hair is dishevelled, thy cheeks, wont to be so bright and rosy, are pale, and thy whole body is relaxed.

κεῖ μὲν παννυχίῃσιν ὁμιλήσασα παλαίστραις   5
    ταῦτα φέρεις, ὄλβου παντὸς ὑπερπέτεται
ὅς σε περιπλέγδην ἔχε πήχεσιν· εἰ δέ σε τήκε·
    θερμὸς ἔρως, εἴης εἰς ἐμὲ τηκομένη.

260.—ΤΟΥ ΑΥΤΟΥ

Κεκρύφαλοι σφίγγουσι τεὴν τρίχα; τήκομαι οἴστρῳ
    Ῥείης πυργοφόρου δείκελον εἰσορόων.
ἀσκεπές ἐστι κάρηνον; ἐγὼ ξανθίσμασι χαίτης
    ἔκχυτον ἐκ στέρνων ἐξεσόβησα νόον.
ἀργενναῖς ὀθόνῃσι κατήορα βόστρυχα κεύθεις;   5
    οὐδὲν ἐλαφροτέρη φλὸξ κατέχει κραδίην.
μορφὴν τριχθαδίην Χαρίτων τριὰς ἀμφιπολεύει·
    πᾶσα δέ μοι μορφὴ πῦρ ἴδιον προχέει.

261.—ΑΓΑΘΙΟΥ ΣΧΟΛΑΣΤΙΚΟΥ

Εἰμὶ μὲν οὐ φιλόοινος· ὅταν δ᾽ ἐθέλῃς με μεθύσσαι,
    πρῶτα σὺ γευομένη πρόσφερε, καὶ δέχομαι.
εἰ γὰρ ἐπιψαύσεις τοῖς χείλεσιν, οὐκέτι νήφειν
    εὐμαρές, οὐδὲ φυγεῖν τὸν γλυκὺν οἰνοχόον·
πορθμεύει γὰρ ἔμοιγε κύλιξ παρὰ σοῦ τὸ φίλημα,   5
    καί μοι ἀπαγγέλλει τὴν χάριν ἣν ἔλαβεν.

262.—ΠΑΥΛΟΥ ΣΙΛΕΝΤΙΑΡΙΟΥ

Φεῦ φεῦ, καὶ τὸ λάλημα τὸ μείλιχον ὁ φθόνος εἴργει,
    βλέμμα τε λαθριδίως φθεγγομένων βλεφάρων·
ἱσταμένης δ᾽ ἄγχιστα τεθήπαμεν ὄμμα γεραιῆς,
    οἷα πολύγληνον βουκόλον Ἰναχίης.
ἵστασο, καὶ σκοπίαζε, μάτην δὲ σὸν ἦτορ ἀμύσσου·
    οὐ γὰρ ἐπὶ ψυχῆς ὄμμα τεὸν τανύσεις.

If all this is a sign of thy having spent the night in Love's arena, then the bliss of him who held thee clasped in his arms transcends all other, but if it is burning love that wastes thee, may thy wasting be for me.

260.—By the Same

Does a caul confine your hair, I waste away with passion, as I look on the image of turreted Cybele. Do you wear nothing on your head, its flaxen locks make me scare my mind from its throne in my bosom. Is your hair let down and covered by a white kerchief, the fire burns just as fierce in my heart. The three Graces dwell in the three aspects of your beauty, and each aspect sheds for me its particular flame.

261.—AGATHIAS SCHOLASTICUS

I care not for wine, but if thou wouldst make me drunk, taste the cup first and I will receive it when thou offerest it. For, once thou wilt touch it with thy lips, it is no longer easy to abstain or to fly from the sweet cup-bearer. The cup ferries thy kiss to me, and tells me what joy it tasted.

262.—PAULUS SILENTIARIUS

Alack, alack! envy forbids even thy sweet speech and the secret language of thy eyes. I am in dread of the eye of thy old nurse, who stands close to thee like the many-eyed herdsman [1] of the Argive maiden. "Stand there and keep watch; but you gnaw your heart in vain, for your eye cannot reach to the soul."

[1] *i.e.* Argus set to keep watch over Io.

263.—ΑΓΑΘΙΟΥ ΣΧΟΛΑΣΤΙΚΟΥ

Μήποτε, λύχνε, μύκητα φέροις, μηδ' ὄμβρον ἐγείροις,
μὴ τὸν ἐμὸν παύσῃς νυμφίον ἐρχόμενον.
αἰεὶ σὺ φθονέεις τῇ Κύπριδι, καὶ γὰρ ὅθ' Ἡρὼ
ἥρμοσε Λειάνδρῳ...θυμέ, τὸ λοιπὸν ἔα.
Ἡφαίστου τελέθεις· καὶ πείθομαι, ὅττι χαλέπτων 5
Κύπριδα, θωπεύεις δεσποτικὴν ὀδύνην.

264.—ΠΑΥΛΟΥ ΣΙΛΕΝΤΙΑΡΙΟΥ

Βόστρυχον ὠμογέροντα τί μέμφεαι, ὄμματά θ' ὑγρὰ
δάκρυσιν; ὑμετέρων παίγνια ταῦτα πόθων·
φροντίδες ἀπρήκτοιο πόθου τάδε, ταῦτα βελέμνων
σύμβολα, καὶ δολιχῆς ἔργα νυχεγρεσίης.
καὶ γάρ που λαγόνεσσι ῥυτὶς παναώριος ἤδη, 5
καὶ λαγαρὸν δειρῇ δέρμα περικρέμαται.
ὁππόσον ἡβάσκει φλογὸς ἄνθεα, τόσσον ἐμεῖο
ἄψεα γηράσκει φροντίδι γυιοβόρῳ.
ἀλλὰ κατοικτείρασα δίδου χάριν· αὐτίκα γάρ μοι
χρὼς ἀναθηλήσει κρατὶ μελαινομένῳ. 10

265.—ΚΟΜΗΤΑ ΧΑΡΤΟΥΛΑΡΙΟΥ

Ὄμματα Φυλλὶς ἔπεμπε κατὰ πλόον· ὅρκος ἀλήτης
πλάζετο, Δημοφόων δ' ἦεν ἄπιστος ἀνήρ.
νῦν δέ, φίλη, πιστὸς μὲν ἐγὼ παρὰ θῖνα θαλάσσης
Δημοφόων· σὺ δὲ πῶς, Φυλλίς, ἄπιστος ἔφυς;

263.—AGATHIAS SCHOLASTICUS

NEVER, my lamp, mayest thou wear a snuff[1] or arouse the rain, lest thou hold my bridegroom from coming. Ever dost thou grudge Cypris; for when Hero was plighted to Leander—no more, my heart, no more! Thou art Hephaestus's, and I believe that, by vexing Cypris, thou fawnest on her suffering lord.

264.—PAULUS SILENTIARIUS

WHY find fault with my locks grown grey so early and my eyes wet with tears? These are the pranks my love for thee plays; these are the care-marks of unfulfilled desire; these are the traces the arrows left; these are the work of many sleepless nights. Yes, and my sides are already wrinkled all before their time, and the skin hangs loose upon my neck. The more fresh and young the flame is, the older grows my body devoured by care. But take pity on me, and grant me thy favour, and at once it will recover its freshness and my locks their raven tint.

265.—COMETAS CHARTULARIUS

PHYLLIS sent her eyes to sea to seek Demophoon, but his oath he had flung to the winds and he was false to her. Now, dear, I thy Demophoon keep my tryst to thee on the sea-shore; but how is it, Phyllis, that thou are false?

[1] A sign of rain; *cp.* Verg. *G.* i. 392.

266.—ΠΑΥΛΟΥ ΣΙΛΕΝΤΙΑΡΙΟΥ

Ἄνερα λυσσητῆρι κυνὸς βεβολημένον ἰῷ
  ὕδασι θηρείην εἰκόνα φασὶ βλέπειν.
λυσσώων τάχα πικρὸν Ἔρως ἐνέπηξεν ὀδόντα
  εἰς ἐμέ, καὶ μανίαις θυμὸν ἐληΐσατο·
σὴν γὰρ ἐμοὶ καὶ πόντος ἐπήρατον εἰκόνα φαίνει,   5
  καὶ ποταμῶν δῖναι, καὶ δέπας οἰνοχόον.

267.—ΑΓΑΘΙΟΥ ΣΧΟΛΑΣΤΙΚΟΥ

α. Τί στενάχεις; β. Φιλέω. α. Τίνα; β. Παρθένον.
  α. Ἦ ῥά γε καλήν;
β. Καλὴν ἡμετέροις ὄμμασι φαινομένην.
α. Ποῦ δέ μιν εἰσενόησας; β. Ἐκεῖ ποτὶ δεῖπνον
      ἐπελθὼν
  ξυνῇ κεκλιμένην ἔδρακον ἐν στιβάδι.
α. Ἐλπίζεις δὲ τυχεῖν; β. Ναί, ναί, φίλος· ἀμφαδίην
      δὲ   5
  οὐ ζητῶ φιλίην, ἀλλ᾽ ὑποκλεπτομένην.
α. Τὸν νόμιμον μᾶλλον φεύγεις γάμον. β. Ἀτρεκὲς
      ἔγνων,
  ὅττι γε τῶν κτεάνων πουλὺ τὸ λειπόμενον.
α. Ἔγνως; οὐ φιλέεις, ἐψεύσαο· πῶς δύναται γὰρ
  ψυχὴ ἐρωμανέειν ὀρθὰ λογιζομένη;   10

268.—ΠΑΥΛΟΥ ΣΙΛΕΝΤΙΑΡΙΟΥ

Μηκέτι τις πτήξειε πόθου βέλος· ἰοδόκην γὰρ
  εἰς ἐμὲ λάβρος Ἔρως ἐξεκένωσεν ὅλην.
μὴ πτερύγων τρομέοι τις ἐπήλυσιν· ἐξότε γάρ μοι
  λὰξ ἐπιβὰς στέρνοις πικρὸν ἔπηξε πόδα,

266.—PAULUS SILENTIARIUS

THEY say a man bitten by a mad dog sees the brute's image in the water. I ask myself, " Did Love go rabid, and fix his bitter fangs in me, and lay my heart waste with madness? For thy beloved image meets my eyes in the sea and in the eddying stream and in the wine-cup.

267.—AGATHIAS SCHOLASTICUS

A. WHY do you sigh? *B.* I am in love. *A.* With whom? *B.* A girl. *A.* Is she pretty? *B.* In my eyes. *A.* Where did you notice her? *B.* There, where I went to dinner, I saw her reclining with the rest. *A.* Do you hope to succeed? *B.* Yes, yes, my friend, but I want a secret affair and not an open one. *A.* You are averse then from lawful wedlock? *B.* I learnt for certain that she is very poorly off. *A. You learnt!* you lie, you are not in love; how can a heart that reckons correctly be touched with love's madness?

268.—PAULUS SILENTIARIUS

LET none fear any more the darts of desire; for raging Love has emptied his whole quiver on me. Let none dread the coming of his wings; for ever since he hath set his cruel feet on me, trampling on my heart,

ἀστεμφής, ἀδόνητος ἐνέζεται, οὐδὲ μετέστη,   5
εἰς ἐμὲ συζυγίην κειράμενος πτερύγων.

269.—ΑΓΑΘΙΟΥ ΣΧΟΛΑΣΤΙΚΟΥ

Δισσῶν θηλυτέρων μοῦνός ποτε μέσσος ἐκείμην,
  τῆς μὲν ἐφιμείρων, τῇ δὲ χαριζόμενος·
εἷλκε δέ μ' ἡ φιλέουσα· πάλιν δ' ἐγώ, οἷάτε τις φώρ,
  χείλεϊ φειδομένῳ τὴν ἑτέρην ἐφίλουν,
ζῆλον ὑποκλέπτων τῆς γείτονος, ἧς τὸν ἔλεγχον   5
  καὶ τὰς λυσιπόθους ἔτρεμον ἀγγελίας.
ὀχθήσας δ' ἄρ' ἔειπον· "Ἐμοὶ τάχα καὶ τὸ φιλεῖσθαι
  ὡς τὸ φιλεῖν χαλεπόν, δισσὰ κολαζομένῳ."

270.—ΠΑΥΛΟΥ ΣΙΛΕΝΤΙΑΡΙΟΥ

Οὔτε ῥόδον στεφάνων ἐπιδεύεται, οὔτε σὺ πέπλων,
  οὔτε λιθοβλήτων, πότνια, κεκρυφάλων.
μάργαρα σῆς χροιῆς ἀπολείπεται, οὐδὲ κομίζει
  χρυσὸς ἀπεκτήτου σῆς τριχὸς ἀγλαΐην·
Ἰνδῴη δ' ὑάκινθος ἔχει χάριν αἴθοπος αἴγλης,   5
  ἀλλὰ τεῶν λογάδων πολλὸν ἀφαυροτέρην·
χείλεα δὲ δροσόεντα, καὶ ἡ μελίφυρτος ἐκείνη
  στήθεος ἁρμονίη, κεστὸς ἔφυ Παφίης.
τούτοις πᾶσιν ἐγὼ καταδάμναμαι· ὄμμασι μούνοις
  θέλγομαι, οἷς ἐλπὶς μείλιχος ἐνδιάει.   10

271.—ΜΑΚΗΔΟΝΙΟΥ ΥΠΑΤΙΚΟΥ

Τήν ποτε βακχεύουσαν ἐν εἴδεϊ θηλυτεράων,
  τὴν χρυσέῳ κροτάλῳ σειομένην σπατάλην,
γῆρας ἔχει καὶ νοῦσος ἀμείλιχος· οἱ δὲ φιληταί,
  οἵ ποτε τριλλίστως ἀντίον ἐρχόμενοι,

there he remains unmoved and unshaken and departs
not, for on me he hath shed the feathers of his two
wings

269.—AGATHIAS SCHOLASTICUS

I ONCE sat between two ladies, of one of whom I
was fond, while to the other I did it as a favour. She
who loved me drew me towards her but I, like a thief,
kissed the other, with lips that seemed to grudge
the kisses, thus deceiving the jealous fears of the
first one, whose reproach, and the reports she might
make to sever us, I dreaded. Sighing I said, "It
seems that I suffer double pain, in that both loving
and being loved are a torture to me."

270.—PAULUS SILENTIARIUS

A ROSE requires no wreath, and thou, my lady,
no robes, nor hair-cauls set with gems. Pearls
yield in beauty to thy skin, and gold has not the
glory of thy uncombed hair. Indian jacynth has
the charm of sparkling splendour, but far surpassed
by that of thy eyes. Thy dewy lips and the honeyed
harmony of thy breasts are the magic cestus of Venus
itself. By all those I am utterly vanquished, and am
comforted only by thy eyes which kind hope makes
his home.

271.—MACEDONIUS THE CONSUL

SHE who once frolicked among the fairest of her sex,
dancing with her golden castanettes and displaying
her finery, is now worn by old age and pitiless
disease. Her lovers, who once ran to welcome her,

269

GREEK ANTHOLOGY

νῦν μέγα πεφρίκασι· τὸ δ' αὐξοσέληνον ἐκεῖνο   5
ἐξέλιπεν, συνόδου μηκέτι γινομένης.

272.—ΠΑΥΛΟΥ ΣΙΛΕΝΤΙΑΡΙΟΥ

Μαζοὺς χερσὶν ἔχω, στόματι στόμα, καὶ περὶ δειρὴν
  ἄσχετα λυσσώων βόσκομαι ἀργυφέην,
οὔπω δ' Ἀφρογένειαν ὅλην ἕλον· ἀλλ' ἔτι κάμνω,
  παρθένον ἀμφιέπων λέκτρον ἀναινομένην.
ἥμισυ γὰρ Παφίῃ, τὸ δ' ἄρ' ἥμισυ δῶκεν Ἀθήνῃ·   5
  αὐτὰρ ἐγὼ μέσσος τήκομαι ἀμφοτέρων.

273.—ΑΓΑΘΙΟΥ ΣΧΟΛΑΣΤΙΚΟΥ

Ἡ πάρος ἀγλαΐησι μετάρσιος, ἡ πλοκαμῖδας
  σειομένη πλεκτὰς, καὶ σοβαρευομένη,
ἡ μεγαλαυχήσασα καθ' ἡμετέρης μελεδώνης,
  γήραϊ ῥικνώδης, τὴν πρὶν ἀφῆκε χάριν.
μαζὸς ὑπεκλίνθη, πέσον ὀφρύες, ὄμμα τέτηκται,   5
  χείλεα βαμβαίνει φθέγματι γηραλέῳ.
τὴν πολιὴν καλέω Νέμεσιν Πόθου, ὅττι δικάζει
  ἔννομα, ταῖς σοβαραῖς θᾶσσον ἐπερχομένη.

274.—ΠΑΥΛΟΥ ΣΙΛΕΝΤΙΑΡΙΟΥ

Τὴν πρὶν ἐνεσφρήγισσεν Ἔρως <θρασὺς> εἰκόνα
    μορφῆς
  ἡμετέρης θερμῷ βένθεϊ σῆς κραδίης,
φεῦ φεῦ, νῦν ἀδόκητος ἀπέπτυσας· αὐτὰρ ἐγώ τοι
  γραπτὸν ἔχω ψυχῇ σῆς τύπον ἀγλαΐης.
τοῦτον καὶ Φαέθοντι καὶ Ἄϊδι, βάρβαρε, δείξω,   5
  Κρῆσσαν ἐπισπέρχων εἰς σὲ δικασπολίην.

270

the eagerly desired, now shudder at her, and that
waxing moon has waned away, since it never comes
into conjunction.

272.—PAULUS SILENTIARIUS

I press her breasts, our mouths are joined, and I
feed in unrestrained fury round her silver neck, but
not yet is my conquest complete; I still toil wooing
a maiden who refuses me her bed. Half of herself
she has given to Aphrodite and half to Pallas, and
I waste away between the two.

273.—AGATHIAS SCHOLASTICUS

She who once held herself so high in her beauty,
and used to shake her plaited tresses in her pride, she
who used to vaunt herself proof against my doleful
passion, is now old and wrinkled and her charm is
gone. Her breasts are pendent and her eyebrows
are fallen, the fire of her eyes is dead and her
speech is trembling and senile. I call grey hairs the
Nemesis of Love, because they judge justly, coming
soonest to those who are proudest.

274.—PAULUS SILENTIARIUS

The image of me that Love stamped in the hot
depths of thy heart, thou dost now, alas! as I never
dreamt, disown; but I have the picture of thy
beauty engraved on my soul. That, O cruel one, I
will show to the Sun, and show to the Lord of Hell,
that the judgement of Minos may fall quicker on
thy head.

275.—ΤΟΥ ΑΥΤΟΥ

Δειελινῷ χαρίεσσα Μενεκρατὶς ἔκχυτος ὕπνῳ
  κεῖτο περὶ κροτάφους πῆχυν ἑλιξαμένη·
τολμήσας δ' ἐπέβην λεχέων ὕπερ. ὡς δὲ κελεύθου
  ἥμισυ κυπριδίης ἤνυον ἀσπασίως,
ἡ παῖς ἐξ ὕπνοιο διέγρετο, χερσὶ δὲ λευκαῖς   5
  κράατος ἡμετέρου πᾶσαν ἔτιλλε κόμην·
μαρναμένης δὲ τὸ λοιπὸν ἀνύσσαμεν ἔργον ἔρωτος.
  ἡ δ' ὑποπιμπλαμένη δάκρυσιν εἶπε τάδε·
" Σχέτλιε, νῦν μὲν ἔρεξας ὅ τοι φίλον, ᾧ ἔπι πουλὺν
  πολλάκι σῆς παλάμης χρυσὸν ἀπωμοσάμην·   10
οἰχόμενος δ' ἄλλην ὑποκόλπιον εὐθὺς ἑλίξεις·
  ἐστὲ γὰρ ἀπλήστου Κύπριδος ἐργατίναι."

276.—ΑΓΑΘΙΟΥ ΣΧΟΛΑΣΤΙΚΟΥ

Σοὶ τόδε τὸ κρήδεμνον, ἐμὴ μνήστειρα, κομίζω,
  χρυσεοπηνήτῳ λαμπόμενον γραφίδι·
βάλλε δὲ σοῖς πλοκάμοισιν· ἐφεσσαμένη δ' ὑπὲρ ὤμων
  στήθεϊ παλλεύκῳ τήνδε δὸς ἀμπεχόνην·
ναὶ ναὶ στήθεϊ μᾶλλον, ὅπως ἐπιμάζιον εἴη,   5
  ἀμφιπεριπλέγδην εἰς σὲ κεδαννύμενον.
καὶ τόδε μὲν φορέοις ἅτε παρθένος· ἀλλὰ καὶ εὐνὴν
  λεύσσοις καὶ τεκέων εὔσταχυν ἀνθοσύνην,
ὄφρα σοι ἐκτελέσαιμι καὶ ἀργυφέην ἀναδέσμην
  καὶ λιθοκολλήτων πλέγματα κεκρυφάλων.   10

277.—ΕΡΑΤΟΣΘΕΝΟΥΣ ΣΧΟΛΑΣΤΙΚΟΥ

Ἄρσενας ἄλλος ἔχοι· φιλέειν δ' ἐγὼ οἶδα γυναῖκας,
  ἐς χρονίην φιλίην οἷα φυλασσομένας.
οὐ καλὸν ἡβητῆρες· ἀπεχθαίρω γὰρ ἐκείνην
  τὴν τρίχα, τὴν φθονερήν, τὴν ταχὺ φυομένην.

275.—By the Same

ONE afternoon pretty Menecratis lay outstretched in sleep with her arm twined round her head. Boldly I entered her bed and had to my delight accomplished half the journey of love, when she woke up, and with her white hands set to tearing out all my hair. She struggled till all was over, and then said, her eyes filled with tears: "Wretch, you have had your will, and taken that for which I often refused your gold; and now you will leave me and take another to your breast; for you all are servants of insatiable Cypris."

276.—AGATHIAS SCHOLASTICUS

THIS coif, bright with patterns worked in gold, I bring for thee, my bride to be. Set it on thy hair, and putting this tucker over thy shoulders, draw it round thy white bosom. Yea, pin it lower, that it may cincture thy breasts, wound close around thee. These wear as a maiden, but mayest thou soon be a matron with fair fruit of offspring, that I may get thee a silver head-band, and a hair-caul set with precious stones.

277.—ERATOSTHENES SCHOLASTICUS

LET males be for others. I can love but women, whose charms are more enduring. There is no beauty in youths at the age of puberty; I hate the unkind hair that begins to grow too soon.

278.—ΑΓΑΘΙΟΥ ΣΧΟΛΑΣΤΙΚΟΥ

Αὐτή μοι Κυθέρεια καὶ ἱμερόεντες Ἔρωτες
τήξουσιν κενεὴν ἐχθόμενοι κραδίην,
ἄρσενας εἰ σπεύσω φιλέειν ποτέ· μήτε τυχήσω,
μήτ' ἐπολισθήσω μείζοσιν ἀμπλακίαις.
ἄρκια θηλυτέρων ἀλιτήματα· κεῖνα κομίσσω,   5
καλλείψω δὲ νέους ἄφρονι Πιτταλάκῳ.

279.—ΠΑΥΛΟΥ ΣΙΛΕΝΤΙΑΡΙΟΥ

Δηθύνει Κλεόφαντις· ὁ δὲ τρίτος ἄρχεται ἤδη
λύχνος ὑποκλάζειν ἦκα μαραινόμενος.
αἴθε δὲ καὶ κραδίης πυρσὸς συναπέσβετο λύχνῳ,
μηδέ μ' ὑπ' ἀγρύπνοις δηρὸν ἔκαιε πόθοις.
ἆ πόσα τὴν Κυθέρειαν ἐπώμοσεν ἕσπερος ἥξειν,   5
ἀλλ' οὔτ' ἀνθρώπων φείδεται, οὔτε θεῶν.

280.—ΑΓΑΘΙΟΥ ΣΧΟΛΑΣΤΙΚΟΥ

Ἦ ῥά γε καὶ σύ, Φίλιννα, φέρεις πόνον; ἦ ῥα καὶ αὐτὴ
κάμνεις, αὐαλέοις ὄμμασι τηκομένη;
ἦ σὺ μὲν ὕπνον ἔχεις γλυκερώτατον, ἡμετέρης δὲ
φροντίδος οὔτε λόγος γίνεται οὔτ' ἀριθμός;
εὑρήσεις τὰ ὅμοια, τεὴν δ', ἀμέγαρτε, παρειὴν   5
ἀθρήσω θαμινοῖς δάκρυσι τεγγομένην.
Κύπρις γὰρ τὰ μὲν ἄλλα παλίγκοτος· ἐν δέ τι καλὸν
ἔλλαχεν, ἐχθαίρειν τὰς σοβαρευομένας.

281.—ΠΑΥΛΟΥ ΣΙΛΕΝΤΙΑΡΙΟΥ

Χθιζά μοι Ἑρμώνασσα φιλακρήτους μετὰ κώμους
στέμμασιν αὐλείας ἀμφιπλέκοντι θύρας

278.—AGATHIAS SCHOLASTICUS

MAY Aphrodite herself and the darling Loves melt my empty heart for hate of me, if I ever am inclined to love males. May I never make such conquests or fall into the graver sin. It is enough to sin with women. This I will indulge in, but leave young men to foolish Pittalacus.[1]

279.—PAULUS SILENTIARIUS

CLEOPHANTIS delays, and for the third time the wick of the lamp begins to droop and rapidly fade. Would that the flame in my heart would sink with the lamp and did not this long while burn me with sleepless desire. Ah! how often she swore to Cytherea to come in the evening, but she scruples not to offend men and gods alike.

280.—AGATHIAS SCHOLASTICUS

ART thou too in pain, Philinna, art thou too sick, and dost thou waste away, with burning eyes? Or dost thou enjoy sweetest sleep, with no thought, no count of my suffering? The same shall be one day thy lot, and I shall see thy cheeks, wretched girl, drenched with floods of tears. Cypris is in all else a malignant goddess, but one virtue is hers, that she hates a prude.

281.—PAULUS SILENTIARIUS

YESTERDAY Hermonassa, as after a carouse I was hanging a wreath on her outer door, poured a jug of

[1] A notorious bad character at Athens, mentioned by Aeschines.

ἐκ κυλίκων ἐπέχευεν ὕδωρ· ἀμάθυνε δὲ χαίτην,
ἣν μόλις ἐς τρισσὴν πλέξαμεν ἀμφιλύκην.
ἐφλέχθην δ' ἔτι μᾶλλον ὑφ' ὕδατος· ἐκ γὰρ ἐκείνης   5
λάθριον εἶχε κύλιξ πῦρ γλυκερῶν στομάτων.

282.—ΑΓΑΘΙΟΥ ΣΧΟΛΑΣΤΙΚΟΥ

Ἡ ῥαδινὴ Μελίτη ταναοῦ ἐπὶ γήραος οὐδῷ
    τὴν ἀπὸ τῆς ἥβης οὐκ ἀπέθηκε χάριν,
ἀλλ' ἔτι μαρμαίρουσι παρηΐδες, ὄμμα δὲ θέλγει·
    οὐ λάθε· τῶν δ' ἐτέων ἡ δεκὰς οὐκ ὀλίγη·
μίμνει καὶ τὸ φρύαγμα τὸ παιδικόν. ἐνθάδε δ' ἔγνων   5
    ὅττι φύσιν νικᾶν ὁ χρόνος οὐ δύναται.

283.—ΠΑΥΛΟΥ ΣΙΛΕΝΤΙΑΡΙΟΥ

Δάκρυά μοι σπένδουσαν ἐπήρατον οἰκτρὰ Θεανὼ
    εἶχον ὑπὲρ λέκτρων πάννυχον ἡμετέρων·
ἐξότε γὰρ πρὸς Ὄλυμπον ἀνέδραμεν ἕσπερος ἀστήρ,
    μέμφετο μελλούσης ἄγγελον ἠριπόλης.
οὐδὲν ἐφημερίοις καταθύμιον· εἴ τις Ἐρώτων   5
    λάτρις, νύκτας ἔχειν ὤφελε Κιμμερίων.

284.—ΡΟΥΦΙΝΟΥ ΔΟΜΕΣΤΙΚΟΥ

Πάντα σέθεν φιλέω· μοῦνον δὲ σὸν ἄκριτον ὄμμα
    ἐχθαίρω, στυγεροῖς ἀνδράσι τερπόμενον.

285.—ΑΓΑΘΙΟΥ ΣΧΟΛΑΣΤΙΚΟΥ

Εἰργομένη φιλέειν με κατὰ στόμα δῖα Ῥοδάνθη
    ζώνην παρθενικὴν ἐξετάνυσσε μέσην,

water on me, and flattened my hair, which I had taken
such pains to curl that it would have lasted three days.
But the water set me all the more aglow, for the
hidden fire of her sweet lips was in the jug.

282.—AGATHIAS SCHOLASTICUS

SLENDER Melite, though now on the threshold of
old age, has not lost the grace of youth ; still her
cheeks are polished, and her eye has not forgotten to
charm. Yet her decades are not few. Her girlish
high spirit survives too. This taught me that time
cannot subdue nature.

283.—PAULUS SILENTIARIUS

I HAD loveable Theano all night with me, but she
never ceased from weeping piteously. From the
hour when the evening star began to mount the
heaven, .she cursed it for being herald of the
morrow's dawn. Nothing is just as mortals would
have it ; a servant of Love requires Cimmerian
nights.

284.—RUFINUS DOMESTICUS

I LOVE everything in you. I hate only your undis-
cerning eye which is pleased by odious men.

285.—AGATHIAS SCHOLASTICUS

DIVINE Rhodanthe, being prevented from kissing
me, held her maiden girdle stretched out between

καὶ κείνην φιλέεσκεν· ἐγὼ δέ τις ὡς ὀχετηγὸς
ἀρχὴν εἰς ἑτέρην εἷλκον ἔρωτος ὕδωρ,
αὐερύων τὸ φίλημα· περὶ ζωστῆρα δὲ κούρης   5
μάστακι ποππύζων, τηλόθεν ἀντεφίλουν.
ἦν δὲ πόνου καὶ τοῦτο παραίφασις· ἡ γλυκερὴ γὰρ
ζώνη πορθμὸς ἔην χείλεος ἀμφοτέρου.

286.—ΠΑΥΛΟΥ ΣΙΛΕΝΤΙΑΡΙΟΥ

Φράζεό μοι, Κλεόφαντις, ὅση χάρις, ὁππότε δοιοὺς
λάβρον ἐπαιγίζων ἶσος ἔρως κλονέει.
ποῖος ἄρης, ἢ τάρβος ἀπείριτον, ἠὲ τίς αἰδὼς
τούσδε διακρίνει, πλέγματα βαλλομένους;
εἴη μοι μελέεσσι τὰ Λήμνιος ἥρμοσεν ἄκμων   5
δεσμά, καὶ Ἡφαίστου πᾶσα δολορραφίη·
μοῦνον ἐγώ, χαρίεσσα, τεὸν δέμας ἀγκὰς ἑλίξας
θελγοίμην ἐπὶ σοῖς ἅψεσι βοσκόμενος.
δὴ τότε καὶ ξεῖνός με καὶ ἐνδάπιος καὶ ὁδίτης,
πότνα, καὶ ἀρητήρ, χἠ παράκοιτις ἴδοι.   10

287.—ΑΓΑΘΙΟΥ ΣΧΟΛΑΣΤΙΚΟΥ

Σπεύδων εἰ φιλέει με μαθεῖν εὐῶπις Ἐρευθώ,
πείραζον κραδίην πλάσματι κερδαλέῳ·
" Βήσομαι ἐς ξείνην τινά που χθόνα· μίμνε δέ, κούρη,
ἀρτίπος, ἡμετέρου μνῆστιν ἔχουσα πόθου."
ἡ δὲ μέγα στονάχησε καὶ ἥλατο, καὶ τὸ πρόσωπον   5
πλῆξε, καὶ εὐπλέκτου βότρυν ἔρηξε κόμης,
καί με μένειν ἱκέτευεν· ἐγὼ δέ τις ὡς βραδυπειθὴς
ὄμματι θρυπτομένῳ συγκατένευσα μόνον.
ὄλβιος ἐς πόθον εἰμί· τὸ γὰρ μενέαινον ἀνύσσαι
πάντως, εἰς μεγάλην τοῦτο δέδωκα χάριν.   10

278

us, and kept kissing it, while I, like a gardener, diverted the stream of love to another point, sucking up the kiss, and so returned it from a distance, smacking with my lips on her girdle. Even this a little eased my pain, for the sweet girdle was like a ferry plying from lip to lip.

286.—PAULUS SILENTIARIUS

THINK, Cleophantis, what joy it is when the storm of love descends with fury on two hearts equally, to toss them. What war, or extremity of fear, or what shame shall sunder them as they entwine their limbs? Would mine were the fetters that the Lemnian smith, Hephaestus, cunningly forged. Let me only clasp thee to me, my sweet, and feed on thy limbs to my heart's content. Then, for all I care, let a stranger see me or my own countryman, or a traveller, dear, or a clergyman, or even my wife.

287.—AGATHIAS SCHOLASTICUS

CURIOUS to find out if lovely Ereutho were fond of me, I tested her heart by a subtle falsehood. I said, "I am going abroad, but remain, my dear, faithful and ever mindful of my love." But she gave a great cry, and leapt up, and beat her face with her hands, and tore the clusters of her braided hair, begging me to remain. Then, as one not easily persuaded and with a dissatisfied expression, I just consented. I am happy in my love, for what I wished to do in any case, that I granted as a great favour.

GREEK ANTHOLOGY

288.—ΠΑΥΛΟΥ ΣΙΛΕΝΤΙΑΡΙΟΥ

Ἐξότε μοι πίνοντι συνεψιάουσα Χαρικλὼ
 λάθρη τοὺς ἰδίους ἀμφέβαλε στεφάνους,
πῦρ ὀλοὸν δάπτει με· τὸ γὰρ στέφος, ὡς δοκέω, τι
 εἶχεν, ὃ καὶ Γλαύκην φλέξε Κρεοντιάδα.

289.—ΑΓΑΘΙΟΥ ΣΧΟΛΑΣΤΙΚΟΥ

Ἡ γραῦς ἡ τρικόρωνος, ἡ ἡμετέρους διὰ μόχθους
 μοίρης ἀμβολίην πολλάκι δεξαμένη,
ἄγριον ἦτορ ἔχει, καὶ θέλγεται οὔτ᾽ ἐπὶ χρυσῷ,
 οὔτε ζωροτέρῳ μείζονι κισσυβίῳ·
τὴν κούρην δ᾽ αἰεὶ περιδέρκεται· εἰ δέ ποτ᾽ αὐτὴν   5
 ἀθρήσει κρυφίοις ὄμμασι ῥεμβομένην,
ἃ μέγα τολμήεσσα ῥαπίσμασιν ἀμφὶ πρόσωπα
 πλήσσει τὴν ἀπαλὴν οἰκτρὰ κινυρομένην.
εἰ δ᾽ ἐτεὸν τὸν Ἄδωνιν ἐφίλαο, Περσεφόνεια,
 οἴκτειρον ξυνῆς ἄλγεα τηκεδόνος.   10
ἔστω δ᾽ ἀμφοτέροισι χάρις μία· τῆς δὲ γεραιῆς
 ῥύεο τὴν κούρην, πρίν τι κακὸν παθέειν.

290.—ΠΑΥΛΟΥ ΣΙΛΕΝΤΙΑΡΙΟΥ

Ὄμμα πολυπτοίητον ὑποκλέπτουσα τεκούσης,
 συζυγίην μήλων δῶκεν ἐμοὶ ῥοδέων
θηλυτέρη χαρίεσσα. μάγον τάχα πυρσὸν ἐρώτων
 λαθριδίως μήλοις μίξεν ἐρευθομένοις·
εἰμὶ γὰρ ὁ τλήμων φλογὶ σύμπλοκος· ἀντὶ δὲ μαζῶν,   5
 ὢ πόποι, ἀπρήκτοις μῆλα φέρω παλάμαις.

291.—ΤΟΥ ΑΥΤΟΥ

Εἴ ποτ᾽ ἐμοί, χαρίεσσα, τεῶν τάδε σύμβολα μαζῶν
 ὤπασας, ὀλβίζω τὴν χάριν ὡς μεγάλην·

288.—PAULUS SILENTIARIUS

EVER since Chariklo, playing with me at the feast, put her wreath slyly on my head, a deadly fire devours me; for the wreath, it seems, had in it something of the poison that burnt Glauce, the daughter of Creon.

289.—AGATHIAS SCHOLASTICUS

THE old hag, thrice as old as the oldest crow, who has often for my sorrow got a new lease of life, has a savage heart, and will not be softened either by gold or by greater and stronger cups, but is watching all round the girl. If she ever sees her eyes wandering to me furtively, she actually dares to slap the tender darling's face and make her cry piteously. If it be true, Persephone, that thou didst love Adonis, pity the pain of our mutual passion and grant us both one favour. Deliver the girl from the old woman before she meets with some mischance.

290.—PAULUS SILENTIARIUS

ELUDING her mother's apprehensive eyes, the charming girl gave me a pair of rosy apples. I think she had secretly ensorcelled those red apples with the torch of love, for I, alack! am wrapped in flame, and instead of two breasts, ye gods, my purposeless hands grasp two apples.

291.—BY THE SAME

IF, my sweet, you gave me these two apples as tokens of your breasts, I bless you for your great

281

εἰ δ' ἐπὶ τοῖς μίμνεις, ἀδικεῖς, ὅτι λάβρον ἀνῆψας
πυρσόν, ἀποσβέσσαι τοῦτον ἀναινομένη.
Τήλεφον ὁ τρώσας καὶ ἀκέσσατο· μὴ σύγε, κούρη,   5
εἰς ἐμὲ δυσμενέων γίνεο πικροτέρη.

292.—ΑΓΑΘΙΟΥ ΣΧΟΛΑΣΤΙΚΟΥ

πέραν τῆς πόλεως διάγοντος διὰ τὰ λύσιμα τῶν νόμων
ὑπομνηστικὸν πεμφθὲν πρὸς Παῦλον Σιλεντιάριον

Ἐνθάδε μὲν χλοάουσα τεθηλότι βῶλος ὀράμνῳ
φυλλάδος εὐκάρπου πᾶσαν ἔδειξε χάριν·
ἐνθάδε δὲ κλάζουσιν ὑπὸ σκιεραῖς κυπαρίσσοις
ὄρνιθες δροσερῶν μητέρες ὀρταλίχων·
καὶ λιγυρὸν βομβεῦσιν ἀκανθίδες· ἡ δ' ὀλολυγῶν   5
τρύζει, τρηχαλέαις ἐνδιάουσα βάτοις.
ἀλλὰ τί μοι τῶν ἦδος, ἐπεὶ σέο μῦθον ἀκούειν
ἤθελον ἢ κιθάρης κρούσματα Δηλιάδος;
καί μοι δισσὸς ἔρως περικίδναται· εἰσοράαν γὰρ
καὶ σέ, μάκαρ, ποθέω, καὶ γλυκερὴν δάμαλιν,   10
ἧς με περισμύχουσι μεληδόνες· ἀλλά με θεσμοὶ
εἴργουσιν ῥαδινῆς τηλόθι δορκαλίδος.

293.—ΠΑΥΛΟΥ ΣΙΛΕΝΤΙΑΡΙΟΥ

ἀντίγραφον ἐπὶ τῇ αὐτῇ ὑποθέσει πρὸς τὸν φίλον Ἀγαθίαν

Θεσμὸν Ἔρως οὐκ οἶδε βιημάχος, οὐδέ τις ἄλλη
ἀνέρα νοσφίζει πρῆξις ἐρωμανίης.
εἰ δέ σε θεσμοπόλοιο μεληδόνος ἔργον ἐρύκει,
οὐκ ἄρα σοῖς στέρνοις λάβρος ἔνεστιν ἔρως.
ποῖος ἔρως, ὅτε βαιὸς ἁλὸς πόρος οἶδε μερίζειν   5
σὸν χρόα παρθενικῆς τηλόθεν ὑμετέρης;

282

favour; but if your gift does not go beyond the apples, you do me wrong in refusing to quench the fierce fire you lit. Telephus was healed by him who hurt him[1]; do not, dear, be crueller than an enemy to me.

292.—AGATHIAS SCHOLASTICUS

Lines written to Paulus Silentiarius by Agathias while staying on the opposite bank of the Bosporus for the purpose of studying law

HERE the land, clothing itself in greenery, has revealed the full beauty of the rich foliage, and here warble under shady cypresses the birds, now mothers of tender chicks. The gold-finches sing shrilly, and the turtle-dove moans from its home in the thorny thicket. But what joy have I in all this, I who would rather hear your voice than the notes of Apollo's harp? Two loves beset me; I long to see you, my happy friend, and to see the sweet heifer, the thoughts of whom consume me; but the Law keeps me here far from that slender fawn.

293.—PAULUS SILENTIARIUS

Reply on the same subject to his friend Agathias

LOVE, the violent, knows not Law, nor does any other work tear a man away from true passion. If the labour of your law studies holds you back, then fierce love dwells not in your breast. What love is that, when a narrow strait of the sea can keep you apart from your beloved? Leander showed the

[1] Nothing would cure Telephus' wound, but iron of the spear that inflicted it.

νηχόμενος Λείανδρος ὅσον κράτος ἐστὶν ἐρώτων
δείκνυεν, ἐννυχίου κύματος οὐκ ἀλέγων·
σοὶ δέ, φίλος, παρέασι καὶ ὁλκάδες· ἀλλὰ θαμίζεις
μᾶλλον Ἀθηναίῃ, Κύπριν ἀπωσάμενος.
θεσμοὺς Παλλὰς ἔχει, Παφίη πόθον. εἰπέ· τίς ἀνὴρ
εἰν ἑνὶ θητεύσει Παλλάδι καὶ Παφίῃ;

294.—ΑΓΑΘΙΟΥ ΣΧΟΛΑΣΤΙΚΟΥ

Ἡ γραῦς ἡ φθονερὴ παρεκέκλιτο γείτονι κούρῃ
δόχμιον ἐν λέκτρῳ νῶτον ἐρεισαμένη,
προβλὴς ὥς τις ἔπαλξις ἀνέμβατος· οἷα δὲ πύργος
ἔσκεπε τὴν κούρην ἁπλοῒς ἐκταδίη·
καὶ σοβαρὴ θεράπαινα πύλας σφίγξασα μελάθρου
κεῖτο χαλικρήτῳ νάματι βριθομένη.
ἔμπης οὔ μ' ἐφόβησαν· ἐπεὶ στρεπτῆρα θυρέτρου
χερσὶν ἀδουπήτοις βαιὸν ἀειράμενος,
φρυκτοὺς αἰθαλόεντας ἐμῆς ῥιπίσμασι λώπης
ἔσβεσα· καὶ διαδὺς λέχριος ἐν θαλάμῳ
τὴν φύλακα κνώσσουσαν ὑπέκφυγον· ἦκα δὲ λέκτρου
νέρθεν ὑπὸ σχοίνοις γαστέρι συρόμενος,
ὠρθούμην κατὰ βαιόν, ὅπη βατὸν ἔπλετο τεῖχος·
ἄγχι δὲ τῆς κούρης στέρνον ἐρεισάμενος,
μαζοὺς μὲν κρατέεσκον· ὑπεθρύφθην δὲ προσώπῳ,
μάστακα πιαίνων χείλεος εὐαφίῃ.
ἦν δ' ἄρα μοι τὰ λάφυρα καλὸν στόμα, καὶ τὸ φίλημα
σύμβολον ἐννυχίης εἶχον ἀεθλοσύνης.
οὔπω δ' ἐξαλάπαξα φίλης πύργωμα κορείης,
ἀλλ' ἔτ' ἀδηρίτῳ σφίγγεται ἀμβολίῃ.
ἔμπης ἢν ἑτέροιο μόθου στήσωμεν ἀγῶνα,
ναὶ τάχα πορθήσω τείχεα παρθενίης,
οὐ δ' ἔτι με σχήσουσιν ἐπάλξιες. ἢν δὲ τυχήσω,
στέμματα σοὶ πλέξω, Κύπρι τροπαιοφόρε.

power of love by swimming fearless of the billows and the night. And you, my friend, can take the ferry; but the fact is you have renounced Cypris, and pay more attention to Athene. To Pallas belongs law, to Cypris desire. Tell me! what man can serve both at once?

294.—AGATHIAS SCHOLASTICUS

THE envious old woman slept next the girl, lying athwart the bed like an insurmountable projecting rampart, and like a tower an ample blanket covered the girl. The pretentious waiting woman had closed the door of the room, and lay asleep heavy with untempered wine. But I was not afraid of them. I slightly raised with noiseless hands the latch of the door, and blowing out the blazing torch[1] by waving my cloak, I made my way sideways across the room avoiding the sleeping sentry. Then crawling softly on my belly under the girths of the bed, I gradually raised myself, there where the wall was surmountable, and resting my chest near the girl I clasped her breasts and wantoned on her face, feeding my lips on the softness of hers. So her lovely mouth was my sole trophy and her kiss the sole token of my night assault. I have not yet stormed the tower of her virginity, but it is still firmly closed, the assault delayed. Yet, if I deliver another attack, perchance I may carry the walls of her maidenhead, and no longer be held back by the ramparts. If I succeed I will weave a wreath for thee, Cypris the Conqueror.

[1] i.e. the lamp.

GREEK ANTHOLOGY

295.—ΛΕΟΝΤΙΟΤ

Ψαῦε μελισταγέων στομάτων, δέπας· εὗρες, ἄμελγε·
οὐ φθονέω, τὴν σὴν δ᾽ ἤθελον αἶσαν ἔχειν.

296.—ΑΓΑΘΙΟΤ ΣΧΟΛΑΣΤΙΚΟΤ

Ἐξότε τηλεφίλου πλαταγήματος ἠχέτα βόμβος
γαστέρα μαντῴου μάξατο κισσυβίου,
ἔγνων ὡς φιλέεις με· τὸ δ᾽ ἀτρεκὲς αὐτίκα πείσεις
εὐνῆς ἡμετέρης πάννυχος ἁπτομένη.
τοῦτό σε γὰρ δείξει παναληθέα· τοὺς δὲ μεθυστὰς
καλλείψω λατάγων πλήγμασι τερπομένους.

297.—ΤΟΥ ΑΥΤΟΥ

Ἠιθέοις οὐκ ἔστι τόσος πόνος, ὁππόσος ἡμῖν
ταῖς ἀταλοψύχοις ἔχραε θηλυτέραις.
τοῖς μὲν γὰρ παρέασιν ὁμήλικες, οἷς τὰ μερίμνης
ἄλγεα μυθεῦνται φθέγματι θαρσαλέῳ,
παίγνιά τ᾽ ἀμφιέπουσι παρήγορα, καὶ κατ᾽ ἀγυιὰς
πλάζονται γραφίδων χρώμασι ῥεμβόμενοι·
ἡμῖν δ᾽ οὐδὲ φάος λεύσσειν θέμις, ἀλλὰ μελάθροις
κρυπτόμεθα, ζοφεραῖς φροντίσι τηκόμεναι.

W. M. Hardinge, in *The Nineteenth Century*, Nov. 1878, p. 887.

298.—ΙΟΥΛΙΑΝΟΥ ΑΠΟ ΥΠΑΡΧΩΝ ΑΙΓΥΠΤΙΟΥ

Ἱμερτὴ Μαρίη μεγαλίζεται· ἀλλὰ μετέλθοις
κείνης, πότνα Δίκη, κόμπον ἀγηνορίης·

---

[1] The τηλέφιλον (far-away love) mentioned by Theocritus
is the πλαταγώνιον (cracker), a poppy-leaf from the cracking
of which, when held in the palm and struck, love omens were

286

295.—LEONTIUS

Touch, O cup, the lips that drop honey, suck now thou hast the chance. I envy not, but would thy luck were mine.

296.—AGATHIAS SCHOLASTICUS

Ever since the prophetic bowl pealed aloud in response to the touch of the far-away love-splash, I know that you love me, but you will convince me completely by passing the night with me. This will show that you are wholly sincere, and I will leave the tipplers to enjoy the strokes of the wine-dregs.[1]

297.—By the Same

Young men have not so much suffering as is the lot of us poor tender-hearted girls. They have friends of their own age to whom they confidently tell their cares and sorrows, and they have games to cheer them, and they can stroll in the streets and let their eyes wander from one picture to another. We on the contrary are not even allowed to see the daylight, but are kept hidden in our chambers, the prey of dismal thoughts.

298.—JULIANUS, PREFECT OF EGYPT

Charming Maria is too exalted : but do thou, holy Justice, punish her arrogance, yet not by death, my

taken. Agathias wrongly supposes it to refer to the stream of wine which, in the long obsolete game of cottabos, was aimed at a brazen bowl.

μὴ θανάτῳ, βασίλεια· τὸ δ' ἔμπαλιν, ἐς τρίχας ἤξοι
γήραος, ἐς ῥυτίδας σκληρὸν ἵκοιτο ῥέθος·
τίσειαν πολιαὶ τάδε δάκρυα· κάλλος ὑπόσχοι
ψυχῆς ἀμπλακίην, αἴτιον ἀμπλακίης.

299.—ΑΓΑΘΙΟΥ ΣΧΟΛΑΣΤΙΚΟΥ

" Μηδὲν ἄγαν," σοφὸς εἶπεν· ἐγὼ δέ τις ὡς ἐπέραστος
  ὡς καλός, ἠέρθην ταῖς μεγαλοφροσύναις,
καὶ ψυχὴν δοκέεσκον ὅλην ἐπὶ χερσὶν ἐμεῖο
  κεῖσθαι τῆς κούρης, τῆς τάχα κερδαλέης·
ἡ δ' ὑπερηέρθη, σοβαρήν θ' ὑπερέσχεθεν ὀφρύν,
  ὥσπερ τοῖς προτέροις ἤθεσι μεμφομένη.
καὶ νῦν ὁ βλοσυρωπός, ὁ χάλκεος, ὁ βραδυπειθής,
  ὁ πρὶν ἀερσιπότης, ἤριπον ἐξαπίνης·
πάντα δ' ἔναλλα γένοντο· πεσὼν δ' ἐπὶ γούνασι κούρ
  ἴαχον· " Ἰλήκοις, ἤλιτεν ἡ νεότης."

300.—ΠΑΥΛΟΥ ΣΙΛΕΝΤΙΑΡΙΟΥ

Ὁ θρασὺς ὑψαύχην τε, καὶ ὀφρύας εἰς ἓν ἀγείρων
  κεῖται παρθενικῆς παίγνιον ἀδρανέος·
ὁ πρὶν ὑπερβασίη δοκέων τὴν παῖδα χαλέπτειν,
  αὐτὸς ὑποδμηθεὶς ἐλπίδος ἐκτὸς ἔβη.
καί ῥ' ὁ μὲν ἱκεσίοισι πεσὼν θηλύνεται οἴκτοις·
  ἡ δὲ κατ' ὀφθαλμῶν ἄρσενα μῆνιν ἔχει.
παρθένε θυμολέαινα, καὶ εἰ χόλον ἔνδικον αἴθες,
  σβέσσον ἀγηνορίην, ἐγγὺς ἴδες Νέμεσιν.

301.—ΤΟΥ ΑΥΤΟΥ

Εἰ καὶ τηλοτέρω Μερόης τεὸν ἴχνος ἐρείσεις,
  πτηνὸς Ἔρως πτηνῷ κεῖσε μένει με φέρει.

288

Queen, but on the contrary may she reach grey old age, may her hard face grow wrinkled. May the grey hairs avenge these tears, and beauty, the cause of her soul's transgression, suffer for it.

299.—AGATHIAS SCHOLASTICUS

" NAUGHT in excess " said the sage ; and I, believing myself to be comely and loveable, was puffed up by pride, and fancied that this, it would seem, crafty girl's heart lay entirely in my hands. But she now holds herself very high and her brow looks down on me with scorn, as if she found fault with her previous lenity. Now I, formerly so fierce-looking, so brazen, so obdurate, I who flew so high have had a sudden fall. Everything is reversed, and throwing myself on my knees I cried to her : " Forgive me, my youth was at fault."

300.—PAULUS SILENTIARIUS

HE who was so confident and held his head so high and gathered his brow, lies low now, the plaything of a feeble girl ; he who thought formerly to crush the child with his overbearing manner, is himself subdued and has lost his hope. He now falls on his knees and supplicates and laments like a girl, while she has the angry look of a man. Lion-hearted maid, though thou burnest with just anger, quench thy pride ; so near hast thou looked on Nemesis.

301.—BY THE SAME

THOUGH thou settest thy foot far beyond Meroe, winged love shall carry me there with winged power,

289

εἰ καὶ ἐς ἀντολίην πρὸς ὁμόχροον ἴξεαι Ἠώ,
    πεζὸς ἀμετρήτοις ἔψομαι ἐν σταδίοις.
εἰ δέ τι σοὶ στέλλω βύθιον γέρας, ἵλαθι, κούρη.   5
    εἰς σὲ θαλασσαίη τοῦτο φέρει Παφίη,
κάλλεϊ νικηθεῖσα τεοῦ χροὸς ἱμερόεντος,
    τὸ πρὶν ἐπ᾽ ἀγλαΐῃ θάρσος ἀπωσαμένη.

302.—ΑΓΑΘΙΟΥ ΣΧΟΛΑΣΤΙΚΟΥ

Ποίην τις πρὸς Ἔρωτος ἴοι τρίβον; ἐν μὲν ἀγυιαῖς
    μαχλάδος οἰμώξεις χρυσομανεῖ σπατάλῃ·
εἰ δ᾽ ἐπὶ παρθενικῆς πελάσεις λέχος, ἐς γάμον ἥξεις
    ἔννομον, ἢ ποινὰς τὰς περὶ τῶν φθορέων.
κουριδίαις δὲ γυναιξὶν ἀτερπέα κύπριν ἐγείρειν   5
    τίς κεν ὑποτλαίη, πρὸς χρέος ἑλκόμενος;
μοίχια λέκτρα κάκιστα, καὶ ἔκτοθεν εἰσὶν ἐρώτων,
    ὧν μέτα παιδομανὴς κείσθω ἀλιτροσύνη.
χήρη δ᾽, ἡ μὲν ἄκοσμος ἔχει πάνδημον ἐραστήν,
    καὶ πάντα φρονέει δήνεα μαχλοσύνης·   10
ἡ δὲ σαοφρονέουσα μόλις φιλότητι μιγεῖσα
    δέχνυται ἀστόργου κέντρα παλιμβολίης,
καὶ στυγέει τὸ τελεσθέν· ἔχουσα δὲ λείψανον αἰδοῦς,
    ἂψ ἐπὶ λυσιγάμους χάζεται ἀγγελίας.
ἢν δὲ μιγῇς ἰδίῃ θεραπαινίδι, τλῆθι καὶ αὐτὸς   15
    δοῦλος ἐναλλάγδην δμωΐδι γινόμενος·
εἰ δὲ καὶ ὀθνείῃ, τότε σοι νόμος αἶσχος ἀνάψει,
    ὕβριν ἀνιχνεύων σώματος ἀλλοτρίου.
πάντ᾽ ἄρα Διογένης ἔφυγεν τάδε, τὸν δ᾽ Ὑμέναιον
    ἤειδεν παλάμῃ, Λαΐδος οὐ χατέων.   20

though thou hiest to the dawn as rose-red as thyself,
I will follow thee on foot a myriad miles. If I send
thee now this gift from the deep,[1] forgive me, my
lady. It is Aphrodite of the sea who offers it to thee,
vanquished by the loveliness of thy fair body and
abandoning her old confidence in her beauty.

302.—AGATHIAS SCHOLASTICUS[2]

By what road shall one go to the Land of Love?
If you seek him in the streets, you will repent
the courtesan's greed for gold and luxury. If you
approach a maiden's bed, it must end in lawful
wedlock or punishment for seduction. Who would
endure to awake reluctant desire for his lawful
wife, forced to do a duty? Adulterous intercourse
is the worst of all and has no part in love, and un-
natural sin should be ranked with it. As for widows,
if one of them is ill-conducted, she is anyone's
mistress, and knows all the arts of harlotry, while
if she is chaste she with difficulty consents, she
is pricked by loveless remorse, hates what she has
done, and having a remnant of shame shrinks from
the union till she is disposed to announce its end. If
you associate with your own servant, you must make
up your mind to change places and become hers,
and if with someone else's, the law which prosecutes
for outrage on slaves not one's own will mark you
with infamy. Omnia haec effugit Diogenes et palma
hymenaeum cantabat, Laide non egens.

---

[1] A pearl.
[2] An imitation of ix. 359.

303.—ΑΔΗΛΟΝ

Κλαγγῆς πέμπεται ἦχος ἐς οὔατα, καὶ θόρυβος δὲ
　ἄσπετος ἐν τριόδοις, οὐδ' ἀλέγεις, Παφίη;
ἐνθάδε γὰρ σέο κοῦρον ὁδοιπορέοντα κατέσχον
　ὅσσοι ἐνὶ κραδίῃ πυρσὸν ἔχουσι πόθου.

304.—ΑΔΗΛΟΝ

Ὄμφαξ οὐκ ἐπένευσας· ὅτ' ἦς σταφυλή, παρεπέμψω.
　μὴ φθονέσῃς δοῦναι κἂν βραχὺ τῆς σταφίδος.

305.—ΑΔΗΛΟΝ

Κούρη τίς μ' ἐφίλησεν ὑφέσπερα χείλεσιν ὑγροῖς.
　νέκταρ ἔην τὸ φίλημα· τὸ γὰρ στόμα νέκταρος
　　ἔπνει·
καὶ μεθύω τὸ φίλημα, πολὺν τὸν ἔρωτα πεπωκώς.

306.—ΦΙΛΟΔΗΜΟΥ

Δακρύεις, ἐλεεινὰ λαλεῖς, περίεργα θεωρεῖς,
　ζηλοτυπεῖς, ἅπτῃ πολλάκι, πυκνὰ φιλεῖς.
ταῦτα μέν ἐστιν ἐρῶντος· ὅταν δ' εἴπω "παράκειμαι,"
　καὶ μέλλῃς,[1] ἁπλῶς οὐδὲν ἐρῶντος ἔχεις.

307.—ΑΝΤΙΦΙΛΟΥ

Χεῦμα μὲν Εὐρώταο Λακωνικόν· ἁ δ' ἀκάλυπτος
　Λήδα· χὠ κύκνῳ κρυπτόμενος Κρονίδας.
οἳ δέ με τὸν δυσέρωτα καταίθετε, καὶ τί γένωμαι
　ὄρνεον; εἰ γὰρ Ζεὺς κύκνος, ἐγὼ κόρυδος.

---

[1] I write καὶ μέλλῃς : καὶ σὺ μένεις MS.

303.—ANONYMOUS

THERE is a noise of loud shouting and great tumult in the street, and why takest thou no heed, Cypris? It is thy boy arrested on his way by all who have the fire of love in their hearts.

304.—ANONYMOUS

WHEN you were a green grape you refused me, when you were ripe you bade me be off, at least grudge me not a little of your raisin.

305.—ANONYMOUS

A GIRL kissed me in the evening with wet lips. The kiss was nectar, for her mouth smelt sweet of nectar; and I am drunk with the kiss, I have drunk love in abundance.

306.—PHILODEMUS

(*Addressed by a Girl to a Man*)

YOU weep, you speak in piteous accents, you look strangely at me, you are jealous, you touch me often and go on kissing me. That is like a lover; but when I say "Here I am next you" and you dawdle, you have absolutely nothing of the lover in you.

307.—ANTIPHILUS

(*On a Picture of Zeus and Leda*)

THIS is the Laconian river Eurotas, and that is Leda with nothing on, and he who is hidden in the swan is Zeus. And you little Cupids, who are luring me so little disposed to love, what bird am I to become? If Zeus is a swan, I suppose I must be a lark.[1]

[1] We should say "a goose."

GREEK ANTHOLOGY

308.—ΤΟΥ ΑΥΤΟΥ, ἢ μᾶλλον ΦΙΛΟΔΗΜΟΥ

Ἡ κομψή, μεῖνόν με.   τί σοι καλὸν οὔνομα;   ποῦ σε
  ἔστιν ἰδεῖν;   ὃ θέλεις δώσομεν.   οὐδὲ λαλεῖς.
ποῦ γίνη;   πέμψω μετὰ σοῦ τινά.   μή τις ἔχει σε;
  ὦ σοβαρή, ὑγίαιν'.   οὐδ' "ὑγίαινε" λέγεις;
καὶ πάλι καὶ πάλι σοὶ προσελεύσομαι· οἶδα μα-
  λάσσειν   5
καὶ σοῦ σκληροτέρας.   νῦν δ' ὑγίαινε, γύναι.

309.—ΔΙΟΦΑΝΟΤΣ ΜΤΡΙΝΑΙΟΤ

Τρὶς λῃστὴς ὁ Ἔρως καλοῖτ' ἂν ὄντως·
ἀγρυπνεῖ, θρασύς ἐστιν, ἐκδιδύσκει.

J. A. Pott, *Greek Love Songs and Epigrams*, i. p. 139.

BOOK V. 308-309

308.—ANTIPHILUS or PHILODEMUS

O you pretty creature, wait for me. What is your name? Where can I see you? I will give what you choose. You don't even speak. Where do you live? I will send someone with you. Do you possibly belong to anyone? Well, you stuck-up thing, goodbye. You won't even say "goodbye." But again and again I will accost you. I know how to soften even more hard-hearted beauties; and for the present, "goodbye, madam!"

309.—DIOPHANES OF MYRINA

Love may justly be called thrice a brigand. He is wakeful, reckless, and he strips us bare.

BOOK VI

THE DEDICATORY EPIGRAMS

THE sources in this book are much more mixed up than in the preceding, and there are not any very long sequences from one source. From Meleager's *Stephanus* come, including doubtless a number of isolated epigrams, 1–4, 13–15, 34–35, 43–53, 109–157, 159–163, 169–174, 177–8, 188–9, 197–200, 202–226, 262–313, 351–358; from that of Philippus 36–38, 87–108, 186–7, 227–261, 348–350; and from the Cycle of Agathias 18–20, 25–30, 32, 40–42, 54–59, 63–84, 167–8, 175–6.

I add a classification of the dedicants.

Public Dedications :—50, 131–132, 142, 171, 342–3.

Historical Personages :—Alexander, 97 ; Arsinoe, 277 ; Demaratus' daughter, 266 ; Gelo and Hiero, 214 ; Mandrocles, 341 ; Pausanias, 197 ; Philip, son of Demetrius, 114–16 ; Pyrrhus, 130 ; Seleucus, 10 ; Sophocles, 145.

Men or Women :—in thanks for cures : 146, 148, 150, 189, 203, 240, 330 ; offerings of hair by, 155, 156, 198, 242, 277, 278, 279 ; offerings after shipwreck, 164, 166.

Men :—Archer, 118 ; Bee-keeper, 239 ; Boy (on growing up), 282 ; Carpenter, 103, 204, 205 ; Cinaedus, 254 ; Cook, 101, 306 ; Farmer, 31, 36–7, 40–1, 44–5, 53, 55–6, 72, 79, 95, 98, 104, 154, 157–8, 169, 193, 225, 238, 258, 297 ; Fisherman, 4, 5, 11–16, 23, 25–30, 33, 38, 89, 90, 105, 107, 179–187, 192, 196, 223, 230 ; Gardener, 21, 22, 42, 102 ; Goldsmith, 92 ; Herald, 143 ; Hunter or Fowler, 34–5, 57, 75, 93, 106–7, 109–12, 118, 121, 152, 167–8, 175–6, 179–188, 253, 268, 296, 326 ; Musician, 46, 54, 83, 118, 338 ; Physician, 337 ; Priest of Cybele, 51, 94, 217–20, 237 ; Sailor, 69, 222, 245, 251 ; Schoolmaster, 294 ; Schoolboy, 308, 310 ; Scribe, 63, 64–8, 295 ; Shepherd, 73, 96, 99, 108, 177, 221, 262–3 ; Smith, 117 ; Traveller, 199 ; Trumpeter, 151, 159, 194–5 ; Victor in games, etc. 7, 100, 140, 149, 213, 233, 246, 256, 259, 311, 339, 350 ; Warrior, 2, 9, 52, 81, 84, 91, 122–129, 141, 161, 178, 215, 264, 344,

Women :—before or after marriage, 60, 133, 206–9, 275, 276, 280–1 ; after childbirth, 59, 146, 200–2, 270–4 ; Priestess, 173, 269, 356 ; Spinster, 39, 136, 160, 174, 247, 286–9 ; Courtesan, 1, 18–20, 210, 290, 292.

Many of the epigrams are mere poetical exercises, but in this list I have not tried to distinguish these from real dedications, although I have omitted mere *jeux d'esprit.* Also, some of the best epigrams in which neither the calling of the dedicant nor the cause of the dedication is mentioned are of course not included.

ς

ΕΠΙΓΡΑΜΜΑΤΑ ΑΝΑΘΗΜΑΤΙΚΑ

1 A

Εἷς λίθος ἀστράπτει τελετὴν πολύμορφον Ἰάκχου
καὶ πτηνῶν τρυγόωντα χορὸν καθύπερθεν Ἐρώτων.

1.—ΠΛΑΤΩΝΟΣ

Ἡ σοβαρὸν γελάσασα καθ' Ἑλλάδος, ἥ ποτ'
    ἐραστῶν
ἑσμὸν ἐπὶ προθύροις Λαῒς ἔχουσα νέων,
τῇ Παφίῃ τὸ κάτοπτρον· ἐπεὶ τοίη μὲν ὁρᾶσθαι
    οὐκ ἐθέλω, οἵη δ' ἦν πάρος οὐ δύναμαι.

Orlando Gibbons, *First Set of Madrigals*, 1612, and Prior's
"Venus take my looking-glass."

2.—ΣΙΜΩΝΙΔΟΥ

Τόξα τάδε πτολέμοιο πεπαυμένα δακρυόεντος
    νηῷ Ἀθηναίης κεῖται ὑπορρόφια,
πολλάκι δὴ στονόεντα κατὰ κλόνον ἐν δαῒ φωτῶν
    Περσῶν ἱππομάχων αἵματι λουσάμενα.

298

BOOK VI

THE DEDICATORY EPIGRAMS

1 A

FROM one stone lighten the varied rites of Bacchus'
worship and above the company of winged Cupids
plucking grapes.

(*This should perhaps be transferred to the end of the
previous book. It refers no doubt to a carved gem.*)

1.—PLATO

I, LAIS, whose haughty beauty made mock of
Greece, I who once had a swarm of young lovers
at my doors, dedicate my mirror to Aphrodite, since
I wish not to look on myself as I am, and cannot
look on myself as I once was.

2.—SIMONIDES

THIS bow, resting from tearful war, hangs here
under the roof of Athene's temple. Often mid the
roar of battle, in the struggle of men, was it washed
in the blood of Persian cavaliers.

3.—ΔΙΟΝΥΣΙΟΥ

Ἡράκλεες, Τρηχῖνα πολύλλιθον ὅς τε καὶ Οἴτην
  καὶ βαθὺν εὐδένδρου πρῶνα πατεῖς Φολόης,
τοῦτό σοι ἀγροτέρης Διονύσιος αὐτὸς ἐλαίης
  χλωρὸν ἀπὸ δρεπάνῳ θῆκε ταμὼν ῥόπαλον.

4.—ΛΕΩΝΙΔΟΥ

Εὐκαπὲς [1] ἄγκιστρον, καὶ δούρατα δουλιχόεντα,
  χώρμιήν, καὶ τὰς ἰχθυδόκους σπυρίδας,
καὶ τοῦτον νηκτοῖσιν ἐπ᾽ ἰχθύσι τεχνασθέντα
  κύρτον, ἀλιπλάγκτων εὕρεμα δικτυβόλων,
τρηχύν τε τριόδοντα, Ποσειδαώνιον ἔγχος,
  καὶ τοὺς ἐξ ἀκάτων διχθαδίους ἐρέτας,
ὁ γριπεὺς Διόφαντος ἀνάκτορι θήκατο τέχνας,
  ὡς θέμις, ἀρχαίας λείψανα τεχνοσύνας.

5.—ΦΙΛΙΠΠΟΥ ΘΕΣΣΑΛΟΝΙΚΕΩΣ

Δούνακας ἀκροδέτους, καὶ τὴν ἁλινηχέα κώπην,
  γυρῶν τ᾽ ἀγκίστρων λαιμοδακεῖς ἀκίδας,
καὶ λίνον ἀκρομόλιβδον, ἀπαγγελτηρά τε κύρτου
  φελλόν, καὶ δισσὰς σχοινοπλεκεῖς σπυρίδας,
καὶ τὸν ἐγερσιφαῆ πυρὸς ἔγκυον ἔμφλογα πέτρον,
  ἄγκυράν τε, νεῶν πλαζομένων παγίδα.
Πείσων ὁ γριπεὺς Ἑρμῇ πόρεν, ἔντρομος ἤδη
  δεξιτερήν, πολλοῖς βριθόμενος καμάτοις.

6.—ΑΔΕΣΠΟΤΟΝ

Ἀμφιτρύων μ᾽ ἀνέθηκεν ἑλὼν ἀπὸ Τηλεβοάων.

---

[1] εὐκαπές Salmasius : εὐκαμπές MS.

3.—DIONYSIUS

HERACLES, who treadest stony Trachis and Oeta
and the headland of Pholoe clothed in deep forest,
to thee Dionysius offers this club yet green, which
he cut himself with his sickle from a wild olive-tree.

4.—LEONIDAS

DIOPHANTUS the fisherman, as is fit, dedicates to
the patron of his craft these relics of his old
calling, his hook, easily gulped down, his long
poles, his line, his creels, this weel, device of
sea-faring netsmen for trapping fishes, his sharp
trident, weapon of Poseidon, and the two oars of
his boat.

5.—PHILIPPUS OF THESSALONICA

PISO the fisherman, weighed down by long toil and
his right hand already shaky, gives to Hermes these
his rods with the lines hanging from their tips, his
oar that swam through the sea, his curved hooks
whose points bite the fishes' throats, his net fringed
with lead, the float that announced where his weel
lay, his two wicker creels, the flint pregnant with
fire that sets the tinder alight, and his anchor, the
trap that holds fast wandering ships.

6.—*On a Caldron in Delphi*

AMPHITRYON dedicated me, having won me from
the Teleboi.

7.—ΑΛΛΟ

Σκαῖος πυγμαχέων με ἐκηβόλῳ Ἀπόλλωνι
νικήσας ἀνέθηκε τεΐν περικαλλὲς ἄγαλμα.

8.—ΑΛΛΟ

Λαοδάμας τρίποδ᾽ αὐτὸς ἐϋσκόπῳ Ἀπόλλωνι
μουναρχέων ἀνέθηκε τεΐν περικαλλὲς ἄγαλμα.

9.—ΜΝΑΣΑΛΚΟΥ

Σοὶ μὲν καμπύλα τόξα, καὶ ἰοχέαιρα φαρέτρη,
δῶρα παρὰ Προμάχου, Φοῖβε, τάδε κρέμαται·
ἰοὺς δὲ πτερόεντας ἀνὰ κλόνον ἄνδρες ἔχουσιν
ἐν κραδίαις, ὀλοὰ ξείνια δυσμενέων.

10.—ΑΝΤΙΠΑΤΡΟΥ

Τριτογενές, Σώτειρα, Διὸς φυγοδέμνιε κούρα,
Παλλάς, ἀπειροτόκου δεσπότι παρθενίης,
βωμόν τοι κεραοῦχον ἐδείματο τόνδε Σέλευκος,
Φοιβείαν ἰαχὰν φθεγγομένου στόματος.

11.—ΣΑΤΥΡΙΟΥ

Θηρευτὴς δολιχὸν τόδε δίκτυον ἄνθετο Δᾶμις·
Πίγρης δ᾽ ὀρνίθων λεπτόμιτον νεφέλην,
τριγλοφόρους δὲ χιτῶνας ὁ νυκτερέτης θέτο Κλείτωρ
τῷ Πανί, τρισσῶν ἐργάτιναι καμάτων.
ἵλαος εὐσεβέεσσιν ἀδελφειοῖς ἐπίνευσον
πτηνά, καὶ ἀγροτέρων κέρδεα καὶ νεπόδων.

7.—*On Another*

Scaeus, having conquered in the boxing contest, dedicated me a beautiful ornament to thee, Apollo the Far-shooter.

8.—*On Another*

Laodamas himself during his reign dedicated to thee, Apollo the Archer, this tripod as a beautiful ornament.

9.—MNASALCAS

Here hang as gifts from Promachus to thee, Phoebus, his crooked bow and quiver that delights in arrows; but his winged shafts, the deadly gifts he sent his foes, are in the hearts of men on the field of battle.

10.—ANTIPATER

Trito-born, Saviour, daughter of Zeus, who hatest wedlock, Pallas, queen of childless virginity, Seleucus built thee this horned altar at the bidding of Apollo (?).[1]

11.—SATYRIUS

(*This and the following five epigrams, as well as Nos. 179–187, are all on the same subject.*)

The three brothers, skilled in three crafts, dedicate to Pan, Damis the huntsman this long net, Pigres his light-meshed fowling net, and Clitor, the night-rower, his tunic for red mullet. Look kindly on the pious brethren, O Pan, and grant them gain from fowl, fish and venison.

[1] The last line is unintelligible as it stands, and it looks as if two lines were missing.

12.—ΙΟΥΛΙΑΝΟΥ ΑΙΓΥΠΤΙΟΥ ΑΠΟ
ΥΠΑΡΧΩΝ

Γνωτῶν τρισσατίων ἐκ τρισσατίης λίνα θήρης
δέχνυσο, Πάν· Πίγρης σοὶ γὰρ ἀπὸ πτερύγων
ταῦτα φέρει, θηρῶν Δᾶμις, Κλείτωρ δὲ θαλάσσης.
καί σφι δὸς εὐαγρεῖν ἠέρα, γαῖαν, ὕδωρ.

13.—ΛΕΩΝΙΔΟΥ

Οἱ τρισσοί τοι ταῦτα τὰ δίκτυα θῆκαν ὅμαιμοι,
ἀγρότα Πάν, ἄλλης ἄλλος ἀπ' ἀγρεσίης·
ὧν ἀπὸ μὲν πτηνῶν Πίγρης τάδε, ταῦτα δὲ Δᾶμις
τετραπόδων, Κλείτωρ δ' ὁ τρίτος εἰναλίων.
ἀνθ' ὧν τῷ μὲν πέμπε δι' ἠέρος εὔστοχον ἄγρην,
τῷ δὲ διὰ δρυμῶν, τῷ δὲ δι' ἠιόνων.

14.—ΑΝΤΙΠΑΤΡΟΥ ΣΙΔΩΝΙΟΥ

Πανὶ τάδ' αὕθαιμοι τρισσοὶ θέσαν ἄρμενα τέχνας·
Δᾶμις μὲν θηρῶν ἄρκυν ὀρειονόμων,
Κλείτωρ δὲ πλωτῶν τάδε δίκτυα, τὰν δὲ πετηνῶν
ἄρρηκτον Πίγρης τάνδε δεραιοπέδαν·
τὸν μὲν γὰρ ξυλόχων, τὸν δ' ἠέρος, ὃν δ' ἀπὸ λίμνας
οὔ ποτε σὺν κενεοῖς οἶκος ἔδεκτο λίνοις.

15.—ΤΟΥ ΑΥΤΟΥ, οἱ δὲ ΖΩΣΙΜΟΥ

Εἰναλίων Κλείτωρ τάδε δίκτυα, τετραπόδων δὲ
Δᾶμις, καὶ Πίγρης θῆκεν ἀπ' ἠερίων
Πανί, κασιγνήτων ἱερὴ τριάς· ἀλλὰ σὺ θήρην
ἠέρι κήν πόντῳ κήν χθονὶ τοῖσδε νέμε.

12.—JULIANUS, PREFECT OF EGYPT

RECEIVE, Pan, the nets of the three brothers for three kinds of chase. Pigres brings his from fowl, Damis from beast, and Clitor from sea. Grant them good sport from air, earth, and water.

13.—LEONIDAS

HUNTSMAN Pan, the three brothers dedicated these nets to thee, each from a different chase : Pigres these from fowl, Damis these from beast, and Clitor his from the denizens of the deep. In return for which send them easily caught game, to the first through the air, to the second through the woods, and to the third through the shore-water.

14.—ANTIPATER OF SIDON

THE three brothers dedicated to Pan these implements of their craft : Damis his net for trapping the beasts of the mountain, Clitor this net for fish, and Pigres this untearable net that fetters birds' necks. For they never returned home with empty nets, the one from the copses, the second from the air, the third from the sea.

15.—BY THE SAME OR BY ZOSIMUS

THE blessed triad of brothers dedicated these nets to Pan : Clitor his fishing nets, Damis his hunting nets, Pigres his fowling nets. But do thou grant them sport in air, sea, and land.

16.—ΑΡΧΙΟΥ

Σοὶ τάδε, Πὰν σκοπιῆτα, παναίολα δῶρα σύναιμοι
τρίζυγες ἐκ τρισσῆς θέντο λινοστασίης·
δίκτυα μὲν Δᾶμις θηρῶν, Πίγρης δὲ πετηνῶν
λαιμοπέδας, Κλείτωρ δ' εἰναλίφοιτα λίνα·
ὧν τὸν μὲν καὶ ἐσαῦθις ἐν ἠέρι, τὸν δ' ἔτι θείης   5
εὔστοχον ἐν πόντῳ, τὸν δὲ κατὰ δρυόχους.

17.—ΛΟΥΚΙΑΝΟΥ

Αἱ τρισσαί τοι ταῦτα τὰ παίγνια θῆκαν ἑταῖραι,
Κύπρι μάκαιρ', ἄλλης ἄλλη ἀπ' ἐργασίης·
ὧν ἀπὸ μὲν πυγῆς Εὐφρὼ τάδε, ταῦτα δὲ Κλειὼ
ὡς θέμις, ἡ τριτάτη δ' Ἀτθὶς ἀπ' οὐρανίων.
ἀνθ' ὧν τῇ μὲν πέμπε τὰ παιδικά, δεσπότι, κέρδη,   5
τῇ δὲ τὰ θηλείης, τῇ δὲ τὰ μηδετέρης.

18.—ΙΟΥΛΙΑΝΟΥ ΑΠΟ ΥΠΑΡΧΩΝ ΑΙΓΥΠΤΙΟΥ

Λαῒς ἀμαλδυνθεῖσα χρόνῳ περικαλλέα μορφήν,
γηραλέων στυγέει μαρτυρίην ῥυτίδων·
ἔνθεν πικρὸν ἔλεγχον ἀπεχθήρασα κατόπτρου,
ἄνθετο δεσποίνῃ τῆς πάρος ἀγλαΐης.
"Ἀλλὰ σύ μοι, Κυθέρεια, δέχου νεότητος ἑταῖρον
δίσκον, ἐπεὶ μορφὴ σὴ χρόνον οὐ τρομέει."

19.—ΤΟΥ ΑΥΤΟΥ

Κάλλος μέν, Κυθέρεια, χαρίζεαι· ἀλλὰ μαραίνει
ὁ χρόνος ἑρπύζων σήν, βασίλεια, χάριν.
δώρου δ' ὑμετέροιο παραπταμένου με, Κυθήρη,
δέχνυσο καὶ δώρου, πότνια, μαρτυρίην.

16.—ARCHIAS

To thee, Pan the scout, the three brothers from three kinds of netting gave these manifold gifts: Damis his net for beasts, Pigres his neck-fetters for birds, Clitor his drift-nets. Make the first again successful in the air, the second in the sea, and the third in the thickets.

17.—LUCIAN

(A Skit on the above Exercises.)

Tres tibi, Venus, ludicra haec dedicaverunt mere-trices alio alia ab opificio. Haec Euphro a clunibus, ista vero Clio qua fas est, Atthis autem ab ore.[1] Pro quibus illi mitte lucrum puerilis operis, huic vero feminei, tertiae autem neutrius.

18.—JULIANUS, PREFECT OF EGYPT

On Lais' Mirror

Lais, her loveliness laid low by time, hates what-ever witnesses to her wrinkled age. Therefore, de-testing the cruel evidence of her mirror, she dedicates it to the queen of her former glory. "Receive, Cytherea, the circle,[2] the companion of youth, since thy beauty dreads not time."

19.—By the Same

On the Same

Thou grantest beauty, Cytherea, but creeping time withers thy gift, my Queen. Now since thy gift has passed me by and flown away, receive, gracious goddess, this mirror that bore witness to it.

---

[1] vel a caelestibus.
[2] Ancient mirrors made of bronze were always circular.

20.—ΤΟΥ ΑΥΤΟΥ

Ἑλλάδα νικήσασαν ὑπέρβιον ἀσπίδα Μήδων
  Λαῒς θῆκεν ἐῷ κάλλεϊ ληϊδίην·
μούνῳ ἐνικήθη δ᾽ ὑπὸ γήραϊ, καὶ τὸν ἔλεγχον
  ἄνθετο σοί, Παφίη, τὸν νεότητι φίλον·
ἧς γὰρ ἰδεῖν στυγέει πολιῆς παναληθέα μορφήν,
  τῆσδε συνεχθαίρει καὶ σκιόεντα τύπον.

21.—ΑΔΕΣΠΟΤΟΝ

Σκάπτειραν κήποιο φιλυδρήλοιο δίκελλαν,
  καὶ δρεπάνην καυλῶν ἄγκυλον ἐκτομίδα,
τήν τ᾽ ἐπινωτίδιον βροχετῶν ῥακόεσσαν ἀρωγόν,
  καὶ τὰς ἀρρήκτους ἐμβάδας ὠμοβοεῖς,
τόν τε δι᾽ εὐτρήτοιο πέδου δύνοντα κατ᾽ ἰθὺ
  ἀρτιφυοῦς κράμβης πάσσαλον ἐμβολέα,
καὶ σκάφος ἐξ ὀχετῶν πρασιὴν διψεῦσαν ἐγείρειν
  αὐχμηροῖο θέρευς οὔ ποτε παυσάμενον,
σοὶ τῷ κηπουρῷ Ποτάμων ἀνέθηκε, Πρίηπε,
  κτησάμενος ταύτης ὄλβον ἀπ᾽ ἐργασίης.

22.—ΑΔΗΛΟΝ

Ἀρτιχανῆ ῥοιάν τε, καὶ ἀρτίχνουν τόδε μῆλον,
  καὶ ῥυτιδόφλοιον σῦκον ἐπομφάλιον,
πορφύρεόν τε βότρυν μεθυπίδακα, πυκνορρᾶγα,
  καὶ κάρυον χλωρῆς ἀρτίδορον λεπίδος,
ἀγροιώτῃ τῷδε μονοστόρθυγγι Πριήπῳ
  θῆκεν ὁ καρποφύλαξ, δενδριακὴν θυσίην.

23.—ΑΛΛΟ

Ἑρμεία, σήραγγος ἁλίκτυπον ὃς τόδε ναίεις
  εὔστιβὲς αἰθυίαις ἰχθυβόλοισι λέπας,

20.—By the Same
On the Same

Lais took captive by her beauty Greece, which had laid in the dust the proud shield of Persia. Only old age conquered her, and the proof of her fall, the friend of her youth, she dedicates to thee, Cypris. She hates to see even the shadowy image of those grey hairs, whose actual sight she cannot bear.

21.—Anonymous

To thee, Priapus the gardener, did Potamon, who gained wealth by this calling, dedicate the hoe that dug his thirsty garden, and his curved sickle for cutting vegetables, the ragged cloak that kept the rain off his back, his strong boots of untanned hide, the dibble for planting out young cabbages going straight into the easily pierced soil, and his mattock that never ceased during the dry summer to refresh the thirsty beds with draughts from the channels.

22.—Anonymous

The fruit-watcher dedicated to rustic Priapus, carved out of a trunk, this sacrifice from the trees, a newly split pomegranate, this quince covered with fresh down, a navelled fig with wrinkled skin, a purple cluster of thick-set grapes, fountain of wine, and a walnut just out of its green rind.

23.—Anonymous

Hermes, who dwellest in this wave-beaten rock-cave, that gives good footing to fisher gulls, accept

δέξο σαγηναίοιο λίνου τετριμμένον ἅλμῃ
  λείψανον, αὐχμηρῶν ξανθὲν ἐπ' ἠϊόνων,
γριπούς τε, πλωτῶν τε πάγην, περιδινέα κύρτον,
  καὶ φελλὸν κρυφίων σῆμα λαχόντα βόλων,
καὶ βαθὺν ἱππείης πεπεδημένον ἅμματι χαίτης,
  οὐκ ἄτερ ἀγκίστρων, λιμνοφυῆ δόνακα.

24.—ΑΛΛΟ

Δαίμονι τῇ Συρίῃ τὸ μάτην τριβὲν Ἡλιόδωρος
  δίκτυον ἐν νηοῦ τοῦδ' ἔθετο προπύλοις·
ἁγνὸν ἀπ' ἰχθυβόλου θήρας τόδε· πολλὰ δ' ἐν αὐτῷ
  φυκί' ἐπ' εὐόρμων εἵλκυσεν αἰγιαλῶν.

25.—ΙΟΥΛΙΑΝΟΥ ΑΠΟ ΥΠΑΡΧΩΝ ΑΙΓΥΠΤΙΟΥ

Κεκμηὼς χρονίῃ πεπονηκότα δίκτυα θήρῃ
  ἄνθετο ταῖς Νύμφαις ταῦτα γέρων Κινύρης·
οὐ γὰρ ἔτι τρομερῇ παλάμῃ περιηγέα κόλπον
  εἶχεν ἀκοντίζειν οἰγομένοιο λίνου.
εἰ δ' ὀλίγου δώρου τελέθει δόσις, οὐ τόδε, Νύμφαι,
  μέμψις, ἐπεὶ Κινύρου ταῦθ' ὅλος ἔσκε βίος.

26.—ΤΟΥ ΑΥΤΟΥ

Ταῖς Νύμφαις Κινύρης τόδε δίκτυον· οὐ γὰρ ἀείρει
  γῆρας ἀκοντιστὴν μόχθον ἐκηβολίης.
ἰχθύες ἀλλὰ νέμοισθε γεγηθότες, ὅττι θαλάσσῃ
  δῶκεν ἔχειν Κινύρου γῆρας ἐλευθερίην.

this fragment of the great seine worn by the sea and scraped often by the rough beach; this little purse-seine, the round weel that entraps fishes, the float whose task it is to mark where the weels are concealed, and the long cane rod, the child of the marsh, with its horse-hair line, not unfurnished with hooks, wound round it.

24.—ANONYMOUS

HELIODORUS dedicates to the Syrian Goddess[1] in the porch of this temple his net worn out in vain. It is untainted by any catch of fish, but he hauled out plenty of sea-weed in it on the spacious beach of the anchorage.

25.—JULIANUS, PREFECT OF EGYPT

OLD Cinyras, weary of long fishing, dedicates to the Nymphs this worn sweep-net; for no longer could his trembling hand cast it freely to open in an enfolding circle.[2] If the gift is but a small one, it is not his fault, ye Nymphs, for this was all Cinyras had to live on.

26.—BY THE SAME

CINYRAS dedicates to the nymphs this net, for his old age cannot support the labour of casting it. Feed, ye fish, happily, since Cinyras' old age has given freedom to the sea.

[1] Astarte.
[2] These words apply only to a sweep-net (*épervier*), strictly ἀμφίβληστρον.

27.—ΘΕΑΙΤΗΤΟΥ ΣΧΟΛΑΣΤΙΚΟΥ

Ἰχθυβόλον πολυωπὲς ἀπ' εὐθήρου λίνον ἄγρης,
 τῶν τ' ἀγκιστροδέτων συζυγίην δονάκων,
καὶ πιστὸν βυθίων παγίδων σημάντορα φελλόν,
 καὶ λίθον ἀντιτύπῳ κρούσματι πυρσοτόκον,
ἄγκυράν τ' ἐπὶ τοῖς ἐχενηΐδα, δεσμὸν ἀέλλης,   5
 στρεπτῶν τ' ἀγκίστρων ἰχθυπαγῆ στόματα,
δαίμοσιν ἀγροδότῃσι θαλασσοπόρος πόρε Βαίτων,
 γήραϊ νουσοφόρῳ βριθομένης παλάμης.

28.—ΙΟΥΛΙΑΝΟΥ ΑΠΟ ΥΠΑΡΧΩΝ
ΑΙΓΥΠΤΙΟΥ

Καμπτομένους δόνακας, κώπην θ' ἅμα, νηὸς ἱμάσθλην,
 γυρῶν τ' ἀγκίστρων καμπυλόεσσαν ἴτυν,
εὐκόλπου τε λίνοιο περίπλεα κύκλα μολύβδῳ,
 καὶ φελλοὺς κύρτων μάρτυρας εἰναλίων,
ζεῦγός τ' εὐπλεκέων σπυρίδων, καὶ μητέρα πυρσῶν   5
 τήνδε λίθον, νηῶν θ' ἕδρανον ἀσταθέων
ἄγκυραν, γριπεύς, Ἑριούνιε, σοὶ τάδε Βαίτων
 δῶρα φέρει, τρομεροῦ γήραος ἀντιάσας.

29.—ΤΟΥ ΑΥΤΟΥ

Ἑρμείῃ Βαίτων ἁλινηχέος ὄργανα τέχνης
 ἄνθετο, δειμαίνων γήραος ἀδρανίην·
ἄγκυραν, γυρόν τε λίθον, σπυρίδας θ' ἅμα φελλῷ,
 ἄγκιστρον, κώπην, καὶ λίνα καὶ δόνακας.

30.—ΜΑΚΗΔΟΝΙΟΥ ΥΠΑΤΟΥ

Δίκτυον ἀκρομόλιβδον Ἀμύντιχος ἀμφὶ τριαίνῃ
 δῆσε γέρων, ἁλίων παυσάμενος καμάτων,

27.—THEAETETUS SCHOLASTICUS

(*This and the next two are Exercises on the Theme of No. 5*)

BAETO the fisherman, now his hand is heavy with ailing old age, gives to the gods who grant good catches his many-eyed net that caught him many a fish, his pair of rods with their hooks, his float, the faithful indicator of the weels set in the depths, his flint that gives birth to fire when struck, the anchor besides, fetter of the storm, that held his boat fast, and the jaws of his curved hooks that pierce fishes.

28.—JULIANUS, PREFECT OF EGYPT

BAETO the fisherman, having reached trembling old age, offers thee, Hermes, these gifts, his pliant rods, his oar, whip of his boat, his curved, pointed hooks, his encompassing circular net weighted with lead, the floats that testify to where the weels lie in the sea, a pair of well-woven creels, this stone, the mother of fire, and his anchor, the stay of his unstable boat.

29.—BY THE SAME

To Hermes Baeto, fearing the weakness of old age, gives the implements of his sea-faring craft, his anchor, his round flint, his creel and float, his hook, oar, nets and rods.

30.—MACEDONIUS THE CONSUL (*after No. 38*)

OLD Amyntichus, his toil on the deep over, bound his lead-weighted net round his fishing spear, and

ἐς δὲ Ποσειδάωνα καὶ ἁλμυρὸν οἶδμα θαλάσσης
  εἶπεν, ἀποσπένδων δάκρυον ἐκ βλεφάρων·
" Οἶσθα, μάκαρ· κέκμηκα· κακοῦ δ' ἐπὶ γήραος ἡμῖν
  ἄλλυτος ἡβάσκει γυιοτακὴς πενίη.
θρέψον ἔτι σπαῖρον τὸ γερόντιον, ἀλλ' ἀπὸ γαίης,
  ὡς ἐθέλει, μεδέων κἂν χθονὶ κἂν πελάγει."

31.—ΑΔΗΛΟΝ, οἱ δὲ ΝΙΚΑΡΧΟΥ

Αἰγιβάτῃ τόδε Πανί, καὶ εὐκάρπῳ Διονύσῳ,
  καὶ Δηοῖ Χθονίῃ ξυνὸν ἔθηκα γέρας.
αἰτέομαι δ' αὐτοὺς καλὰ πώεα καὶ καλὸν οἶνον,
  καὶ καλὸν ἀμῆσαι καρπὸν ἀπ' ἀσταχύων.

32.—ΑΓΑΘΙΟΥ ΣΧΟΛΑΣΤΙΚΟΥ

Δικραίρῳ δικέρωτα, δασυκνάμῳ δασυχαίταν,
  ἴξαλον εὐσκάρθμῳ, λόχμιον ὑλοβάτᾳ,
Πανὶ φιλοσκοπέλῳ λάσιον παρὰ πρῶνα Χαρικλῆς
  κνακὸν ὑπηνήταν τόνδ' ἀνέθηκε τράγον.

33.—ΜΑΙΚΙΟΥ

Αἰγιαλῖτα Πρίηπε, σαγηνευτῆρες ἔθηκαν
  δῶρα παρακταίης σοὶ τάδ' ἐπωφελίης,
θύννων εὐκλώστοιο λίνου βυσσώμασι ῥόμβον
  φράξαντες γλαυκαῖς ἐν παρόδοις πελάγευς,
φηγίνεον κρητῆρα, καὶ αὐτούργητον ἐρείκης
  βάθρον, ἰδ' ὑαλέην οἰνοδόκον κύλικα,
ὡς ἂν ὑπ' ὀρχησμῶν λελυγισμένον ἔγκοπον ἴχνος
  ἀμπαύσῃς, ξηρὴν δίψαν ἐλαυνόμενος.

314

to Poseidon and the salt sea wave said, shedding tears, "Thou knowest, Lord, that I am weary with toil, and now in my evil old age wasting Poverty, from whom there is no release, is in her youthful prime. Feed the old man while he yet breathes, but from the land as he wishes, thou who art Lord over both land and sea."

31.—NICARCHUS (?)

I HAVE offered this as a common gift to Pan the goat-treader, to Dionysus the giver of good fruit, and to Demeter the Earth-goddess, and I beg from them fine flocks, good wine and to gather good grain from the ears.

32.—AGATHIAS SCHOLASTICUS

CHARICLES by the wooded hill offered to Pan who loves the rock this yellow, bearded goat, a horned creature to the horned, a hairy one to the hairy-legged, a bounding one to the deft leaper, a denizen of the woods to the forest god.

33.—MAECIUS

PRIAPUS of the beach, the fishermen, after surrounding with their deep-sunk net the circling shoal of tunnies in the green narrows of the sea, dedicated to thee these gifts out of the profits of the rich catch they made on this strand—a bowl of beech wood, a stool roughly carved of heath, and a glass wine-cup, so that when thy weary limbs are broken by the dance thou mayest rest them and drive away dry thirst.

34.—ΡΙΑΝΟΥ

Τὸ ῥόπαλον τῷ Πανὶ καὶ ἰοβόλον Πολύαινος
τόξον καὶ κάπρου τούσδε καθᾶψε πόδας,
καὶ ταύταν γωρυτόν, ἐπαυχένιόν τε κυνάγχαν
θῆκεν ὀρειάρχᾳ δῶρα συαγρεσίης.
ἀλλ᾽, ὦ Πὰν σκοπιῆτα, καὶ εἰσοπίσω Πολύαινον   5
εὔαγρον πέμποις, υἱέα Σιμύλεω.

35.—ΛΕΩΝΙΔΟΥ

Τοῦτο χιμαιροβάτᾳ Τελέσων αἰγώνυχι Πανὶ
τὸ σκύλος ἀγρείας τεῖνε κατὰ πλατάνου·
καὶ τὰν ῥαιβόκρανον ἐϋστόρθυγγα κορύναν,
ἃ πάρος αἱμωπούς ἐστυφέλιξε λύκους,
γαυλούς τε γλαγοπῆγας, ἀγωγαῖόν τε κυνάγχαν,   5
καὶ τὰν εὐρίνων λαιμοπέδαν σκυλάκων.

36.—ΦΙΛΙΠΠΟΥ ΘΕΣΣΑΛΟΝΙΚΕΩΣ

Δράγματά σοι χώρου μικραύλακος, ὦ φιλόπυρε
Δηοῖ, Σωσικλέης θῆκεν ἀρουροπόνος,
εὔσταχυν ἀμήσας τὸν νῦν σπόρον· ἀλλὰ καὶ αὖτις
ἐκ καλαμητομίης ἀμβλὺ φέροι δρέπανον.

37.—ΑΔΗΛΟΝ

Γήραϊ δὴ καὶ τόνδε κεκυφότα φήγινον ὄζον
οὔρεσιν ἀγρῶται βουκόλοι ἐξέταμον·
Πανὶ δέ μιν ξέσσαντες ὁδῷ ἔπι καλὸν ἄθυρμα
κάτθεσαν, ὡραίων ῥύτορι βουκολίων.

34.—RHIANUS

POLYAENUS hung here as a gift to Pan the club, the bow and these boar's feet. Also to the Lord of the hills he dedicated this quiver and the dog-collar, gifts of thanks for his success in boar-hunting. But do thou, O Pan the scout, send home Polyaenus, the son of Symilas, in future, too, laden with spoils of the chase.

35.—LEONIDAS

THIS skin did Teleso stretch on the woodland plane-tree, an offering to goat-hoofed Pan the goat-treader, and the crutched, well-pointed staff, with which he used to bring down red-eyed wolves, the cheese-pails, too, and the leash and collars of his keen-scented hounds.

36.—PHILIPPUS OF THESSALONICA

THESE trusses from the furrows of his little field did Sosicles the husbandman dedicate to thee, Demeter, who lovest the corn ; for this is a rich harvest of grain he hath gathered. But another time, too, may he bring back his sickle blunted by reaping.

37.—ANONYMOUS

THE rustic herdsmen cut on the mountain this beech-branch which old age had bent as it bends us, and having trimmed it, set it up by the road, a pretty toy for Pan who protects the glossy cattle.

38.—ΦΙΛΙΠΠΟΥ

Δίκτυά σοι μολίβῳ στεφανούμενα, δυσιθάλασσα,
καὶ κώπην, ἅλμης τὴν μεθύουσαν ἔτι,
κητοφόνον τε τρίαιναν, ἐν ὕδασι καρτερὸν ἔγχος,
καὶ τὸν ἀεὶ φελλοῖς κύρτον ἐλεγχόμενον,
ἄγκυράν τε, νεῶν στιβαρὴν χέρα, καὶ φιλοναύτην   5
σπέρμα πυρὸς σώζειν πέτρον ἐπιστάμενον,
ἀρχιθάλασσε Πόσειδον, Ἀμύντιχος ὕστατα δῶρα
θήκατ᾽, ἐπεὶ μογερῆς παῦσαθ᾽ ἀλιπλανίης.

39.—ΑΡΧΙΟΥ

Αἱ τρισσαί, Σατύρη τε, καὶ Ἡράκλεια, καὶ Εὐφρώ,
θυγατέρες Ξούθου καὶ Μελίτης, Σάμιαι·
ἁ μέν, ἀραχναίοιο μίτου πολυδίνεα λάτριν,
ἄτρακτον, δολιχᾶς οὐκ ἄτερ ἀλακάτας·
ἁ δὲ πολυσπαθέων μελεδήμονα κερκίδα πέπλων   5
εὔθροον· ἁ τριτάτα δ᾽ εἰροχαρῆ τάλαρον·
οἷς ἔσχον χερνῆτα βίον δηναιόν, Ἀθάνα
πότνια, ταῦθ᾽ αἱ σαὶ σοὶ θέσαν ἐργάτιδες.

40.—ΜΑΚΗΔΟΝΙΟΥ

Τὼ βόε μοι· σῖτον δὲ τετεύχατον· ἵλαθι, Δηοῖ,
δέχνυσο δ᾽ ἐκ μάζης, οὐκ ἀπὸ βουκολίων·
δὸς δὲ βόε ζώειν ἐτύμω, καὶ πλῆσον ἀρούρας
δράγματος, ὀλβίστην ἀντιδιδοῦσα χάριν.
σῷ γὰρ ἀρουροπόνῳ φιλαληθέϊ τέτρατος ἤδη   5
ὀκτάδος ἑνδεκάτης ἐστὶ φίλος λυκάβας,
οὐδέποτ᾽ ἀμήσαντι Κορινθικόν, οὔ ποτε πικρᾶς
τῆς ἀφιλοσταχύου γευσαμένῳ πενίης.

38.—PHILIPPUS (*cp. No.* 30)

To thee Poseidon, Lord of the sea, did Amyntichus give these his last gifts, when he ceased from his toil on the deep—his nets edged with lead that plunge into the sea, his oar still drunk with the brine, his spear for killing sea-monsters, strong lance of the waters, his weel ever betrayed by floats, his anchor, firm hand of his boat, and the flint, dear to sailors, that has the art of guarding the seed of fire.

39.—ARCHIAS

THE three Samian sisters Satyra, Heraclea, and Euphro, daughters of Xuthus and Melite, dedicate to thee, Lady Athene, whose workwomen they were, the implements with which they long supported themselves in their poverty, the first her spindle, twirling servant of the spidery thread, together with its long distaff, the other her musical comb,[1] busy maker of close-woven cloth, and the third the basket that loved to hold her wool.

40.—MACEDONIUS

THE two oxen are mine and they helped to grow the corn. Be kind, Demeter, and receive them, though they be of dough and not from the herd. Grant that my real oxen may live, and fill thou my fields with sheaves, returning me richest thanks. For the years of thy husbandman, who loves the truth, are already four-score and four. He never reaped rich Corinthian[2] harvests, but never tasted bitter poverty, stranger to corn.

[1] See note to No. 160.
[2] The land between Corinth and Sicyon was famous for its richness.

41.—ΑΓΑΘΙΟΥ ΣΧΟΛΑΣΤΙΚΟΥ

Χαλκὸν ἀροτρητήν, κλασιβώλακα, νειοτομῆα,
   καὶ τὴν ταυροδέτιν βύρσαν ὑπαυχενίην,
καὶ βούπληκτρον ἄκαιναν, ἐχετλήεντά τε γόμφον
   Δηοῖ Καλλιμένης ἄνθετο γειοπόνος,
τμήξας εὐαρότου ῥάχιν ὀργάδος· εἰ δ᾽ ἐπινεύσεις   5
   τὸν στάχυν ἀμῆσαι, καὶ δρεπάνην κομίσω.

42.—ΑΔΕΣΠΟΤΟΝ

Ἀλκιμένης ὁ πενιχρὸς ἐπὶ σμικρῷ τινι κήπῳ
   τοῦ φιλοκαρποφόρου γευσάμενος θέρεος,
ἰσχάδα καὶ μῆλον καὶ ὕδωρ γέρα Πανὶ κομίζων,
   εἶπε· "Σύ μοι βιότου τῶν ἀγαθῶν ταμίας·
ὧν τὰ μὲν ἐκ κήποιο, τὰ δ᾽ ὑμετέρης ἀπὸ πέτρης   5
   δέξο, καὶ ἀντιδιδοὺς δὸς πλέον ὧν ἔλαβες."

43.—ΠΛΑΤΩΝΟΣ

Τὸν Νυμφῶν θεράποντα, φιλόμβριον, ὑγρὸν ἀοιδόν,
   τὸν λιβάσιν κούφαις τερπόμενον βάτραχον
χαλκῷ μορφώσας τις ὁδοιπόρος εὖχος ἔθηκε,
   καύματος ἐχθροτάτην δίψαν ἀκεσσάμενος·
πλαζομένῳ γὰρ ἔδειξεν ὕδωρ, εὔκαιρον ἀείσας   5
   κοιλάδος ἐκ δροσερῆς ἀμφιβίῳ στόματι.
φωνὴν δ᾽ ἡγήτειραν ὁδοιπόρος οὐκ ἀπολείπων
   εὖρε πόσιν γλυκερῶν ὧν ἐπόθει ναμάτων.[1]

44.—ΑΔΗΛΟΝ, οἱ δὲ ΛΕΩΝΙΔΟΥ ΤΑΡΑΝΤΙΝΟΥ

Γλευκοπόταις Σατύροισι καὶ ἀμπελοφύτορι Βάκχῳ
   Ἡρῶναξ πρώτης δράγματα φυταλιῆς,

---

[1] The last line, added in a later hand, is evidently a
supplement by a bad versifier.

41.—AGATHIAS SCHOLASTICUS

HIS brazen share that breaks the clods and cuts the fallows, the leather thong that passes under the neck of the ox, the goad with which he pricks it, and his plough-bolt doth the husbandman Callimenes dedicate to thee, Demeter, after cutting the back of his well-ploughed field. Grant me to reap the corn, and I will bring thee a sickle, too.

42.—ANONYMOUS

POOR Alcimenes, having tasted the gifts of fruitful summer in a little garden, when he brought to Pan as a present an apple, a fig, and some water, said : "Thou givest me from thy treasury the good things of life ; so accept these, the fruits from the garden and the water from thy rock, and give me in return more than thou hast received."

43.—PLATO (?)

SOME traveller, who stilled here his tormenting thirst in the heat, moulded in bronze and dedicated *ex voto* this servant of the Nymphs, the damp songster who loves the rain, the frog who takes joy in light fountains ; for it guided him to the water, as he wandered, singing opportunely with its amphibious mouth from the damp hollow. Then, not deserting the guiding voice, he found the drink he longed for.

44.—LEONIDAS OF TARENTUM (?)

To the must-bibbing Satyrs and to Bacchus the planter of the vine did Heronax consecrate these

τρισσῶν οἰνοπέδων τρισσοὺς ἱερώσατο τούσδε,
  ἐμπλήσας οἴνου πρωτοχύτοιο, κάδους·
ὧν ἡμεῖς σπείσαντες, ὅσον θέμις, οἴνοπι Βάκχῳ
  καὶ Σατύροις, Σατύρων πλείονα πιόμεθα.

45.—ΑΔΗΛΟΝ

Ὀξέσι λαχνήεντα δέμας κέντροισιν ἐχῖνον
  ῥαγολόγον, γλυκερῶν σίντορα θειλοπέδων,
σφαιρηδὸν σταφυλῇσιν ἐπιτροχάοντα δοκεύσας,
  Κώμαυλος Βρομίῳ ζωὸν ἀνεκρέμασεν.

46.—ΑΝΤΙΠΑΤΡΟΥ ΣΙΔΩΝΙΟΥ

Τὰν πρὶν Ἐνναλίοιο καὶ Εἰράνας ὑποφᾶτιν,
  μέλπουσαν κλαγγὰν βάρβαρον ἐκ στομάτων,
χαλκοπαγῆ σάλπιγγα, γέρας Φερένικος Ἀθάνᾳ
  λήξας καὶ πολέμου καὶ θυμέλας, ἔθετο.

47.—ΤΟΥ ΑΥΤΟΥ

Κερκίδα τὴν φιλαοιδὸν Ἀθηναίῃ θέτο Βιττὼ
  ἄνθεμα, λιμηρῆς ἄρμενον ἐργασίης,
εἶπε δέ· " Χαῖρε, θεά, καὶ τήνδ᾽ ἔχε· χήρη ἐγὼ γὰρ
  τέσσαρας εἰς ἐτέων ἐρχομένη δεκάδας,
ἀρνεῦμαι τὰ σὰ δῶρα· τὰ δ᾽ ἔμπαλι Κύπριδος ἔργων
  ἅπτομαι· ὥρης γὰρ κρεῖσσον ὁρῶ τὸ θέλειν."

48.—ΑΔΗΛΟΝ

Κερκίδα τὴν φιλοεργὸν Ἀθηναίῃ θέτο Βιττὼ
  ἄνθεμα, λιμηρῆς ἄρμενον ἐργασίης,

three casks of fresh wine filled from three vineyards, the first-fruits of his planting. We, having first poured what is right from them to purple Bacchus and the Satyrs, will drink more than the Satyrs.

45.—ANONYMOUS

COMAULUS hung up alive to Bacchus this hedgehog, its body bristling with sharp spines, the grape-gatherer, the spoiler of the sweet vineyards, having caught it curled up in a ball and rolling on the grapes.

46.—ANTIPATER OF SIDON

PHERENICUS, having quitted the wars and the altar,[1] presented to Athene his brazen trumpet, erst the spokesman of peace and war, sending forth a barbarous[2] clamour from its mouth.

47.—BY THE SAME

BITTO dedicated to Athene her melodious loom-comb,[3] implement of the work that was her scanty livelihood, saying, "Hail, goddess, and take this; for I, a widow in my fortieth year, forswear thy gifts and on the contrary take to the works of Cypris; I see that the wish is stronger than age."

48.—ANONYMOUS

BITTO dedicated to Athene her industrious loom-comb, the implement of her scanty livelihood, for then

[1] The trumpet was used at sacrifices.
[2] Because an Etruscan invention.   [3] See note to No. 160.

πάντας ἀποστύξασα γυνὴ τότε τοὺς ἐν ἐρίθοις
μόχθους καὶ στυγερὰς φροντίδας ἱστοπόνων·
εἶπε δ' Ἀθηναίη· "Τῶν Κύπριδος ἅψομαι ἔργων,   5
τὴν Πάριδος κατὰ σοῦ ψῆφον ἐνεγκαμένη"

49.—ΑΛΛΟ

Χάλκεός εἰμι τρίπους· Πυθοῖ δ' ἀνάκειμαι ἄγαλμα,
καί μ' ἐπὶ Πατρόκλῳ θῆκεν πόδας ὠκὺς Ἀχιλλεύς·
Τυδείδης δ' ἀνέθηκε βοὴν ἀγαθὸς Διομήδης,
νικήσας ἵπποισιν ἐπὶ πλατὺν Ἑλλήσποντον.

50.—ΣΙΜΩΝΙΔΟΤ

Τόνδε ποθ' Ἕλληνες ῥώμῃ χερός, ἔργῳ Ἄρηος,
εὐτόλμῳ ψυχῆς λήματι πειθόμενοι,
Πέρσας ἐξελάσαντες, ἐλεύθερον Ἑλλάδι κόσμον
ἱδρύσαντο Διὸς βωμὸν Ἐλευθερίου.

51.—ΑΔΗΛΟΝ

Μῆτερ ἐμὴ Ῥείη, Φρυγίων θρέπτειρα λεόντων,
Δίνδυμον ἧς μύσταις οὐκ ἀπάτητον ὄρος,
σοὶ τάδε θῆλυς Ἄλεξις ἑῆς οἰστρήματα λύσσης
ἄνθετο, χαλκοτύπου παυσάμενος μανίης,
κύμβαλά τ' ὀξύφθογγα, βαρυφθόγγων τ' ἀλαλητὸν   5
αὐλῶν, οὓς μόσχου λοξὸν ἔκαμψε κέρας,
τύμπανά τ' ἠχήεντα, καὶ αἵματι φοινιχθέντα
φάσγανα, καὶ ξανθάς, τὰς πρὶν ἔσεισε, κόμας.
ἵλαος, ὦ δέσποινα, τὸν ἐν νεότητι μανέντα
γηραλέον προτέρης παῦσον ἀγριοσύνης.   10

she conceived a hatred for all toil among workfolk, and for the weaver's wretched cares. To Athene she said, "I will take to the works of Cypris, voting like Paris against thee."

49.—ON A TRIPOD AT DELPHI

I AM a bronze tripod, dedicated at Delphi to adorn the shrine ; swift-footed Achilles offered me as a prize at Patroclus' funeral feast, and Diomed the warlike son of Tydeus dedicated me, having conquered in the horse-race by the broad Hellespont.

50.—SIMONIDES

On the Altar at Plataea commemorating the Battle

THIS altar of Zeus the Liberator did the Hellenes erect, an ornament for Hellas such as becomes a free land, after that, obeying their brave hearts' impulse, they had driven out the Persians by the might of their hands and by the toil of battle.

51.—ANONYMOUS

To thee, my mother Rhea, nurse of Phrygian lions, whose devotees tread the heights of Dindymus, did womanish Alexis, ceasing from furious clashing of the brass, dedicate these stimulants of his madness— his shrill-toned cymbals, the noise of his deep-voiced flute, to which the crooked horn of a young steer gave a curved form,[1] his echoing tambourines, his knives reddened with blood, and the yellow hair which once tossed on his shoulders. Be kind, O Queen, and give rest in his old age from his former wildness to him who went mad in his youth.

[1] For this shape of the double Phrygian flute see article "Tibia" in Daremberg and Saglio's *Dict. des Antiquités.*

GREEK ANTHOLOGY

52.—ΣΙΜΩΝΙΔΟΥ

Οὕτω τοι, μελία ταναά, ποτὶ κίονα μακρὸν
ἧσο, Πανομφαίῳ Ζηνὶ μένουσ᾽ ἱερά·
ἤδη γὰρ χαλκός τε γέρων, αὐτά τε τέτρυσαι
πυκνὰ κραδαινομένα δαΐῳ ἐν πολέμῳ.

53.—ΒΑΚΧΥΛΙΔΟΥ

Εὔδημος τὸν νηὸν ἐπ᾽ ἀγροῦ τόνδ᾽ ἀνέθηκεν
τῷ πάντων ἀνέμων πιοτάτῳ Ζεφύρῳ·
εὐξαμένῳ γάρ οἱ ἦλθε βοαθόος, ὄφρα τάχιστα
λικμήσῃ πεπόνων καρπὸν ἀπ᾽ ἀσταχύων.

54.—ΠΑΥΛΟΥ ΣΙΛΕΝΤΙΑΡΙΟΥ

Τὸν χαλκοῦν τέττιγα Λυκωρέϊ Λοκρὸς ἀνάπτει
Εὔνομος, ἀθλοσύνας μνᾶμα φιλοστεφάνου.
ἦν γὰρ ἀγὼν φόρμιγγος· ὁ δ᾽ ἀντίος ἵστατο Πάρθις·
ἀλλ᾽ ὅκα δὴ πλάκτρῳ Λοκρὶς ἔκρεξε χέλυς,
βραγχὸν τετριγυῖα λύρας ἀπεκόμπασε χορδά·   5
πρὶν δὲ μέλος σκάζειν εὔποδος ἁρμονίας,
ἁβρὸν ἐπιτρύζων κιθάρας ὕπερ ἕζετο τέττιξ,
καὶ τὸν ἀποιχομένου φθόγγον ὑπῆλθε μίτου,
τὰν δὲ πάρος λαλαγεῦσαν ἐν ἄλσεσιν ἀγρότιν ἀχὼ
πρὸς νόμον ἀμετέρας τρέψε λυροκτυπίας.   10
τῷ σε, μάκαρ Λητῷε, τεῷ τέττιγι γεραίρει,
χάλκεον ἱδρύσας ᾠδὸν ὑπὲρ κιθάρας.

55.—ΙΩΑΝΝΟΥ ΤΟΥ ΒΑΡΒΟΚΑΛΛΟΥ

Πειθοῖ καὶ Παφίᾳ πακτὰν καὶ κηρία σίμβλων
τᾶς καλυκοστεφάνου νυμφίος Εὐρυνόμας
Ἑρμοφίλας ἀνέθηκεν ὁ βωκόλος· ἀλλὰ δέχεσθε
ἀντ᾽ αὐτᾶς πακτάν, ἀντ᾽ ἐμέθεν τὸ μέλι.

326

52.—SIMONIDES

Rest, my long lance, thus against the high column and remain sacred to Panomphaean Zeus. For now thy point is old, and thou art worn by long brandishing in the battle.

53.—BACCHYLIDES

Eudemus dedicated this temple in his field to Zephyr the richest of all winds; for he came in answer to his prayer to help him winnow quickly the grain from the ripe ears.

54.—PAULUS SILENTIARIUS

To Lycorean Apollo doth Locrian Eunomus dedicate the brazen cicada, in memory of his contest for the crown. The contest was in lyre-playing, and opposite him stood his competitor, Parthis. But when the Locrian shell rang to the stroke of the plectrum, the string cracked with a hoarse cry. But before the running melody could go lame, a cicada lighted on the lyre chirping tenderly and caught up the vanishing note of the chord, adapting to the fashion of our playing its wild music that used to echo in the woods. Therefore, divine Son of Leto, doth he honour thee with the gift of thy cicada, perching the brazen songster upon thy lyre.

55.—JOHANNES BARBOCALLUS

I, Hermophiles the herdsman, the bridegroom of rosy-wreathed Eurynome, dedicate curdled milk and honey-combs to Peitho and Aphrodite. Receive the curds in place of her, the honey in place of me.

56.—ΜΑΚΗΔΟΝΙΟΤ ΤΠΑΤΙΚΟΤ

Κισσοκόμαν Βρομίῳ Σάτυρον σεσαλαγμένον οἴνῳ
    ἀμπελοεργὸς ἀνὴρ ἄνθετο Ληναγόρας·
τῷ δὲ καρηβαρέοντι δορήν, τρίχα, κισσόν, ὀπώπην,
    πάντα λέγοις μεθύειν, πάντα συνεκλέλυται·
καὶ φύσιν ἀφθόγγοισι τύποις μιμήσατο τέχνη,   5
    ὕλης ἀντιλέγειν μηδὲν ἀνασχομένης.

57.—ΠΑΥΛΟΤ ΣΙΛΕΝΤΙΑΡΙΟΤ

Σοὶ τόδε πενταίχμοισι ποδῶν ὡπλισμένον ἀκμαῖς,
    ἀκροχανές, φοινῷ κρατὶ συνεξερύσαν,
ἄνθετο δέρμα λέοντος ὑπὲρ πίτυν, αἰγιπόδη Πάν,
    Τεῦκρος Ἄραψ, καὐτὰν ἀγρότιν αἰγανέαν.
αἰχμῇ δ' ἡμιβρῶτι τύποι μίμνουσιν ὀδόντων,   5
    ᾇ ἔπι βρυχητὰν θὴρ ἐκένωσε χόλον.
ὑδριάδες Νύμφαι δὲ σὺν ὑλονόμοισι χορείαν
    στᾶσαν, ἐπεὶ καὐτὰς πολλάκις ἐξεφόβει.

58.—ΙΣΙΔΩΡΟΤ ΣΧΟΛΑΣΤΙΚΟΤ ΒΟΛΒΤ-ΘΙΩΤΟΤ

Λέκτρα μάτην μίμνοντα καὶ ἄπρηκτον σκέπας εὐνῆς
    ἄνθετο σοί, Μήνη, σὸς φίλος Ἐνδυμίων,
αἰδόμενος· πολιὴ γὰρ ὅλου κρατέουσα καρήνου
    οὐ σῴζει προτέρης ἴχνιον ἀγλαΐης.

59.—ΑΓΑΘΙΟΤ ΣΧΟΛΑΣΤΙΚΟΤ

Τῇ Παφίῃ στεφάνους, τῇ Παλλάδι τὴν πλοκαμίδα,
    Ἀρτέμιδι ζώνην ἄνθετο Καλλιρόη·
εὕρετο γὰρ μνηστῆρα τὸν ἤθελε, καὶ λάχεν ἥβην
    σώφρονα, καὶ τεκέων ἄρσεν ἔτικτε γένος.

56.—MACEDONIUS THE CONSUL

Lenagoras, a vine-dresser, dedicated to Bacchus an ivy-crowned Satyr overloaded with wine. His head is nodding and you would say that everything in him is drunk, everything is unsteady, the fawn-skin, his hair, the ivy, his eyes. Art with her mute moulding imitates even Nature, and Matter does not venture to oppose her.

57.—PAULUS SILENTIARIUS

To thee, goat-footed Pan, did Teucer, the Arab, dedicate on the pine-tree this lion's skin, armed with five-pointed claws, flenched with its tawny, gaping head, and the very lance he slew it with. On the half-eaten lance-head on which the brute vented its roaring anger, remain the marks of its teeth. But the Nymphs of the streams and woods celebrated its death by a dance, since it often used to terrify them too.

58.—ISIDORUS SCHOLASTICUS OF BOLBYTINE (?)

Thy friend Endymion, O Moon, dedicates to thee, ashamed, his bed that survives in vain and its futile cover; for grey hair reigns over his whole head and no trace of his former beauty is left.

59.—AGATHIAS SCHOLASTICUS

Callirrhoe dedicates to Aphrodite her garland, to Pallas her tress and to Artemis her girdle; for she found the husband she wanted, she grew up in virtue and she gave birth to boys.

GREEK ANTHOLOGY

60.—ΠΑΛΛΑΔΑ

Ἀντὶ βοὸς χρυσέου τ᾽ ἀναθήματος Ἴσιδι τούσδε
θήκατο τοὺς λιπαροὺς Παμφίλιον πλοκάμους·
ἡ δὲ θεὸς τούτοις γάνυται πλέον, ἤπερ Ἀπόλλων
χρυσῷ, ὃν ἐκ Λυδῶν Κροῖσος ἔπεμψε θεῷ.

61.—ΤΟΥ ΑΥΤΟΥ

Ὦ ξυρὸν οὐράνιον, ξυρὸν ὄλβιον, ᾧ πλοκαμῖδας
κειραμένη πλεκτὰς ἄνθετο Παμφίλιον,
οὔ σέ τις ἀνθρώπων χαλκεύσατο· πὰρ δὲ καμίνῳ
Ἡφαίστου, χρυσέην σφῦραν ἀειραμένη
ἡ λιπαροκρήδεμνος, ἵν᾽ εἴπωμεν καθ᾽ Ὅμηρον,   5
χερσί σε ταῖς ἰδίαις ἐξεπόνησε Χάρις.

62.—ΦΙΛΙΠΠΟΥ ΘΕΣΣΑΛΟΝΙΚΕΩΣ

Κυκλοτερῆ μόλιβον,[1] σελίδων σημάντορα πλευρῆς,
καὶ σμίλαν, δονάκων ἀκροβελῶν γλυφίδα,
καὶ κανονίδ᾽ ὑπάτην, καὶ τὴν παρὰ θῖνα κίσηριν,
αὐχμηρὸν πόντου τρηματόεντα λίθον,
Καλλιμένης Μούσαις, ἀποπαυσάμενος καμάτοιο   5
θῆκεν, ἐπεὶ γήρᾳ κανθὸς ἐπεσκέπετο.

63.—ΔΑΜΟΧΑΡΙΔΟΣ

Γραμμοτόκῳ πλήθοντα μελάσματι κυκλομόλιβδον
καὶ κανόνα γραφίδων ἰθυτάτων φύλακα,
καὶ γραφικοῖο δοχεῖα κελαινοτάτοιο ῥεέθρου,
ἄκρα τε μεσσοτόμους εὐγλυφέας καλάμους,

---

[1] The conclusion imposed by the phraseology is that the
lead (for which we now use a pencil) was a thin disc of lead

330

60.—PALLADAS

PAMPHILE, in place of an ox and a golden offering, dedicated to Isis these glossy locks ; and the goddess takes more pleasure in them than Apollo in the gold that Croesus sent him from Lydia.

61.—BY THE SAME

O HEAVENLY razor, happy razor with which Pamphile shore her plaited tresses to dedicate them. It was no human smith that wrought thee, but beside the forge of Hephaestus the bright-snooded Grace (to use Homer's words) took up the golden hammer and fashioned thee with her own hands.

62.—PHILIPPUS OF THESSALONICA

CALLIMENES, on giving up his work, now old age has veiled his eyes, dedicates to the Muses his circular lead which marks off the margin of the pages, and the knife that sharpens his pointed pens, his longest ruler, and the pumice from the beach, the dry porous stone of the sea.

63.—DAMOCHARIS

WEARY Menedemus, his old eyes misty, dedicates to thee, Hermes (and feed ever thy labourer), these implements of his calling, the round lead full of black matter giving birth to lines, the ruler that

with a sharp edge, rotating on its axis, and fixed to a holder held in the hand.

331

τρηχαλέην τε λίθον, δονάκων εὐθηγέα κόσμον,
    ἔνθα περιτριβέων ὀξὺ χάραγμα πέλει,
καὶ γλύφανον καλάμου, πλατέος γλωχῖνα σιδήρου,
    ὅπλα σοὶ ἐμπορίης ἄνθετο τῆς ἰδίης
κεκμηὼς Μενέδημος ὑπ' ἀχλύος ὄμμα παλαιόν,
    Ἑρμεία· σὺ δ' ἀεὶ φέρβε σὸν ἐργατίνην.   1

64.—ΠΑΥΛΟΥ ΣΙΛΕΝΤΙΑΡΙΟΥ

Γυρὸν κυανέης μόλιβον σημάντορα γραμμῆς,
    καὶ σκληρῶν ἀκόνην τρηχαλέην καλάμων,
καὶ πλατὺν ὀξυντῆρα μεσοσχιδέων δονακήων,
    καὶ κανόνα γραμμῆς ἰθυπόρου ταμίην,
καὶ χρόνιον γλυπτοῖσι μέλαν πεφυλαγμένον ἄντροις,
    καὶ γλυφίδας καλάμων ἄκρα μελαινομένων,
Ἑρμείῃ Φιλόδημος, ἐπεὶ χρόνῳ ἐκκρεμὲς ἤδη
    ἦλθε κατ' ὀφθαλμῶν ῥυσὸν ἐπισκύνιον.

65.—ΤΟΥ ΑΥΤΟΥ

Τὸν τροχόεντα μόλιβδον, ὃς ἀτραπὸν οἶδε χαράσσειν
    ὀρθὰ παραξύων ἰθυτενῆ κανόνα,
καὶ χάλυβα σκληρὸν καλαμηφάγον, ἀλλὰ καὶ αὐτὸν
    ἡγεμόνα γραμμῆς ἀπλανέος κανόνα,
καὶ λίθον ὀκριόεντα, δόναξ ὅθι δισσὸν ὀδόντα   5
    θήγεται ἀμβλυνθεὶς ἐκ δολιχογραφίης,
καὶ βυθίην Τρίτωνος ἁλιπλάγκτοιο χαμεύνην,
    σπόγγον, ἀκεστορίην πλαζομένης γραφίδος,
καὶ κίστην πολύωπα μελανδόκον, εἰν ἑνὶ πάντα
    εὐγραφέος τέχνης ὄργανα ῥυομένην,   10
Ἑρμῇ Καλλιμένης, τρομερὴν ὑπὸ γήραος ὄκνῳ
    χεῖρα καθαρμόζων ἐκ δολιχῶν καμάτων.

keeps the pens very straight, the receptacle of the
black writing fluid, his well-cut reed-pens split at
the top, the rough stone that sharpens and improves
the pens when they are worn and the writing is
too scratchy, and the flat steel penknife with sharp
point.

64.—PAULUS SILENTIARIUS

PHILODEMUS, now that his wrinkled brows owing to
old age come to hang over his eyes, dedicates to
Hermes the round lead that draws dark lines, the
pumice, rough whet-stone of hard pens, the knife,
flat sharpener of the split reed-pens, the ruler that
takes charge of the straightness of lines, the ink
long kept in hollowed caverns and the notched pens
blackened at the point.

65.—BY THE SAME

CALLIMENES, resting from its long labour his slug-
gish hand that trembles with age, dedicates to Hermes
his disc of lead that running correctly close to the
straight ruler can deftly mark its track, the hard steel
that eats the pens, the ruler itself, too, guide of the
undeviating line, the rough stone on which the
double-tooth of the pen is sharpened when blunted
by long use, the sponge, wandering Triton's couch in
the deep, healer of the pen's errors, and the ink-box
with many cavities that holds in one all the imple-
ments of calligraphy.

66.—ΤΟΥ ΑΥΤΟΥ

Ἄβροχον ἀπλανέος μόλιβον γραπτῆρα κελεύθου,
  ἧς ἔπι ῥιζοῦται γράμματος ἁρμονίη,
καὶ κανόνα τροχαλοῖο κυβερνητῆρα μολίβδου,
  καὶ λίθακα τρητὴν σπόγγῳ ἐειδομένην,
καὶ μέλανος σταθεροῖο δοχήϊον, ἀλλὰ καὶ αὐτῶν   5
  εὐγραφέων καλάμων ἀκροβαφεῖς ἀκίδας,
σπόγγον, ἁλὸς βλάστημα, χυτῆς λειμῶνα θαλάσσης,
  καὶ χαλκὸν δονάκων τέκτονα λεπταλέων,
ἐνθάδε Καλλιμένης φιλομειδέσιν ἄνθετο Μούσαις,
  γήραϊ κεκμηὼς ὄμματα καὶ παλάμην.   10

67.—ΙΟΥΛΙΑΝΟΥ ΑΠΟ ΥΠΑΡΧΩΝ ΑΙΓΥΠΤΙΟΥ

Ἀκλινέας γραφίδεσσιν ἀπιθύνοντα πορείας
  τόνδε μόλιβδον ἄγων, καὶ μολίβου κανόνα
σύνδρομον ἡνιοχῆα, πολυτρήτου τ' ἀπὸ πέτρης
  λᾶαν, ὃς ἀμβλεῖαν θῆγε γένυν καλάμου,
σὺν δ' αὐτοῖς καλάμοισι μέλαν, μυστήρια φωνῆς   5
  ἀνδρομέης, σμίλης τ' ὀξυτόμον κοπίδα,
Ἑρμείῃ Φιλόδημος, ἐπεὶ χρόνος ὄμματος αὐγὴν
  ἀμβλύνας παλάμῃ δῶκεν ἐλευθερίην.

68.—ΤΟΥ ΑΥΤΟΥ

Αὔλακας ἰθυπόρων γραφίδων κύκλοισι χαράσσων
  ἄνθεμά σοι τροχόεις οὗτος ἐμὸς μόλιβος,
καὶ μολίβῳ χρωστῆρι κανὼν τύπον ὀρθὸν ὀπάζων,
  καὶ λίθος εὐσχιδέων θηγαλέη καλάμων,
σὺν καλάμοις ἄγγος τε μελανδόκον, οἷσι φυλάσσει   5
  αἰὼν ἐσσομένοις γῆρυν ἀποιχομένων.

334

66.—By the Same

Here Callimenes, his eye and hand enfeebled by age, dedicates to the laughter-loving Muses the never-moistened lead which draws that undeviating line on which is based the regularity of the script, the ruler which guides the course of this revolving lead, the porous stone like a sponge, the receptacle of the permanent ink, the pens themselves, too, their tips dyed black, the sponge, flower of the sea, forming the meadows of the liquid deep, and the knife, brazen artificer of slender pens.

67.—JULIAN PREFECT OF EGYPT

Philodemus, now that Time has dulled his eyesight and set his hand at liberty, dedicates to Hermes this lead, that keeps straight for pens their undeviating path, the ruler, the lead's companion and guide, the porous stone which sharpens the blunt lip of the pen, the pens and ink, mystic implements of the human voice, and the pen-knife sharp as a chopper.

68.—By the Same

I dedicate to thee this lead disc that, by its revolutions, marks the furrows for the straight-travelling pen to run in, the ruler which assures that the mark of the staining lead shall be straight, the stone that sharpens the deftly split pens, the inkstand and pens, by which Time guards for future generations the voice

δέχνυσο καὶ γλυπτῆρα σιδήρεον, ᾧ θρασὺς Ἄρης
σὺν Μούσαις ἰδίην δῶκε διακτορίην,
Ἑρμείη· σὰ γὰρ ὅπλα· σὺ δ᾽ ἀδρανέος Φιλοδήμου
ἴθυνε ζωήν, λειπομένοιο βίου.   10

69.—ΜΑΚΗΔΟΝΙΟΥ ΥΠΑΤΟΥ

Νῆα Ποσειδάωνι πολύπλανος ἄνθετο Κράντας,
ἔμπεδον ἐς νηοῦ πέζαν ἐρεισάμενος,
αὔρης οὐκ ἀλέγουσαν ἐπὶ χθονός· ἧς ἔπι Κράντας
εὐρὺς ἀνακλινθεὶς ἄτρομον ὕπνον ἔχει.

70.—ΤΟΥ ΑΥΤΟΥ

Νῆά σοι, ὦ πόντου βασιλεῦ καὶ κοίρανε γαίης,
ἀντίθεμαι Κράντας, μηκέτι τεγγομένην,
νῆα, πολυπλανέων ἀνέμων πτερόν, ἧς ἔπι δειλὸς
πολλάκις ὠϊσάμην εἰσελάαν Ἀΐδῃ·
πάντα δ᾽ ἀπειπάμενος, φόβον, ἐλπίδα, πόντον,
ἀέλλας,   5
πιστὸν ὑπὲρ γαίης ἴχνιον ἡδρασάμην.

71.—ΠΑΥΛΟΥ ΣΙΛΕΝΤΙΑΡΙΟΥ

Σοὶ τὰ λιποστεφάνων διατίλματα μυρία φύλλων,
σοὶ τὰ νοοπλήκτου κλαστὰ κύπελλα μέθης,
βόστρυχα σοὶ τὰ μύροισι δεδευμένα, τῇδε κονίῃ
σκῦλα ποθοβλήτου κεῖται Ἀναξαγόρα,
σοὶ τάδε, Λαΐς, ἅπαντα· παρὰ προθύροις γὰρ ὁ
δειλὸς   5
τοῖσδε σὺν ἀκρήβαις πολλάκι παννυχίσας,
οὐκ ἔπος, οὐ χαρίεσσαν ὑπόσχεσιν, οὐδὲ μελιχρῆς
ἐλπίδος ὑβριστὴν μῦθον ἐπεσπάσατο·

of the departed. Receive, too, the steel chisel, to which bold Ares and the Muses assigned its proper task.[1] These all, Hermes, are thy tools, and do thou set straight the life of feeble Philodemus, whose livelihood is failing him.

69.—MACEDONIUS THE CONSUL

CRANTAS, after his many voyages, dedicates his ship to Poseidon, fixing it firmly on the floor of the temple. It cares not for the winds now it is on the earth, the earth on which Crantas, stretching himself at his ease, sleeps a fearless sleep.

70.—BY THE SAME

O KING of the sea and lord of the land, I, Crantas, dedicate to thee this my ship, no longer immerged in the sea—my ship, bird blown by the wandering winds, in which I, poor wretch, often thought I was being driven to Hades. Now, having renounced them all, fear, hope, sea, storms, I plant my steps confidently on dry land.

71.—PAULUS SILENTIARIUS

HERE in the dust lie dedicated to thee, Lais, all these spoils of love-smitten Anaxagoras. To thee he gives the leaves of his wreaths torn into a thousand pieces, to thee the shattered cups from which he quaffed the maddening wine, to thee his locks dripping with scent. For at these doors, poor wretch, full oft he passed the night with the young men his companions, but could never draw from thee one word, one sweet promise, not even a word of scorn for honeyed hope. Alas!

---

[1] Engraving letters on stone.

φεῦ φεῦ, γυιοτακὴς δὲ λιπὼν τάδε σύμβολα κώμων,
μέμφεται ἀστρέπτου κάλλεϊ θηλυτέρης.　　　10

72.—ΑΓΑΘΙΟΥ ΣΧΟΛΑΣΤΙΚΟΥ

Εἶδον ἐγὼ τὸν πτῶκα καθήμενον ἐγγὺς ὀπώρης
βακχιάδος, πουλὺν βότρυν ἀμεργόμενον·
ἀγρονόμῳ δ' ἀγόρευσα, καὶ ἔδρακεν· ἀπροϊδὴς δὲ
ἐγκέφαλον πλήξας ἐξεκύλισε λίθῳ.
εἶπε δὲ καὶ χαίρων ὁ γεωπόνος· "'Α τάχα Βάκχῳ　5
λοιβῆς καὶ θυέων μικτὸν ἔδωκα γέρας."

73.—ΜΑΚΗΔΟΝΙΟΥ ΥΠΑΤΟΥ

Δάφνις ὁ συρικτὰς τρομερῷ περὶ γήραϊ κάμνων,
χειρὸς ἀεργηλᾶς τάνδε βαρυνομένας
Πανὶ φιλαγραύλῳ νομίαν ἀνέθηκε κορύναν,
γήραϊ ποιμενίων παυσάμενος καμάτων.
εἰσέτι γὰρ σύριγγι μελίσδομαι, εἰσέτι φωνὰ　5
ἄτρομος ἐν τρομερῷ σώματι ναιετάει.
ἀλλὰ λύκοις σίντῃσιν ἀν' οὔρεα μή τις ἐμεῖο
αἰπόλος ἀγγείλῃ γήραος ἀδρανίην.

74.—ΑΓΑΘΙΟΥ ΣΧΟΛΑΣΤΙΚΟΥ

Βασσαρὶς Εὐρυνόμη σκοπελοδρόμος, ἥ ποτε ταύρων
πολλὰ τανυκραίρων στέρνα χαραξαμένη,
ἡ μέγα καγχάζουσα λεοντοφόνοις ἐπὶ νίκαις,
παίγνιον ἀτλήτου θηρὸς ἔχουσα κάρη,
ἱλήκοις, Διόνυσε, τεῆς ἀμέλησα χορείης,　5
Κύπριδι βακχεύειν μᾶλλον ἐπειγομένη.
θῆκα δὲ σοὶ τάδε ῥόπτρα· παραρρίψασα δὲ κισσόν,
χεῖρα περισφίγξω χρυσοδέτῳ σπατάλῃ.

Alas! all wasted away he leaves here these tokens of his love-revelling, and curses the beauty of the unbending fair.

72.—AGATHIAS SCHOLASTICUS

I saw the hare sitting near the vine, nibbling off many grapes. I called the farmer, who saw it, and surprising it he knocked out its brains with a stone. He said in triumph, "It seems I have given a double gift to Bacchus, a libation and a sacrifice."

73.—MACEDONIUS THE CONSUL

I, Daphnis the piper, in my shaky old age, my idle hand now heavy, dedicate, now I have ceased from the labours of the fold, my shepherd's crook to rustic Pan. For still I play on the pipes, still in my trembling body my voice dwells unshaken. But let no goatherd tell the ravenous wolves in the mountains of the feebleness of my old years.

74.—AGATHIAS SCHOLASTICUS

I, Eurynome the Bacchant, who used to race over the rocks, who formerly tore the breasts of many long-horned bulls, who boasted of the lions I had overcome and slain, and made toys of the heads of irresistible beasts, have now (and pardon me), Dionysus, abandoned thy dance, and am eager rather to join the revels of Cypris. This club I dedicate to thee, and throwing aside my ivy crown, I will clasp rich gold bracelets round my wrists.

75.—ΠΑΥΛΟΥ ΣΙΛΕΝΤΙΑΡΙΟΥ

Ἄνδροκλος, ὤπολλον, τόδε σοὶ κέρας, ᾧ ἔπι πουλὺν
θῆρα βαλών, ἄγρας εὔσκοπον εἶχε τύχην.
οὔποτε γὰρ πλαγκτὸς γυρᾶς ἐξᾶλτο κεραίας
ἰὸς ἐπ᾽ ἠλεμάτῳ χειρὸς ἐκηβολίᾳ·
ὁσσάκι γὰρ τόξοιο παναγρέτις ἴαχε νευρά,   5
τοσσάκις ἦν ἀγρεὺς ἠέρος ἢ ξυλόχου.
ἀνθ᾽ ὧν σοὶ τόδε, Φοῖβε, τὸ Λύκτιον ὅπλον ἀγινεῖ,
χρυσείαις πλέξας μείλιον ἀμφιδέαις.

76.—ΑΓΑΘΙΟΥ ΣΧΟΛΑΣΤΙΚΟΥ

Σὸς πόσις Ἀγχίσης, τοῦ εἵνεκα πολλάκι, Κύπρι,
τὸ πρὶν ἐς Ἰδαίην ἔτρεχες ἠϊόνα,
νῦν μόλις εὗρε μέλαιναν ἀπὸ κροτάφων τρίχα κόψαι,
θῆκε δὲ σοὶ προτέρης λείψανον ἡλικίης.
ἀλλά, θεά, δύνασαι γάρ, ἢ ἡβητῆρά με τεῦξον,   5
ἢ καὶ τὴν πολιὴν ὡς νεότητα δέχου.

77.—ΕΡΑΤΟΣΘΕΝΟΥΣ ΣΧΟΛΑΣΤΙΚΟΥ

Οἰνοπότας Ξενοφῶν κενεὸν πίθον ἄνθετο, Βάκχε·
δέχνυσο δ᾽ εὐμενέως· ἄλλο γὰρ οὐδὲν ἔχει.

78.—ΤΟΥ ΑΥΤΟΥ

Τὼς τρητὼς δόνακας, τὸ νάκος τόδε, τάν τε κορύναν
ἄνθεσο Πανὶ φίλῳ, Δάφνι γυναικοφίλα.
ὦ Πάν, δέχνυσο δῶρα τὰ Δάφνιδος· ἶσα γὰρ αὐτῷ
καὶ μολπὰν φιλέεις καὶ δύσερως τελέθεις.

340

75.—PAULUS SILENTIARIUS

Androclus, O Apollo, gives to thee this bow, with which, hunting successfully, he shot full many a beast. For never did the archer's hand send the arrow to leap amiss, all in vain, from the curved horn, but as often as the string, fatal to every quarry, twanged, so often he slew some game in the air or in the wood. So now he brings thee, Phoebus, this Lyctian[1] weapon, enclasping his gift with golden rings.

76.—AGATHIAS SCHOLASTICUS

Cypris, thy husband Anchises, for whose sake thou didst often hasten of old to the Trojan shore, now just managed to find a black hair to cut from his temple, and dedicates it to thee as a relic of his former beauty. But, goddess, (for thou canst), either make me young again, or accept my age as youth.

77.—ERATOSTHENES SCHOLASTICUS

Xenophon, the toper, dedicates his empty cask to thee, Bacchus. Receive it kindly, for it is all he has.

78.—By the Same

Daphnis, lover of women, dedicates to dear Pan the pierced reed-pipe, and this skin and club. Accept O Pan, the gifts of Daphnis, for like him thou lovest music and art unhappy in love.

[1] From Lyctus in Crete.

341

79.—ΑΓΑΘΙΟΤ ΣΧΟΛΑΣΤΙΚΟΤ

Ἄσπορα, Πὰν λοφιῆτα, τάδε Στρατόνικος ἀροτρεὺς
  ἀντ᾽ εὐεργεσίης ἄνθετό σοι τεμένη.
" Βόσκε δ᾽," ἔφη, " χαίρων τὰ σὰ ποίμνια, καὶ σέο
    χώρην
  δέρκεο τὴν χαλκῷ μηκέτι τεμνομένην.
αἴσιον εὑρήσεις τὸ ἐπαύλιον· ἐνθάδε γάρ σοι   5
  Ἠχὼ τερπομένη καὶ γάμον ἐκτελέσει."

J. A. Pott, *Greek Love Songs and Epigrams*, ii. p. 109.

80.—ΤΟΥ ΑΥΤΟΥ

Δαφνιακῶν βίβλων Ἀγαθία ἡ ἐννεάς εἰμι·
  ἀλλά μ᾽ ὁ τεκτήνας ἄνθετο σοί, Παφίη·
οὐ γὰρ Πιερίδεσσι τόσον μέλω, ὅσσον Ἔρωτι,
  ὄργια τοσσατίων ἀμφιέπουσα πόθων.
αἰτεῖ δ᾽ ἀντὶ πόνων, ἵνα οἱ διὰ σεῖο παρείη   5
  ἤ τινα μὴ φιλέειν, ἢ ταχὺ πειθομένην.

81.—ΠΑΥΛΟΥ ΣΙΛΕΝΤΙΑΡΙΟΥ

Ἀσπίδα ταυρείην, ἔρυμα χροός, ἀντιβίων τε
  πολλάκις ἐγχείην γευσαμένην χολάδων,
καὶ τὸν ἀλεξιβέλεμνον ἀπὸ στέρνοιο χιτῶνα,
  καὶ κόρυν ἱππείαις θριξὶ δασυνομένην
ἄνθετο Λυσίμαχος γέρας Ἄρεϊ, γηραλέον νῦν   5
  ἀντὶ πανοπλίης βάκτρον ἀμειψάμενος.

82.—ΤΟΥ ΑΥΤΟΥ

Αὐλοὺς Πανὶ Μελίσκος· ὁ δ᾽ ἔννεπε μὴ γέρας
    αἴρειν
  τούτοις· " Ἐκ καλάμων οἶστρον ἐπεσπασάμην."

79.—AGATHIAS SCHOLASTICUS

O PAN of the hills, Stratonicus the husbandman, in thanks for thy kindness, dedicates this unsown precinct and says, "Feed thy flocks here and be welcome, looking on thy plot of land, that the plough never more shall cut. Thy little country domain will bring thee luck, for Echo will be pleased with it, and will even celebrate here her marriage with thee."

80.—BY THE SAME

I AM the nine books of Agathias' Daphniad, and he who composed me dedicates me to thee, Aphrodite. For I am not so dear to the Muses as to Love, since I treat of the mysteries of so many loves. In return for his pains he begs thee to grant him either not to love or to love one who soon consents.

81.—PAULUS SILENTIARIUS

LYSIMACHUS, who has now exchanged his armour for an old man's staff, presents to Ares his oxhide shield, the protector of his body, his spear that often tasted the entrails of his foes, his coat of mail that warded off missiles from his breast, and his helmet with thick horse-hair plume.

82.—BY THE SAME

MELISCUS would dedicate his reed-flute to Pan, but Pan says he will not accept the gift in these words: "It was from the reeds I was infected with love-madness." [1]

---

[1] Alluding to the tale of Pan's love for Syrinx.

83.—ΜΑΚΗΔΟΝΙΟΥ ΥΠΑΤΟΥ

Τὴν κιθάρην Εὔμολπος ἐπὶ τριπόδων ποτὲ Φοίβῳ
ἄνθετο, γηραλέην χεῖρ᾽ ἐπιμεμφόμενος,
εἶπε δέ· " Μὴ ψαύσαιμι λύρης ἔτι, μηδ᾽ ἐθελήσω
τῆς πάρος ἁρμονίης ἐμμελέτημα φέρειν.
ἠϊθέοις μελέτω κιθάρης μίτος· ἀντὶ δὲ πλήκτρου   5
σκηπανίῳ τρομερὰς χεῖρας ἐρεισάμεθα."

84.—ΠΑΥΛΟΥ ΣΙΛΕΝΤΙΑΡΙΟΥ

Ζηνὶ τόδ᾽ ὀμφάλιον σάκεος τρύφος, ᾧ ἔπι λαιὰν
ἔσχεν ἀριστεύων, ἄνθετο Νικαγόρας·
πᾶν δὲ τὸ λοιπὸν ἄκοντες, ἰσήριθμός τε χαλάζῃ
χερμὰς καὶ ξιφέων ἐξεκόλαψε γένυς.
ἀλλὰ καὶ ἀμφίδρυπτον ἐὸν τόδε χειρὶ μεναίχμα   5
σῴζετο Νικαγόρα, σῷζε δὲ Νικαγόραν.
θεσμὸν τὸν Σπάρτας μενεφύλοπιν ἀμφὶ βοείᾳ
τῇδέ τις ἀθρήσει πάντα φυλασσόμενον.

85.—ΠΑΛΛΑΔΑ

Ἀνάθημα πεπαιγμένον

Τὸν θώ, καὶ τὰς κνή, τάν τ᾽ ἀσπίδα, καὶ δόρυ, καὶ κρᾶ,
Γορδιοπριλάριος ἄνθετο Τιμοθέῳ.

86.—ΕΥΤΟΛΜΙΟΥ ΣΧΟΛΑΣΤΙΚΟΥ ΙΛΛΟΥΣΤΡΙΟΥ

εἰς τὸ παιχθὲν ὑπὸ Παλλαδᾶ

Κνημῖδας, θώρηκα, σάκος, κόρυν, ἔγχος Ἀθήνῃ
Ῥοῦφος Μεμμιάδης Γέλλιος ἐκρέμασεν.

---

1 He is making fun of the speech of the barbarian soldiers,
chiefly Goths at this date (fifth century), of which the Byzan-

83.—MACEDONIUS THE CONSUL

EUMOLPUS, finding fault with his aged hands, laid his lyre on the tripod as an offering to Phoebus. He said, "May I never touch a lyre again or carry the instrument of the music I made of old. Let young men love the lyre-string, but I, instead of holding the plectrum, support my shaky hands on a staff."

84.—PAULUS SILENTIARIUS

THIS bossed fragment of his shield, which, when fighting gloriously, he held on his left arm, did Nicagoras dedicate to Zeus; but all the rest of it the darts and stones as thick as hail and the edge of the sword cut away. Yet though thus hacked all round in his martial hand it was preserved by Nicagoras and preserved Nicagoras. Looking on this shield one shall read the perfect observance of the Spartan law, "Meet undaunted the battle shock."

85.—PALLADAS

HIS breaster and leggers and shield and spear and heller Captain Gordy dedicates to Timothy.[1]

86.—EUTOLMIUS SCHOLASTICUS

(In allusion to the above)

RUFUS GELLIUS, son of Memmias, suspended here to Athene his greaves, breastplate, shield, helmet and spear.

tine forces for the most part consisted. Τιμοθέῳ is a blunder for the name of some god. The officer was of rather high rank, a *primipilarius*.

87.—ΑΔΗΛΟΝ

Ἄνθετο σοὶ κορύνην καὶ νεβρίδας ὑμέτερος Πάν,
    Εὔϊε, καλλείψας σὸν χορὸν ἐκ Παφίης.
Ἠχὼ γὰρ φιλέει, καὶ πλάζεται· ἀλλὰ σύ, Βάκχε,
    ἵλαθι τῷ ξυνὴν ἀμφιέποντι τύχην.

88.—ΑΝΤΙΦΑΝΟΥΣ ΜΑΚΕΔΟΝΟΣ

Αὐτή σοὶ Κυθέρεια τὸν ἱμερόεντ᾽ ἀπὸ μαστῶν,
    Ἰνώ, λυσαμένη κεστὸν ἔδωκεν ἔχειν,
ὡς ἂν θελξινόοισιν ἀεὶ φίλτροισι δαμάξῃς
    ἀνέρας· ἐχρήσω δ᾽ εἰς ἐμὲ πᾶσι μόνον.

89.—ΜΑΙΚΙΟΥ ΚΟΙΝΤΟΥ

Ἀκταίης νησῖδος ἁλιξάντοισι, Πρίηπε,
    χοιράσι καὶ τρηχεῖ τερπόμενε σκοπέλῳ,
σοὶ Πάρις ὀστρακόδερμον ὑπ᾽ εὐθήροισι δαμέντα
    ὁ γριπεὺς καλάμοις κάραβον ἐκρέμασεν.
σάρκα μὲν ἔμπυρον αὐτὸς ὑφ᾽ ἡμίβρωτον ὀδόντα   5
    θεὶς μάκαρ, αὐτὸ δὲ σοὶ τοῦτο πόρε σκύβαλον.
τῷ σὺ δίδου μὴ πολλά, δι᾽ εὐάγρου δὲ λίνοιο,
    δαῖμον, ὑλακτούσης νηδύος ἡσυχίην.

90.—ΦΙΛΙΠΠΟΥ ΘΕΣΣΑΛΟΝΙΚΕΩΣ

Ἄγκυραν ἐμβρύοικον, ἐρυσινηΐδα,
κώπας τε δισσὰς τὰς ἀπωσικυμάτους,
καὶ δικτύοις μόλιβδον ἠψιδωμένον,
κύρτους τε φελλοῖς τοὺς ἐπεσφραγισμένους,
καὶ πῖλον ἀμφίκρηνον ὑδασιστεγῆ,   5
λίθον τε ναύταις ἑσπέρης πυρσητόκον,
ἁλὸς τύραννε, σοί, Πόσειδον, Ἀρχικλῆς
ἔθηκε, λήξας τῆς ἐπ᾽ ἠόνων ἄλης.

BOOK VI. 87-90

87.—ANONYMOUS

THY Pan, Bacchus, dedicates to thee his fawn-skin and club, seduced away from thy dance by Venus; for he loves Echo and wanders up and down. But do thou, Bacchus, forgive him, for the like hath befallen thee.

88.—ANTIPHANES OF MACEDONIA

CYTHEREA herself loosed from her breast her delightful cestus and gave it to thee, Ino, for thine own, so that ever with love-charms that melt the heart thou mayest subdue men; and surely thou hast spent them all on me alone.

89.—MAECIUS QUINTUS

PRIAPUS, who dost delight in the sea-worn rocks of this island near the coast, and in its rugged peak, to thee doth Paris the fisherman dedicate this hard-shelled lobster which he overcame by his lucky rod. Its flesh he roasted and enjoyed munching with his half-decayed teeth, but this its shell he gave to thee. Therefore give him no great gift, kind god, but enough catch from his nets to still his barking belly.

90.—PHILIPPUS OF THESSALONICA

POSEIDON, King of the sea, to thee doth Archides, now he hath ceased to wander along the beach, dedicate his anchor that rests in the seaweed and secures his boat, his two oars that repel the water, the leads over which his net forms a vault,[1] his weels marked by floats, his broad-brimmed rainproof hat, and the flint that generates light for mariners at even.

[1] Again referring to the ἀμφίβληστρον. See No. 25.

347

91.—ΘΑΛΛΟΥ ΜΙΛΗΣΙΟΥ

Ἀσπίδα μὲν Πρόμαχος, τὰ δὲ δούρατα θῆκεν
    Ἀκοντεύς,
τὸ ξίφος Εὐμήδης, τόξα δὲ ταῦτα Κύδων,
Ἱππομέδων τὰ χαλινά, κόρυν δ᾽ ἀνέθηκε Μελάντας,
    κνημῖδας Νίκων, κοντὸν Ἀριστόμαχος,
τὸν θώρηκα Φιλῖνος· ἀεὶ δ᾽, Ἄρες βροτολοιγέ,   5
    σκῦλα φέρειν δῴης πᾶσιν ἀπ᾽ ἀντιπάλων.

92.—ΦΙΛΙΠΠΟΥ ΘΕΣΣΑΛΟΝΙΚΕΩΣ

Αὐλὸν καμινευτῆρα τὸν φιλήνεμον,
ῥίνην τε κνησίχρυσον ὀξυδήκτορα,
καὶ τὸν δίχηλον καρκίνον πυραγρέτην,
πτωκὸς πόδας τε τούσδε λειψανηλόγους,
ὁ χρυσοτέκτων Δημοφῶν Κυλληνίῳ   5
ἔθηκε, γήρᾳ κανθὸν ἐζοφωμένος.

93.—ΑΝΤΙΠΑΤΡΟΥ ΣΙΔΩΝΙΟΥ

Ἁρπαλίων ὁ πρέσβυς, ὁ πᾶς ῥυτίς, οὖπιλινευτής,
    τόνδε παρ᾽ Ἡρακλεῖ θῆκέ με τὸν σιβύνην,
ἐκ πολλοῦ πλειῶνος ἐπεὶ βάρος οὐκέτι χεῖρες
    ἔσθενον, εἰς κεφαλὴν δ᾽ ἤλυθε λευκοτέρην.

94.—ΦΙΛΙΠΠΟΥ ΘΕΣΣΑΛΟΝΙΚΕΩΣ

Ἀραξόχειρα ταῦτά σοι τὰ τύμπανα,
καὶ κύμβαλ᾽ ὀξύδουπα κοιλοχείλεα,
διδύμους τε λωτοὺς κεροβόας, ἐφ᾽ οἷς ποτε
ἐπωλόλυξεν αὐχένα στροβιλίσας,
λυσιφλεβῆ τε σάγαριν ἀμφιθηγέα,   5
λεοντόδιφρε, σοί, Ῥέη, Κλυτοσθένης
ἔθηκε, λυσσητῆρα γηράσας πόδα.

91.—THALLUS OF MILETUS

The shield is the offering of Promachus, the spears of Aconteus, the sword of Eumedes, and this bow is Cydon's. Hippomedon offers the reins, Melantas the helmet, Nico the greaves, Aristomachus the pike, and Philinus the cuirass. Grant to them all, Ares, spoiler of men, ever to win trophies from the foemen.

92.—PHILIPPUS OF THESSALONICA

Demophon the goldsmith, his eyes misty with age, dedicates to Hermes the windy bellows of his forge, the keen-biting file that scrapes the gold, the double-clawed fire-tongs, and these hare's pads that gather up the shavings.

93.—ANTIPATER OF SIDON

Harpalion the huntsman, the old man nothing but wrinkles, offered me, this hunting spear, to Heracles; for by reason of many years his hands would no longer support my weight and his head is now grey.

94.—PHILIPPUS OF THESSALONICA

Clytosthenes, his feet that raced in fury now enfeebled by age, dedicates to thee, Rhea of the lion-car, his tambourines beaten by the hand, his shrill hollow-rimmed cymbals, his double-flute that calls through its horn, on which he once made shrieking music, twisting his neck about, and the two-edged knife with which he opened his veins.

349

95.—ΑΝΤΙΦΙΛΟΥ

Βουστρόφον, ἀκροσίδαρον, ἀπειλητῆρα μύωπα,
  καὶ πήραν μέτρον σιτοδόκον σπορίμου,
γαμψόν τε δρέπανον σταχυητόμον, ὅπλον ἀρούρης,
  καὶ παλινουροφόρον, χεῖρα θέρευς τρίνακα,
καὶ τρητοὺς ποδεῶνας ὁ γατόμος ἄνθετο Δηοῖ   5
  Πάρμις, ἀνιηρῶν παυσάμενος καμάτων.

96.—ΕΡΥΚΙΟΥ

Γλαύκων καὶ Κορύδων, οἱ ἐν οὔρεσι βουκολέοντες,
  Ἀρκάδες ἀμφότεροι, τὸν κεραὸν δαμάλην
Πανὶ φιλωρείτα Κυλληνίῳ αὐερύσαντες
  ἔρρεξαν, καί οἱ δωδεκάδωρα κέρα
ἅλῳ μακροτένοντι ποτὶ πλατάνιστον ἔπαξαν   5
  εὐρεῖαν, νομίῳ καλὸν ἄγαλμα θεῷ.

97.—ΑΝΤΙΦΙΛΟΥ ΒΥΖΑΝΤΙΟΥ

Δούρας Ἀλεξάνδροιο· λέγει δέ σε γράμματ' ἐκεῖνον
  ἐκ πολέμου θέσθαι σύμβολον Ἀρτέμιδι
ὅπλον ἀνικήτοιο βραχίονος.   ἃ καλὸν ἔγχος,
  ᾧ πόντος καὶ χθὼν εἶκε κραδαινομένῳ.
ἵλαθι, δούρας ἀταρβές· ἀεὶ δέ σε πᾶς τις ἀθρήσας   5
  ταρβήσει, μεγάλης μνησάμενος παλάμης.

98.—ΖΩΝΑ

Δηοῖ λικμαίη καὶ ἐναυλακοφοίτισιν Ὥραις
  Ἡρῶναξ πενιχρῆς ἐξ ὀλιγηροσίης
μοῖραν ἀλωΐτα στάχυος, πάνσπερμά τε ταῦτα
  ὄσπρι' ἐπὶ πλακίνου τοῦδ' ἔθετο τρίποδος,
ἐκ μικρῶν ὀλίγιστα· πέπατο γὰρ οὐ μέγα τοῦτο   5
  κλήριον ἐν λυπρῇ τῇδε γεωλοφίῃ.

95.—ANTIPHILUS

PARMIS the husbandman, resting from his sore toil, dedicates to Demeter his ox-turning iron-tipped, threatening goad, his bag, measure of the seed-corn, his curved sickle, husbandry's weapon, that cuts off the corn-ears, his winnowing fork, three-fingered hand of the harvest, that throws the corn up against the wind, and his laced boots.

96.—ERYCIUS

GLAUCON and Corydon, who keep their cattle on the hills, Arcadians both, drawing back its neck slaughtered for Cyllenian Pan, the mountain-lover, a horned steer, and fixed by a long nail to the goodly plane-tree its horns, twelve palms long, a fair ornament for the pastoral god.

97.—ANTIPHILUS OF BYZANTIUM

THE spear of Alexander; the inscription on thee tells that after the war he dedicated thee to Artemis as a token thereof, the weapon of his invincible arm. O good spear, before the shaking of which earth and sea yielded! Hail, fearless spear! and ever all who look on thee will tremble, mindful of that mighty hand.

98.—ZONAS

To Demeter the Winnower and the Seasons that tread in the furrows Heronax from his scanty tilth offers a portion of the corn from his threshing-floor and these various vegetables on a wooden tripod—very little from a small store; for he owns but this little glebe on the barren hill-side.

99.—ΦΙΛΙΠΠΟΥ ΘΕΣΣΑΛΟΝΙΚΕΩΣ

Κόψας ἐκ φηγοῦ σε τὸν αὐτόφλοιον ἔθηκεν
Πᾶνα Φιλοξενίδης, ὁ κλυτὸς αἰγελάτης,
θύσας αἰγιβάτην πολιὸν τράγον, ἔν τε γάλακτι
πρωτογόνῳ βωμοὺς τοὺς ἱεροὺς μεθύσας.
ἀνθ' ὧν ἐν σηκοῖς διδυμητόκοι αἶγες ἔσονται
γαστέρα, φεύγουσαι τρηχὺν ὀδόντα λύκου.

100.—ΚΡΙΝΑΓΟΡΟΥ

Λαμπάδα, τὴν κούροις ἱερὴν ἔριν, ὠκὺς ἐνέγκας,
οἷα Προμηθείης μνῆμα πυροκλοπίης,
νίκης κλεινὸν ἄεθλον, ἔτ' ἐκ χερὸς ἔμπυρον Ἑρμῇ
θῆκεν †ὁμωνυμίῃ παῖς πατρὸς Ἀντιφάνης.

101.—ΦΙΛΙΠΠΟΥ

Ξίφη τὰ πολλῶν κνωδάλων λαιμητόμα
πυριτρόφους τε ῥιπίδας πορηνέμους,
ἠθμόν τε πουλύτρητον, ἠδὲ τετράπουν
πυρὸς γέφυραν, ἐσχάρην κρεηδόκον,
ζωμήρυσίν τε τὴν λίπους ἀφρηλόγον,
ὁμοῦ κρεάγρῃ τῇ σιδηροδακτύλῳ,
βραδυσκελὴς Ἥφαιστε, σοὶ Τιμασίων
ἔθηκεν, ἀκμῆς γυῖον ὠρφανωμένος.

102.—ΤΟΥ ΑΥΤΟΥ

Ῥοιὴν ξανθοχίτωνα, γεραιόφλοιά τε σῦκα,
καὶ ῥοδέας σταφυλῆς ὠμὸν ἀποσπάδιον,
μῆλόν θ' ἡδύπνουν λεπτῇ πεπακωμένον ἄχνῃ,
καὶ κάρυον χλωρῶν ἐκφανὲς ἐκ λεπίδων,

99.—PHILIPPUS OF THESSALONICA

PHILOXENIDES the worthy goatherd dedicated thee, the Pan he carved from an unbarked beech trunk, after sacrificing an old he-goat and making thy holy altar drunk with the first milk of a she-goat. In reward for which the goats in his fold shall all bear twins in the womb and escape the sharp tooth of the wolf.

100.—CRINAGORAS

ANTIPHANES, whose father bore the same name, dedicated to Hermes, still burning in his hand, the torch, object of the young men's holy strife, the glorious meed of victory, having run swiftly with it, as if mindful of how Prometheus stole the fire.

101.—PHILIPPUS

TIMASION, whose limbs have now lost their lustiness, dedicated to thee, slow-footed Hephaestus, his knives that have slaughtered many beasts, his windy bellows that feed the fire, his pierced tammy and that four-footed bridge of fire, the charcoal pan on which the meat is set, his ladle that skims off the foaming fat, together with his iron-fingered flesh-hook.

102.—BY THE SAME

To thee, Priapus, who lovest the wayfarer, did the gardener Lamon, praying that his trees and his own limbs may flourish, dedicate a yellow-coated pomegranate, figs wrinkled like old men, half-ripe reddening

καὶ σίκυον χνοάοντα, τὸν ἐν φύλλοις πεδοκοίτην,   5
  καὶ πέρκην ἤδη χρυσοχίτων᾽ ἐλάην,
σοί, φιλοδῖτα Πρίηπε, φυτοσκάφος ἄνθετο Λάμων,
  δένδρεσι καὶ γυίοις εὐξάμενος θαλέθειν.

103.—ΤΟΥ ΑΥΤΟΥ

Στάθμην ἰθυτενῆ μολιβαχθέα, δουριτυπῆ
  σφῦραν, καὶ γυρὰς ἀμφιδέτους ἀρίδας,
καὶ στιβαρὸν πέλεκυν στελεχητόμον, ἰθύδρομόν τε
  πρίονα, μιλτείῳ στάγματι πειθόμενον,
τρύπανά θ᾽ ἑλκεσίχειρα, τέρετρά τε, μιλτοφυρῆ τε   5
  σχοῖνον, ὑπ᾽ ἀκρονύχῳ ψαλλομένην κανόνι,
σοί, κούρη γλαυκῶπι, Λεόντιχος ὤπασε δῶρον,
  ἄνθος ἐπεὶ γυίων πᾶν ἀπέδυσε χρόνος.

104.—ΤΟΥ ΑΥΤΟΥ

Σπερμοφόρον πήρην ὠμαχθέα, κὠλεσίβωλον
  σφῦραν, καὶ γαμψὰς πυρολόγους δρεπάνας,
καὶ τριβόλους ὀξεῖς ἀχυρότριβας, ἱστοβόην τε
  σὺν γυροῖς ἀρότροις, καὶ φιλόγαιον ὕνιν,
κέντρα τ᾽ ὀπισθονυγῆ, καὶ βουστρόφα δεσμὰ τε-
    νόντων,   5
  καὶ τρίνακας ξυλίνας, χεῖρας ἀρουροπονων,
γυῖ᾽ ἄτε πηρωθεὶς Λυσίξενος αὔλακι πολλῇ
  ἐκρέμασεν Δηοῖ τῇ σταχυοστεφάνῳ.

354

grapes plucked from a cluster, a sweet-scented quince with a fleece of fine down, a walnut peeping from its green outer skin, a cucumber wont to lie embedded in its leaves with the bloom on it, and a golden-smocked olive already ripe.

103.—By the Same
(*Imitation of No.* 205)

LEONTICHUS, when time had stripped from his limbs all bloom, gave to thee, grey-eyed Athene, his taut plumb-line weighted with lead, his hammer that strikes planks, his curved bow-drill [1] with its string attached to it at both ends, his sturdy axe for hewing tree-trunks, his straight-running saw that follows the drops of red ochre, his augers worked by the hand, his gimlets, and his taut ochre-stained line just touched by the extreme edge of the rule.

104.—By the Same

LYSIXENUS, deprived of the use of his limbs by much ploughing, suspends to Demeter with the wreath of corn, his seed-bag carried on the shoulder, his mallet for breaking clods, his curved sickle that gathers the corn, his sharp-toothed threshing "*trebbia*," [2] his plough-tree with the curved plough and the share that loves the earth, his goad that pricks the oxen in the rear, the traces attached to their legs that make them turn, and his wooden winnowing-fork, the hand of the husbandman.

[1] See *Century Dictionary* under "bow-drill" and "drill-bow."
[2] A harrow-shaped threshing implement.

105.—ΑΠΟΛΛΩΝΙΔΟΥ

Τρίγλαν ἀπ' ἀνθρακιῆς καὶ φυκίδα σοί, λιμενῖτι
    Ἄρτεμι, δωρεῦμαι Μῆνις ὁ δικτυβόλος,
καὶ ζωρόν, κεράσας ἰσοχειλέα, καὶ τρύφος ἄρτου,
    αὖον ἐπιθραύσας, τὴν πενιχρὴν θυσίην·
ἀνθ' ἧς μοι πλησθέντα δίδου θηράμασιν αἰὲν   5
    δίκτυα· σοὶ δέδοται πάντα, μάκαιρα, λίνα.

106.—ΖΩΝΑ

Τοῦτο σοί, ὑληκοῖτα, κατ' ἀγριάδος πλατάνοιο
    δέρμα λυκορραίστης ἐκρέμασεν Τελέσων,
καὶ τὰν ἐκ κοτίνοιο καλαύροπα, τάν ποκα τῆνος
    πολλάκι ῥομβητὰν ἐκ χερὸς ἠκροβόλει.
ἀλλὰ τύ, Πὰν βουνῖτα, τὰ μὴ πολύολβά τε δέξαι   5
    δῶρα, καὶ εὐαγρεῖ τῷδε πέτασσον ὄρος.

107.—ΦΙΛΙΠΠΟΥ

Ὑλησκόπῳ με Πανὶ θηρευτὴς Γέλων
ἔθηκε λόγχην, ἧς ἀπέθρισε χρόνος
ἀκμὴν ἐν ἔργῳ, καὶ λίνων πολυστρόφων
γεραιὰ τρύχη, καὶ πάγας δεραγχέας,
νευροπλεκεῖς τε κνωδάλων ἐπισφύρους   5
ὠκεῖς ποδίστρας, καὶ τραχηλοδεσπότας
κλοιοὺς κυνούχους· γυῖα γὰρ δαμεὶς χρόνῳ
ἀπεῖπεν ἤδη τὴν ὀρεινόμον πλάνην.

108.—ΜΥΡΙΝΟΥ

Ὑψηλῶν ὀρέων ἔφοροι, κεραοὶ χοροπαῖκται,
    Πᾶνες, βουχίλου κράντορες Ἀρκαδίης,
εὔαρνον θείητε καὶ εὐχίμαρον Διότιμον,
    δεξάμενοι λαμπρῆς δῶρα θυηπολίης.

105.—APOLLONIDES

I, Menis the net-fisher, give to thee, Artemis of the harbour, a grilled red-mullet and a hake, a cup of wine filled to the brim with a piece of dry bread broken into it, a poor sacrifice, in return for which grant that my nets may be always full of fish; for all nets, gracious goddess, are given to thy keeping.

106.—ZONAS

This skin, O woodland god, did Telamon, the slayer of wolves, suspend to thee on the plane-tree in the field, also his staff of wild olive wood which he often sent whirling from his hand. But do thou, Pan, god of the hills, receive these not very rich gifts, and open to him this mountain, thy domain, to hunt thereon with success.

107.—PHILIPPUS

The huntsman Gelo dedicates to Pan, the ranger of the forest, me, his spear, the edge of which time hath worn by use, also the old rags of his twisted hunting-nets, his nooses that throttle the neck, his foot-traps, made of sinews, quick to nip beasts by the leg, and the collars, masters of his dogs' necks; for Time has overcome his strength, and he has now renounced wandering over the hills.

108.—MYRINUS

Ye Pans, keepers of the high mountains, ye jolly horned dancers, lords of grassy Arcady, make Diotimus rich in sheep and goats, accepting the gifts of his splendid sacrifice.

357

109.—ΑΝΤΙΠΑΤΡΟΥ

Γηραλέον νεφέλας τρῦχος τόδε, καὶ τριέλικτον
  ἰχνοπέδαν, καὶ τὰς νευροτενεῖς παγίδας,
κλωβούς τ᾽ ἀμφίρρωγας, ἀνασπαστούς τε δεράγχας,
  καὶ πυρὶ θηγαλέους ὀξυπαγεῖς στάλικας,
καὶ τὰν εὔκολλον δρυὸς ἰκμάδα, τόν τε πετηνῶν   5
  ἀγρευτὰν ἰξῷ μυδαλέον δόνακα,
καὶ κρυφίου τρίκλωστον ἐπισπαστῆρα βόλοιο,
  ἄρκυν τε κλαγερῶν λαιμοπέδαν γεράνων,
σοί, Πὰν ὦ σκοπιῆτα, γέρας θέτο παῖς Νεολάδα
  Κραῦγις ὁ θηρευτάς, Ἀρκὰς ἀπ᾽ Ὀρχομενοῦ.   10

110.—ΛΕΩΝΙΔΑ, οἱ δὲ ΜΝΑΣΑΛΚΟΥ

Τὰν ἔλαφον Κλεόλαος ὑπὸ κναμοῖσι λοχήσας,
  ἔκτανε Μαιάνδρου πὰρ τριέλικτον ὕδωρ,
θηκτῷ σαυρωτῆρι· τὰ δ᾽ ὀκτάρριζα μετώπων
  φράγμαθ᾽ ὑπὲρ ταναὰν ἁλὸς ἔπαξε πίτυν.

111.—ΑΝΤΙΠΑΤΡΟΥ

Τὰν ἔλαφον, Λάδωνα καὶ ἀμφ᾽ Ἐρυμάνθιον ὕδωρ
  νῶτά τε θηρονόμου φερβομέναν Φολόας,
παῖς ὁ Θεαρίδεω Λασιώνιος εἷλε Λυκόρμας
  πλήξας ῥομβητῷ δούρατος οὐριάχῳ·
δέρμα δὲ καὶ δικέραιον ἀπὸ στόρθυγγα μετώπων   5
  σπασσάμενος, κούρᾳ θῆκε παρ᾽ ἀγρότιδι.

112.—ΠΕΡΣΟΥ

Τρεῖς ἄφατοι κεράεσσιν ὑπ᾽ αἰθούσαις τοι, Ἄπολλον,
  ἄγκεινται κεφαλαὶ Μαιναλίων ἐλάφων,
ἃς ἕλον ἐξ ἵππων Γύγεω χέρε Δαΐλοχός τε
  καὶ Προμένης, ἀγαθοῦ τέκνα Λεοντιάδου.

358

109.—ANTIPATER

CRAUGIS the huntsman, son of Neolaidas, an Arcadian of Orchomenus, gives to thee, Pan the Scout, this scrap of his old fowling-net, his triple-twisted snare for the feet, his spring-traps made of sinews, his latticed cages, his nooses for the throat which one draws up, his sharp stakes hardened in the fire, the sticky moisture of the oak,[1] the cane wet with it that catches birds, the triple cord which is pulled to close the hidden spring-net, and the net for catching by the neck the clamorous cranes.

110.—LEONIDAS OR MNASALCAS

CLEOLAUS killed with his sharp spear, from his ambush under the hill, this hind by the winding water of Maeander, and nailed to the lofty pine the eight-tyned defence of its forehead.

111.—ANTIPATER

LYCORMAS, the son of Thearidas of Lasion, slew with the butt end of his whirled spear the hind that used to feed about the Ladon and the waters of Erymanthus and the heights of Pholoe, home of wild beasts. Its skin and two spiked horns he flenched, and hung up by the shrine of Artemis the Huntress.

112.—PERSES

THESE three heads of Maenalian stags with vast antlers hang in thy portico, Apollo. They were shot from horseback by the hands of Gyges, Dailochos and Promenes, the children of valiant Leontiades.

[1] Bird-lime made from mistletoe.

113.—ΣΙΜΜΙΟΥ ΓΡΑΜΜΑΤΙΚΟΥ

Πρόσθε μὲν ἀγραύλοιο δασύτριχος ἰξάλου αἰγὸς
δοιὸν ὅπλον χλωροῖς ἐστεφόμαν πετάλοις·
νῦν δέ με Νικομάχῳ κεραοξόος ἥρμοσε τέκτων,
ἐντανύσας ἕλικος καρτερὰ νεῦρα βοός.

114.—ΦΙΛΙΠΠΟΥ ΘΕΣΣΑΛΟΝΙΚΕΩΣ

Δέρμα καὶ ὀργυιαῖα κέρα βοὸς ἐκ βασιλῆος
'Αμφιτρυωνιάδᾳ κείμεθ' ἀνὰ πρόπυλον,
τεσσαρακαιδεκάδωρα, τὸν αὐχήεντα Φιλίππῳ
ἀντόμενον κατὰ γᾶς ἤλασε δεινὸς ἄκων,
βούβοτον 'Ορβηλοῖο παρὰ σφυρόν. ἆ πολύολβος   5
'Ημαθίς, ᾇ τοίῳ κραίνεται ἀγεμόνι.

115.—ΑΝΤΙΠΑΤΡΟΥ

Τὸν πάρος 'Ορβηλοῖο μεμυκότα δειράσι ταῦρον,
τὸν πρὶν ἐρημωτὰν θῆρα Μακηδονίας,
Δαρδανέων ὀλετήρ, ὁ κεραύνιος εἷλε Φίλιππος,
πλήξας αἰγανέᾳ βρέγμα κυναγέτιδι·
καὶ τάδε σοὶ βριαρᾶς, 'Ηράκλεες, οὐ δίχα βύρσας   5
θῆκεν, ἀμαιμακέτου κρατὸς ἔρεισμα, κέρα.
σᾶς τοι ὅδ' ἐκ ῥίζας ἀναδέδρομεν· οὔ οἱ ἀεικὲς
πατρῴου ζαλοῦν ἔργα βοοκτασίας.

113.—SIMMIAS GRAMMATICUS

I was formerly one of the two horns of a wild long-haired ibex, and was garlanded with green leaves; but now the worker in horn has adapted me for Nicomachus, stretching on me the strong sinew of a crumple-horned ox.[1]

114.—PHILIPPUS OF THESSALONICA

We hang in the porch, a gift of the king to Heracles, the skin and mighty horns, fourteen palms long, of a wild bull, which when it confronted Philip,[2] glorying in its strength, his terrible spear brought to ground, on the spurs of Orbelus, the land of wild cattle. Blest indeed is Macedon, which is ruled by such a chief.

115.—ANTIPATER

The bull that bellowed erst on the heights of Orbelus, the brute that laid Macedonia waste, Philip, the wielder of the thunder-bolt, the destroyer of the Dardanians, hath slain, piercing its forehead with his hunting-spear; and to thee, Heracles, he hath dedicated with its strong hide these horns, the defence of its monstrous head. From thy race he sprung, and it well becomes him to emulate his ancestor's prowess in slaying cattle.

[1] *i.e.* the horn was made into a bow; it seems to have served before as a hook on which to hang wreaths.
[2] Son of Demetrius II. and King of Macedon, B.C. 220–178.

116.—ΣΑΜΟΥ

Σοὶ γέρας, Ἀλκείδα Μιννάμαχε, τοῦτο Φίλιππος
  δέρμα ταναιμύκου λευρὸν ἔθηκε βοὸς
αὐτοῖς σὺν κεράεσσι, τὸν ὕβρεϊ κυδιόωντα
  ἔσβεσεν Ὀρβηλοῦ τρηχὺν ὑπὸ πρόποδα.
ὁ φθόνος αὐαίνοιτο· τεὸν δ’ ἔτι κῦδος ἀέξει   5
  ῥίζα Βεροιαίου κράντορος Ἠμαθίας.

117.—ΠΑΓΚΡΑΤΟΥΣ

Ἐκ πυρὸς ὁ ῥαιστήρ, καὶ ὁ καρκίνος, ἥ τε πυράγρη
  ἄγκεινθ’ Ἡφαίστῳ, δῶρα Πολυκράτεος,
ᾧ πυκνὸν κροτέων ὑπὲρ ἄκμονος εὕρετο παισὶν
  ὄλβον, ὀϊζυρὴν ὠσάμενος πενίην.

118.—ΑΝΤΙΠΑΤΡΟΥ

Ἁ φόρμιγξ, τά τε τόξα, καὶ ἀγκύλα δίκτυα Φοίβῳ
  Σώσιδος, ἔκ τε Φίλας, ἔκ τε Πολυκράτεος.
χὠ μὲν ὀϊστευτὴρ κεραὸν βίον, ἁ δὲ λυρῳδὸς
  τὰν χέλυν, ὠγρευτὴς ὤπασε πλεκτὰ λίνα·
ἀλλ’ ὁ μὲν ὠκυβόλων ἰῶν κράτος, ἁ δὲ φέροιτο   5
  ἄκρα λύρας, ὁ δ’ ἔχοι πρῶτα κυναγεσίας.

119.—ΜΟΙΡΟΥΣ ΒΥΖΑΝΤΙΑΣ

Κεῖσαι δὴ χρυσέαν ὑπὸ παστάδα τὰν Ἀφροδίτας,
  βότρυ, Διωνύσου πληθόμενος σταγόνι·
οὐδ’ ἔτι τοι μάτηρ ἐρατὸν περὶ κλῆμα βαλοῦσα
  φύσει ὑπὲρ κρατὸς νεκτάρεον πέταλον.

116.—SAMUS

As a gift to thee, Heracles, sacker of Orchomenus, did Philip dedicate this, the smooth hide, with its horns, of the loud-bellowing bull, whose glorying insolence he quenched in the rough foot-hills of Orbelus. Let envy pine away ; but thy glory is increased, in that from thy race sprang the Beroean lord of Macedon.

117.—PANCRATES

The hammer from the fire, with the pliers and tongs, is consecrated to thee, Hephaestus, the gift of Polycrates, with which often beating on his anvil he gained substance for his children, driving away doleful poverty.

118.—ANTIPATER

The lyre, the bow, and the intricate nets are dedicated to Phoebus by Sosis, Phila and Polycrates. The archer dedicated the horn bow, she, the musician, the tortoise-shell lyre, the hunter his nets. Let the first be supreme in archery, let her be supreme in playing, and let the last be first among huntsmen.

119.—MOERO OF BYZANTIUM

Cluster, full of the juice of Dionysus, thou restest under the roof of Aphrodite's golden chamber : no longer shall the vine, thy mother, cast her lovely branch around thee, and put forth above thy head her sweet leaves.

120.—ΛΕΩΝΙΔΑ

Οὐ μόνον ὑψηλοῖς ἐπὶ δένδρεσιν οἶδα καθίζων
  ἀείδειν, ζαθερεῖ καύματι θαλπόμενος,
προίκιος ἀνθρώποισι κελευθίτῃσιν ἀοιδός,
  θηλείης ἔρσης ἰκμάδα γευόμενος·
ἀλλὰ καὶ εὐπήληκος Ἀθηναίης ἐπὶ δουρὶ
  τὸν τέττιγ᾽ ὄψει μ᾽, ὦνερ, ἐφεζόμενον.
ὅσσον γὰρ Μούσαις ἐστέργμεθα, τόσσον Ἀθήνη
  ἐξ ἡμέων· ἡ γὰρ παρθένος αὐλοθετεῖ.

121.—ΚΑΛΛΙΜΑΧΟΥ

Κυνθιάδες, θαρσεῖτε· τὰ γὰρ τοῦ Κρητὸς Ἐχέμμα
  κεῖται ἐν Ὀρτυγίῃ τόξα παρ᾽ Ἀρτέμιδι,
οἷς ὑμέων ἐκένωσεν ὄρος μέγα. νῦν δὲ πέπαυται,
  αἶγες, ἐπεὶ σπονδὰς ἡ θεὸς εἰργάσατο.

122.—ΝΙΚΙΟΥ

Μαινὰς Ἐνναλίου, πολεμαδόκε, θοῦρι κράνεια,
  τίς νύ σε θῆκε θεᾷ δῶρον ἐγερσιμάχα;
"Μήνιος· ἢ γὰρ τοῦ παλάμας ἄπο ῥίμφα θοροῦσα
  ἐν προμάχοις Ὀδρύσας δήιον ἀμπεδίον."

123.—ΑΝΥΤΗΣ

Ἔσταθι τεῖδε, κράνεια βροτοκτόνε, μηδ᾽ ἔτι λυγρὸν
  χάλκεον ἀμφ᾽ ὄνυχα στάζε φόνον δαΐων·
ἀλλ᾽ ἀνὰ μαρμάρεον δόμον ἡμένα αἰπὺν Ἀθάνας,
  ἄγγελλ᾽ ἀνορέαν Κρητὸς Ἐχεκρατίδα.

120.—LEONIDAS

Not only do I know how to sing perched in the high trees, warm in the midsummer heat, making music for the wayfarer without payment, and feasting on delicate dew, but thou shalt see me too, the cicada, seated on helmeted Athene's spear. For as much as the Muses love me, I love Athene ; she, the maiden, is the author of the flute.

121.—CALLIMACHUS

Ye denizens of Cynthus, be of good cheer ; for the bow of Cretan Echemmas hangs in Ortygia in the house of Artemis, that bow with which he cleared a great mountain of you. Now he rests, ye goats, for the goddess has made him consent to a truce.

122.—NICIAS

Maenad of Ares, sustainer of war, impetuous spear, who now hath set thee here, a gift to the goddess who awakes the battle ? "Menius ; for springing lightly from his hand in the forefront of the fight I wrought havoc among the Odrysae on the plain."

123.—ANYTE

Stand here, thou murderous spear, no longer drip from thy brazen barb the dismal blood of foes ; but resting in the high marble house of Athene, announce the bravery of Cretan Echecratidas.

124.—ΗΓΗΣΙΠΠΟΥ

Ἀσπὶς ἀπὸ βροτέων ὤμων Τιμάνορος ἅμμαι
ναῷ ὑπορροφία Παλλάδος ἀλκιμάχας,
πολλὰ σιδαρείου κεκονιμένα ἐκ πολέμοιο,
τόν με φέροντ' αἰεὶ ῥυομένα θανάτου.

125.—ΜΝΑΣΑΛΚΟΥ

Ἤδη τῇδε μένω πολέμου δίχα, καλὸν ἄνακτος
στέρνον ἐμῷ νώτῳ πολλάκι ῥυσαμένα.
καίπερ τηλεβόλους ἰοὺς καὶ χερμάδι' αἰνὰ
μυρία καὶ δολιχὰς δεξαμένα κάμακας,
οὐδέποτε Κλείτοιο λιπεῖν περιμάκεα πᾶχυν
φαμὶ κατὰ βλοσυρὸν φλοῖσβον Ἐνυαλίου.

126.—ΔΙΟΣΚΟΡΙΔΟΥ

Σᾶμα τόδ' οὐχὶ μάταιον ἐπ' ἀσπίδι παῖς ὁ Πολύττου
Ὕλλος ἀπὸ Κρήτας θοῦρος ἀνὴρ ἔθετο,
Γοργόνα τὰν λιθοεργὸν ὁμοῦ καὶ τριπλόα γοῦνα
γραψάμενος· δῇοις τοῦτο δ' ἔοικε λέγειν·
"Ἀσπίδος ὦ κατ' ἐμᾶς πάλλων δόρυ, μὴ κατίδῃς με, 5
καὶ φεῦγε τρισσοῖς τὸν ταχὺν ἄνδρα ποσίν."

127.—ΝΙΚΙΟΥ

Μέλλον ἄρα στυγερὰν κἀγώ ποτε δῆριν Ἄρηος
ἐκπρολιποῦσα χορῶν παρθενίων ἀΐειν
Ἀρτέμιδος περὶ ναόν, Ἐπίξενος ἔνθα μ' ἔθηκεν,
λευκὸν ἐπεὶ κείνου γῆρας ἔτειρε μέλη.

366

124.—HEGESIPPUS

I AM fixed here under the roof of warrior Pallas'
temple, the shield from the mortal shoulders of
Timanor, often befouled with the dust of iron war.
Ever did I save my bearer from death.

125.—MNASALCAS

Now I rest here far from the battle, I who often
saved my lord's fair breast by my back. Though
receiving far-flying arrows and dreadful stones in
thousands and long lances, I aver I never quitted
Cleitus' long arm in the horrid din of battle.

126.—DIOSCORIDES

NOT idly did Hyllus the son of Polyttus, the stout
Cretan warrior, blazon on his shield the Gorgon, that
turns men to stone, and the three legs.[1] This is what
they seem to tell his foes : " O thou who brandishest
thy spear against my shield, look not on me, and fly
with three legs from the swift-footed man."

127.—NICIAS

(*A Shield speaks*)

So one day I was fated to leave the hideous field of
battle and listen to the song and dance of girls round
the temple of Artemis, where Epixenus set me, when
white old age began to wear out his limbs.

[1] The *triquetra*, later the arms of Sicily and of the Isle of
Man.

128.—ΜΝΑΣΑΛΚΟΥ

Ἧσο κατ᾽ ἠγάθεον τόδ᾽ ἀνάκτορον, ἀσπὶ φαεννά,
ἄνθεμα Λατῴᾳ δῇον Ἀρτέμιδι.
πολλάκι γὰρ κατὰ δῆριν Ἀλεξάνδρου μετὰ χερσὶν
μαρναμένα χρυσέαν εὖ κεκόνισαι ἴτυν.

129.—ΛΕΩΝΙΔΟΥ

Ὀκτώ τοι θυρεούς, ὀκτὼ κράνη, ὀκτὼ ὑφαντοὺς
θώρηκας, τόσσας θ᾽ αἱμαλέας κοπίδας,
ταῦτ᾽ ἀπὸ Λευκανῶν Κορυφασίᾳ ἔντε᾽ Ἀθάνᾳ
Ἄγνων Εὐάνθευς θῆχ᾽ ὁ βιαιομάχας.

130.—ΑΛΛΟ

Τοὺς θυρεοὺς ὁ Μολοσσὸς Ἰτωνίδι δῶρον Ἀθάνᾳ
Πύρρος ἀπὸ θρασέων ἐκρέμασεν Γαλατᾶν,
πάντα τὸν Ἀντιγόνου καθελὼν στρατόν· οὐ μέγα
θαῦμα·
αἰχμηταὶ καὶ νῦν καὶ πάρος Αἰακίδαι.

131.—ΛΕΩΝΙΔΑ

Αἵδ᾽ ἀπὸ Λευκανῶν θυρεάσπιδες, οἱ δὲ χαλινοὶ
στοιχηδόν, ξεσταί τ᾽ ἀμφίβολοι κάμακες
δέδμηνται, ποθέουσαι ὁμῶς ἵππους τε καὶ ἄνδρας,
Παλλάδι· τοὺς δ᾽ ὁ μέλας ἀμφέχανεν θάνατος.

132.—ΝΟΣΣΙΔΟΣ

Ἔντεα Βρέττιοι ἄνδρες ἀπ᾽ αἰνομόρων βάλον ὤμων,
θεινόμενοι Λοκρῶν χερσὶν ὑπ᾽ ὠκυμάχων,

128.—MNASALCAS

REST in this holy house, bright shield, a gift from the wars to Artemis, Leto's child. For oft in the battle, fighting on Alexander's arm, thou didst in comely wise befoul with dust thy golden rim.

129.—LEONIDAS

EIGHT shields,[1] eight helmets, eight woven coats of mail and as many blood-stained axes, these are the arms, spoil of the Lucanians, that Hagnon, son of Euanthes, the doughty fighter, dedicated to Coryphasian Athene.

130.—BY THE SAME

THE shields, spoils of the brave Gauls, did Molossian Pyrrhus hang here as a gift to Itonian Athene, after destroying the whole army of Antigonus. 'Tis no great wonder! Now, as of old, the sons of Aeacus are warriors.

131.—LEONIDAS

THESE great shields won from the Lucanians, and the row of bridles, and the polished double-pointed spears are suspended here to Pallas, missing the horses and the men their masters; but them black death hath devoured.

132.—NOSSIS

THESE their shields the Bruttians threw from their doomed shoulders, smitten by the swiftly-

---

[1] θυρεοί were long oblong shields.

ὧν ἀρετὰν ὑμνεῦντα θεῶν ὑπ᾽ ἀνάκτορα κεῖνται,
οὐδὲ ποθεῦντι κακῶν πάχεας, οὓς ἔλιπον.

133.—ΑΡΧΙΛΟΧΟΥ

Ἀλκιβίη πλοκάμων ἱερὴν ἀνέθηκε καλύπτρην
Ἥρῃ, κουριδίων εὖτ᾽ ἐκύρησε γάμων.

134.—ΑΝΑΚΡΕΟΝΤΟΣ

Ἡ τὸν θύρσον ἔχουσ᾽ Ἑλικωνιάς, ἥ τε παρ᾽ αὐτὴν
Ξανθίππη, Γλαύκη τ᾽, εἰς χορὸν ἐρχόμεναι,
ἐξ ὄρεος χωρεῦσι, Διωνύσῳ δὲ φέρουσι
κισσὸν καὶ σταφυλήν, πίονα καὶ χίμαρον.

135.—ΤΟΥ ΑΥΤΟΥ

Οὗτος Φειδόλα ἵππος ἀπ᾽ εὐρυχόροιο Κορίνθου
ἄγκειται Κρονίδᾳ, μνᾶμα ποδῶν ἀρετᾶς.

136.—ΤΟΥ ΑΥΤΟΥ

Πρηξιδίκη μὲν ἔρεξεν, ἐβούλευσεν δὲ Δύσηρις
εἷμα τόδε· ξυνὴ δ᾽ ἀμφοτέρων σοφίη.

137.—ΤΟΥ ΑΥΤΟΥ

Πρόφρων, Ἀργυρότοξε, δίδου χάριν Αἰσχύλου υἱῷ
Ναυκράτει, εὐχωλὰς τάσδ᾽ ὑποδεξάμενος.

138.—ΤΟΥ ΑΥΤΟΥ

Πρὶν μὲν Καλλιτέλης μ᾽ ἱδρύσατο· τόνδε δ᾽ ἐκείνου
ἔκγονοι ἐστάσανθ᾽, οἷς χάριν ἀντιδίδου.

charging Locrians. Here they hang in the temple
of the gods, praising them, the brave, and regretting
not the clasp of the cowards they left.[1]

133.—ARCHILOCHUS

Alcibia dedicated to Hera the holy veil of her
hair, when she entered into lawful wedlock.

134-145 ATTRIBUTED TO ANACREON
134

Heliconias, she who holds the thyrsus, and Xan-
thippe next to her, and Glauce, are coming down the
mountain on their way to the dance, and they are
bringing for Dionysus ivy, grapes, and a fat goat.

135

This horse of Phidolas from spacious Corinth is
dedicated to Zeus in memory of the might of its legs.

136

Praxidice worked and Dyseris designed this
garment. It testifies to the skill of both.

137

Apollo of the silver bow, grant willingly thy
grace to Naucrates, the son of Aeschylus, receiving
these his vows.

138

Calliteles set me here of old, but this [2] his descen-
dants erected, to whom grant thy grace in return.

[1] The exact date of the combats referred to in 129, 131, 132
is unknown. Pyrrhus' victory (130) was after his Italian war.
[2] An unknown object.

139.—ΤΟΥ ΑΥΤΟΥ

Πραξαγόρας τάδε δῶρα θεοῖς ἀνέθηκε, Λυκαίου
  υἱός· ἐποίησεν δ' ἔργον 'Αναξαγόρας.

140.—ΤΟΥ ΑΥΤΟΥ

Παιδὶ φιλοστεφάνῳ Σεμέλας [μ'] ἀνέθηκε Μέλανθος
  μνᾶμα χοροῦ νίκας, υἱὸς 'Αρηϊφίλου.

141.—ΤΟΥ ΑΥΤΟΥ

'Ρυσαμένα Πύθωνα δυσαχέος ἐκ πολέμοιο,
  ἀσπὶς 'Αθηναίης ἐν τεμένει κρέμαται.

142.—ΤΟΥ ΑΥΤΟΥ

Σάν τε χάριν, Διόνυσε, καὶ ἀγλαὸν ἄστεϊ κόσμον
  Θεσσαλίας μ' ἀνέθηκ' ἀρχὸς 'Εχεκρατίδας.

143.—ΤΟΥ ΑΥΤΟΥ

Εὔχεο Τιμώνακτι θεῶν κήρυκα γενέσθαι
  ἤπιον, ὅς μ' ἐρατοῖς ἀγλαΐην προθύροις
'Ερμῆ τε κρείοντι καθέσσατο· τὸν δ' ἐθέλοντα
  ἀστῶν καὶ ξείνων γυμνασίῳ δέχομαι.

144.—ΤΟΥ ΑΥΤΟΥ

Στροίβου παῖ, τόδ' ἄγαλμα, Λεώκρατες, εὖτ' ἀνέθηκας
  'Ερμῆ, καλλικόμους οὐκ ἔλαθες Χάριτας,
οὐδ' 'Ακαδημίαν πολυγαθέα, τῆς ἐν ἀγοστῷ
  σὴν εὐεργεσίην τῷ προσιόντι λέγω.

139

PRAXAGORAS, son of Lycaeus, dedicated these gifts to the gods. Anaxagoras was the craftsman.

140

MELANTHUS, the son of Areiphilus, dedicated me to the wreath-loving son of Semele[1] in memory of his victory in the dance.

141

THE shield that saved Python from the dread battle-din hangs in the precinct of Athene.

142

ECHECRATIDAS, the ruler of Thessaly, dedicated me in honour of Bacchus and as a splendid ornament for his city.

143

On a Statue of Hermes

PRAY that the herald of the gods may be kind to Timonax, who placed me here to adorn this lovely porch, and as a gift to Hermes the Lord. In my gymnasium I receive whosoever wishes it, be he citizen or stranger.

144

LEOCRATES, son of Stroebus, when thou didst dedicate this statue to Hermes, neither the beautiful-haired Graces were heedless of it, nor joyous Academe, in whose bosom I tell of thy beneficence to all who approach.

[1] *i.e.* Bacchus.

145.—ΤΟΥ ΑΥΤΟΥ

Βωμοὺς τούσδε θεοῖς Σοφοκλῆς ἱδρύσατο πρῶτος,
ὃς πλεῖστον Μούσης εἶλε κλέος τραγικῆς.

146.—ΚΑΛΛΙΜΑΧΟΥ

Καὶ πάλιν, Εἰλείθυια, Λυκαινίδος ἐλθὲ καλεύσης,
εὔλοχος, ὠδίνων ὧδε σὺν εὐκολίῃ·
ἧς τόδε νῦν μέν, ἄνασσα, κόρης ὕπερ· ἀντὶ δὲ παιδὸς
ὕστερον εὐώδης ἄλλο τι νηὸς ἔχοι.

147.—ΤΟΥ ΑΥΤΟΥ

Τὸ χρέος ὡς ἀπέχεις, Ἀσκληπιέ, τὸ πρὸ γυναικὸς
Δημοδίκης Ἀκέσων ὤφελεν εὐξάμενος,
γιγνώσκεις· ἢν δ' ἄρα λάθῃ καὶ †μιν ἀπαιτῇς,
φησὶ παρέξεσθαι μαρτυρίην ὁ πίναξ.

148.—ΤΟΥ ΑΥΤΟΥ

Τῷ με Κανωπίτᾳ Καλλίστιον εἴκοσι μύξαις
πλούσιον, ἁ Κριτίου, λύχνον ἔθηκε θεῷ,
εὐξαμένα περὶ παιδὸς Ἀπελλίδος· ἐς δ' ἐμὰ φέγγη
ἀθρήσας φήσεις· ""Εσπερε, πῶς ἔπεσες."

149.—ΤΟΥ ΑΥΤΟΥ

"Φησὶν ὅ με στήσας Εὐαίνετος (οὐ γὰρ ἔγωγε
γιγνώσκω) νίκης ἀντί με τῆς ἰδίης
ἀγκεῖσθαι χάλκειον ἀλέκτορα Τυνδαρίδῃσι·
Πιστεύω Φαίδρου παιδὶ Φιλοξενίδεω."

145

SOPHOCLES, who won the highest glory of the tragic Muse, first dedicated these altars to the gods.

146.—CALLIMACHUS

ONCE more, Ilithya, come at Lycaenis' call, easing thus the pangs of labour. This, my Queen, she bestows on thee for a girl, but may thy perfumed temple afterwards receive from her something else for a boy.

147.—BY THE SAME

THOU knowest, Asclepius, that thou hast been paid the debt that Akeson incurred to thee by the vow he made for his wife Demodicé; but if thou dost forget and claim it again, this tablet declares that it will bear witness.

148.—BY THE SAME

KALLISTION, the wife of Critios, dedicated me, the lamp rich in twenty wicks, to the god of Canopus,[1] having made the vow for her daughter Apellis. When you see my lights you will cry, "Hesperus, how art thou fallen!"

149.—BY THE SAME

"EUAENETUS, who set me up, says (for I don't know) that I, the bronze cock, am dedicated to the Twin Brethren in thanks for his own victory." I believe the son of Phaedrus son of Philoxenus.

[1] i.e. Serapis.

150.—ΤΟΥ ΑΥΤΟΥ

Ἰναχίης ἔστηκεν ἐν Ἴσιδος ἡ Θάλεω παῖς
Αἰσχυλίς, Εἰρήνης μητρὸς ὑποσχεσίῃ.

151.—ΤΥΜΝΕΩ

Μίκκος ὁ Πελλαναῖος Ἐνναλίου βαρὺν αὐλὸν
τόνδ᾽ ἐς Ἀθαναίας ἐκρέμασ᾽ Ἰλιάδος,
Τυρσηνὸν μελέδαμα, δι᾽ οὗ ποκα πόλλ᾽ ἐβόασεν
ὠνὴρ εἰράνας σύμβολα καὶ πολέμου.

152.—ΑΓΙΔΟΣ

Καὶ στάλικας καὶ πτηνὰ λαγωβόλα σοὶ τάδε Μείδων,
Φοῖβε, σὺν ἰξευταῖς ἐκρέμασεν καλάμοις,
ἔργων ἐξ ὀλίγων ὀλίγην δόσιν· ἢν δέ τι μεῖζον
δωρήσῃ, τίσει τῶνδε πολυπλάσια.

153.—ΑΝΥΤΗΣ

Βουχανδὴς ὁ λέβης· ὁ δὲ θεὶς Ἐριασπίδα υἱὸς
Κλεύβοτος· ἁ πάτρα δ᾽ εὐρύχορος Τεγέα·
τἀθάνᾳ δὲ τὸ δῶρον· Ἀριστοτέλης δ᾽ ἐπόησεν
Κλειτόριος, γενέτᾳ ταὐτὸ λαχὼν ὄνομα.

154.—ΛΕΩΝΙΔΑ ΤΑΡΑΝΤΙΝΟΥ, οἱ δὲ ΓΑΙΤΟΥΛΙΚΟΥ

Ἀγρονόμῳ τάδε Πανὶ καὶ εὐαστῆρι Λυαίῳ
πρέσβυς καὶ Νύμφαις Ἀρκὰς ἔθηκε Βίτων·
Πανὶ μὲν ἀρτίτοκον χίμαρον συμπαίστορα ματρός,
κισσοῦ δὲ Βρομίῳ κλῶνα πολυπλανέος·

150.—By the Same

Aeschylis, the daughter of Thales, according to the promise of her mother Irene stands in the temple of Argive [1] Isis.

151.—TYMNUS

Miccus of Pellene hung in the temple of Ilian Athene this deep-toned flute of Ares,[2] the Tyrrhenian instrument by which he formerly uttered many a loud message of peace or war.

152.—AGIS

Midon, O Phoebus, dedicated to thee his stakes and winged hare-staves, together with his fowling canes—a small gift from small earnings ; but if thou give him something greater he will repay thee with far richer gifts than these.

153.—ANYTE

The cauldron would hold an ox ; the dedicator is Cleobotus, the son of Eriaspidas ; his city is spacious Tegea. The gift is made to Athene ; the artist is Aristoteles of Cleitor, who bears the same name as his father.

154.—LEONIDAS OF TARENTUM
or GAETULICUS

Old Biton of Arcady dedicated these things to rustic Pan, and Bacchus the reveller, and the Nymphs ; to Pan a newly born kid, its mother's play-fellow, to Bacchus a branch of vagrant ivy,

[1] Because regarded as identical with Io.   [2] *i.e.* a trumpet.

Νύμφαις δὲ σκιερῆς εὐποίκιλον ἄνθος ὀπώρης,　　5
φύλλα τε πεπταμένων αἱματόεντα ῥόδων.
ἀνθ' ὧν εὔυδρον, Νύμφαι, τόδε δῶμα γέροντος
αὔξετε, Πὰν γλαγερόν, Βάκχε πολυστάφυλον.

155.—ΘΕΟΔΩΡΙΔΑ

Ἅλικες αἵ τε κόμαι καὶ ὁ Κρωβύλος, ἃς ἀπὸ Φοίβῳ
πέξατο μολπαστᾷ κῶρος ὁ τετραετής·
αἰχμητὰν δ' ἐπέθυσεν ἀλέκτορα, καὶ πλακόεντα
παῖς Ἡγησιδίκου πίονα τυροφόρον.
Ὤπολλον, θείης τὸν Κρωβύλον εἰς τέλος ἄνδρα,　　5
οἴκου καὶ κτεάνων χεῖρας ὕπερθεν ἔχων.

156.—ΤΟΥ ΑΥΤΟΥ

Καλῷ σὺν τέττιγι Χαρίξεινος τρίχα τήνδε
κουρόσυνον κούραις θῆκ' Ἀμαρυνθιάσι
σὺν βοῒ χερνιφθέντα· πάϊς δ' ἴσον ἀστέρι λάμπει,
πωλικὸν ὡς ἵππος χνοῦν ἀποσεισάμενος.

157.—ΤΟΥ ΑΥΤΟΥ

Ἄρτεμις, ἡ Γόργοιο φύλαξ κτεάνων τε καὶ ἀγροῦ,
τόξῳ μὲν κλῶπας βάλλε, σάου δὲ φίλους·
καί σοι ἐπιρρέξει Γόργος χιμάροιο νομαίης
αἷμα καὶ ὡραίους ἄρνας ἐπὶ προθύροις.

158.—ΣΑΒΙΝΟΥ ΓΡΑΜΜΑΤΙΚΟΥ

Πανὶ Βίτων χίμαρον, Νύμφαις ῥόδα, θύρσα Λυαίῳ,
τρισσὸν ὑπ' εὐπετάλοις δῶρον ἔθηκε φόβαις.

to the Nymphs the varied bloom of shady Autumn and blood-red roses in full flower. In return for which, bless the old man's house with abundance— ye Nymphs, of water, Pan, of milk, and Bacchus, of grapes.

155.—THEODORIDAS

OF one age are the locks and Crobylus, the locks that the four-year old boy shore for Apollo the lyre-player, and therewith a fighting cock did Hegesidicus' son sacrifice, and a rich march-pane. Bring Crobylus up, O Phoebus, to perfect manhood, holding thy hands over his house and his possessions.

156.—BY THE SAME

To the Amarynthian Nymphs did Charixenus dedicate this shorn hair along with a beautiful hair-pin shaped like a cicada, all purified by holy water, together with an ox. The boy shines like a star, like a foal that has cast its first coat of down.

157.—BY THE SAME

ARTEMIS, guardian of Gorgus' possessions and his land, shoot the thieves with thy bow, and save thy friends. Then Gorgus at thy porch will sacrifice to thee the blood of a she-goat from his pastures and full-grown lambs.

158.—SABINUS GRAMMATICUS
(An Exercise on the Theme of 154)

A TRIPLE gift did Biton dedicate under the greenwood tree, to Pan a goat, roses to the Nymphs, and a

δαίμονες ἀλλὰ δέχοισθε κεχαρμένοι, αὔξετε δ᾽ αἰεὶ
Πὰν ἀγέλην, Νύμφαι πίδακα, Βάκχε γάνος.

159.—ΑΝΤΙΠΑΤΡΟΥ ΣΙΔΩΝΙΟΥ

Ἁ πάρος αἱματόεν πολέμου μέλος ἐν δαῒ σάλπιγξ
καὶ γλυκὺν εἰράνας ἐκπροχέουσα νόμον,
ἄγκειμαι, Φερένικε, τεὸν Τριτωνίδι κούρᾳ
δῶρον, ἐριβρύχων παυσαμένα κελάδων.

160.—ΤΟΥ ΑΥΤΟΥ

Κερκίδα τὰν ὀρθρινά, χελιδονίδων ἅμα φωνᾷ,
μελπομέναν, ἱστῶν Παλλάδος ἀλκυόνα,
τόν τε καρηβαρέοντα πολυρροίβδητον ἄτρακτον,
κλωστῆρα στρεπτᾶς εὔδρομον ἁρπεδόνας,
καὶ πήνας, καὶ τόνδε φιληλάκατον καλαθίσκον,   5
στάμονος ἀσκητοῦ καὶ τολύπας φύλακα,
παῖς ἀγαθοῦ Τελέσιλλα Διοκλέος ἁ φιλοεργὸς
εἰροκόμων Κούρᾳ θήκατο δεσπότιδι.

161.—ΚΡΙΝΑΓΟΡΟΥ

Ἑσπερίου Μάρκελλος ἀνερχόμενος πολέμοιο
σκυλοφόρος κραναῆς τέλσα πάρ᾽ Ἰταλίης,
ξανθὴν πρῶτον ἔκειρε γενειάδα· βούλετο πατρὶς
οὕτως, καὶ πέμψαι παῖδα καὶ ἄνδρα λαβεῖν.

---

[1] i.e. Athene.
[2] cp. No. 247 etc. The singing of the κερκὶς is often
mentioned. The κερκὶς is the comb with which the threads
of the woof are driven home in the upright loom. Its

thyrsus to Bacchus. Receive with joy his gifts, ye gods, and increase, Pan, his flock, ye Nymphs his fountain, and Bacchus his cellar.

159.—ANTIPATER OF SIDON

I, THE trumpet that once poured forth the bloody notes of war in the battle, and the sweet tune of peace, hang here, Pherenicus, thy gift to the Tritonian maid,[1] resting from my clamorous music.

160.—BY THE SAME

INDUSTRIOUS Telesilla, the daughter of good Diocles, dedicates to the Maiden who presides over workers in wool her weaving-comb,[2] the halcyon of Pallas' loom, that sings in the morning with the swallows, her twirling spindle nodding with the weight, the agile spinner of the twisted thread, her thread and this work-basket that loves the distaff, the guardian of her well-wrought clews and balls of wool.

161.—CRINAGORAS

MARCELLUS,[3] returning from the western war, laden with spoil, to the boundaries of rocky Italy, first shaved his yellow beard. Such was his country's wish, to send him forth a boy and receive him back a man.

singing is the rhythmical tapping of it against the loom by the worker.

[3] The nephew of Augustus familiar to us from Vergil's lines (*Aen.* vi. 863 *seq.*).

162.—ΜΕΛΕΑΓΡΟΥ

Ἀνθεμά σοι Μελέαγρος ἐὸν συμπαίστορα λύχνον,
    Κύπρι φίλη, μύστην σῶν θέτο παννυχίδων.

163.—ΤΟΥ ΑΥΤΟΥ

Τίς τάδε μοι θνητῶν τὰ περὶ θριγκοῖσιν ἀνῆψε
    σκῦλα, παναισχίστην τέρψιν Ἐνναλίου;
οὔτε γὰρ αἰγανέαι περιαγέες, οὔτε τι πήληξ
    ἄλλοφος, οὔτε φόνῳ χρανθὲν ἄρηρε σάκος·
ἀλλ᾽ αὔτως γανόωντα καὶ ἀστυφέλικτα σιδάρῳ,   5
    οἷά περ οὐκ ἐνοπᾶς, ἀλλὰ χορῶν ἔναρα·
οἷς θάλαμον κοσμεῖτε γαμήλιον· ὅπλα δὲ λύθρῳ
    λειβόμενα βροτέῳ σηκὸς Ἄρηος ἔχοι.

164.—ΛΟΥΚΙΑΝΟΥ

Γλαύκῳ καὶ Νηρῆϊ καὶ Ἰνώῳ Μελικέρτῃ,
    καὶ βυθίῳ Κρονίδῃ, καὶ Σαμόθραξι θεοῖς,
σωθεὶς ἐκ πελάγους Λουκίλλιος ὧδε κέκαρμαι
    τὰς τρίχας ἐκ κεφαλῆς· ἄλλο γὰρ οὐδὲν ἔχω.

165.—ΦΑΛΑΙΚΟΥ

Στρεπτὸν Βασσαρικοῦ ῥόμβον θιάσοιο μύωπα,
    καὶ σκύλος ἀμφιδόρου στικτὸν ἀχαιΐνεω,
καὶ κορυβαντείων ἰαχήματα χάλκεα ῥόπτρων,
    καὶ θύρσου χλοερὸν κωνοφόρου κάμακα,
καὶ κούφοιο βαρὺν τυπάνου βρόμον, ἠδὲ φορηθὲν   5
    πολλάκι μιτροδέτου λίκνον ὕπερθε κόμης,
Εὐάνθη Βάκχῳ, τὴν ἔντρομον ἀνίκα θύρσοις
    ἄτρομον εἰς προπόσεις χεῖρα μετημφίασεν.

162.—MELEAGER

MELEAGER dedicates to thee, dear Cypris, the lamp his play-fellow, that is initiated into the secrets of thy night festival.

163.—BY THE SAME

WHAT mortal hung here on the wall these spoils in which it were disgraceful for Ares to take delight? Here are set no jagged spears, no plume-less helmet, no shield stained with blood; but all are so polished, so undinted by the steel, as they were spoils of the dance and not of the battle. With these adorn a bridal chamber, but let the precinct of Ares contain arms dripping with the blood of men.

164.—LUCIAN

To Glaucus, Nereus, and Melicertes, Ino's son, to the Lord of the Depths, the son of Cronos, and to the Samothracian gods, do I, Lucillius, saved from the deep, offer these locks clipped from my head, for I have nothing else.

165.—PHALAECUS

EVANTHE, when she transferred her hand from the unsteady service of the thyrsus to the steady service of the wine-cup, dedicated to Bacchus her whirling tambourine that stirs the rout of the Bacchants to fury, this dappled spoil of a flayed fawn, her clashing brass corybantic cymbals, her green thyrsus surmounted by a pine-cone, her light, but deeply-booming drum, and the winnowing-basket she often carried raised above her snooded hair.

GREEK ANTHOLOGY

166.—ΛΟΥΚΙΛΛΙΟΥ

Εἰκόνα τῆς κήλης Διονύσιος ὧδ᾽ ἀνέθηκεν,
σωθεὶς ἐκ ναυτῶν τεσσαράκοντα μόνος·
τοῖς μηροῖς αὐτὴν γὰρ ὑπερδήσας ἐκολύμβα.
ἔστ᾽ οὖν καὶ κήλης ἔν τισιν εὐτυχίη.

167.—ΑΓΑΘΙΟΥ ΣΧΟΛΑΣΤΙΚΟΥ

Σοί, μάκαρ αἰγίκναμε, παράκτιον ἐς περιωπὰν
τὸν τράγον, ὦ δισσᾶς ἀγέτα θηροσύνας—
σοὶ γὰρ καστορίδων ὑλακὰ καὶ τρίστομος αἰχμὴ
εὔαδε, καὶ ταχινῆς ἔργα λαγωσφαγίης,
δίκτυά τ᾽ ἐν ῥοθίοις ἁπλούμενα, καὶ καλαμευτὰς   5
κάμνων, καὶ μογερῶν πεῖσμα σαγηνοβόλων—
ἄνθετο δὲ Κλεόνικος, ἐπεὶ καὶ πόντιον ἄγραν
ἄνυε, καὶ πτώκας πολλάκις ἐξεσόβει.

168.—ΠΑΥΛΟΥ ΣΙΛΕΝΤΙΑΡΙΟΥ

Βοτρυΐων ἀκάμαντα φυτῶν λωβήτορα κάπρον,
τὸν θρασὺν ὑψικόμων ἐνναέταν δονάκων,
πολλάκις ἐξερύσαντα θοῶν ἀκμαῖσιν ὀδόντων
δένδρεα, καὶ νομίους τρεψάμενον σκύλακας,
ἀντήσας ποταμοῖο πέλας, πεφρικότα χαίτας,   5
ἄρτι καὶ ἐξ ὕλας πάγχυ λιπόντα βάθος,
χαλκῷ Ξεινόφιλος κατενήρατο, καὶ παρὰ φηγῷ
θηρὸς ἀθωπεύτου Πανὶ καθῆψε δέρας.

169.—ΑΔΗΛΟΝ

Κώμαυλος τὸν ἐχῖνον ἰδὼν ἐπὶ νῶτα φέροντα
ῥάγας, ἀπέκτεινεν τῷδ᾽ ἐπὶ θειλοπέδῳ·
αὐήνας δ᾽ ἀνέθηκε φιλακρήτῳ Διονύσῳ
τὸν τὰ Διωνύσου δῶρα λεϊζόμενον.

384

166.—LUCILIUS

Dionysius, the only one saved out of forty sailors, dedicated here the image of his hydrocele, tying which close to his thighs he swam to shore. So even a hydrocele brings luck on some occasions.

167.—AGATHIAS SCHOLASTICUS

Thine, goat-legged god, for thy watch-tower by the sea, is the goat, thou who presidest over both kinds of sport. For to thee are dear both the cry of the Laconian hounds, the three-edged spear and the work of slaying the swift hare, and eke the nets spread on the waves and the toiling angler and the cable of the labouring seine-fishers. He who dedicated it was Cleonicus, since he both engaged in sea-fishing and often started hares from their forms.

168.—PAULUS SILENTIARIUS

The boar, the untiring spoiler of the vines, bold denizen of the reeds that toss their lofty heads, the brute that often tore up trees with its sharp tusks and put to flight the sheep-dogs, Xenophilus slew with the steel, encountering it near the river, its hair bristling, just fresh from its lair in the deep wood; and to Pan on the beech-tree he hung the hide of the grim beast.

169.—Anonymous

Comaulus, seeing the porcupine carrying grapes on its spines, slew it in this vineyard, and having dried it, he dedicated to Dionysus, who loves untempered wine, the spoiler of Dionysus' gift.

170.—ΘΥΙΛΛΟΥ

Αἱ πτελέαι τῷ Πανί, καὶ αἱ τανυμήκεες αὗται
  ἰτέαι, ἥ θ' ἱερὰ κἀμφιλαφὴς πλάτανος,
χαἱ λιβάδες, καὶ ταῦτα βοτηρικὰ Πανὶ κύπελλα
  ἄγκειται, δίψης φάρμακ' ἀλεξίκακα.

171.—ΑΔΗΛΟΝ

Αὑτῷ σοὶ πρὸς Ὄλυμπον ἐμακύναντο κολοσσὸν
  τόνδε Ῥόδου ναέται Δωρίδος, Ἀέλιε,
χάλκεον ἁνίκα κῦμα κατευνάσαντες Ἐννοῦς
  ἔστεψαν πάτραν δυσμενέων ἐνάροις.
οὐ γὰρ ὑπὲρ πελάγους μόνον †κάτθεσαν, ἀλλὰ
  καὶ ἐν γᾷ,
ἁβρὸν ἀδουλώτου φέγγος ἐλευθερίας·
τοῖς γὰρ ἀφ' Ἡρακλῆος ἀεξηθεῖσι γενέθλας
  πάτριος ἐν πόντῳ κἠν χθονὶ κοιρανία.

172.—ΑΔΗΛΟΝ

Πορφυρὶς ἡ Κνιδίη τὰ στέμματα, καὶ τὸ δίθυρσον
  τοῦτο τὸ λογχωτόν, καὶ τὸ περισφύριον,
οἷς ἀνέδην βάκχευεν, ὅτ' ἐς Διόνυσον ἐφοίτα
  κισσωτὴν στέρνοις νεβρίδ' ἀναπτομένη,
αὐτῷ σοί, Διόνυσε, πρὸ παστάδος ἠώρησε
  ταῦτα τὰ <καὶ> κάλλευς κόσμια καὶ μανίης.

173.—ῬΙΑΝΟΥ

Ἀχρυλὶς ἡ Φρυγίη θαλαμηπόλος, ἡ περὶ πεύκας
  πολλάκι τὰς ἱερὰς χευαμένη πλοκάμους,
γαλλαίῳ Κυβέλης ὀλολύγματι πολλάκι δοῦσα
  τὸν βαρὺν εἰς ἀκοὰς ἦχον ἀπὸ στομάτων,

170.—THYILLUS

The elms, and these lofty willows, and the holy spreading plane, and the springs, and these shepherds' cups that cure fell thirst, are dedicate to Pan.

171.—Anonymous

To thy very self, O Sun, did the people of Dorian Rhodes raise high to heaven this colossus,[1] then, when having laid to rest the brazen wave of war, they crowned their country with the spoils of their foes. Not only over the sea, but on the land, too, did they establish the lovely light of unfettered freedom. For to those who spring from the race of Heracles dominion is a heritage both on land and sea.

172.—Anonymous

Cnidian Porphyris suspends before thy chamber, Dionysus, these gauds of her beauty and her madness, her crowns, and this double thyrsus-spear, and her anklet, with all of which she raved her fill whenever she betook her to Dionysus, her ivy-decked fawn-skin knotted on her bosom.

173.—RHIANUS

Achrylis, Rhea's Phrygian lady-in-waiting, who often under the pines loosed her consecrated hair, who often uttered from her lips the sharp cry, painful to hear, that Cybele's votaries use, dedi-

---

[1] It was erected in the time of Demetrius Poliorcetes, about 300 B.C.

τάσδε θεῇ χαίτας περὶ δικλίδι θῆκεν ὀρείᾳ,
θερμὸν ἐπεὶ λύσσης ᾧδ' ἀνέπαυσε πόδα.

174.—ΑΝΤΙΠΑΤΡΟΥ

Παλλάδι ταὶ τρισσαὶ θέσαν ἅλικες, ἶσον ἀράχνᾳ
τεῦξαι λεπταλέον στάμον' ἐπιστάμεναι,
Δημὼ μὲν ταλαρίσκον εὔπλοκον, Ἀρσινόα δὲ
ἐργάτιν εὐκλώστου νήματος ἠλακάταν·
κερκίδα δ' εὐποίητον, ἀηδόνα τὰν ἐν ἐρίθοις,
Βακχυλίς, εὐκρέκτους ᾇ διέκρινε μίτους·
ζώειν γὰρ δίχα παντὸς ὀνείδεος ἤθελ' ἕκαστα,
ξεῖνε, τὸν ἐκ χειρῶν ἀρνυμένα βίοτον.

175.—ΜΑΚΗΔΟΝΙΟΥ ΥΠΑΤΟΥ

Τὸν κύνα, τὸν πάσης κρατερῆς ἐπιΐδμονα θήρης,
ἔξεσε μὲν Λεύκων, ἄνθετο δ' Ἀλκιμένης.
Ἀλκιμένης δ' οὐχ εὗρε τί μέμψεται· ὡς δ' ἴδ' ὁμοίην
εἰκόνα παντοίῳ σχήματι φαινομένην,
κλοιὸν ἔχων πέλας ἦλθε, λέγων Λεύκωνι κελεύειν
τῷ κυνὶ καὶ βαίνειν· πεῖθε γὰρ ὡς ὑλάων.

176.—ΤΟΥ ΑΥΤΟΥ

Τὸν κύνα, τὰν πήραν τε καὶ ἀγκυλόδοντα σίγυνον,
Πανί τε καὶ Νύμφαις ἀντίθεμαι Δρυάσιν·
τὸν κύνα δὲ ζώοντα πάλιν ποτὶ ταὔλιον ἄξω,
ξηρὰς εἰς ἀκόλους ξυνὸν ἔχειν ἕταρον.

177.—ΑΔΗΛΟΝ

Δάφνις ὁ λευκόχρως, ὁ καλᾷ σύριγγι μελίσδων
βουκολικοὺς ὕμνους, ἄνθετο Πανὶ τάδε·

cated her hair here at the door of the mountain goddess, where she rested her burning feet from the mad race.

174.—ANTIPATER

THE three girls all of an age, as clever as the spider at weaving delicate webs, dedicated here to Pallas, Demo her well-plaited basket, Arsinoe her spindle that produces the fine thread, and Bacchylis her well-wrought comb, the weaver's nightingale, with the skilled stroke of which she deftly parted the threads. For each of them, stranger, willed to live without reproach, gaining her living by her hands.

175.—MACEDONIUS THE CONSUL

THIS dog, trained in every kind of hunting, was carved by Leucon, and dedicated by Alcimenes. Alcimenes had no fault to find, but when he saw the statue resembling the dog in every feature he came up to it with a collar, bidding Leucon order the dog to walk, for as it looked to be barking, it persuaded him it could walk too.

176.—BY THE SAME

I DEDICATE to Pan and the Dryads this dog, this bag, and this barbed hunting-spear, but I will take the dog back alive to my stable to have a companion to share my dry crusts.

177.—ANONYMOUS

WHITE-SKINNED Daphnis, who plays on his pretty pipe rustic airs, dedicated to Pan his pierced reed-

τοὺς τρητοὺς δόνακας, τὸ λαγωβόλον, ὀξὺν ἄκοντα,
νεβρίδα, τὰν πήραν, ᾇ ποτ᾽ ἐμαλοφόρει.

[J. W. Mackail] in *Love in Idleness*, p. 174.

178.—ΗΓΗΣΙΠΠΟΥ

Δέξαι μ᾽, Ἡράκλεις, Ἀρχεστράτου ἱερὸν ὅπλον,
ὄφρα, ποτὶ ξεστὰν παστάδα κεκλιμένα,
γηραλέα τελέθοιμι, χορῶν ἀΐουσα καὶ ὕμνων·
ἀρκείτω στυγερὰ δῆρις Ἐνναλίου.

179.—ΑΡΧΙΟΥ

Ἀγραύλῳ τάδε Πανὶ βιαρκέος ἄλλος ἀπ᾽ ἄλλης
αὔθαιμοι τρισσοὶ δῶρα λινοστασίης,
Πίγρης μὲν δειραχθὲς ἐΰβροχον ἄμμα πετανῶν,
Δᾶμις δ᾽ ὑλονόμων δίκτυα τετραπόδων,
ἄρκυν δ᾽ εἰναλίων Κλείτωρ πόρεν· οἷς σὺ δι᾽ αἴθρας
καὶ πελάγευς καὶ γᾶς εὔστοχα πέμπε λίνα.

180.—ΤΟΥ ΑΥΤΟΥ

Ταῦτά σοι ἔκ τ᾽ ὀρέων, ἔκ τ᾽ αἰθέρος, ἔκ τε θαλάσσης
τρεῖς γνωτοὶ τέχνης σύμβολα, Πάν, ἔθεσαν·
ταῦτα μὲν εἰναλίων Κλείτωρ λίνα, κεῖνα δὲ Πίγρης
οἰωνῶν, Δᾶμις τὰ τρίτα τετραπόδων·
οἷς ἅμα χερσαίαισιν, ἅμ᾽ ἠερίαισιν ἐν ἄγραις,
Ἀγρεῦ, ἅμ᾽ ἐν πλωταῖς, ὡς πρίν, ἀρωγὸς ἴθι.

181.—ΤΟΥ ΑΥΤΟΥ

Τρίζυγες, οὐρεσίοικε, κασίγνητοι τάδε τέχνας
ἄλλος ἀπ᾽ ἀλλοίας σοὶ λίνα, Πάν, ἔθεσαν,

pipe, his hare-club, his sharp spear, his fawnskin and the leather bag in which he used to carry apples.

178.—HEGESIPPUS

ACCEPT me, Heracles, the consecrated shield of Aschestratus, so that, resting against thy polished porch I may grow old listening to song and dance. Enough of the hateful battle !

179.—ARCHIAS

(179-187 *are another set of tiresome variants on the theme of* 11-16)

To rustic Pan three brothers dedicate these gifts each from a different kind of netting that provides sustenance—Pigres the fowling noose that catches by the neck, Damis his nets for the beasts of the forest, and Cleitor his for those of the sea. Send success to their nets by air, sea and land.

180.—BY THE SAME

THE three brothers dedicate to thee, Pan, from mountain air and sea these tokens of their craft, Cleitor his net for fishes, Pigres his for birds, and Damis his for beasts. Help them as before, thou hunter god, in the chase by land, air, and sea.

181.—BY THE SAME

PAN, who dwellest in the mountains, the three brothers dedicated to thee these three nets, each

καὶ τὰ μὲν ὀρνίθων Πίγρης, τὰ δὲ δίκτυα θηρῶν
  Δᾶμις, ὁ δὲ Κλείτωρ εἰναλίων ἔπορεν·
τῶν ὁ μὲν ἐν ξυλόχοισιν, ὁ δ᾽ ἠερίησιν ἐν ἄγραις
  αἰέν, ὁ δ᾽ ἐν πελάγει εὔστοχον ἄρκυν ἔχοι.

182.—ΑΛΕΞΑΝΔΡΟΥ ΜΑΓΝΗΤΟΣ

Πίγρης ὀρνίθων ἄπο δίκτυα, Δᾶμις ὀρείων,
  Κλείτωρ δ᾽ ἐκ βυθίων, σοὶ τάδε, Πάν, ἔθεσαν,
ξυνὸν ἀδελφειοὶ θήρης γέρας, ἄλλος ἀπ᾽ ἄλλης,
  ἴδρι τὰ καὶ γαίης, ἴδρι τὰ καὶ πελάγευς·
ἀνθ᾽ ὧν τῷ μὲν ἁλός, τῷ δ᾽ ἠέρος, ᾧ δ᾽ ἀπὸ δρυμῶν   5
  πέμπε κράτος ταύτῃ, δαῖμον, ἐπ᾽ εὐσεβίῃ.

183.—ΖΩΣΙΜΟΥ ΘΑΣΙΟΥ

Σοὶ τάδε, Πάν, θηρευταὶ ἀνηρτήσαντο σύναιμοι
  δίκτυα, τριχθαδίης δῶρα κυναγεσίης·
Πίγρης μὲν πτανῶν, Κλείτωρ ἁλός, ὃς δ᾽ ἀπὸ χέρσου,
  Δᾶμις, τετραπόδων ἀγκύλος ἰχνελάτης.
ἀλλὰ σὺ κὴν δρυμοῖσι, καὶ εἰν ἁλί, καὶ διὰ μέσσης   5
  ἠέρος εὔαγρον τοῖσδε δίδου κάματον.

184.—ΤΟΥ ΑΥΤΟΥ

Τρισσὰ τάδε τρισσοὶ θηραγρέται, ἄλλος ἀπ᾽ ἄλλης
  τέχνης, πρὸς νηῷ Πανὸς ἔθεντο λίνα·
Πίγρης μὲν πτανοῖσιν ἐφεὶς βόλον, ἐν δ᾽ ἁλίοισιν
  Κλείτωρ, ἐν θηρσὶν Δᾶμις ἐρημονόμοις.
τοὔνεκα, Πάν, τὸν μέν γε δι᾽ αἰθέρος, ὃν δ᾽ ἀπὸ
  λόχμης,   5
  τὸν δὲ δι᾽ αἰγιαλῶν θὲς πολυαγρότερον.

from a different craft. Pigres gave his fowling nets,
Damis his nets for beasts, and Cleitor his for fishes.
Let the nets of the one be always lucky in the wood,
those of the second in the air, and those of the third
in the sea.

182.—ALEXANDER OF MAGNESIA

Pigres dedicates to thee, Pan, his nets for birds,
Damis his for mountain beasts, and Cleitor his for
those of the deep : a common gift from the brothers
for their luck in the various kinds of chase to thee
who art skilled in the things of sea and land alike.
In return for which, and recognising their piety, give
one dominion in the sea, the other in the air, the third
in the woods.

183.—ZOSIMUS OF THASOS

The hunter brothers suspended these nets to thee,
Pan, gifts from three sorts of chase ; Pigres from
fowls, Cleitor from the sea, and Damis, the crafty
tracker, from the land. But do thou reward their
toil with success in wood, sea, and air.

184.—By the Same

The three huntsmen, each from a different craft,
dedicated these nets in Pan's temple ; Pigres who set
his nets for birds, Cleitor who set his for sea-fishes,
and Damis who set his for the beasts of the waste.
Therefore, Pan, make them more successful, the one
in the air, the other in the thicket, and the third on
the beach.

185.—ΤΟΥ ΑΥΤΟΥ

Βριθὺ μὲν ἀγραύλων τόδε δίκτυον ἄνθετο θηρῶν
  Δᾶμις, καὶ Πίγρης πτηνολέτιν νεφέλην,
ἁπλότατον δ᾽ ἁλὶ τοῦτο μιτορραφὲς ἀμφίβληστρον
  Κλείτωρ, εὐθήρῳ Πανὶ προσευξάμενοι.
τοὔνεκα, Πάν, κρατερῷ πόρε Δάμιδι ληΐδα θηρῶν,   5
  Πίγρη δ᾽ οἰωνῶν, Κλείτορι δ᾽ εἰναλίων.

186.—ΙΟΥΛΙΟΥ ΔΙΟΚΛΕΟΥΣ

Δίκτυα σοὶ τάδε, Πάν, ἀνεθήκαμεν οἶκος ἀδελφῶν
  οἱ τρεῖς, ἐξ ὀρέων, ἠέρος, ἐκ πελάγευς.
δικτυβόλει τούτῳ δὲ παρ᾽ ἠϊόνων κροκάλαισιν·
  θηροβόλει τούτῳ δ᾽ ἄγκεσι θηροτόκοις·
τὸν τρίτον ἐν πτηνοῖσιν ἐπίβλεπε· τῆς γὰρ ἁπάν-
    των,   5
  δαῖμον, ἔχεις ἡμέων δῶρα λινοστασίας.

187.—ΑΛΦΕΙΟΥ ΜΙΤΥΛΗΝΑΙΟΥ

Πανὶ κασιγνήτων ἱερὴ τριάς, ἄλλος ἀπ᾽ ἄλλης,
  ἄνθετ᾽ ἀπ᾽ οἰκείης σύμβολον ἐργασίης,
Πίγρης ὀρνίθων, ἁλίων ἀπομοίρια Κλείτωρ,
  ἔμπαλιν ἰθυτόμων Δᾶμις ἀπὸ σταλίκων.
ἀνθ᾽ ὧν εὐαγρίην τῷ μὲν χθονός, ᾧ δὲ διδοίης   5
  ἐξ ἁλός, ᾧ δὲ νέμοις ἠέρος ὠφελίην.

188.—ΛΕΩΝΙΔΑ ΤΑΡΑΝΤΙΝΟΥ

Ὁ Κρὴς Θηρίμαχος τὰ λαγωβόλα Πανὶ Λυκαίῳ
  ταῦτα πρὸς Ἀρκαδικοῖς ἐκρέμασε σκοπέλοις.
ἀλλὰ σὺ Θηριμάχῳ δώρων χάριν, ἀγρότα δαῖμον,
  χεῖρα κατιθύνοις τοξότιν ἐν πολέμῳ,

185.—By the Same

This heavy net for forest beasts did Damis dedicate, Pigres his light net that brings death to birds, and Cleitor his simple sweep-net woven of thread for the sea, praying all three to Pan the hunter's god. Therefore, Pan, grant to strong Damis good booty of beasts, to Pigres of fowls, and to Cleitor of fishes.

186.—JULIUS DIOCLES

We three brothers of one house have dedicated three nets to thee, Pan, from mountain, air, and sea. Cast his nets for this one by the shingly beach, strike the game for this one in the woods, the home of wild beasts, and look with favour on the third among the birds; for thou hast gifts, kind god, from all our netting.

187.—ALPHEIUS OF MYTILENE

The holy triad of brothers dedicate to Pan each a token of his own craft; Pigres a portion from his birds, Cleitor from his fish, and Damis from his straight-cut stakes. In return for which grant to the one success by land, to the second by sea, and let the third win profit from the air.

188.—LEONIDAS OF TARENTUM

Therimachus the Cretan suspended these his hare-staves to Lycaean Pan on the Arcadian cliff. But do thou, country god, in return for his gift, direct aright the archer's hand in battle, and in the

ἔν τε συναγκείαισι παρίστασο δεξιτερῇ οἱ,   5
πρῶτα διδοὺς ἄγρης, πρῶτα καὶ ἀντιπάλων.

189.—ΜΟΙΡΟΥΣ ΒΥΖΑΝΤΙΑΣ

Νύμφαι Ἀνιγριάδες, ποταμοῦ κόραι, αἳ τάδε βένθη
ἀμβρόσιαι ῥοδέοις στείβετε ποσσὶν ἀεί,
χαίρετε καὶ σώζοιτε Κλεώνυμον, ὃς τάδε καλὰ
εἵσαθ᾽ ὑπαὶ πιτύων ὔμμι, θεαί, ξόανα.

190.—ΓΑΙΤΟΥΛΙΚΟΥ

Λάζεο, τιμήεσσα Κυθηριάς, ὑμνοπόλοιο
λιτὰ τάδ᾽ ἐκ λιτοῦ δῶρα Λεωνίδεω·
πεντάδα τὴν σταφυλῆς εὐρώγεα, καὶ μελιηδὲς
πρώϊον εὐφύλλων σῦκον ἀπ᾽ ἀκρεμόνων,
καὶ ταύτην ἀπέτηλον ἁλινήκτειραν ἐλαίην,   5
καὶ ψαιστῶν ὀλίγον δράγμα πενιχραλέων,
καὶ σταγόνα σπονδῖτιν, ἀεὶ θυέεσσιν ὀπηδόν,
τὴν κύλικος βαιῷ πυθμένι κευθομένην.
εἰ δ᾽, ὥς εὖ βαρύγυιον ἀπώσαο νοῦσον, ἐλάσσεις
καὶ πενίην, δώσω πιαλέον χίμαρον.   10

191.—ΚΟΡΝΗΛΙΟΥ ΛΟΓΓΟΥ

Ἐκ πενίης, ὡς οἶσθ᾽, ἀκραιφνέος ἀλλὰ δικαίης,
Κύπρις, ταῦτα δέχευ δῶρα Λεωνίδεω·
πορφυρέην ταύτην ἐπιφυλλίδα, τήν θ᾽ ἁλίπαστον
δρύπεπα, καὶ ψαιστῶν τὴν νομίμην θυσίην,
σπονδήν θ᾽, ἣν ἀσάλευτον ἀφύλισα, καὶ τὰ μελιχρὰ   5
σῦκα. σὺ δ᾽, ὡς νούσου, ῥύεο καὶ πενίης·
καὶ τότε βουθυτέοντά μ᾽ ἐσόψεαι. ἀλλὰ σύ, δαῖμον,
σπεύδοις ἀντιλαβεῖν τὴν ἀπ᾽ ἐμεῦ χάριτα.

forest dells stand beside him on his right hand, giving him supremacy in the chase and supremacy over his foes.

189.—MOERO OF BYZANTIUM

YE Anigrian nymphs, daughters of the stream, ambrosial beings that ever tread these depths with your rosy feet, all hail, and cure Cleonymus, who set up for you under the pines these fair images.

190.—GAETULICUS [1]

TAKE, honoured Cytherea, these poor gifts from poor Leonidas the poet, a bunch of five fine grapes, an early fig, sweet as honey, from the leafy branches, this leafless olive that swam in brine, a little handful of frugal barley-cake, and the libation that ever accompanies sacrifice, a wee drop of wine, lurking in the bottom of the tiny cup. But if, as thou hast driven away the disease that weighed sore on me, so thou dost drive away my poverty, I will give thee a fat goat.

191.—CORNELIUS LONGUS

RECEIVE, Cypris, these gifts of Leonidas out of a poverty which is, as thou knowest, untempered but honest, these purple gleanings from the vine, this pickled olive, the prescribed sacrifice of barley-cake, a libation of wine which I strained off without shaking the vessel, and the sweet figs. Save me from want, as thou hast saved me from sickness, and then thou shalt see me sacrificing cattle. But hasten, goddess, to earn and receive my thanks.

[1] This and the following are in imitation of Leonidas' own poem, No. 300.

192.—ΑΡΧΙΟΥ

Ταῦτα σαγηναίοιο λίνου δηναιὰ Πριήπῳ
  λείψανα καὶ κύρτους Φιντύλος ἐκρέμασεν,
καὶ γαμψὸν χαίτῃσιν ἐφ' ἱππείῃσι πεδηθὲν
  ἄγκιστρον, κρυφίην εἰναλίοισι πάγην,
καὶ δόνακα τριτάνυστον, ἀβάπτιστόν τε καθ' ὕδωρ   5
  φελλόν, ἀεὶ κρυφίων σῆμα λαχόντα βόλων·
οὐ γὰρ ἔτι στείβει ποσὶ χοιράδας, οὐδ' ἐπιαύει
  ἠιόσιν, μογερῷ γήραϊ τειρόμενος.

193.—ΦΛΑΚΚΟΥ

Πρίηπ' αἰγιαλῖτα, φυκόγειτον,
Δαμοίτας ἁλιεύς, ὁ βυσσομέτρης,
τὸ πέτρης ἀλιπλῆγος ἐκμαγεῖον,
ἡ βδέλλα σπιλάδων, ὁ ποντοθήρης,
σοὶ τὰ δίκτυα τἀμφίβληστρα ταῦτα,   5
δαῖμον, εἴσατο, τοῖς ἔθαλπε γήρας.

194.—ΑΔΕΣΠΟΤΟΝ

εἰς σάλπιγγα

Σῶζε, θεὰ Τριτοῖ, τὰ τεθέντα [τε] τόν τ' ἀναθέντα.

195.—ΑΡΧΙΟΥ

Τρῳάδι Παλλαναῖος ἀνήερτησεν Ἀθάνᾳ
  αὐλὸν ἐριβρεμέταν Μίκκος Ἐνναλίου,
ᾧ ποτε καὶ θυμέλῃσι καὶ ἐν πολέμοισιν ἔμελψεν
  πρόσθε, τὸ μὲν στοναχᾶς σῆμα, τὸ δ' εὐνομίας.

192.—ARCHIAS

PHINTYLUS suspended to Priapus these old remains of his seine, his weels, the crooked hook attached to a horse-hair line, hidden trap for fishes, his very long cane-rod, his float that sinks not in the water, ever serving as the indicator of his hidden casts; for no longer does he walk on the rocks or sleep on the beach, now he is worn by troublesome old age.

193.—FLACCUS

PRIAPUS of the beach, neighbour of the sea-weed, Damoetas the fisherman, the fathomer of the deep, the very image of a sea-worn crag, the leech of the rocks, the sea-hunter, dedicates to thee this sweep-net, with which he comforted his old age.

194.—ANONYMOUS

On a Trumpet.

PRESERVE, Tritonian goddess, the offerings and the offerer.

195.—ARCHIAS

To Athene of Troy Miccus of Pallene suspended the deep-toned trumpet of the War-God which formerly he sounded by the altars [1] and on the field of battle, here a sign of civic order, and there of the death-cry.

[1] See No. 46.

196.—ΣΤΑΤΥΛΛΙΟΥ ΦΛΑΚΚΟΥ

Ῥαιβοσκελῆ, δίχαλον, ἀμμοδύτορα
ὀπισθοβάμον᾽, ἀτράχηλον, ὀκτάπουν,
νήκταν, τερεμνόνωτον, ὀστρακόχροα,
τῷ Πανὶ τὸν πάγουρον ὁρμιηβόλος,
ἄγρας ἀπαρχάν, ἀντίθησι Κώπασος.   5

197.—ΣΙΜΩΝΙΔΟΥ

Ἑλλάνων ἀρχαγὸς ἐπεὶ στρατὸν ὤλεσα Μήδων
Παυσανίας Φοίβῳ μνᾶμ᾽ ἀνέθηκα τόδε.

198.—ΑΝΤΙΠΑΤΡΟΥ ΘΕΣΣΑΛΟΝΙΚΕΩΣ

Ὥριον ἀνθήσαντας ὑπὸ κροτάφοισιν ἰούλους
κειράμενος, γενύων ἄρσενας ἀγλαΐας,
Φοίβῳ θῆκε Λύκων, πρῶτον γέρας· εὔξατο δ᾽ οὕτως
καὶ πολιὴν λευκῶν κεῖραι ἀπὸ κροτάφων.
τοίην ἀλλ᾽ ἐπίνευε, τίθει δέ μιν, ὡς πρό γε τοῖον,   5
ὡς αὖτις πολιῷ γήραϊ νιφόμενον.

199.—ΑΝΤΙΦΙΛΟΥ ΒΥΖΑΝΤΙΟΥ

Εἰνοδίη, σοὶ τόνδε φίλης ἀνεθήκατο κόρσης
πῖλον, ὁδοιπορίης σύμβολον, Ἀντίφιλος·
ἦσθα γὰρ εὐχωλῇσι κατήκοος, ἦσθα κελεύθοις
ἵλαος· οὐ πολλὴ δ᾽ ἡ χάρις, ἀλλ᾽ ὁσίη.
μὴ δέ τις ἡμετέρου μάρψῃ χερὶ μάργος ὁδίτης   5
ἀνθέματος· συλᾶν ἀσφαλὲς οὐδ᾽ ὀλίγα.

196.—STATYLLIUS FLACCUS

THE bandy-legged, two-clawed sand-diver, the retrograde, neckless, eight-footed, the solid-backed, hard-skinned swimmer, the crab, does Copasus the line-fisher offer to Pan, as the first-fruits of his catch.

197.—SIMONIDES

I, PAUSANIAS, the leader of the Greeks, dedicated this monument to Phoebus,[1] when I destroyed the army of the Medes.[2]

198.—ANTIPATER OF THESSALONICA

LYCON, having shaved the down that flowered in its season under his temples, the manly ornament of his cheeks, dedicated it to Phoebus, a first gift, and therewith prayed that so he might also shave the gray hairs from his temples. Grant him an old age such as his youth, and as thou hast made him now thus, may he remain thus when the snow of hoary eld falls on his head.

199.—ANTIPHILUS OF BYZANTIUM

ARTEMIS, goddess of the road, Antiphilus dedicates to thee this hat from his head, a token of his wayfaring; for thou hast hearkened to his vows, thou hast blessed his paths. The gift is not great, but given in piety, and let no covetous traveller lay his hand on my offering; it is not safe to despoil a shrine of even little gifts.

[1] At Delphi on the bronze tripod.
[2] At the battle of Plataea.

200.—ΛΕΩΝΙΔΟΥ

Ἐκ τόκου, Εἰλείθυια, πικρὰν ὠδῖνα φυγοῦσα,
  Ἀμβροσίη κλεινῶν θήκατό σοι πρὸ ποδῶν
δέσμα κόμας καὶ πέπλον, ἐφ' ᾧ δεκάτῳ ἐνὶ μηνὶ
  δισσὸν ἀπὸ ζώνης κῦμ' ἐλόχευσε τέκνων.

201.—ΜΑΡΚΟΥ ΑΡΓΕΝΤΑΡΙΟΥ

Σάνδαλα καὶ μίτρην περικαλλέα, τόν τε μυρόπνουν
  βόστρυχον ὡραίων οὖλον ἀπὸ πλοκάμων,
καὶ ζώνην, καὶ λεπτὸν ὑπένδυμα τοῦτο χιτῶνος,
  καὶ τὰ περὶ στέρνοις ἀγλαὰ μαστόδετα,
ἔμβρυον εὐώδινος ἐπεὶ φύγε νηδύος ὄγκον,   5
  Εὐφράντη νηῷ θῆκεν ὑπ' Ἀρτέμιδος.

202.—ΛΕΩΝΙΔΟΥ ΤΑΡΑΝΤΙΝΟΥ

Εὐθύσανον ζώνην τοι ὁμοῦ καὶ τόνδε κύπασσιν
  Ἀτθὶς παρθενίων θῆκεν ὕπερθε θυρῶν,
ἐκ τόκου, ὦ Λητωῖ, βαρυνομένης ὅτε νηδὺν
  ζωὸν ἀπ' ὠδίνων λύσαο τῆσδε βρέφος.

203.—ΛΑΚΩΝΟΣ, οἱ δὲ ΦΙΛΙΠΠΟΥ ΘΕΣΣΑΛ.

Ἡ γρῆῢς ἡ χερνῆτις, ἡ γυιὴ πόδας,
  πύστιν κατ' ἐσθλὴν ὕδατος παιωνίου
ἦλθεν ποθερπύζουσα σὺν δρυὸς ξύλῳ,
  τό μιν διεσκήριπτε τὴν τετρωμένην·
οἶκτος δὲ Νύμφας εἷλεν, αἵτ' ἐριβρόμου   5
  Αἴτνης παρωρείῃσι Συμαίθου πατρὸς
ἔχουσι διηήεντος ὑγρὸν οἰκίον.
  καὶ τῆς μὲν ἀμφίχωλον ἀρτεμὲς σκέλος
θερμὴ διεστήριξεν Αἰτναίη λιβάς·
  Νύμφαις δ' ἔλειπε βάκτρον, αἵτ' ἐπῄνεσαν   10
πέμπειν μιν ἀστήρικτον, ἡσθείσαις δόσει.

200.—LEONIDAS

ILITHYIA, at thy glorious feet Ambrosia, saved from the bitter pangs of labour, laid her head-bands and her robe, because that in the tenth month she brought forth the double fruit of her womb.

201.—MARCUS ARGENTARIUS

EUPHRANTE, when she was happily delivered of the burden of her womb, dedicated in the temple of Artemis her sandals and beautiful head-band, and this scented curl cut from her lovely locks, her zone, too, and this fine under-vest, and the bright band that encompassed her bosom.

202.—LEONIDAS OF TARENTUM

ATTHIS hung over thy virginal portals, O daughter of Leto, her tasselled zone and this her frock, when thou didst deliver her heavy womb of a live child.

203.—LACON OR PHILIPPUS OF THESSALONICA

THE old lame serving-woman, hearing the good news of the healing water, came limping with an oaken staff that propped her stricken body. Pity seized the Nymphs who dwelt on the skirts of bellowing Etna in the watery house of their father, eddying Symaethus. The hot spring of Etna restored the strength of her lame legs, and to the Nymphs, who granted her prayer that they would send her back unsupported, she left her staff, and they rejoiced in the gift.

204.—ΛΕΩΝΙΔΟΥ ΤΑΡΑΝΤΙΝΟΥ

Θῆρις ὁ δαιδαλόχειρ τᾷ Παλλάδι πῆχυν ἀκαμπῆ,
καὶ τετανὸν νώτῳ καμπτόμενον πρίονα,
καὶ πέλεκυν ῥυκάναν τ᾽ εὐαυγέα, καὶ περιαγὲς
τρύπανον, ἐκ τέχνας ἄνθετο παυσάμενος.

205.—ΤΟΥ ΑΥΤΟΥ

Τέκτονος ἄρμενα ταῦτα Λεοντίχου, αἵ τε χαρακταὶ
ῥῖναι, καὶ κάλων οἱ ταχινοὶ βορέες,
στάθμαι καὶ μιλτεῖα, καὶ αἱ σχεδὸν ἀμφιπλῆγες
σφῦραι, καὶ μίλτῳ φυρόμενοι κανόνες,
αἵ τ᾽ ἀρίδες, ξυστήρ τε, καὶ ἐστελεωμένος οὗτος   5
ἐμβριθής, τέχνας ὁ πρύτανις, πέλεκυς,
τρύπανά τ᾽ εὐδίνητα, καὶ ὠκήεντα τέρετρα,
καὶ γόμφων οὗτοι τοὶ πίσυρες τορέες,
ἀμφίξουν τε σκέπαρνον· ἃ δὴ χαριεργῷ Ἀθάνᾳ
ὡνὴρ ἐκ τέχνας θήκατο παυόμενος.   10

206.—ΑΝΤΙΠΑΤΡΟΥ ΣΙΔΩΝΙΟΥ

Σάνδαλα μὲν τὰ ποδῶν θαλπτήρια ταῦτα Βίτιννα,
εὐτέχνων ἐρατὸν σκυτοτόμων κάματον·
τὸν δὲ φιλοπλάγκτοιο κόμας σφιγκτῆρα Φιλαινίς,
βαπτὸν ἁλὸς πολιῆς ἄνθεσι κεκρύφαλον·
ῥιπίδα δ᾽ Ἀντίκλεια· καλύπτειραν δὲ προσώπου,   5
ἔργον ἀραχναίοις νήμασιν ἰσόμορον,
ἁ καλὰ Ἡράκλεια· τὸν εὐσπειρῆ δὲ δράκοντα,
χρύσειον ῥαδινῶν κόσμον ἐπισφυρίων,
πατρὸς Ἀριστοτέλους συνομώνυμος· αἱ συνομήθεις
ἅλικες Οὐρανίῃ δῶρα Κυθηριάδι.   10

204.—LEONIDAS OF TARENTUM

THERIS, the cunning worker, on abandoning his craft, dedicates to Pallas his straight cubit-rule, his stiff saw with curved handle, his bright axe and plane, and his revolving gimlet.

205.—BY THE SAME

THESE are the tools of the carpenter Leontichus, the grooved file, the plane, rapid devourer of wood, the line and ochre-box, the hammer lying next them that strikes with both ends, the rule stained with ochre, the drill-bow and rasp, and this heavy axe with its handle, the president of the craft; his revolving augers and quick gimlets too, and these four screw-drivers and his double-edged adze—all these on ceasing from his calling he dedicated to Athene who gives grace to work.

206.—ANTIPATER OF SIDON

To Aphrodite the Heavenly we girl companions, all of one age, give these gifts : Bitinna these sandals, a comfort to her feet, the pretty work of skilled shoe-makers, Philaenis the net, dyed with sea-purple, that confined her straying hair, Anticlea her fan, lovely Heraclea her veil, fine as a spider's web, and the daughter of Aristotle, who bears her father's name,[1] her coiled snake, the gold ornament of her slender ankles.

[1] Aristoteleia.

207.—ΑΡΧΙΟΥ

Σάνδαλα ταῦτα Βίτιννα· πολυπλάγκτου δέ Φιλαινὶς
πορφύρεον χαίτας ῥύτορα κεκρύφαλον·
ξανθὰ δ᾽ Ἀντίκλεια νόθον κεύθουσαν ἄημα
ῥιπίδα, τὰν μαλερὸν θάλπος ἀμυνομέναν·
λεπτὸν δ᾽ Ἡράκλεια τόδε προκάλυμμα προσώπου,   5
τευχθὲν ἀραχναίης εἴκελον ἁρπεδόσιν·
ἁ δὲ καλὸν σπείραμα περισφυρίοιο δράκοντος
οὔνομ᾽ Ἀριστοτέλεω πατρὸς ἐνεγκαμένα·
ἅλικες ἀγλαὰ δῶρα, γαμοστόλε, σοὶ τάδε, Κύπρι,
ὤπασαν, αἱ γυάλων Ναυκράτιδος ναέται.   10

208.—ΑΝΤΙΠΑΤΡΟΥ

Ἡ τὰ πέδιλα φέρουσα, Μενεκράτις· ἡ δὲ τὸ φᾶρος,
Φημονόη· Πρηξὼ δ᾽, ἣ τὸ κύπελλον ἔχει.
τῆς Παφίης δ᾽ ὁ νεὼς καὶ τὸ βρέτας· ἄνθεμα δ᾽
αὐτῶν
ξυνόν· Στρυμονίου δ᾽ ἔργον Ἀριστομάχου.
πᾶσαι δ᾽ ἀσταὶ ἔσαν καὶ ἑταιρίδες· ἀλλὰ τυχοῦσαι   5
κύπριδος εὐκρήτου, νῦν ἑνός εἰσι μία.

209.—ΤΟΥ ΑΥΤΟΥ

Βιθυνὶς Κυθέρη με τεῆς ἀνεθήκατο, Κύπρι,
μορφῆς εἴδωλον λύγδινον, εὐξαμένη.
ἀλλὰ σὺ τῇ μικκῇ μεγάλην χάριν ἀντιμερίζου,
ὡς ἔθος· ἀρκεῖται δ᾽ ἀνδρὸς ὁμοφροσύνῃ.

207.—ARCHIAS

BITINNA gives these sandals, Philaenis the purple
net that confines her vagrant hair, fair-haired
Anticlea her fan in which lurks bastard wind, her
defence against the violent heat, Heraclea this fine
veil for her face, wrought like unto a spider's web,
and Aristoteleia, who bears her father's name, the
snake, her beautiful anklet. Girls all of one age,
dwelling in low-lying Naucratis, they offer these rich
gifts to thee, Aphrodite, who presidest over weddings.

208.—ANTIPATER

(It would seem on a Picture.)

SHE who brings the shoes is Menecratis, she with
the cloak is Phemonoe, and Praxo she who holds
the goblet. The temple and statue are Aphrodite's.
The offering is their joint one and it is the work
of Aristomachus of the Strymonian land. They were
all free-born courtesans, but chancing on more tem-
perate love are now each the wife of one.

209.—BY THE SAME

BITHYNIAN CYTHERE dedicated me to thee, Cypris,
according to her vow, the marble image of thy form.
But do thou, as is thy wont, give her a great gift in
return for this little one; she asks no more than
that her husband may be of one heart and soul with
her.

210.—ΦΙΛΗΤΑ ΣΑΜΙΟΥ

Πεντηκονταέτις καὶ ἐπὶ πλέον ἡ φιλέραστος
Νικιὰς εἰς νηὸν Κύπριδος ἐκρέμασεν
σάνδαλα καὶ χαίτης ἀνελίγματα, τὸν δὲ διαυγῆ
χαλκόν, ἀκριβείης οὐκ ἀπολειπόμενον,
καὶ ζώνην πολύτιμον, ἅ τ' οὐ φωνητὰ πρὸς ἀνδρός·   5
ἀλλ' ἐσορῇς πάσης Κύπριδος ὀπτασίην.

211.—ΛΕΩΝΙΔΟΥ ΤΑΡΑΝΤΙΝΟΥ

Τὸν ἀργυροῦν Ἔρωτα, καὶ περίσφυρον
πέζαν, τὸ πορφυρεῦν τε Λεσβίδος κόμης
ἔλιγμα, καὶ μηλοῦχον ὑαλόχροα,
τὸ χάλκεόν τ' ἔσοπτρον, ἠδὲ τὸν πλατὺν
τριχῶν σαγηνευτῆρα, πύξινον κτένα,   5
ὧν ἤθελεν τυχοῦσα, γνησία Κύπρι,
ἐν σαῖς τίθησι Καλλίκλεια παστάσιν.

212.—ΣΙΜΩΝΙΔΟΥ

Εὔχεο τοῖς δώροισι, Κύτων, θεὸν ὧδε χαρῆναι
Λητοΐδην ἀγορῆς καλλιχόρου πρύτανιν,
ὥσπερ ὑπὸ ξείνων τε, καὶ οἳ ναίουσι Κόρινθον,
αἶνον ἔχεις χαρίτων μεστοτάτοις στεφάνοις.

213.—ΤΟΥ ΑΥΤΟΥ

Ἑξ ἐπὶ πεντήκοντα, Σιμωνίδη, ἤραο ταύρους
καὶ τρίποδας, πρὶν τόνδ' ἀνθέμεναι πίνακα·
τοσσάκι δ' ἱμερόεντα διδαξάμενος χορὸν ἀνδρῶν,
εὐδόξου Νίκας ἀγλαὸν ἄρμ' ἐπέβης.

210.—PHILETAS OF SAMOS

Now past her fiftieth year doth amorous Nicias hang in the fane of Cypris her sandals, locks of her uncoiled hair, her bronze mirror that lacketh not accuracy, her precious zone, and the things of which a man may not speak. But here you see the whole pageant of Cypris.

211.—LEONIDAS OF TARENTUM

CALLICLEA, her wish having been granted, dedicates in thy porch, true Cypris, the silver statuette of Love, her anklet, the purple caul of her Lesbian hair,[1] her pale-blue bosom-band, her bronze mirror, and the broad box-wood comb that gathered in her locks.

212.—SIMONIDES

PRAY, Cyton, that the god, the son of Leto, who presides over the market-place, scene of beautiful dances, may take joy in thy gifts as great as is the praise thou receivest by the gifts to thee of crowns loaded with gratitude from strangers and citizens of Corinth.

213.—BY THE SAME

SIX and fifty bulls and as many tripods didst thou win, Simonides, ere thou didst dedicate this tablet. Even so many times, after teaching thy odes to the delightsome chorus of men, didst thou mount the splendid chariot of glorious victory.

[1] She was presumably from Lesbos. Its women were celebrated for their hair.

214.—ΤΟΥ ΑΥΤΟΥ

Φημὶ Γέλων’, Ἱέρωνα, Πολύζηλον, Θρασύβουλον,
παῖδας Δεινομένευς, τὸν τρίποδ’ ἀνθέμεναι,
ἐξ ἑκατὸν λιτρῶν καὶ πεντήκοντα ταλάντων
Δαμαρέτου χρυσοῦ, τᾶς δεκάτας δεκάταν.

215.—ΤΟΥ ΑΥΤΟΥ

Ταῦτ’ ἀπὸ δυσμενέων Μήδων ναῦται Διοδώρου
ὅπλ’ ἀνέθεν Λατοῖ μνάματα ναυμαχίας.

216.—ΤΟΥ ΑΥΤΟΥ

Σῶσος καὶ Σωσὼ σωτήρια τόνδ’ ἀνέθηκαν·
Σῶσος μὲν σωθείς, Σωσὼ δ’ ὅτι Σῶσος ἐσώθη.

217.—ΤΟΥ ΑΥΤΟΥ

Χειμερίην νιφετοῖο κατήλυσιν ἡνίκ’ ἀλύξας
  Γάλλος ἐρημαίην ἤλυθ’ ὑπὸ σπιλάδα,
ὑετὸν ἄρτι κόμης ἀπομόρξατο· τοῦ δὲ κατ’ ἴχνος
  βουφάγος εἰς κοίλην ἀτραπὸν ἷκτο λέων.
αὐτὰρ ὁ πεπταμένῃ μέγα τύμπανον ὃ σχέθε χειρὶ   5
  ἦραξεν, καναχῇ δ’ ἴαχεν ἄντρον ἅπαν·
οὐδ’ ἔτλη Κυβέλης ἱερὸν βρόμον ὑλονόμος θὴρ
  μεῖναι, ἀν’ ὑλῆεν δ’ ὠκὺς ἔθυνεν ὄρος,
δείσας ἡμιγύναικα θεῆς λάτριν, ὃς τάδε Ῥείᾳ
  ἐνδυτὰ καὶ ξανθοὺς ἐκρέμασε πλοκάμους.   10

---

[1] One of the most famous and precious offerings at
Delphi, dedicated by the Sicilian princes after their victory
over the Carthaginians, which was contemporary with the
battle of Salamis.

214.—By the Same

I say that Gelo, Hiero, Polyzelus, and Thrasybulus, the sons of Dinomenes, dedicated the tripod [1] weighing fifty talents and six hundred litrae [2] of Damaretian [3] gold, a tithe of the tithe.[4]

215.—By the Same

These shields, won from their foes the Medes, the sailors of Diodorus dedicated to Leto in memory of the sea-fight.[5]

216.—By the Same

Sosus and Soso dedicated this (tripod) in thanks for being so saved, Sosus because he was so saved and Soso because Sosus was so saved.

217.—By the Same

The priest of Rhea, when taking shelter from the winter snow-storm he entered the lonely cave, had just wiped the snow off his hair, when following on his steps came a lion, devourer of cattle, into the hollow way. But he with outspread hand beat the great tambour he held and the whole cave rang with the sound. Nor did that woodland beast dare to support the holy boom of Cybele, but rushed straight up the forest-clad hill, in dread of the half-girlish servant of the goddess, who hath dedicated to her these robes and this his yellow hair.

[2] The *Sicilian* litra weighed an insignificant amount.
[3] A coin first struck by Damarete, wife of Gelo.
[4] *i.e.* of the tithe which fell to the princes.
[5] Of Salamis.

218.—ΑΛΚΑΙΟΥ

Κειράμενος γονίμην τις ἄπο φλέβα Μητρὸς ἀγύρτης
  Ἴδης εὐδένδρου πρῶνας ἐβουνοβάτει·
τῷ δὲ λέων ἤντησε πελώριος, ὡς ἐπὶ θοίνην
  χάσμα φέρων χαλεπὸν πειναλέου φάρυγος.
δείσας δ' ὠμηστέω θηρὸς μόρον ὡς αὔγαξε,   5
  τύμπανον ἐξ ἱερᾶς ἐπλατάγησε νάπης.
χὠ μὲν ἐνέκλεισεν φονίαν γένυν, ἐκ δὲ τενόντων
  ἔνθους ῥομβητὴν ἐστροφάλιζε φόβην·
κεῖνος δ' ἐκπροφυγὼν ὀλοὸν μόρον, εἵσατο Ῥείῃ
  θῆρα, τὸν ὀρχησμῶν αὐτομαθῆ Κυβέλης.   10

219.—ΑΝΤΙΠΑΤΡΟΥ

Ἐκ ποτέ τις φρικτοῖο θεᾶς σεσοβημένος οἴστρῳ
  ῥομβητοὺς δονέων λυσσομανεῖς πλοκάμους,
θηλυχίτων, ἀσκητὸς ἐϋσπείροισι κορύμβοις,
  ἁβρῷ τε στρεπτῶν ἄμματι κεκρυφάλων,
ἴθρις ἀνήρ, κοιλῶπιν ὀρειάδα δύσατο πέτραν,   5
  Ζανὸς ἐλαστρηθεὶς γυιοπαγεῖ νιφάδι.
τὸν δὲ μετ' ἀρρίγητος ἐπείσθορε ταυροφόνος θήρ,
  εἰς τὸν ἑὸν προμολὼν φωλεὸν ἑσπέριος·
ἀθρήσας δ' εἰς φῶτα, καὶ εὐτρήτοισιν ἀϋτμὰν
  μυκτῆρσιν βροτέας σαρκὸς ἐρυσσάμενος,   10
ἔστα μὲν βριαροῖσιν ἐπ' ἴχνεσιν· ὄμμα δ' ἑλίξας
  βρυχᾶτο σφεδανῶν ὄβριμον ἐκ γενύων.
ἀμφὶ δέ οἱ σμαράγει μὲν ἐναυλιστήριον ἄντρον,
  ἄχει δ' ὑλάεις ἀγχινεφὴς σκόπελος.
αὐτὰρ ὁ θαμβήσας φθόγγον βαρύν, ἐκ μὲν ἅπαντα   15
  ἐν στέρνοις ἐάγη θυμὸν ὀρινόμενον·

218.—ALCAEUS

A BEGGING eunuch priest of Cybele was wandering through the upland forests of Ida, and there met him a huge lion, its hungry throat dreadfully gaping as though to devour him. Then in fear of the death that faced him in its ravening jaws, he beat his tambour from the holy grove. The lion shut its murderous mouth, and as if itself full of divine frenzy, began to toss and whirl its mane about its neck. But he thus escaping a dreadful death dedicated to Rhea the beast that had taught itself her dance.

219.—ANTIPATER

GOADED by the fury of the dreadful goddess, tossing his locks in wild frenzy, clothed in woman's raiment with well-plaited tresses and a dainty netted hair-caul, a eunuch once took shelter in a mountain cavern, driven by the numbing snow of Zeus. But behind him rushed in unshivering a lion, slayer of bulls, returning to his den in the evening, who looking on the man, snuffing in his shapely nostrils the smell of human flesh, stood still on his sturdy feet, but rolling his eyes roared loudly from his greedy jaws. The cave, his den, thunders around him and the wooded peak that mounts nigh to the clouds echoes loud. But the priest startled by the deep voice felt all his stirred spirit broken in his

ἀλλ' ἔμπας ἐρίμυκον ἀπὸ στομάτων ὀλολυγὰν
ἧκεν, ἐδίνησεν δ' εὐστροφάλιγγα κόμαν·
χειρὶ δ' ἀνασχόμενος μέγα τύμπανον, ἐπλατάγησεν,
δινωτὸν 'Ρείας ὅπλον 'Ολυμπιάδος   20
τὸ ζωᾶς ἐπαρωγόν· ἀήθεα γὰρ τότε βύρσης
ταυρείου κενεὸν δοῦπον ἔδεισε λέων,
ἐκ δὲ φυγὼν ὤρουσεν. ἴδ' ὡς ἐδίδαξεν ἀνάγκα
πάνσοφος ἐξευρεῖν ἔκλυσιν 'Αΐδεω.

220.—ΔΙΟΣΚΟΡΙΔΟΥ

Σάρδις Πεσσινόεντος ἀπὸ Φρυγὸς ἤθελ' ἱκέσθαι
ἔκφρων, μαινομένην δοὺς ἀνέμοισι τρίχα,
ἁγνὸς Ἄτυς, Κυβέλης θαλαμηπόλος· ἄγρια δ' αὐτοῦ
ἐψύχθη χαλεπῆς πνεύματα θευφορίης,
ἑσπέριον στείχοντος ἀνὰ κνέφας· εἰς δὲ κάταντες   5
ἄντρον ἔδυ, νεύσας βαιὸν ἄπωθεν ὁδοῦ.
τοῦ δὲ λέων ὤρουσε κατὰ στίβον, ἀνδράσι δεῖμα
θαρσαλέοις, Γάλλῳ δ' οὐδ' ὀνομαστὸν ἄχος,
ὃς τότ' ἄναυδος ἔμεινε δέους ὕπο, καί τινος αὔρῃ
δαίμονος ἐς στονόεν τύμπανον ἧκε χέρας·   10
οὗ βαρὺ μυκήσαντος, ὁ θαρσαλεώτερος ἄλλων
τετραπόδων, ἐλάφων ἔδραμεν ὀξύτερον,
τὸν βαρὺν οὐ μείνας ἀκοῆς ψόφον· ἐκ δὲ βόησεν·
" Μῆτερ, Σαγγαρίου χείλεσι πὰρ ποταμοῦ
ἱρὴν σοὶ θαλάμην, ζωάγρια, καὶ λαλάγημα   15
τοῦτο, τὸ θηρὶ φυγῆς αἴτιον, ἀντίθεμαι."

221.—ΛΕΩΝΙΔΟΥ

Χειμερίην διὰ νύκτα, χαλαζήεντά τε συρμὸν
καὶ νιφετὸν φεύγων καὶ κρυόεντα πάγον,

breast. Yet he uttered from his lips the piercing shriek they use, and tossed his whirling locks, and holding up his great tambour, the revolving instrument of Olympian Rhea, he beat it, and it was the saviour of his life; for the lion hearing the unaccustomed hollow boom of the bull's hide was afraid and took to flight. See how all-wise necessity taught a means of escape from death!

220.—DIOSCORIDES

CHASTE Atys, the gelded[1] servant of Cybele, in frenzy giving his wild hair to the wind, wished to reach Sardis from Phrygian Pessinus; but when the dark of evening fell upon him in his course, the fierce fervour of his bitter ecstasy was cooled and he took shelter in a descending cavern, turning aside a little from the road. But a lion came swiftly on his track, a terror to brave men and to him an inexpressible woe. He stood speechless from fear and by some divine inspiration put his hand to his sounding tambour. At its deep roar the most courageous of beasts ran off quicker than a deer, unable to bear the deep note in its ears, and he cried out, "Great Mother, by the banks of the Sangarias I dedicate to thee, in thanks for my life, my holy *thalame*[2] and this noisy instrument that caused the lion to fly."

221.—LEONIDAS

THROUGH the wintry night and driving hail, flying from the snow and bitter frost, a lion old and solitary

[1] See next note.
[2] These were receptacles in which the organs of these castrated priests were deposited.

415

μουνολέων, καὶ δὴ κεκακωμένος ἀθρόα γυῖα,
  ἦλθε φιλοκρήμνων αὖλιν ἐς αἰγινόμων.
οἱ δ᾽ οὐκ ἀμφ᾽ αἰγῶν μεμελημένοι, ἀλλὰ περὶ σφέων,   5
  εἵατο Σωτῆρα Ζῆν᾽ ἐπικεκλόμενοι.
χεῖμα δὲ θὴρ μείνας, θὴρ νύκτιος, οὔτε τιν᾽ ἀνδρῶν
  οὔτε βοτῶν βλάψας, ᾤχετ᾽ ἀπαυλόσυνος.
οἱ δὲ πάθης ἔργον τόδ᾽ ἐΰγραφὲς ἀκρολοφίτᾳ
  Πανὶ παρ᾽ εὐπρέμνῳ τᾷδ᾽ ἀνέθεντο δρυΐ·   10

222.—ΘΕΟΔΩΡΙΔΑ

Μυριόπουν σκολόπενδραν ὑπ᾽ Ὠρίωνι κυκηθεὶς
  πόντος Ἰαπύγων ἔβρασ᾽ ἐπὶ σκοπέλους·
καὶ τόδ᾽ ἀπὸ βλοσυροῦ σελάχευς μέγα πλευρὸν
  ἀνῆψαν
δαίμοσι βουφόρτων κοίρανοι εἰκοσόρων.

223.—ΑΝΤΙΠΑΤΡΟΥ

Λείψανον ἀμφίκλαστον ἁλιπλανέος σκολοπένδρης
  τοῦτο κατ᾽ εὐψαμάθου κείμενον ἠϊόνος,
δισσάκι τετρόργυιον, ἅπαν πεφορυγμένον ἀφρῷ,
  πολλὰ θαλασσαίῃ ξανθὲν ὑπὸ σπιλάδι,
Ἑρμῶναξ ἐκίχανεν, ὅτε γριπηΐδι τέχνῃ   5
  εἷλκε τὸν ἐκ πελάγους ἰχθυόεντα βόλον·
εὑρὼν δ᾽ ἥρτησε Παλαίμονι παιδὶ καὶ Ἰνοῖ,
  δαίμοσιν εἰναλίοις δοὺς τέρας εἰνάλιον.

224.—ΘΕΟΔΩΡΙΔΑ

Εἰνάλιε λαβύρινθε, τύ μοι λέγε· τίς σ᾽ ἀνέθηκεν
  ἀγρέμιον πολιᾶς ἐξ ἁλὸς εὑρόμενος ;—

and indeed stricken in all its limbs came to the fold of the goat-herds who haunt the cliffs. They, no longer anxious for their goats, but for themselves, sat calling on Zeus the Saviour. But the beast, the beast of the night, waiting till the storm was past, went away from the fold without hurting man or beast. To Pan the god of the mountain peaks they dedicated on this thick-stemmed oak this well-limned picture of what befel them.

222.—THEODORIDAS

THE sea disturbed under the rays of Orion washed ashore this thousand-footed scolopendra[1] on the rocks of Iapygia, and the masters of the deep-laden twenty-oared galleys dedicated to the gods this vast rib of the hideous monster.

223.—ANTIPATER

THIS mutilated body of a sea-wandering scolopendra eight fathoms long, all foul with foam and torn by the rocks, was found lying on this sandy beach by Hermonax when, in pursuit of his calling as a fisherman, he was drawing in his haul of fish, and having found it he hung it up as a gift to Ino and her son Palaemon, offering to the deities of the sea a monster of the sea.

224.—THEODORIDAS

SHELL, labyrinth of the deep, tell me who found thee, a booty won from the gray sea, and dedicated

---

[1] "Scolopendra" is now in Greek the bait-worm, but, unless this and the following epigram are facetious, it means here a marine monster.

παίγνιον ἀντριάσιν Διονύσιος ἄνθετο Νύμφαις
  (δῶρον δ' ἐξ ἱερᾶς εἰμὶ Πελωριάδος,)
υἱὸς Πρωτάρχου· σκολιὸς δ' ἐξέπτυσε πορθμός,   5
  ὄφρ' εἴην λιπαρῶν παίγνιον Ἀντριάδων.

225.—ΝΙΚΑΙΝΕΤΟΥ

Ἡρῷσσαι Λιβύων, ὅρος ἄκριτον αἵτε νέμεσθε,
  αἰγίδι καὶ στρεπτοῖς ζωσάμεναι θυσάνοις,
τέκνα θεῶν, δέξασθε Φιλήτιδος ἱερὰ ταῦτα
  δράγματα καὶ χλωροὺς ἐκ καλάμης στεφάνους,
ἅσσ' ἀπὸ λικμητοῦ δεκατεύεται· ἀλλὰ καὶ οὕτως   5
  Ἡρῷσσαι Λιβύων χαίρετε δεσπότιδες.

226.—ΛΕΩΝΙΔΑ

Τοῦτ' <ὀλίγον> Κλείτωνος ἐπαύλιον, ἥ τ' ὀλιγῶλαξ
  σπείρεσθαι, λιτός θ' ὁ σχεδὸν ἀμπελεών,
τοῦτό τε †ῥωπεῖον ὀλιγόξυλον· ἀλλ' ἐπὶ τούτοις
  Κλείτων ὀγδώκοντ' ἐξεπέρησ' ἔτεα.

227.—ΚΡΙΝΑΓΟΡΟΥ ΜΥΤΙΛΗΝΑΙΟΥ

Ἀργύρεόν σοι τόνδε, γενέθλιον ἐς τεὸν ἦμαρ,
  Πρόκλε, νεόσμηκτον †δουρατίην κάλαμον,
εὖ μὲν ἐϋσχίστοισι διάγλυπτον κεράεσσιν,
  εὖ δὲ ταχυνομένην εὔροον εἰς σελίδα,
πέμπει Κριναγόρης, ὀλίγην δόσιν, ἀλλ' ἀπὸ θυμοῦ   5
  πλείονος, ἀρτιδαεῖ σύμπνοον εὐμαθίῃ.

thee here.—Dionysius son of Protarchus dedicated me as a plaything for the Nymphs of the grotto. I am a gift from the holy Pelorian coast, and the waves of the winding channel cast me ashore to be the plaything of the sleek Nymphs of the grotto.

225.—NICAENETUS

HEROINES of the Libyans, girt with tufted goat-skins, who haunt this mountain chain, daughters of the gods, accept from Philetis these consecrated sheaves and fresh garlands of straw, the full tithe of his threshing; but even so, all hail to ye, Heroines, sovereign ladies of the Libyans.

226.—LEONIDAS

THIS is Clito's little cottage, this his little strip of land to sow, and the scanty vineyard hard by, this is his patch of brushwood, but here Clito passed eighty years.

227.—CRINAGORAS OF MYTILENE

THIS silver pen-nib, with its newly polished holder, nicely moulded with two easily dividing tips, running glib with even flow over the rapidly written page, Crinagoras sends you, Proclus, for your birthday, a little token of great affection, which will sympathize with your newly acquired readiness in learning.[1]

[1] I follow in line 2 Diels' emendation νεοσμήκτῳ δούρατι σύν which, though not, I think, right, gives the required sense.

419

228.—ΑΔΔΑΙΟΤ ΜΑΚΕΔΟΝΟΣ

Αὔλακι καὶ γήρᾳ τετρυμένον ἐργατίνην βοῦν
  Ἄλκων οὐ φονίην ἤγαγε πρὸς κοπίδα,
αἰδεσθεὶς ἔργων· ὁ δέ που βαθέῃ ἐνὶ ποίῃ
  μυκηθμοῖς ἀρότρου τέρπετ' ἐλευθερίῃ.

J. A. Pott, *Greek Love Songs and Epigrams*, i. p. 19 ;
A. Esdaile, *Poetry Review*, Sept. 1913.

229.—ΚΡΙΝΑΓΟΡΟΤ

Αἰετοῦ ἀγκυλοχείλου ἀκρόπτερον ὀξὺ σιδήρῳ
  γλυφθέν, καὶ βαπτῇ πορφύρεον κυάνῳ,
ἤν τι λάθῃ μίμνον μεταδόρπιον ἐντὸς ὀδόντων,
  κινῆσαι πρηεῖ κέντρῳ ἐπιστάμενον,
βαιὸν ἀπ' οὐκ ὀλίγης πέμπει φρενός, οἷα δὲ δαιτὸς   5
  δῶρον, ὁ πᾶς ἐπὶ σοί, Λεύκιε, Κριναγόρης.

230.—ΚΟΙΝΤΟΤ

Ἀκρείτᾳ Φοίβῳ, Βιθυνίδος ὃς τόδε χώρης
  κράσπεδον αἰγιαλοῖς γειτονέον συνέχεις,
Δᾶμις ὁ κυρτευτής, ψάμμῳ κέρας αἰὲν ἐρείδων,
  φρουρητὸν κήρυκ' αὐτοφυεῖ σκόλοπι
θῆκε γέρας, λιτὸν μέν, ἐπ' εὐσεβίῃ δ', ὁ γεραιός,   5
  εὐχόμενος νούσων ἐκτὸς ἰδεῖν Ἀΐδην.

231.—ΦΙΛΙΠΠΟΤ

Αἰγύπτου μεδέουσα μελαμβώλου, λινόπεπλε
  δαῖμον, ἐπ' εὐϊέρους βῆθι θυηπολίας.
σοὶ γὰρ ὑπὲρ σχιδάκων λαγαρὸν ποπάνευμα
  πρόκειται,
καὶ πολιὸν χηνῶν ζεῦγος ἐνυδροβίων,

228.—ADDAEUS OF MACEDON

ALCON did not lead to the bloody axe his labouring
ox worn out by the furrows and old age, for he
reverenced it for its service; and now somewhere
in the deep meadow grass it lows rejoicing in its
release from the plough.

229.—CRINAGORAS

THIS quill of a crooked-beaked eagle, sharpened
to a point by the steel and dyed with purple lacquer,
which skilfully removes with its gentle pick any
fragments that may be concealed in the teeth after
dinner, Crinagoras, your devoted friend, sends you,
Lucius, a little token of no small affection, just a
mere convivial gift.

230.—QUINTUS

To thee, Phoebus of the cape, who rulest this
fringe of the Bithynian land near the beach, did
Damis the fisherman who ever rests his horn[1] on the
sand give this well protected trumpet-shell with its
natural spikes, a humble present from a pious heart.
The old man prays to thee that he may see death
without disease.

231.—PHILIPPUS

QUEEN of black-soiled Egypt, goddess with the linen
robe,[2] come to my well-appointed sacrifice. On the
wood ashes a crumbling cake is laid for thee and
there is a white pair of water-haunting geese, and

---

[1] What this horn object can be I do not know.   [2] Isis.

καὶ νάρδος ψαφαρὴ κεγχρίτισιν ἰσχάσιν ἀμφί,　5
καὶ σταφυλὴ γραίη, χὠ μελίπνους λίβανος.
εἰ δ' ὡς ἐκ πελάγους ἐρρύσαο Δᾶμιν, ἄνασσα,
κἠκ πενίης, θύσει χρυσόκερων κεμάδα.

232.—ΚΡΙΝΑΓΟΡΟΥ

Βότρυες οἰνοπέπαντοι, ἐϋσχίστοιό τε ῥοιῆς
θρύμματα, καὶ ξανθοὶ μυελοὶ ἐκ στροβίλων,
καὶ δειλαὶ δάκνεσθαι ἀμυγδάλαι, ἤ τε μελισσῶν
ἀμβροσίη, πυκναί τ' ἰτρινέαι ποπάδες,
καὶ πότιμοι γέλγιθες, ἰδ' † ὑελακύκαδες ὄγχναι,　5
δαψιλῆ οἰνοπόταις γαστρὸς ἐπεισόδια·
Πανὶ φιλοσκήπωνι καὶ εὐστόρθυγγι Πριήπῳ
ἀντίθεται λιτὴν δαῖτα Φιλοξενίδης.

233.—ΜΑΙΚΙΟΥ

Γομφιόδουπα χαλινά, καὶ ἀμφίτρητον ὑπειρκτὰν
κημόν, καὶ γενύων σφίγκτορ' ἐΰρραφέα,
τάνδε τ' ἐπιπλήκτειραν ἀπορρηκτοῖο διωγμοῦ
μάστιγα, σκαιοῦ δῆγμά τ' ἐπιψελίου,
κέντρα τ' ἐναιμήεντα διωξίπποιο μύωπος,　5
καὶ πριστὸν ψήκτρας κνῆσμα σιδηρόδετον,
διπλοῖς ἀϊόνων ὠρύγμασιν, Ἴσθμιε, τερφθείς,
δῶρα, Πόσειδον, ἔχεις ταῦτα παρὰ Στρατίου.

234.—ΕΡΥΚΙΟΥ

Γάλλος ὁ χαιτάεις, ὁ νεήτομος, ὡπὸ Τυμώλου
Λύδιος ὀρχηστὰς μάκρ' ὀλολυζόμενος,

powdery nard round many-grained figs, and wrinkled
raisins and sweet-scented frankincense. But if, O
queen, thou savest Damis from poverty, as thou didst
from the deep, he will sacrifice a kid with gilded horns.

232.—CRINAGORAS

PHILOXENIDES offers a modest feast to Pan with
the sheperd's crook, and Priapus with the beautiful
horns. There are grapes ripe for wine-making, and
fragments of the pomegranate easily split, and the
yellow marrow of the pine cone, and almonds afraid
of being cracked, and the bees' ambrosia, and short-
cakes of sesame, and relishing heads of garlic and
pears with shining pips, (?) abundant little diversions
for the stomach of the wine-drinker.

233.—MAECIUS

THE bit that rattles in the teeth, the constraining
muzzle pierced on both sides, the well-sewn curb-
strap that presses on the jaw, also this correcting
whip which urges to violent speed, the crooked
biting " epipselion," [1] the bloody pricks of the spur
and the scraping saw-like curry-comb iron-bound
—these, Isthmian Poseidon, who delightest in the
roar of the waves on both shores, are the gifts thou
hast from Stratius.

234.—ERYCIUS

THE long-haired priest of Rhea, the newly gelded,
the dancer from Lydian Tmolus whose shriek is

[1] I prefer to leave this word untranslated. It cannot be
"curb-chain" (L. and S.), as the curb-strap is evidently
meant above.

τᾷ παρὰ Σαγγαρίῳ τάδε Ματέρι τύμπαν' ἀγαυᾷ
θήκατο, καὶ μάστιν τὰν πολυαστράγαλον,
ταῦτά τ' ὀρειχάλκου λάλα κύμβαλα, καὶ μυρόεντα   5
βόστρυχον, ἐκ λύσσας ἄρτια παυσάμενος.

235.—ΘΑΛΛΟΥ

Ἑσπερίοις μέγα χάρμα καὶ ἠῴοις περάτεσσι,
Καῖσαρ, ἀνικάτων ἔκγονε Ῥωμυλιδῶν,
αἰθερίην γένεσιν σέο μέλπομεν, ἀμφὶ δὲ βωμοῖς
γηθοσύνους λοιβὰς σπένδομεν ἀθανάτοις.
ἀλλὰ σὺ παππῴοις ἐπὶ βήμασιν ἴχνος ἐρείδων,   5
εὐχομένοις ἡμῖν πουλὺ μένοις ἐπ' ἔτος.

236.—ΦΙΛΙΠΠΟΥ

Ἔμβολα χαλκογένεια, φιλόπλοα τεύχεα νηῶν,
Ἀκτιακοῦ πολέμου κείμενα μαρτύρια,
ἠνίδε σιμβλεύει κηρότροφα δῶρα μελισσῶν,
ἑσμῷ βομβητῇ κυκλόσε βριθόμενα.
Καίσαρος εὐνομίης χρηστὴ χάρις· ὅπλα γὰρ ἐχθρῶν 5
καρποὺς εἰρήνης ἀντεδίδαξε τρέφειν.

237.—ΑΝΤΙΣΤΙΟΥ

Ἔνδυτα καὶ πλοκάμους τούτους θέτο Γάλλος ὀρείῃ
Μητρὶ θεῶν, τοίης εἵνεκα συντυχίης.
μούνῳ οἱ στείχοντι λέων ἄντασε καθ' ὕλαν
ἀργαλέος, ζωᾶς δ' ἆθλος ἐπεκρέματο.
ἀλλὰ θεὴ Γάλλῳ μὲν ἐπὶ φρένας ἧκεν ἀράξαι   5
τύμπανον· ὠμηστὰν δ' ἔτραπε φυζαλέον,
φθόγγον ὑποδδείσαντα πελώριον· εἵνεκα τοῦδε
πλοχμοὶ συρικτᾶν κεῖνται ἀπ' ἀκρεμόνων.

heard afar, dedicates, now he rests from his frenzy, to the solemn Mother who dwells by the banks of Sangarius these tambourines, his scourge armed with bones, these noisy brazen cymbals, and a scented lock of his hair.

235.—THALLUS

CAESAR,[1] offspring of the unconquered race of Romulus, joy of the farthest East and West, we sing thy divine birth, and round the altars pour glad libations to the gods. But mayest thou, treading in thy grandsire's steps, abide with us, even as we pray, for many years.

236.—PHILIPPUS

SEE how the brazen beaks, voyage-loving weapons of ships, here preserved as relics of the fight at Actium, shelter, like a hive, the waxy gift of the bees, weighted all round by the humming swarm. Beneficent indeed is the righteous rule of Caesar; he hath taught the arms of the enemy to bear the fruits of peace, not war.

237.—ANTISTIUS
(cp. Nos. 217-220)

THE priest of Rhea dedicated to the mountain-Mother of the gods this raiment and these locks owing to an adventure such as this. As he was walking alone in the wood a savage lion met him and a struggle for his life was imminent. But the goddess put it in his mind to beat his tambourine and he made the ravening brute take flight, dreading the awful din. For this reason his locks hang from the whistling branches.

[1] Tiberius. By "grandsire" Julius must be meant.

238.—ΑΠΟΛΛΩΝΙΔΟΤ

Εὔφρων οὐ πεδίου πολυαύλακός εἰμ' ὁ γεραιὸς
οὐδὲ πολυγλεύκου γειομόρος βότρυος·
ἀλλ' ἀρότρῳ βραχύβωλον ἐπικνίζοντι χαράσσω
χέρσον, καὶ βαιοῦ πίδακα ῥαγὸς ἔχω.
εἴη δ' ἐξ ὀλίγων ὀλίγη χάρις· εἰ δὲ διδοίης   5
πλείονα, καὶ πολλῶν, δαῖμον, ἀπαρξόμεθα.

239.—ΤΟΥ ΑΥΤΟΥ

Σμήνεος ἔκ με ταμὼν γλυκερὸν θέρος ἀντὶ νομαίων
γηραιὸς Κλείτων σπεῖσε μελισσοπόνος,
ἀμβροσίων ἔαρος κηρῶν μέλι πολλὸν ἀμέλξας,
δῶρον ἀποιμάντου τηλεπέτευς ἀγέλης.
θείης δ' ἐσμοτόκον χορὸν ἄπλετον, εὖ δὲ μελιχροῦ   5
νέκταρος ἐμπλήσαις κηροπαγεῖς θαλάμας.

240.—ΦΙΛΙΠΠΟΥ

Ζηνὸς καὶ Λητοῦς θηροσκόπε τοξότι κούρη,
Ἄρτεμις, ἢ θαλάμους τοὺς ὀρέων ἔλαχες,
νοῦσον τὴν στυγερὴν αὐθημερὸν ἐκ βασιλῆος
ἐσθλοτατου πέμψαις ἄχρις Ὑπερβορέων·
σοὶ γὰρ ὑπὲρ βωμῶν ἀτμὸν λιβάνοιο Φίλιππος   5
ῥέξει, καλλιθυτῶν κάπρον ὀρεινόμον.

J. A. Pott, *Greek Love Songs and Epigrams*, ii. p. 240.

241.—ΑΝΤΙΠΑΤΡΟΤ

Ἡ κόρυς ἀμφοτέρην ἔλαχον χάριν· εἰμὶ δ' ὁρᾶσθαι
καὶ τερπνὴ φιλίοις, καὶ φόβος ἀντιπάλοις.
ἐκ δὲ Πυλαιμένεος Πείσων μ' ἔχει· ἔπρεπεν ἄλλαις
οὔτε κόρυς χαίταις, οὔτε κόμη κόρυθι.

238.—APOLLONIDAS

I, OLD Euphron, farm no many-furrowed plain or vineyard rich in wine, but I plough a little shallow soil just scraped by the share, and I get but the juice that flows from a few grapes. From my little my gift can be but little, but if, kind god, thou givest me more, thou shalt have the first fruits of my plenty likewise.

239.—BY THE SAME

OLD Cliton, the bee-keeper, cut me out, the sweet harvest of his swarm, and instead of a victim from the herd offers me, pressing much honey from the ambrosial combs of the spring, the gift of his unshepherded far-flying flock. But make his swarm-bearing company innumerable and fill full the wax-built cells with sweetest nectar.

240.—PHILIPPUS

ARCHER daughter of Zeus and Leto, Artemis, watcher of wild creatures, who dwellest in the recesses of the hills, this very day send the hated sickness from our best of emperors[1] forth even unto the Hyperboreans. For Philippus will offer o'er thy altars smoke of frankincense, sacrificing a mountain boar.

241.—ANTIPATER

I, THE helm, am graced by two gifts. I am lovely to look on for friends and a terror to foes. Piso[2] hath me from Pylaemenes.[3] No other helmet was fit to sit on his head, no other head fit to wear me.

[1] One of the Caesars.   [2] See note to No. 335.
[3] Leader of the Paphlagonians in Homer.

242.—ΚΡΙΝΑΓΟΡΟΥ

Ἠοῖ ἐπ᾽ εὐκταίη τάδε ῥέζομεν ἱρὰ Τελείῳ
Ζηνὶ καὶ ὠδίνων μειλίχῳ Ἀρτέμιδι.
τοῖσι γὰρ οὑμὸς ὅμαιμος ἔτ᾽ ἄχνοος εὔξατο θήσειν
τὸ πρῶτον γενύων ἠϊθέοισιν ἔαρ.
δαίμονες ἀλλὰ δέχοισθε καὶ αὐτίκα τῶνδ᾽ ἀπ᾽
      ἰούλων   5
Εὐκλείδην πολιῆς ἄχρις ἄγοιτε τριχός.

243.—ΔΙΟΔΩΡΟΥ

“ Ἥ τε Σάμου μεδέουσα καὶ ἣ λάχες Ἴμβρασον Ἥρη,
δέξο γενεθλιδίους, πότνα, θυηπολίας,
μόσχων ἱερὰ ταῦτα, τά σοι πολὺ φίλτατα πάντων,
εἰ ὅσιοι μακάρων θεσμὸν ἐπιστάμεθα.”
εὔχετ᾽ ἐπισπένδων τάδε Μάξιμος· ἡ δ᾽ ἐπένευσεν   5
ἔμπεδα· Μοιράων δ᾽ οὐκ ἐμέγηρε λίνα.

244.—ΚΡΙΝΑΓΟΡΟΥ

Ἥρη, Ἐλειθυιῶν μήτηρ, Ἥρη τε τελείη,
καὶ Ζεῦ, γινομένοις ξυνὸς ἅπασι πατήρ,
ὠδῖνας νεύσαιτ᾽ Ἀντωνίῃ ἵλαοι ἐλθεῖν
πρηείας, μαλακαῖς χερσὶ σὺν Ἠπιόνης,
ὄφρα κε γηθήσειε πόσις, μήτηρ θ᾽, ἑκυρά τε.   5
ἡ νηδὺς οἴκων αἷμα φέρει μεγάλων.

245.—ΔΙΟΔΩΡΟΥ

Καρπαθίην ὅτε νυκτὸς ἅλα στρέψαντος ἀήτου
λαίλαπι Βορραίῃ κλασθὲν ἐσεῖδε κέρας,

BOOK VI. 242-245

242.—CRINAGORAS

ON the long-desired morn we offer this sacrifice to Zeus Teleius[1] and Artemis who soothes the pangs of child-bed. For to them did my brother while yet beardless vow to offer the first spring-bloom that clothes the cheeks of young men. Accept it, ye gods, and from this season of his tender beard lead Eucleides straight on to the season of grey hairs.

243.—DIODORUS

"HERA, who watchest over Samos and whose is Imbrasus, accept, gracious goddess, this birthday sacrifice, these heifer victims, dearest of all to thee, if we priests know the law of the blessed gods." Thus Maximus prayed as he poured the libation, and she granted his prayer without fail, nor did the spinning Fates grudge it.

244.—CRINAGORAS

HERA, mother of the Ilithyiae, and thou, Hera Perfectress, and Zeus, the common father of all who are born, hear my prayer and grant that gentle pangs may come to Antonia[2] in the tender hands of Hepione,[3] so that her husband may rejoice and her mother and her mother-in-law. Her womb bears the blood of great houses.

245.—DIODORUS

DIOGENES, when he saw his yard-arm broken by the blast of Boreas, as the tempest lashed the

[1] The Perfecter. [2] Wife of Drusus Germanicus.
[3] Wife of Aesculapius.

GREEK ANTHOLOGY

εὔξατο κῆρα φυγών, Βοιώτιε, σοί με, Κάβειρε
δέσποτα, χειμερίης ἄνθεμα ναυτιλίης,
ἀρτήσειν ἁγίοις τόδε λώπιον ἐν προπυλαίοις   5
Διογένης· ἀλέκοις δ' ἀνέρι καὶ πενίην.

246.—ΦΙΛΟΔΗΜΟΥ, οἱ δὲ ΑΡΓΕΝΤΑΡΙΟΥ

Κέντρα διωξικέλευθα, φιλορρώθωνά τε κημόν,
τόν τε περὶ στέρνοις κόσμον ὀδοντοφόρον,
κοῖσυΐνην <ἔτι> ῥάβδον ἐπὶ προθύροισι, Πόσειδον,
ἄνθετο σοὶ νίκης Χάρμος ἀπ' Ἰσθμιάδος,
καὶ ψήκτρην ἵππων ἐρυσίτριχα, τήν τ' ἐπὶ νώτων   5
μάστιγα, ῥοίζου μητέρα καρχαλέην.[1]
ἀλλὰ σύ, Κυανοχαῖτα, δέχευ τάδε, τὸν δὲ Λυκίνου
υἷα καὶ εἰς μεγάλην στέψον Ὀλυμπιάδα.

247.—ΦΙΛΙΠΠΟΥ

Κερκίδας ὀρθρολάλοισι χελιδόσιν εἰκελοφώνους,
Παλλάδος ἱστοπόνου λειομίτους κάμακας,
καὶ κτένα κοσμοκόμην, καὶ δακτυλότριπτον ἄτρακτον
σφονδυλοδινήτῳ νήματι νηχόμενον,
καὶ τάλαρον σχοίνοις ὑφασμένον, ὅν ποτ' ὀδόντι   5
ἐπλήρου τολύπη πᾶσα καθαιρομένη,
σοί, φιλέριθε κόρη Παλλαντιάς, ἡ βαθυγήρως
Αἰσιόνη, πενίης δῶρον, ἀνεκρέμασεν.

248.—ΑΡΓΕΝΤΑΡΙΟΥ

Κύπριδι κεῖσο, λάγυνε μεθυσφαλές, αὐτίκα δῶρον
κεῖσο, κασιγνήτη νεκταρέης κύλικος,
βακχιάς, ὑγρόφθογγε, συνέστιε δαιτὸς ἐΐσης,
στειναύχην ψήφου συμβολικῆς θύγατερ,

[1] καρχαλέην Stadtmüller (later than his edition): θαρσαλέην MS

430

BOOK VI. 245-248

Carpathian sea by night, vowed, if he escaped death,
to hang me, this little cloak, in thy holy porch,
Boeotian Cabirus, in memory of that stormy voyage;
and I pray thee keep poverty too from his door.

246.—PHILODEMUS or ARGENTARIUS

Charmus from his Isthmian victory dedicates in
thy porch, Poseidon, his spurs that urge the horse
on its way, the muzzle that fits on its nose, its
necklace of teeth,[1] and his willow wand, also the
comb that drags the horse's hair, the whip for its
flanks, rough mother of smacking blows. Accept these
gifts, god of the steel-blue locks, and crown the
son of Lycinus in the great Olympian contest too.

247.—PHILIPPUS

Pallantian Maid who lovest the loom,[2] Aesione,
now bowed with age, suspends to thee the gift
of her poverty, her weaving-comb that sings like the
early-chattering swallows, with the prongs of which
weaver Pallas smooths the thread, her comb for
dressing the wool, her spindle worn by the fingers,
swimming (?) with the twirling thread, and her
wicker basket which the wool dressed by her teeth
once filled.

248.—ARGENTARIUS

Rest here, consecrated to Cypris henceforth, my
tipsy flagon, sister of the sweet wine-cup, devotee
of Bacchus, liquid-voiced, boon-companion in the
" equal feast,"[3] slim-necked daughter of our dining

[1] To protect from the evil eye. [2] Athene. [3] Homeric.

431

θνητοῖς αὐτοδίδακτε διήκονε, μύστι φιλουντων   5
  ἡδίστη, δείπνων ὅπλον ἑτοιμότατον·
εἴης ἐκ Μάρκου γέρας ἀγλαόν, ὃς σέ, φίλοινε,
  ἤνεσεν, ἀρχαίην σύμπλανον ἀνθέμενος.

249.—ΑΝΤΙΠΑΤΡΟΥ

Λαμπάδα κηροχίτωνα, Κρόνου τυφήρεα λύχνον,
  σχοίνῳ καὶ λεπτῇ σφιγγομένην παπύρῳ,
Ἀντίπατρος Πείσωνι φέρει γέρας· ἢν δέ μ᾽ ἀνάψας
  εὔξηται, λάμψω φέγγος ἀκουσίθεον.

250.—ΑΝΤΙΦΙΛΟΥ

Λιτὸς ἐγὼ τὰ τύχης, ὦ δεσπότι· φημὶ δὲ πολλῶν
  ὄλβον ὑπερκύπτειν τὸν σὸν ἀπὸ κραδίης.
ἀλλὰ δέχευ μνιαροῖο βαθυρρήνοιο τάπητος
  ἔνδυτον εὐανθεῖ πορφύρῃ εἰδόμενον,
εἴριά τε ῥοδόεντα, καὶ ἐς κυανότριχα χαίτην   5
  νάρδον, ὑπὸ γλαυκῆς κλειομένην ὑάλου,
ὄφρα χιτὼν μὲν χρῶτα περισκέπῃ, ἔργα δ᾽ ἐλέγχῃ
  χεῖρας, ὁ δ᾽ εὐώδης ἀτμὸς ἔχῃ πλοκάμους.

251.—ΦΙΛΙΠΠΟΥ

Λευκάδος αἰπὺν ἔχων ναύταις τηλέσκοπον ὄχθον,
  Φοῖβε, τὸν Ἰονίῳ λουόμενον πελάγει,
δέξαι πλωτήρων μάζης χειφυρέα δαῖτα,
  καὶ σπονδὴν ὀλίγῃ κιρναμένην κύλικι,

---

[1] No. 135 in Book V. should be compared.
[2] The present was made according to custom at the Saturnalia.

club, self-taught minister of men, sweetest confidant of lovers, ever ready to serve at the banquet; rest here, a lordly gift from Marcus who sang thy praises, thou tippler, when he dedicated thee, the old companion of his wanderings.[1]

249.—ANTIPATER

THIS wax-robed candle, the rush lamp of Cronos,[2] formed of the pith held together by a strip of thin bark,[3] Antipater brings as a present to Piso; if he lights me and prays, I will give a light signifying that the god hears.

250.—ANTIPHILUS

MY circumstances are slender, madam, but I maintain that he who is yours from his heart looks down on the wealth of many. But accept this garment like the bright purple of a deep-piled carpet soft as moss, and this pink wool, and spikenard for your dark hair contained in a gray glass bottle, so that the tunic may cover you, the woollen work may testify to the skill of your hands, and the sweet vapour may pervade your hair.

251.—PHILIPPUS

PHOEBUS, who dwellest on the sheer height of Leucas visible from afar to sailors, and washed by the Ionian sea, accept from the seamen a feast of barley cake kneaded by the hand, and a libation

---

[3] πάπυρος means, it is evident, not papyrus proper, but the bark of the rush. Again, τυφήρης is loosely used for "made of rush," not "made of Typha (cattail)."

καὶ βραχυφεγγίτου λύχνου σέλας ἐκ βιοφειδοῦς   5
    ὄλπης ἡμιμεθεῖ πινόμενον στόματι·
ἀνθ' ὧν ἱλήκοις, ἐπὶ δ' ἱστία πέμψον ἀήτην
    οὔριον Ἀκτιακοὺς σύνδρομον εἰς λιμένας.

252.—ΑΝΤΙΦΙΛΟΥ

Μῆλον ἐγὼ στρούθειον ἀπὸ προτέρης ἔτι ποίης
    ὥριον ἐν νεαρῷ χρωτὶ φυλασσόμενον,
ἄσπιλον, ἀρρυτίδωτον, ἰσόχνοον ἀρτιγόνοισιν,
    ἀκμὴν εὐπετάλοις συμφυὲς ἀκρεμόσιν,
ὥρης χειμερίης σπάνιον γέρας· εἰς σὲ δ', ἄνασσα,   5
    τοίην χὠ νιφόεις κρυμὸς ὀπωροφορεῖ.

253.—ΚΡΙΝΑΓΟΡΟΥ

Σπήλυγγες Νυμφῶν εὐπίδακες, αἱ τόσον ὕδωρ
    εἴβουσαι σκολιοῦ τοῦδε κατὰ πρεόνος,
Πανός τ' ἠχήεσσα πιτυστέπτοιο καλιή,
    τὴν ὑπὸ Βησσαίης ποσσὶ λέλογχε πέτρης,
ἱερά τ' ἀγρευταῖσι γερανδρύου ἀρκεύθοιο   5
    πρέμνα, λιθηλογέες θ' Ἑρμέω ἱδρύσιες,
αὐταί θ' ἱλήκοιτε, καὶ εὐθήροιο δέχεσθε
    Σωσάνδρου ταχινῆς σκῦλ' ἐλαφοσσοΐης.

254.—ΜΥΡΙΝΟΥ

Τὴν μαλακὴν Παφίης Στατύλλιον ἀνδρόγυνον δρῦν
    ἕλκειν εἰς Ἀΐδην ἡνίκ' ἔμελλε χρόνος,
τἀκ κόκκου βαφθέντα καὶ ὑσγίνοιο θέριστρα,
    καὶ τοὺς ναρδολιπεῖς ἀλλοτρίους πλοκάμους,

mixed in a small cup, the poor light too of this lamp, imbibed by its half-satisfied mouth from a parsimonious oil-flask. In return for which be kind to us, and send to our sails a favourable breeze carrying us with it to the shore of Actium.

252.—ANTIPHILUS

I AM a quince of last year kept fresh in my young skin, unspotted, unwrinkled, as downy as newly-born ones, still attached to my leafy stalk, a rare gift in the winter season; but for such as thou, my queen, even the cold and snow bear fruit.

253.—CRINAGORAS

CAVES of the Nymphs with many springs, from which such abundance of water trickles down this winding slope; and thou, echoing shrine of Pan crowned with pine-leaves, the home that is his at the foot of the woodland rock; ye stumps of the ancient juniper, holy to hunters, and thou, stone-heap raised in Hermes' honour,[1] be gracious unto us and accept the spoil of fortunate Sosander's swift chase of the deer.

254.—MYRINUS

WHEN Time was about to drag down to Hades pathic Statyllius, the effeminate old stump of Aphrodite, he dedicated in the porch of Priapus his light summer dresses dyed in scarlet and crimson, his false

---

[1] A heap of stones on which every traveller would cast one. Such are still common in the East, and they had nothing to do essentially with Hermes.

φαικάδα τ' εὐτάρσοισιν ἐπ' ἀστραγάλοισι γελῶσαν, 5
καὶ τὴν γρυτοδόκην κοιτίδα παμβακίδων,
αὐλούς θ' ἡδὺ πνέοντας ἑταιρείοις ἐνὶ κώμοις,
δῶρα Πριηπείων θῆκεν ἐπὶ προθύρων.

255.—ΕΡΥΚΙΟΥ

Τοῦτο Σάων τὸ δίπαχυ κόλον κέρας ὠμβρακιώτας
βουμολγὸς ταύρου κλάσσεν ἀτιμαγέλου,
ὁππότε μιν κνημούς τε κατὰ λασίους τε χαράδρας
ἐξερέων ποταμοῦ φράσσατ' ἐπ' ἀϊόνι
ψυχόμενον χηλάς τε καὶ ἰξύας· αὐτὰρ ὁ βούτεω 5
ἀντίος ἐκ πλαγίων ἵεθ'· ὁ δὲ ῥοπάλῳ
γυρὸν ἀπεκράνιξε βοὸς κέρας, ἐκ δέ μιν αὐτᾶς
ἀχράδος εὐμύκῳ πᾶξε παρὰ κλισίᾳ.

256.—ΑΝΤΙΠΑΤΡΟΥ

Ταύρου βαθὺν τένοντα, καὶ σιδαρέους
Ἄτλαντος ὤμους, καὶ κόμαν Ἡρακλέους
σεμνάν θ' ὑπήναν, καὶ λέοντος ὄμματα
Μιλησίου γίγαντος οὐδ' Ὀλύμπιος
Ζεὺς ἀτρόμητος εἶδεν, ἄνδρας ἡνίκα 5
πυγμὰν ἐνίκα Νικοφῶν Ὀλύμπια.

257.—ΑΝΤΙΦΙΛΟΥ

Τίς με, Διωνύσῳ πεπλασμένον ἀμφιφορῆα,
τίς με, τὸν Ἀδριακοῦ νέκταρος οἰνοδόκον,
Δηοῦς ἐπλήρωσε; τίς ὁ φθόνος εἰς ἐμὲ Βάκχου,
ἢ σπάνις οἰκείου τεύχεος ἀσταχύων;
ἀμφοτέρους ᾔσχυνε· σεσύληται μὲν ὁ Βάκχος, 5
Δημήτηρ δὲ Μέθην σύντροφον οὐ δέχεται.

hair greasy with spikenard, his white shoes that shone on his shapely ankles, the chest in which reposed his bombasine frippery, and his flute that breathed sweet music in the revels of the harlot tribe.

255.—ERYCIUS

Saon of Ambracia, the herdsman, broke off this his straying bull's mutilated horn two cubits long, when, searching for him on the hill-side and leafy gullies, he spied him on the river-bank cooling his feet and sides. The bull rushed straight at him from one side, but he with his club knocked off his curving horn, and put it up on this wild pear-tree by the byre, musical with the lowing of the herd.

256.—ANTIPATER

The thick bull neck, the iron shoulders like Atlas, the hair and reverend beard like Heracles, and the lion-eyes of the Milesian giant not even Olympian Zeus saw without trembling, when Nicophon won the men's boxing contest in the Olympian games.

257.—ANTIPHILUS

Who filled me with the gifts of Demeter, the amphora fashioned for Bacchus, the recipient of Adriatic wine sweet as nectar? Why should he grudge me to Bacchus, or what scarcity was there of proper vessels for corn? He insulted both divinities; Bacchus has been robbed, and Demeter does not receive Methé [1] into her society.

[1] Drunkenness.

258.—ΑΔΔΑΙΟΥ

Τὰν οἶν, ὦ Δάματερ ἐπόγμιε, τάν τ᾽ ἀκέρωτον
μόσχον, καὶ τροχιὰν ἐν κανέῳ φθοΐδα,
σοὶ ταύτας ἐφ᾽ ἅλωος, ἐφ᾽ ἃ πολὺν ἔβρασεν ἄντλον
Κρήθων καὶ λιπαρὰν εἶδε γεωμορίαν,
ἱρεύει, πολύσωρε· σὺ δὲ Κρήθωνος ἄρουραν   5
πᾶν ἔτος εὔκριθον καὶ πολύπυρον ἄγοις.[1]

259.—ΦΙΛΙΠΠΟΥ

Τίς τὸν ἄχνουν Ἑρμῆν σε παρ᾽ ὑσπλήγεσσιν ἔθηκεν;—
Ἑρμογένης. — Τίνος ὤν; — Δαϊμένευς. — Πο-
δαπός; —
Ἀντιοχεύς.—Τιμῶν σε χάριν τίνος;—Ὡς συναρωγὸν
ἐν σταδίοις.—Ποίοις;—Ἰσθμόθι κἢν Νεμέᾳ.—
Ἔτρεχε γάρ; — Καὶ πρῶτος. — Ἑλὼν τίνας; —   5
Ἐννέα παῖδας·
ἔπτη δ᾽ ὡς ἂν ἔχων τοὺς πόδας ἡμετέρους.

260.—ΓΕΜΙΝΟΥ

Φρύνη τὸν πτερόεντα, τὸν εὐτέχνητον Ἔρωτα,
μισθὸν ὑπὲρ λέκτρων, ἄνθετο Θεσπιέσιν.
Κύπριδος ἡ τέχνη ζηλούμενον, οὐκ ἐπιμεμφὲς
δῶρον· ἐς ἀμφοτέρους δ᾽ ἔπρεπε μισθὸς Ἔρως.
δοιῆς ἐκ τέχνης αἰνέω βροτόν, ὅς γε καὶ ἄλλοις   5
δοὺς θεὸν ἐν σπλάγχνοις εἶχε τελειότερον.

261.—ΚΡΙΝΑΓΟΡΟΥ

Χάλκεον ἀργυρέῳ με πανείκελον, Ἰνδικὸν ἔργον,
ὄλπην, ἡδίστου ξείνιον εἰς ἑτάρου,

[1] ἄνοις Passon.

258.—ADDAEUS

THIS ewe, Demeter, who presidest over the furrows, and this hornless heifer, and the round cake in a basket, upon this threshing-floor on which he winnowed a huge pile of sheaves and saw a goodly harvest, doth Crethon consecrate to thee, Lady of the many heaps.[1] Every year make his field rich in wheat and barley.

259.—PHILIPPUS

A. Who set thee up, the beardless Hermes, by the starting point of the course? B. Hermogenes. A. Whose son? B. Daimenes'. A. From whence? B. From Antioch. A. Why did he honour thee? B. As his helper in the race. A. What race? B. At Isthmus and Nemea. A. He ran there, then? B. Yes, and came in first. A. Whom did he beat? B. Nine other boys, and he flew as if he had my feet.

260.—GEMINUS

PHRYNE dedicated to the Thespians the winged Love beautifully wrought, the price of her favours. The work is the gift of Cypris, a gift to envy, with which no fault can be found, and Love was a fitting payment for both.[2] I praise for two forms of art the man who, giving a god to others, had a more perfect god in his soul.

261.—CRINAGORAS

SON of Simon, since this is your birthday, Crinagoras sends me with the rejoicings of his heart as a

[1] i.e. the heaps of grain on the threshing-floor.
[2] Phryne and Praxiteles.

ἦμαρ ἐπεὶ τόδε σεῖο γενέθλιον, υἱὲ Σίμωνος,
πέμπει γηθομένη σὺν φρενὶ Κριναγόρης.

262.—ΛΕΩΝΙΔΑ

Τὸν ποίμνην καὶ ἔπαυλα βοῶν καὶ βώτορας ἄνδρας
σινόμενον, κλαγγάν τ' οὐχὶ τρέσαντα κυνῶν,
Εὐάλκης ὁ Κρὴς ἐπινύκτια μῆλα νομεύων
πέφνε, καὶ ἐκ ταύτης ἐκρέμασεν πίτυος.

263.—ΤΟΥ ΑΥΤΟΥ

Πυρσῶ τοῦτο λέοντος ἀπ' ὧν φλοιώσατο δέρμα
Σῶσος ὁ βουπάμων, δουρὶ φονευσάμενος,
ἄρτι καταβρύκοντα τὸν εὐθηλήμονα μόσχον,
οὐδ' ἵκετ' ἐκ μάνδρας αὖθις ἐπὶ ξύλοχον·
μοσχείῳ δ' ἀπέτισεν ὁ θὴρ ἀνθ' αἵματος αἷμα,   5
βληθείς· ἀχθεινὰν δ' εἶδε βοοκτασίαν.

264.—ΜΝΑΣΑΛΚΟΥ

Ἀσπὶς Ἀλεξάνδρου τοῦ Φυλλέος ἱερὸν ἅδε
δῶρον Ἀπόλλωνι χρυσοκόμῳ δέδομαι,
γηραλέα μὲν ἴτυν πολέμων ὕπο, γηραλέα δὲ
ὀμφαλόν· ἀλλ' ἀρετᾷ λάμπομαι, ἂν ἔκιχον
ἀνδρὶ κορυσσαμένα σὺν ἀριστέι, ὅς μ' ἀνέθηκε.   5
ἐμμὶ δ' ἀήσσατος πάμπαν ἀφ' οὗ γενόμαν.

265.—ΝΟΣΣΙΔΟΣ

Ἥρα τιμήεσσα, Λακίνιον ἃ τὸ θυῶδες
πολλάκις οὐρανόθεν νεισομένα καθορῇς,
δέξαι βύσσινον εἷμα, τό τοι μετὰ παιδὸς ἀγαυᾶς
Νοσσίδος ὕφανεν Θευφιλὶς ἁ Κλεόχας.

gift to the house of his sweetest friend. I am a bronze flask, just like silver, of Indian workmanship

262.—LEONIDAS

THE beast which wrought havoc on the flock and the cattle-pen and the herdsmen, and feared not the loud noise of the dogs, Eualces the Cretan slew while shepherding his flock at night, and hung on this pine.

263.—BY THE SAME

Sosus, rich in cattle, flenched this tawny lion, which he slew with his spear just as it had begun to devour the suckling calf, nor went it back from the sheepfold to the wood. To the calf the brute transpierced paid blood for blood, and sorrowful to it was the murder it wrought.

264.—MNASALCAS

I AM the shield of Alexander, Phylleus' son, and hang here a holy gift to golden-haired Apollo. My edge is old and war-worn, old and worn is my boss, but I shine by the valour I attained going forth to the battle with the bravest of men, him who dedicated me. From the day of my birth up I have remained unconquered.

265.—NOSSIS

HERA revered, who oft descending from heaven lookest on thy Lacinian shrine fragrant with frankincense, accept the linen garment which Theophilis, daughter of Cleocha, wove for thee with her noble daughter Nossis.

266.—ΗΓΗΣΙΠΠΟΥ

Τάνδε παρὰ τριόδοις τὰν Ἄρτεμιν Ἀγελόχεια,
  ἔτ' ἐν πατρὸς μένουσα παρθένος δόμοις,
εἴσατο, Δαμαρέτου θυγάτηρ· ἐφάνη γάρ οἱ αὐτὰ
  ἱστοῦ παρὰ κρόκαισιν ὡς αὐγὰ πυρός.

C. Merivale in *Collections from the Greek Anthology*, 1833,
p. 147.

267.—ΔΙΟΤΙΜΟΥ

Φωσφόρος ὦ σώτειρ', ἐπὶ Πόλλιδος ἔσταθι κλήρων,
  Ἄρτεμι, καὶ χαρίεν φῶς ἑὸν ἀνδρὶ δίδου,
αὐτῷ καὶ γενεῇ· τόπερ εὐμαρές· οὐ γὰρ ἀφαυρῶς
  ἐκ Διὸς ἰθείης οἶδε τάλαντα δίκης.
ἄλσος δ', Ἄρτεμι, τοῦτο καὶ ἂν Χαρίτεσσι θεούσαις   5
  εἴη ἐπ' ἀνθεμίδων σάμβαλα κοῦφα βαλεῖν.

268.—ΜΝΑΣΑΛΚΟΥ

Τοῦτό σοι, Ἄρτεμι δῖα, Κλεώνυμος εἶσατ' ἄγαλμα,
  †τοῦτο· σὺ δ' εὐθήρου τοῦδ' ὑπέρισχε ῥίου,
εὖτε κατ' εἰνοσίφυλλον ὄρος ποσί, πότνια, βαίνεις,
  δεινὸν μαιμώσαις ἐγκονέουσα κυσίν.

269.—ΩΣ ΣΑΠΦΟΥΣ

Παῖδες, ἄφωνος ἐοῖσα τορ' ¹ ἐννέπω, αἴ τις ἔρηται,
  φωνὰν ἀκαμάταν κατθεμένα πρὸ ποδῶν·
" Αἰθοπίᾳ με κόρᾳ Λατοῦς ἀνέθηκεν Ἀρίστα
  ἁ Ἑρμοκλείδα τῶ Σαϋναϊάδα,

¹ I write τορ' : τετ MS.

266.—HEGESIPPUS

THIS Artemis in the cross-ways did Hagelochia, the daughter of Damaretus,[1] erect while still a virgin in her father's house ; for the goddess herself appeared to her, by the weft of her loom, like a flame of fire.

267.—DIOTIMUS

STAND here, Artemis the Saviour,[2] with thy torch on the land of Pollis,[3] and give thy delightful light to him and to his children. The task is easy ; for no feeble knowledge hath he from Zeus of the unerring scales of Justice. And, Artemis, let the Graces too race over this grove, treading on the flowers with their light sandals.

268.—MNASALCAS

THIS image, Holy Artemis, Cleonymus set up to thee. Bestow thy blessing on this upland chase when thy feet, our lady, tread the forest-clad mountain, as thou followest eagerly the dreadful panting of thy pack.

269.—SAID TO BE BY SAPPHO

CHILDREN, though I am a dumb stone, if any ask, then I answer clearly, having set down at my feet the words I am never weary of speaking : " Arista, daughter of Hermoclides the son of Saumeus, dedi-

---

[1] The well-known king of Sparta (*circ.* 500 B.C.).

[2] Not, I suppose, chosen as such ; but the shrine was hers.

[3] A man learned in the law. who begs that other graces of life too may be his.

σὰ πρόπολος, δέσποινα γυναικῶν· ᾇ σὺ χαρεῖσα   5
πρόφρων ἁμετέραν εὐκλέϊσον γενεάν."

270.—ΝΙΚΙΟΥ

Ἀμφαρέτας κρήδεμνα καὶ ὑδατόεσσα καλύπτρα,
  Εἰλείθυια, τεᾶς κεῖται ὑπὲρ κεφαλᾶς,
ἅς σε μετ᾽ εὐχωλᾶς ἐκαλέσσατο λευγαλέας οἱ
  κῆρας ἀπ᾽ ὠδίνων τῆλε βαλεῖν λοχίων.

271.—ΦΑΙΔΙΜΟΥ

Ἄρτεμι, σοὶ τὰ πέδιλα Κιχησίου εἵσατο υἱός,
  καὶ πέπλων ὀλίγον πτύγμα Θεμιστοδίκη,
οὕνεκά οἱ πρηεῖα λεχοῖ δισσὰς ὑπερέσχες
  χεῖρας, ἄτερ τόξου, πότνια, νισσομένη.
Ἄρτεμι, νηπίαχον δὲ καὶ εἰσέτι παῖδα Λέοντι   5
  νεῦσον ἰδεῖν κοῦρον γυῖ᾽ ἐπαεξόμενον.

272.—ΠΕΡΣΟΥ

Ζῶμά τοι, ὦ Λατωΐ, καὶ ἀνθεμόεντα κύπασσιν,
  καὶ μίτραν μαστοῖς σφιγκτὰ περιπλομέναν,
θήκατο Τιμάεσσα, δυσωδίνοιο γενέθλας
  ἀργαλέον δεκάτῳ μηνὶ φυγοῦσα βάρος.

273.—ΩΣ ΝΟΣΣΙΔΟΣ

Ἄρτεμι, Δᾶλον ἔχουσα καὶ Ὀρτυγίαν ἐροεσσαν,
  τόξα μὲν εἰς κόλπους ἅγν᾽ ἀπόθου Χαρίτων,
λοῦσαι δ᾽ Ἰνωπῷ καθαρὸν χρόα, βᾶθι δὲ Λοκροὺς
  λύσουσ᾽ ὠδίνων Ἀλκέτιν ἐκ χαλεπῶν.

444

cated me to Artemis Aethopia.[1] Thy ministrant is she, sovereign lady of women; rejoice in this her gift of herself,[2] and be willing to glorify our race."

270.—NICIAS

THE head-kerchief and water-blue veil of Amphareta rest on thy head, Ilithyia; for them she vowed to thee when she prayed thee to keep dreadful death far away from her in her labour.

271.—PHAEDIMUS

ARTEMIS, the son of Cichesias dedicated the shoes to thee, and Themistodice the simple folds of her gown, because that coming in gentle guise without thy bow thou didst hold thy two hands over her in her labour. But Artemis, vouchsafe to see this baby boy of Leon's grow great and strong.

272.—PERSES

HER zone and flowered frock, and the band that clasps her breasts tight, did Timaessa dedicate, Artemis, to thee, when in the tenth month she was freed from the burden and pain of difficult travail.

273.—LIKE NOSSIS

ARTEMIS, lady of Delos and lovely Ortygia, lay by thy stainless bow in the bosom of the Graces, wash thee clean in Inopus, and come to Locri to deliver Alcetis from the hard pangs of childbirth.

---

[1] A Lesbian Artemis, dedications to whom we possess.
[2] The statue was one of Arista herself.

274.—ΠΕΡΣΟΥ

Πότνια κουροσόος, ταύταν ἐπιπορπίδα νυμφᾶν,
  καὶ στεφάναν λιπαρῶν ἐκ κεφαλᾶς πλοκάμων,
ὀλβία Εἰλείθυια, πολυμνάστοιο φύλασσε
  Τισίδος ὠδίνων ῥύσια δεξαμένα.

275.—ΝΟΣΣΙΔΟΣ

Χαίροισάν τοι ἔοικε κομᾶν ἄπο τὰν Ἀφροδίταν
  ἄνθεμα κεκρύφαλον τόνδε λαβεῖν Σαμύθας·
δαιδαλέος τε γάρ ἐστι, καὶ ἁδύ τι νέκταρος ὄσδει,
  τοῦ, τῷ καὶ τήνα καλὸν Ἄδωνα χρίει.

276.—ΑΝΤΙΠΑΤΡΟΥ

Ἡ πολύθριξ οὔλας ἀνεδήσατο παρθένος Ἵππη
  χαίτας, εὐώδη σμηχομένα κρόταφον·
ἤδη γάρ οἱ ἐπῆλθε γάμου τέλος· αἱ δ' ἐπὶ κόρσῃ
  μίτραι παρθενίας αἰτέομεν χάριτας.
Ἄρτεμι, σῇ δ' ἰότητι γάμος θ' ἅμα καὶ γένος εἴη   5
  τῇ Λυκομηδείδου παιδὶ λιπαστραγάλῃ.

277.—ΔΑΜΑΓΗΤΟΥ

Ἄρτεμι, τόξα λαχοῦσα καὶ ἀλκήεντας ὀϊστούς,
  σοὶ πλόκον οἰκείας τόνδε λέλοιπε κόμης
Ἀρσινόη θυόεν παρ' ἀνάκτορον, ἡ Πτολεμαίου
  παρθένος, ἱμερτοῦ κειραμένη πλοκάμου.

274.—PERSES

GODDESS, saviour of children, blest Ilithyia, receive and keep as thy fee for delivering Tisis, who well remembers, from her pangs, this bridal brooch and the diadem from her glossy hair.

275.—NOSSIS

WITH joy, methinks, Aphrodite will receive this offering from Symaetha, the caul that bound her hair; for it is delicately wrought and hath a certain sweet smell of nectar, that nectar with which she, too, anoints lovely Adonis.

276.—ANTIPATER

HIPPE, the maiden, has put up her abundant curly hair, brushing it from her perfumed temples, for the solemn time when she must wed has come, and I the snood that used to rest there require in my wearer the grace of virginity. But, Artemis, in thy loving-kindness grant to Lycomedes' child, who has bidden farewell to her knuckle-bones, both a husband and children.

277.—DAMAGETUS

ARTEMIS, who wieldest the bow and the arrows of might, by thy fragrant temple hath Arsinoe, the maiden daughter of Ptolemy,[1] left this lock of her own hair, cutting it from her lovely tresses.

[1] Ptolemy I.

278.—ΡΙΑΝΟΥ

Παῖς Ἀσκληπιάδεω καλῷ καλὸν εἴσατο Φοίβῳ
Γόργος ἀφ' ἱμερτᾶς τοῦτο γέρας κεφαλᾶς.
Φοῖβε, σὺ δ' ἵλαος, Δελφίνιε, κοῦρον ἀέξοις
εὔμοιρον λευκὴν ἄχρις ἐφ' ἡλικίην.

279.—ΕΥΦΟΡΙΩΝΟΣ

Πρώτας ὁππότ' ἔπεξε καλὰς Εὔδοξος ἐθείρας,
Φοίβῳ παιδείην ὤπασεν ἀγλαΐην.
ἀντὶ δέ οἱ πλοκαμῖδος, Ἑκηβόλε, καλὸς ἐπείη
ὠχαρνῆθεν ἀεὶ κισσὸς ἀεξομένῳ.

280.—ΑΔΗΛΟΝ

Τιμαρέτα πρὸ γάμοιο τὰ τύμπανα, τήν τ' ἐρατεινὴν
σφαῖραν, τόν τε κόμας ῥύτορα κεκρύφαλον,
τάς τε κόρας, Λιμνᾶτι, κόρα κόρα, ὡς ἐπιεικές,
ἄνθετο, καὶ τὰ κορᾶν ἐνδύματ', Ἀρτέμιδι.
Λατῴα, τὺ δὲ παιδὸς ὑπὲρ χέρα Τιμαρετείας   5
θηκαμένα, σώζοις τὰν ὁσίαν ὁσίως.

281.—ΛΕΩΝΙΔΟΥ

Δίνδυμα καὶ Φρυγίης πυρικαέος ἀμφιπολεῦσα
πρῶνας, τὴν μικρήν, μῆτερ, Ἀριστοδίκην,
κούρην Σειλήνης, παμπότνια, κεἰς ὑμέναιον
κεἰς γάμον ἁδρύναις, πείρατα κουροσύνας·
ἀνθ' ὧν σοὶ κατὰ πολλὰ προνηΐα καὶ παρὰ βωμῷ   5
παρθενικὴν ἐτίναξ' ἔνθα καὶ ἔνθα κόμην.

---

[1] Acharnae is near Athens.   A crown of ivy was the prize
in musical contests.

278.—RHIANUS

Gorgus, son of Asclepiades, dedicates to Phoebus the fair this fair lock, a gift from his lovely head. But, Delphinian Phoebus, be gracious to the boy, and stablish him in good fortune till his hair be grey.

279.—EUPHORION

When Eudoxus first shore his beautiful hair, he gave to Phoebus the glory of his boyhood; and now vouchsafe, O Far-shooter, that instead of these tresses the ivy of Acharnae [1] may ever rest on his head as he grows.

280.—Anonymous

Timareta, the daughter of Timaretus, before her wedding, hath dedicated to thee, Artemis of the lake, her tambourine and her pretty ball, and the caul that kept up her hair, and her dolls, too, and their dresses; a virgin's gift, as is fit, to virgin [2] Dian. But, daughter of Leto, hold thy hand over the girl, and purely keep her in her purity.

281.—LEONIDAS

Great Mother, who watchest over Dindyma and the hills of Burnt Phrygia,[3] bring, O sovereign lady, little Aristodike, Silene's daughter, up to an age ripe for marriage and the hymn of Hymen, the due end of girlhood. For this, dancing at many a festival held in thy courts and before thy altar, she tossed this way and that her virgin hair.

[2] In Greek the same word is used for "girl" and "doll."

[3] A part of Phrygia with many vestiges of volcanic action was so called.

449

282.—ΘΕΟΔΩΡΟΥ

Σοὶ τὸν πιληθέντα δι᾽ εὐξάντου τριχὸς ἀμνοῦ,
  Ἑρμᾶ, Καλλιτέλης ἐκρέμασεν πέτασον,
καὶ δίβολον περόναν, καὶ στλεγγίδα, κἀποτανυσθὲν
  τόξον, καὶ τριβάκην γλοιοπότιν χλαμύδα,
καὶ σχίζας, καὶ σφαῖραν ἀείβολον· ἀλλὰ σὺ δέξαι,   5
  κωροφίλ᾽, εὐτάκτου δῶρον ἐφηβοσύνας.

283.—ΑΔΗΛΟΝ

Ἡ τὸ πρὶν αὐχήσασα πολυχρύσοις ἐπ᾽ ἐρασταῖς,
  ἡ Νέμεσιν δεινὴν οὐχὶ κύσασα θεόν,
μίσθια νῦν σπαθίοις πενιχροῖς πηνίσματα κρούει.
  ὀψέ γ᾽ Ἀθηναίη Κύπριν ἐληΐσατο.

284.—ΑΔΗΛΟΝ

Λάθρη κοιμηθεῖσα Φιλαίνιον εἰς Ἀγαμήδους
  κόλπους τὴν φαιὴν εἰργάσατο χλανίδα.
αὐτὴ Κύπρις ἔριθος· εὔκλωστον δὲ γυναικῶν
  νῆμα καὶ ἠλακάτην ἀργὸς ἔχοι ταλαρος.

285.—ΝΙΚΑΡΧΟΥ δοκεῖ

Ἡ πρὶν Ἀθηναίης ὑπὸ κερκίσι καὶ τὰ καθ᾽ ἱστῶν
  νήματα Νικαρέτη πολλὰ μιτωσαμένη,
Κύπριδι τὸν κάλαθον τά τε πηνία καὶ τὰ σὺν αὐτοῖς
  ἄρμεν᾽ ἐπὶ προδόμου πάντα πυρῆς ἔθετο,
"Ἔρρετε," φωνήσασα, "κακῶν λιμηρὰ γυναικῶν   5
  ἔργα, νέον τήκειν ἄνθος ἐπιστάμενα."

282.—THEODORUS

To thee, Hermes, did Calliteles suspend his felt hat made of well-carded sheep's wool, his double pin, his strigil, his unstrung bow, his worn chlamys soaked with sweat, his arrows (?),[1] and the ball he never tired of throwing. Accept, I pray thee, friend of youth, these gifts, the souvenirs of a well-conducted adolescence.

283.—ANONYMOUS

SHE who formerly boasted of her wealthy lovers and never bowed the knee to Nemesis, the dread goddess, now weaves on a poor loom cloth she is paid for. Late in the day hath Athene despoiled Cypris.

284.—ANONYMOUS

PHILAENION, by sleeping secretly in Agamedes' bosom, wrought for herself the grey robe. Cypris herself was the weaver ; but may women's well-spun thread and spindles lie idle in the work-basket.

285.—By NICARCHUS, IT WOULD SEEM

NICARETE, who formerly was in the service of Athene's shuttle, and stretched out many a warp on the loom, made in honour of Cypris a bonfire in front of her house of her work-basket and bobbins and her other gear, crying, " Away with ye, starving work of wretched women, that have power to waste away the bloom of youth." Instead the girl chose

[1] In this, as in some other epigrams, obscure words are used purposely as by Lycophron.

εἵλετο δὲ στεφάνους καὶ πηκτίδα καὶ μετὰ κωμων
ἡ παῖς τερπνὸν ἔχειν ἐν θαλίαις βίοτον·
εἶπε δέ· "Παντὸς σοὶ δεκάτην ἀπὸ λήμματος οἴσω,
Κύπρι· σὺ δ' ἐργασίην καὶ λάβε καὶ μετάδος." 10

286.—ΛΕΩΝΙΔΟΥ

Τῆς πέζης τὰ μὲν ἄκρα τὰ δεξιὰ μέχρι παλαιστῆς
καὶ σπιθαμῆς οὔλης Βίττιον εἰργάσατο·
θάτερα δ' Ἀντιάνειρα προσήρμοσε· τὸν δὲ μεταξὺ
Μαίανδρον καὶ τὰς παρθενικὰς Βιτίη.
κουρᾶν καλλίστη Διός, Ἄρτεμι, τοῦτο τὸ νῆμα 5
πρὸς ψυχῆς θείης, τὴν τριπόνητον ἔριν.

287.—ΑΝΤΙΠΑΤΡΟΥ

Ἄρτεμι, σοὶ ταύταν, εὐπάρθενε, πότνα γυναικῶν,
τὰν μίαν αἱ τρισσαὶ πέζαν ὑφηνάμεθα.
καὶ Βιτίη μὲν τάσδε χοροιθαλέας κάμε κούρας,
λοξᾶ τε Μαιάνδρου ῥεῖθρα παλιμπλανέος·
ξανθὰ δ' Ἀντιάνειρα τὸν ἀγχόθι μήσατο κόσμον, 5
πρὸς λαιᾷ ποταμοῦ κεκλιμένον λαγόνι·
τὸν δέ νυ δεξιτερῶν νασμῶν πέλας ἰσοπάλαιστον
τοῦτον ἐπὶ σπιθαμῇ Βίττιον ἤνυσατο.

288.—ΛΕΩΝΙΔΟΥ

Αἱ Λυκομήδευς παῖδες, Ἀθηνὼ καὶ Μελίτεια
καὶ Φιντὼ Γληνίς θ', αἱ φιλοεργόταται,
ἔργων ἐκ δεκάτας ποτιθύμια, τόν τε πρόσεργον
ἄτρακτον, καὶ τὰν ἄτρια κριναμέναν

garlands and the lyre, and a gay life spent in revel
and festivity. "Cypris," she said, "I will pay thee
tithe of all my gains. Give me work and take from
it thy due."

286.—LEONIDAS

The right end of the border, measuring a span
and a whole palm,[1] is the work of Bitto; the other
extremity was added by Antianira, while Bitie worked
the girls and the Maeander[2] in the middle. Artemis,
fairest of the daughters of Jove, take to thy heart
this piece of woven work which the three vied in
making.

287.—ANTIPATER

Artemis, fairest of virgins, sovereign lady of
women, we three wove this border for thee. Bitie
wrought the dancing girls and the crooked stream
of winding Maeander. Blonde Antianira devised the
decoration that lies on the left side of the river, and
Bittion that on the right, measuring a span and a
palm.

288.—LEONIDAS

We, the industrious daughters of Lycomedes,
Atheno, Melitea, Phinto, and Glenis, offer from the
tithe of our work, as a gift to please thee, a little
part of the little we have in our poverty, the labori-

[1] Altogether twelve finger's breadths.
[2] The actual river, not the pattern so called. See the next
epigram.

κερκίδα, τὰν ἱστῶν μολπάτιδα, καὶ τὰ τροχαῖα   5
    πανία, †κερταστὰς τούσδε ποτιρρογέας,
καὶ †σπάθας εὐβριθεῖς πολυάργυρα· τὼς δὲ πενιχραὶ
    ἐξ ὀλίγων ὀλίγην μοῖραν ἀπαρχόμεθα,
τῶν χέρας αἰέν, Ἀθάνα, ἐπιπλήσαις μὲν ὀπίσσω,
    θείης δ' εὐσιπύους ἐξ ὀλιγησιπύων.   10

289.—ΤΟΥ ΑΥΤΟΥ

Αὐτονόμα, Μελίτεια, Βοΐσκιον, αἱ Φιλολάδεω
    καὶ Νικοῦς Κρῆσσαι τρεῖς, ξένε, θυγατέρες,
ἁ μὲν τὸν μιτόεργον ἀειδίνητον ἄτρακτον,
    ἁ δὲ τὸν ὀρφνίταν εἰροκόμον τάλαρον,
ἁ δ' ἅμα τὰν πέπλων εὐάτριον ἐργάτιν, ἱστῶν   5
    κερκίδα, τὰν λεχέων Πανελόπας φύλακα,
δῶρον Ἀθαναίᾳ Πανίτιδι τῷδ' ἐνὶ ναῷ
    θῆκαν, Ἀθαναίας παυσάμεναι καμάτων.

290.—ΔΙΟΣΚΟΡΙΔΟΥ

Ῥιπίδα τὴν μαλακοῖσιν ἀεὶ πρηεῖαν ἀήταις
    Παρμενὶς ἡδίστη θῆκε παρ' Οὐρανίῃ,
ἐξ εὐνῆς δεκάτευμα· τὸ δ' ἠελίου βαρὺ θάλπος
    ἡ δαίμων μαλακοῖς ἐκτρέπεται Ζεφύροις.

291.—ΑΝΤΙΠΑΤΡΟΥ

Βακχυλὶς ἡ Βάκχου κυλίκων σποδός, ἔν ποτε νούσῳ
    κεκλιμένα, Δηοῖ τοῖον ἔλεξε λόγον·
"Ἢν ὀλοοῦ διὰ κῦμα φύγω πυρός, εἰς ἑκατόν σοι
    ἠελίους δροσερᾶν πίομαι ἐκ λιβάδων,
ἀβρόμιος καὶ ἄοινος." ἐπεὶ δ' ὑπάλυξεν ἀνίην,   5
    αὐτῆμαρ τοῖον μῆχος ἐπεφράσατο·
τρητὸν γὰρ θεμένα χερὶ κόσκινον, εὖ διὰ πυκνῶν
    σχοίνων ἠελίους πλείονας ηὐγάσατο.

BOOK VI. 288-291

ous spindle, the weaving-comb that passes between the threads of the warp, sweet songster of the loom, our round spools, our . . . ., and our heavy weaving-blade. Fill our hands, Athene, ever after, and make us rich in meal instead of poor in meal.

289.—BY THE SAME

AUTONOMA, Melite, and Boïscion, the three Cretan daughters of Philolaides and Nico, dedicated in this temple, O stranger, as a gift to Athene of the spool on ceasing from the labours of Athene, the first her thread-making ever-twirling spindle, the second her wool-basket that loves the night, and the third her weaving-comb, the industrious creator of raiment, that watched over the bed of Penelope.

290.—DIOSCORIDES

WITH sweetest Urania[1] did Parmenis leave her fan, the ever gentle ministrant of soft breezes, a tithe from her bed; but now the goddess averts from her by tender zephyrs the heavy heat of the sun.

291.—ANTIPATER

BACCHYLIS, the sponge of the cups of Bacchus, once when she fell sick addressed Demeter something in this way. "If I escape from the wave of this pernicious fever, for the space of a hundred suns I will drink but fresh spring water and avoid Bacchus and wine." But when she was quit of her illness, on the very first day she devised this dodge. She took a sieve, and looking through its close meshes, saw even more than a hundred suns.

[1] Aphrodite the Celestial.

292.—ΗΔΥΛΟΥ

Αἱ μίτραι, τό θ' ἁλουργὲς ὑπένδυμα, τοί τε Λάκωνες
πέπλοι, καὶ ληρῶν οἱ χρύσεοι κάλαμοι,
πάνθ' ἅμα Νικονόη †συνέκπιεν·[1] ἦν γὰρ Ἐρώτων
καὶ Χαρίτων ἡ παῖς ἀμβρόσιόν τι θάλος.
τοιγὰρ τῷ κρίναντι τὰ καλλιστεῖα Πριήπῳ   5
νεβρίδα καὶ χρυσέην τήνδ' ἔθετο προχόην.

293.—ΛΕΩΝΙΔΟΥ

Ὁ σκήπων καὶ ταῦτα τὰ βλαύτια, πότνια Κύπρι,
ἄγκειται κυνικοῦ σκῦλ' ἀπὸ Σωχάρεος,
ὄλπη τε ῥυπόεσσα, πολυτρήτοιό τε πήρας
λείψανον, ἀρχαίης πληθόμενον σοφίης·
σοὶ δὲ Ῥόδων ὁ καλός, τὸν πάνσοφον ἡνίκα πρέσβυν   5
ἤγρευσεν, στεπτοῖς θῆκατ' ἐπὶ προθύροις.

294.—ΦΑΝΙΟΥ

Σκήπωνα προποδαγόν, ἱμάντα τε, καὶ παρακοίταν
νάρθηκα, κροτάφων πλάκτορα νηπιάχων,
κέρκον τ' εὐμόλπαν φιλοκαμπέα, καὶ μονόπελμον
συγχίδα, καὶ στεγάναν κρατὸς ἐρημοκόμου,
Κάλλων Ἑρμείᾳ θέτ' ἀνάκτορι, σύμβολ' ἀγωγᾶς   5
παιδείου, πολιῷ γυῖα δεθεὶς καμάτῳ.

295.—ΤΟΥ ΑΥΤΟΥ

Σμίλαν Ἀσκώνδας δονακογλύφον, ὅν τ' ἐπὶ μισθῷ
σπόγγον ἔχεν καλάμων ψαίστορα τῶν Κνιδίων,

[1] ἐκ in this word is a correction of hand two, the reading
of hand one being unfortunately lost. There is room for four
or five letters.

292.—HEDYLUS

THE snood and purple vest, and the Laconian robes, and the gold piping for the tunic, all fell to (?) Niconoe, for the girl was an ambrosial blossom of the Loves and Graces. Therefore to Priapus, who was judge in the beauty-contest, she dedicates the fawn-skin and this golden jug.

293.—LEONIDAS

THE staff and these slippers hang here, Cypris, the spoils won from Sochares the cynic; his grimy oil-flask, too, and the remains of his wallet all in holes, stuffed full of ancient wisdom. They were dedicated here, on thy begarlanded porch, by comely Rhodon, when he caught the all-wise greybeard.

294.—PHANIAS[1]

CALLON, his limbs fettered by senile fatigue, dedicates to Hermes the Lord these tokens of his career as a schoolmaster: the staff that guided his feet, his tawse, and the fennel-rod that lay ever ready to his hand to tap little boys with on the head, his lithe whistling bull's pizzle, his one-soled slipper, and the skull-cap of his hairless pate.

295.—BY THE SAME

ASCONDAS, when he came in for an exciseman's lickerish sop,[2] hung up here to the Muses the

---

[1] This poet also uses obscure words on purpose, and much is conjecture.　　　[2] *i.e.* fat place.

καὶ σελίδων κανόνισμα φιλόρθιον, ἔργμα τε λείας
  σαμοθέτον, καὶ τὰν εὐμέλανον βροχίδα,
κάρκινά τε σπειροῦχα, λεάντειράν τε κίσηριν,   5
  καὶ τὰν ἀδυφαῆ πλινθίδα καλλαΐναν,
μάζας ἀνίκ' ἔκυρσε τελωνιάδος φιλολίχνου,
  Πιερίσιν πενίας ἄρμεν' ἀνεκρέμασεν.

296.—ΛΕΩΝΙΔΟΥ

Ἀστεμφῆ ποδάγρην, καὶ δούνακας ἀνδικτῆρας,
  καὶ λίνα, καὶ γυρὸν τοῦτο λαγωοβόλον,
ἰοδόκην, καὶ τοῦτον ἐπ' ὄρτυγι τετρανθέντα
  αὐλόν, καὶ πλωτῶν εὐπλεκὲς ἀμφιβόλον,
Ἑρμείῃ Σώσιππος, ἐπεὶ παρενήξατο τὸ πλεῦν   5
  ἥβης, ἐκ γήρως δ' ἀδρανίῃ δέδεται.

297.—ΦΑΝΙΟΥ

Ἄλκιμος ἀγρίφαν κενοδοντίδα, καὶ φιλοδούπου
  φάρσος ἅμας, στελεοῦ χῆρον ἐλαϊνέου,
ἀρθροπέδαν †στεῖμόν τε, καὶ ὠλεσίβωλον ἀρούρης
  σφύραν, καὶ δαπέδων μουνορύχαν ὄρυγα,
καὶ κτένας ἑλκητῆρας, ἀνὰ προπύλαιον Ἀθάνας   5
  θήκατο, καὶ ῥαπτὰς γειοφόρους σκαφίδας,
θησαυρῶν ὅτ' ἔκυρσεν, ἐπεὶ τάχ' ἂν ἁ πολυκαμπὴς
  ἰξὺς κεἰς Ἀίδαν ᾤχετο κυφαλέα.

298.—ΛΕΩΝΙΔΟΥ

Πήρην, κἀδέψητον ἀπεσκληρυμμένον αἰγὸς
  στέρφος, καὶ βάκτρον τοῦτό γ' ὁδοιπορικόν,
κὤλπαν ἀστλέγγιστον, ἀχάλκωτόν τε κυνοῦχον,
  καὶ πῖλον κεφαλᾶς οὐχ ὁσίας σκέπανον·
ταῦτα καταφθιμένοιο μυρικίνεον περὶ θάμνον   5
  σκῦλ' ἀπὸ Σωχάρεος Λιμὸς ἀνεκρέμασεν.

458

implements of his penury : his penknife, the sponge
he used to hire to wipe his Cnidian pens, the ruler
for marking off the margins, his paper-weight that
marks the place (?), his ink-horn, his compasses that
draw circles, his pumice for smoothing, and his blue
spectacles (?) that give sweet light.

296.—LEONIDAS

Sosippus gives to Hermes, now that he has out-
swum the greater part of his strength and the
feebleness of old age fetters him, his securely fixed
trap, his cane springs, his nets, this curved hare-
club, his quiver, this quail-call, and the well-woven
net for throwing over wild fowl.

297.—PHANIAS

Alcimus hung up in Athene's porch, when he found
a treasure (for otherwise his often-bent back would
perhaps have gone down curved to Hades), his tooth-
less rake, a piece of his noisy hoe wanting its
olive-wood handle, his . . . ., his mallet that destroys
the clods, his one-pronged pickaxe, his rake,[1] and
his sewn baskets for carrying earth.

298.—LEONIDAS

A wallet, a hard untanned goat-skin, this walking-
stick, an oil-flask never scraped clean, a dog-skin
purse without a copper in it, and the hat, the covering
of his impious head, these are the spoils of Sochares
that Famine hung on a tamarisk bush when he died.

[1] It seems evident that two kinds of rake, which we cannot
distinguish, are mentioned.

299.—ΦΑΝΙΟΥ

Φάρσος σοὶ γεραροῦ τόδε βότρυος, εἰνόδι' Ἑρμᾶ,
  καὶ τρύφος ἰπνεύτα πιαλέου φθόϊος
πάρκειται, σῦκόν τε μελαντραγές, ἅ τε φιλουλὶς
  δρύππα, καὶ τυρῶν δρύψια κυκλιάδων,
ἀκτά τε Κρηταιΐς, εὐτριβέος †τε ῥόειπα   5
  θωμός, καὶ Βάκχου πῶμ' ἐπιδορπίδιον·
τοῖσιν ἅδοι καὶ Κύπρις, ἐμὰ θεός· ὕμμι δὲ ῥέξειν
  φημὶ παρὰ κροκάλαις ἀργιπόδαν χίμαρον.

300.—ΛΕΩΝΙΔΟΥ

Λαθρίη, ἐκ πλανίου ταύτην χάριν ἔκ τε πενέστεω
  κῆξ ὀλιγησιπύου δέξο Λεωνίδεω,
ψαιστά τε πιήεντα καὶ εὐθήσαυρον ἐλαίην,
  καὶ τοῦτο χλωρὸν σῦκον ἀποκράδιον,
κευοίνου σταφυλῆς ἔχ' ἀποσπάδα πεντάρραγον,   5
  πότνια, καὶ σπονδὴν τήνδ' ὑποπυθμίδιον.
ἢν δέ μέ γ', ὡς ἐκ νούσου ἀνειρύσω, ὧδε καὶ ἐχθρῆς
  ἐκ πενίης ῥύσῃ, δέξο χιμαιροθύτην.

301.—ΚΑΛΛΙΜΑΧΟΥ

Τὴν ἁλίην Εὔδημος, ἀφ' ἧς ἅλα λιτὸν ἐπέσθων
  χειμῶνας μεγάλους ἐξέφυγεν δανέων,
θῆκε θεοῖς Σαμόθραξι, λέγων ὅτι τήνδε, κατ' εὐχήν,
  ὦ μεγάλοι, σωθεὶς ἐξ ἁλός, ὧδ' ἔθετο.

302.—ΛΕΩΝΙΔΟΥ

Φεύγεθ' ὑπὲκ καλύβης, σκότιοι μύες· οὔτι πενιχρὴ
  μῦς σιπύη βόσκειν οἶδε Λεωνίδεω.

299.—PHANIAS

To thee, wayside Hermes, I offer this portion of a
noble cluster of grapes, this piece of a rich cake from
the oven, this black fig, this soft olive that does not
hurt the gums, some scrapings of round cheeses,
some Cretan meal, a heap of crumbling . . . ., and an
after-dinner glass of wine. Let Cypris, my goddess,
enjoy them too, and I promise to sacrifice to you
both on the beach a white-footed kid.

300.—LEONIDAS (cp. Nos. 190, 191)

LATHRIAN goddess,[1] accept these offerings from
Leonidas the wanderer, the pauper, the flour-less:
rich barley-cakes, olives easy to store, and this green
fig from the tree. Take, too, lady, these five grapes
picked from a rich cluster, and this libation of the
dregs of the cup. But if, as thou hast saved me from
sickness so thou savest me from hateful penury,
await a sacrifice of a kid.

301.—CALLIMACHUS

EUDEMUS dedicated to the Samothracian gods[2]
his salt-cellar, by eating much plain salt out of which
he escaped dreadful storms of debts. "O great
gods," he said, "according to my vow I dedicate
this here, saved from the brine."

302.—LEONIDAS

OUT of my hut, ye mice that love the dark!
Leonidas' poor meal-tub has not wherewith to feed

---

[1] Aphrodite is meant, as Nos. 190, 191 show, but the
epithet is otherwise unknown.   [2] Cabiri.

αὐτάρκης ὁ πρέσβυς ἔχων ἅλα καὶ δύο κρίμνα·
ἐκ πατέρων ταύτην ἠνέσαμεν βιοτήν.
τῷ τί μεταλλεύεις τοῦτον μυχόν, ὦ φιλόλιχνε,   5
οὐδ' ἀποδειπνιδίου γευόμενος σκυβάλου;
σπεύδων εἰς ἄλλους οἴκους ἴθι (τἀμὰ δὲ λιτά),
ὧν ἄπο πλειοτέρην οἴσεαι ἀρμαλιήν.

303.—ΑΡΙΣΤΩΝΟΣ

Ὦ μύες, εἰ μὲν ἐπ' ἄρτον ἐληλύθατ', ἐς μυχὸν ἄλλον
στείχετ' (ἐπεὶ λιτὴν οἰκέομεν καλύβην),
οὗ καὶ πίονα τυρὸν ἀποδρέψεσθε καὶ αὔην
ἰσχάδα, καὶ δεῖπνον συχνὸν ἀπὸ σκυβάλων.
εἰ δ' ἐν ἐμαῖς βίβλοισι πάλιν καταθήξετ' ὀδόντα,   5
κλαύσεσθ', οὐκ ἀγαθὸν κῶμον ἐπερχόμενοι.

304.—ΦΑΝΙΟΥ

Ἀκτῖτ' ὦ καλαμευτά, ποτὶ ξερὸν ἔλθ' ἀπὸ πέτρας,
καί με λάβ' εὐάρχαν πρῶϊον ἐμπολέα.
αἴτε σύ γ' ἐν κύρτῳ μελανουρίδας, αἴτε τιν' ἀγρεῖς
μορμύρον, ἢ κίχλην, ἢ σπάρον, ἢ σμαρίδα,
αἴσιον αὐδάσεις με τὸν οὐ κρέας, ἀλλὰ θάλασσαν   5
τιμῶντα, ψαφαροῦ κλάσματος εἰς ἀπάταν.
χαλκίδας ἢν δὲ φέρῃς φιλακανθίδας, ἤ τινα
θρίσσαν,
εὐάγρει· λιθίναν οὐ γὰρ ἔχω φάρυγα.

305.—ΛΕΩΝΙΔΟΥ

Λαβροσύνᾳ τάδε δῶρα φιλευχύλῳ τε Λαφυγμῷ
θήκατο †δεισόζου Δωριέος κεφαλά·

---

¹ I am acquainted with these fish, which retain their
names, but am unable to give their scientific names or nearest

mice. The old man is contented if he has salt and two barley-cakes. This is the life I have learnt to acquiesce in from my fathers. So why dost thou dig for treasure in that corner, thou glutton, where thou shalt not taste even of the leavings of my dinner? Haste and be off to other houses (here is but scanty fare), where thou shalt win greater store.

303.—ARISTON

Mice, if you have come for bread, go to some other corner (my hut is ill-supplied), where ye shall nibble fat cheese and dried figs, and get a plentiful dinner from the scraps. But if ye sharpen your teeth again on my books ye shall suffer for it and find that ye come to no pleasant banquet.

304.—PHANIAS

Fisher of the beach, come from the rock on to the dry land and begin the day well with this early buyer. If you have caught in your weel black-tails or some mormyre, or wrasse, or sparus, or small fry, you will call me lucky, who prefer not flesh but the fruit of the sea to make me forget I am munching a dry crust. But if you bring me bony chalcides[1] or some thrissa,[1] good-bye and better luck! I have not got a throat made of stone.

305.—LEONIDAS

To Gluttony and Voracity, the deities who love well flavoured sauces, did Dorieus who stinks of . . .

English equivalent. The thrissa is a fish that goes in shoals, a little like mackerel and not particularly bony ; the chalkis is a kind of bream.

τὼς Λαρισσαίως βουγάστορας ἐψητῆρας,
    καὶ χύτρως, καὶ τὰν εὐρυχαδῆ κύλικα,
καὶ τὰν εὐχάλκωτον ἐύγναμπτόν τε κρεάγραν,   5
    καὶ κνῆστιν, καὶ τὰν ἐτνοδόνον τορύναν.
Λαβροσύνα, σὺ δὲ ταῦτα κακοῦ κακὰ δωρητῆρος
    δεξαμένα, νεύσαις μή ποκα σωφροσύναν.

306.—ΑΡΙΣΤΩΝΟΣ

Χύτρον τοι, ταύτην τε κρεαγρίδα, καὶ βαθυκαμπῆ
    κλεῖδα συῶν, καὶ τὰν ἐτνοδόνον τορύναν,
καὶ πτερίναν ῥιπῖδα, ταναίχαλκόν τε λέβητα,
    σὺν πελέκει, καὶ τὰν λαιμοτόμον σφαγίδα,
ζωμοῦ τ᾽ ἀμφ᾽ ὀβελοῖσιν ἀρυστρίδα, τόν τε μαγῆα   5
    σπόγγον ὑπὸ στιβαρᾷ κεκλιμένον κοπίδι,
καὶ τοῦτον δικάρανον ἁλοτρίβα, σὺν δὲ θυείαν
    εὔπετρον, καὶ τὰν κρειοδόκον σκαφίδα,
οὐψοπόνος Σπίνθηρ Ἑρμῇ τάδε σύμβολα τέχνας
    θήκατο, δουλοσύνας ἄχθος ἀπωσάμενος.   10

307.—ΦΑΝΙΟΥ

Εὐγάθης Λαπιθανὸς ἐσοπτρίδα, καὶ φιλέθειρον
    σινδόνα, καὶ πετάσου φάρσος ὑποξύριον,
καὶ ψήκτραν δονακῖτιν ἀπέπτυσε, καὶ λιποκόπτους
    φασγανίδας, καὶ τοὺς συλόνυχας στόνυχας·
ἔπτυσε δὲ ψαλίδας, ξυρὰ καὶ θρόνον, εἰς δ᾽
    Ἐπικούρου,
κουρεῖον προλιπών, ἄλατο κηπολόγος,
ἔνθα λύρας ἤκουεν ὅπως ὄνος· ὤλετο δ᾽ ἂν που
    λιμώσσων, εἰ μὴ στέρξε παλινδρομίαν.

dedicate these enormous Larissean boiling caul-
drons, the pots and the wide-gaping cup, the
well-wrought curved flesh-hook, the cheese-scraper,
and the soup-stirrer. Gluttony, receive these
evil gifts of an evil giver, and never grant him
temperance.

306.—ARISTON

SPINTHER, the cook, when he shook off the
burden of slavery, gave these tokens of his call-
ing to Hermes: his pipkin, this flesh-hook, his
highly-curved pork-spit (?), the stirrer for soup,
his feather fan, and his bronze cauldron, together
with his axe and slaughtering-knife, his soup-ladle
beside the spits, his sponge for wiping, resting
beneath the strong chopper, this two-headed pestle,
and with it the stone mortar and the trough for
holding meat.

307.—PHANIAS

EUGETHES of Lapithe cast away with scorn his
mirror, his sheet that loves hair, a fragment of his
shaving-bowl, his reed scraper, his scissors that have
deserted their work, and his pointed nail-file. He
cast away, too, his scissors,[1] razors, and barber's chair,
and leaving his shop ran prancing off to Epicurus to
be a garden-student.[2] There he listened as a donkey
listens to the lyre, and he would have died of hunger
if he had not thought better of it and run home.

[1] Two kinds of scissors seem to be mentioned.
[2] Epicurus taught at Athens in "the Garden" as the
Stoics did in "the Porch."

308.—ΑΣΚΛΗΠΙΑΔΟΥ

Νικήσας τοὺς παῖδας, ἐπεὶ καλὰ γράμματ᾽ ἔγραψεν,
Κόνναρος ὀγδώκοντ᾽ ἀστραγάλους ἔλαβεν,
κἀμέ, χάριν Μούσαις, τὸν κωμικὸν ὧδε Χάρητα
πρεσβύτην θορύβῳ θήκατο παιδαρίων.

309.—ΛΕΩΝΙΔΟΥ

Εὔφημόν[1] τοι σφαῖραν, ἐΰκρόταλόν τε Φιλοκλῆς
Ἑρμείῃ ταύτην πυξινέην πλατάγην,
ἀστραγάλας θ᾽ αἷς πόλλ᾽ ἐπεμήνατο, καὶ τὸν ἑλικτὸν
ῥόμβον, κουροσύνης παίγνι᾽ ἀνεκρέμασεν.

310.—ΚΑΛΛΙΜΑΧΟΥ

Εὐμαθίην ᾐτεῖτο διδοὺς ἐμὲ Σῖμος ὁ Μίκκου
    ταῖς Μούσαις· αἱ δέ, Γλαῦκος ὅκως, ἔδοσαν
ἀντ᾽ ὀλίγου μέγα δῶρον· ἐγὼ δ᾽ ἀνὰ τῇδε κεχηνὼς
    κεῖμαι τοῦ Σαμίου διπλόον, ὁ τραγικὸς
παιδαρίων Διόνυσος ἐπήκοος· οἱ δὲ λέγουσιν,   5
    "ἱερὸς ὁ πλόκαμος," τοὐμὸν ὄνειαρ ἐμοί.

311.—ΤΟΥ ΑΥΤΟΥ

Τῆς Ἀγοράνακτός με λέγε, ξένε, κωμικὸν ὄντως
    ἀγκεῖσθαι νίκης μάρτυρα τοῦ Ῥοδίου
Πάμφιλον, οὐ μὲν ἔρωτι δεδαγμένον, ἥμισυ δ᾽ ὀπτῇ
    ἰσχάδι καὶ λύχνοις Ἴσιδος εἰδόμενον.

---

[1] εὔφιμον, "well sewn together," Powell.

---

[1] Hom. *Il.* vi. 236.
[2] The letter Υ used by Pythagoras to symbolise the diverging paths, one narrow, the other broad, of right and wrong.

308.—ASCLEPIADES

CONNARUS, on winning the boys' contest, since he wrote such a pretty hand, received eighty knuckle-bones, and in gratitude to the Muses he hung me up here, the comic mask of old Chares, amid the applause of the boys.

309.—LEONIDAS

To Hermes Philocles here hangs up these toys of his boyhood: his noiseless ball, this lively boxwood rattle, his knuckle-bones he had such a mania for, and his spinning-top.

310.—CALLIMACHUS

SIMOS, son of Miccus, when he gave me to the Muses, prayed for learning, and they gave it him like Glaucus,[1] a great gift in return for a little. I hang dedicated here (in the school), the tragic mask of Dionysus, yawning twice as much as the Samian's letter[2] as I listen to the boys, and they go on saying "My hair is holy,"[3] telling me my own dream.[4]

311.—BY THE SAME

TELL, stranger, that I, the mask of Pamphilus, am dedicated here as a truly comic witness of the victory of Agoranax the Rhodian in the theatre. I am not like Pamphilus, bitten by love, but one side of me is wrinkled like a roast fig and the colour of Isis' lamps.

[3] Spoken by Dionysus in the *Bacchae* of Euripides, line 494. This was evidently a favourite passage for recitation in schools.　　　　　[4] *i.e.* a thing I already know.

312.—ΑΝΥΤΗΣ

Ἡνία δή τοι παῖδες ἐνί, τράγε, φοινικόεντα
θέντες καὶ λασίῳ φιμὰ περὶ στόματι,
ἵππια παιδεύουσι θεοῦ περὶ ναὸν ἄεθλα,
ὄφρ' αὐτοὺς ἐφορῇ νήπια τερπομένους.

313.—ΒΑΚΧΥΛΙΔΟΥ

Κούρα Πάλλαντος πολυώνυμε, πότνια Νίκα,
πρόφρων Καρθαίων ἱμερόεντα χορὸν
αἰὲν ἐποπτεύοις, πολέας δ' ἐν ἀθύρμασι Μουσᾶν
Κηΐῳ ἀμφιτίθει Βακχυλίδη στεφάνους.

314.—ΝΙΚΟΔΗΜΟΥ ΗΡΑΚΛΕΩΤΟΥ ΑΝΑΣΤΡΕΦΟΝΤΑ

Πηνελόπη, τόδε σοὶ φᾶρος καὶ χλαῖναν Ὀδυσσεὺς
ἤνεγκεν, δολιχὴν ἐξανύσας ἀτραπόν.

315.—ΤΟΥ ΑΥΤΟΥ

Τὸν τραγόπουν ἐμὲ Πᾶνα, φίλον Βρομίοιο καὶ υἱὸν
Ἀρκάδος, ἀντ' ἀλκᾶς ἔγραφεν Ὠφελίων.

316.—ΤΟΥ ΑΥΤΟΥ

Ἀερόπης δάκρυον διερῆς, καὶ λείψανα δείπνων
δύσνομα, καὶ ποινὴν ἔγραφεν Ὠφελίων.

---

[1] One of the three independent towns of Ceos.
[2] Daughter of Crateus, king of Crete, and subsequently

312.—ANYTE

THE children, billy-goat, have put purple reins on you and a muzzle on your bearded face, and they train you to race like a horse round the god's temple that he may look on their childish joy.

313.—BACCHYLIDES

FAMOUS daughter of Pallas, holy Victory, look ever with good will on the beauteous chorus of the Carthaeans,[1] and crown Ceian Bacchylides with many wreaths at the sports of the Muses.

314–320.—COUPLETS OF NICODEMUS OF HERACLEA WHICH CAN BE READ BACKWARDS

314

ODYSSEUS, his long road finished, brought thee this cloak and robe, Penelope.

315

IN thanks for my help Ophelion painted me the goat-footed Pan, the friend of Bacchus and son of Arcadian Hermes.

316

OPHELION painted the tears of dripping Aerope,[2] the remains of the impious feast and the requital.[3]

wife of Atreus. Owing to an oracle she was cast into the sea by her father, but escaped.

[3] The feast of Thyestes by Atreus and murder of Agamemnon.

317.—ΤΟΥ ΑΥΤΟΥ

Πραξιτέλης ἔπλασε Δανάην καὶ φάρεα Νυμφῶν
λύγδινα, καὶ πέτρης Πᾶν' ἐμὲ Πεντελικῆς.

318.—ΤΟΥ ΑΥΤΟΥ

Κύπριδι κουροτρόφῳ δάμαλιν ῥέξαντες ἔφηβοι
χαίροντες νύμφας ἐκ θαλάμων ἄγομεν.

319.—ΤΟΥ ΑΥΤΟΥ

Αἰθομέναις ὑπὸ δασὶν ἐν εὐρυχόρῳ πατρὸς οἴκῳ
παρθένον ἐκ χειρῶν ἠγαγόμην Κύπριδος.

320.—ΤΟΥ ΑΥΤΟΥ

Ἀσκανίη μέγα χαῖρε καλή, καὶ χρύσεα Βάκχου
ὄργια, καὶ μύσται πρόκριτοι Εὐΐεω.

321.—ΛΕΩΝΙΔΟΥ ΑΛΕΞΑΝΔΡΕΩΣ
ΙΣΟΨΗΦΑ

Θύει σοι τόδε γράμμα γενεθλιακαῖσιν ἐν ὥραις,
Καῖσαρ, Νειλαίη Μοῦσα Λεωνίδεω.
Καλλιόπης γὰρ ἄκαπνον ἀεὶ θύος. εἰς δὲ νέωτα,
ἢν ἐθέλῃς, θύσει τοῦδε περισσότερα.

322.—ΤΟΥ ΑΥΤΟΥ

Τήνδε Λεωνίδεω θαλερὴν πάλι δέρκεο Μοῦσαν,
δίστιχον εὐθίκτου παίγνιον εὐεπίης.
ἔσται δ' ἐν Κρονίοις Μάρκῳ περικαλλὲς ἄθυρμα
τοῦτο, καὶ ἐν δείπνοις, καὶ παρὰ μουσοπόλοις.

317

PRAXITELES carved of Parian marble Danae and the draped Nymphs, but me, Pan, he carved of Pentelic marble.

318

WE young men, after sacrificing a calf to Aphrodite, the Nurser of youth, conduct the brides with joy from their chambers.

319

BY the light of burning torches in her father's spacious house I received the maiden from the hands of Cypris.

320

HAIL, lovely Ascania, and the golden orgies of Bacchus, and the chief of his initiated.

321–329.—ISOPSEPHA [1] BY LEONIDAS OF ALEXANDRIA

321

ON thy birthday, Caesar,[2] the Egyptian Muse of Leonidas offers thee these lines. The offering of Calliope [3] is ever smokeless; but next year, if thou wilt, she will offer thee a larger sacrifice.

322

BEHOLD again the work of Leonidas' flourishing Muse, this playful distich, neat and well expressed. This will be a lovely plaything for Marcus at the Saturnalia, and at banquets, and among lovers of the Muses.

---

[1] i.e. poems in which the sum of the letters taken as numerical signs is identical in each couplet.
[2] Perhaps Nero.   [3] i.e. of poets.

323.—ΤΟΥ ΑΥΤΟΥ

Ἀναστρέφον ἢ Ἀνακυκλικόν

Οἰδιπόδης κάσις ἦν τεκέων, καὶ μητέρι πόσσις
γίνετο, καὶ παλάμης ἦν τυφλὸς ἐκ σφετέρης.

324.—ΤΟΥ ΑΥΤΟΥ

Πέμματα τίς λιπόωντα, τίς Ἄρεϊ τῷ πτολιπόρθῳ
βότρυς, τίς δὲ ῥόδων θῆκεν ἐμοὶ κάλυκας;
Νύμφαις ταῦτα φέροι τις· ἀναιμάκτους δὲ θυηλὰς
οὐ δέχομαι βωμοῖς ὁ θρασύμητις Ἄρης.

325.—ΤΟΥ ΑΥΤΟΥ

Ἄλλος ἀπὸ σταλίκων, ὁ δ' ἀπ' ἠέρος, ὃς δ' ἀπὸ πόντου,
Εὔπολι, σοὶ πέμπει δῶρα γενεθλίδια·
ἀλλ' ἐμέθεν δέξαι Μουσῶν στίχον, ὅστις ἐς αἰεὶ
μίμνει, καὶ φιλίης σῆμα καὶ εὐμαθίης.

326.—ΤΟΥ ΑΥΤΟΥ

Λύκτιον ἰοδόκην καὶ καμπύλον, Ἄρτεμι, τόξον
Νῖκις ὁ Λυσιμάχου παῖς ἀνέθηκε Λίβυς·
ἰοὺς γὰρ πλήθοντας ἀεὶ λαγόνεσσι φαρέτρης
δορκάσι καὶ βαλίαις ἐξεκένωσ' ἐλάφοις.

327.—ΤΟΥ ΑΥΤΟΥ

Εἷς πρὸς ἕνα ψήφοισιν ἰσάζεται, οὐ δύο δοιοῖς·
οὐ γὰρ ἔτι στέργω τὴν δολιχογραφίην.

328.—ΤΟΥ ΑΥΤΟΥ

Τὴν τριτάτην χαρίτων ἀπ' ἐμεῦ πάλι λάμβανε βύβλον,
Καῖσαρ, ἰσηρίθμου σύμβολον εὐεπίης,
Νεῖλος ὅπως καὶ τήνδε δι' Ἑλλάδος ἰθύνουσαν
τῇ χθονὶ σῇ πέμψει δῶρον ἀοιδότατον.

323 (*Not Isopsephon, but can be read backwards*)

OEDIPUS was the brother of his children and his
mother's husband, and blinded himself by his own
hands.

324

WHO offered to me, Ares the sacker of cities, rich
cakes, and grapes, and roses? Let them offer these
to the Nymphs, but I, bold Ares, accept not blood-
less sacrifices on my altars.

325

ONE sends you, Eupolis, birthday gifts from the
hunting-net, another from the air, a third from the
sea. From me accept a line of my Muse which will
survive for ever, a token of friendship and of learned
skill.

326

NICIS the Libyan, son of Lysimachus, dedicates
his Cretan quiver and curved bow to thee, Artemis ;
for he had exhausted the arrows that filled the belly
of the quiver by shooting at does and dappled hinds.

327

ONE verse here gives the same figures as the other,
not a distich the same as a distich, for I no longer
care to be lengthy.

328

ACCEPT from me, Caesar,[1] the third volume of my
thankful gift to thee, this token of my skill in making
"isopsepha," so that the Nile may despatch through
Greece to thy land this most musical gift.

[1] Probably Nero.

329.—ΤΟΥ ΑΥΤΟΥ

Ἄλλος μὲν κρύσταλλον, ὁ δ' ἄργυρον, οἱ δὲ τοπάζους
πέμψουσιν, πλούτου δῶρα γενεθλίδια·
ἀλλ ἴδ' Ἀγρειππίνῃ δύο δίστιχα μοῦνον ἰσώσας,
ἀρκοῦμαι δώροις, ἃ φθόνος οὐ δαμάσει.

330.—ΑΙΣΧΙΝΟΥ ΡΗΤΟΡΟΣ

Θνητῶν μὲν τέχναις ἀπορούμενος, εἰς δὲ τὸ θεῖον
ἐλπίδα πᾶσαν ἔχων, προλιπὼν εὔπαιδας Ἀθήνας,
ἰάθην ἐλθών, Ἀσκληπιέ, πρὸς τὸ σὸν ἄλσος,
ἕλκος ἔχων κεφαλῆς ἐνιαύσιον, ἐν τρισὶ μησίν.

331.—ΓΑΙΤΟΥΛΙΚΟΥ

Παῖδα πατὴρ Ἄλκων ὀλοῷ σφιγχθέντα δράκοντι
ἀθρήσας, δειλῇ τόξον ἔκαμψε χερί·
θηρὸς δ' οὐκ ἀφάμαρτε· διὰ στόματος γὰρ ὀϊστὸς
ἤϊξεν, τυτθοῦ βαιὸν ὕπερθε βρέφους.
παυσάμενος δὲ φόβοιο, παρὰ δρυΐ τῇδε φαρέτρην   5
σῆμα καὶ εὐτυχίης θῆκε καὶ εὐστοχίης.

332.—ΑΔΡΙΑΝΟΥ

Ζηνὶ τόδ' Αἰνεάδης Κασίῳ Τραϊανὸς ἄγαλμα,
κοίρανος ἀνθρώπων κοιράνῳ ἀθανάτων,
ἄνθετο, δοιὰ δέπα πολυδαίδαλα, καὶ βοὸς οὔρου
ἀσκητὸν χρυσῷ παμφανόωντι κέρας,
ἔξαιτα προτέρης ἀπὸ ληΐδος, ἦμος ἀτειρὴς   5
πέρσεν ὑπερθύμους ᾧ ὑπὸ δουρὶ Γέτας.

329

ONE will send crystal, another silver, a third topazes, rich birthday gifts. But I, look, having merely made two "isopsephon" distiches for Agrippina, am content with this my gift that envy shall not damage.

330.—AESCHINES THE ORATOR

DESPAIRING of human art, and placing all my hope in the Divinity, I left Athens, mother of beautiful children, and was cured in three months, Asclepius, by coming to thy grove, of an ulcer on my head that had continued for a year.

331.—GAETULICUS

ALCON, seeing his child in the coils of a murderous serpent, bent his bow with trembling hand; yet he did not miss the monster, but the arrow pierced its jaws just a little above where the infant was. Relieved of his fear, he dedicated on this tree his quiver, the token of good luck and good aim.

332.—HADRIAN

To Casian Zeus[1] did Trajan, the descendant of Aeneas, dedicate these ornaments, the king of men to the king of gods : two curiously fashioned cups and the horn of a urus[2] mounted in shining gold, selected from his first booty when, tirelessly fighting, he had overthrown with his spear the insolent Getae. But,

---

[1] *i.e.* it was at Antioch in Syria on his way to the Persian war (A.D. 106) that Trajan made this dedication.

[2] The now extinct wild bull of Europe.

ἀλλὰ σύ οἱ καὶ τήνδε, Κελαινεφὲς, ἐγγυάλιξον
κρῆναι εὐκλειῶς δῆριν Ἀχαιμενίην,
ὄφρα τοι εἰσορόωντι διάνδιχα θυμὸν ἰαίνῃ
δοιά, τὰ μὲν Γετέων σκῦλα, τὰ δ᾽ Ἀρσακιδέων.   10

333.—ΜΑΡΚΟΥ ΑΡΓΕΝΤΑΡΙΟΥ

Ἤδη, φίλτατε λύχνε, τρὶς ἔπταρες· ἦ τάχα τερπνὴν
εἰς θαλάμους ἥξειν Ἀντιγόνην προλέγεις;
εἰ γάρ, ἄναξ, εἴη τόδ᾽ ἐτήτυμον, οἷος Ἀπόλλων
θνητοῖς μάντις ἔσῃ καὶ σὺ παρὰ τρίποδι.

334.—ΛΕΩΝΙΔΟΥ

Αὔλια καὶ Νυμφέων ἱερὸς πάγος, αἵ θ᾽ ὑπὸ πέτρῃ
πίδακες, ἥ θ᾽ ὕδασιν γειτονέουσα πίτυς,
καὶ σὺ τετράγλωχιν, μηλοσσόε, Μαιάδος Ἑρμᾶ,
ὅς τε τὸν αἰγιβότην, Πάν, κατέχεις σκόπελον,
ἵλαοι τὰ ψαιστὰ τό τε σκύφος ἔμπλεον οἴνης   5
δέξασθ᾽, Αἰακίδεω δῶρα Νεοπτολέμου.

J. H. Merivale, in *Collections from the Greek Anthology*,
1833, p. 131.

335.—ΑΝΤΙΠΑΤΡΟΥ

Καυσίη, ἡ τὸ πάροιθε Μακηδόσιν εὔκολον ὅπλον,
καὶ σκέπας ἐν νιφετῷ, καὶ κόρυς ἐν πολέμῳ,
ἱδρῶ διψήσασα πιεῖν τεόν, ἄλκιμε Πείσων,
Ἠμαθὶς Αὐσονίους ἦλθον ἐπὶ κροτάφους.
ἀλλὰ φίλος δέξαι με· τάχα κρόκες, αἵ ποτε Πέρσας   5
τρεψάμεναι, καὶ σοὶ Θρῆκας ὑπαξόμεθα.

---

[1] One of the well-known images, consisting of a head on a
rectangular base.

Lord of the black clouds, entrust to him, too, the glorious accomplishment of this Persian war, that thy heart's joy may be doubled as thou lookest on the spoils of both foes, the Getae and the Arsacidae.

333.—MARCUS ARGENTARIUS

(A Love Epigram misplaced)

THRICE hast thou sneezed, dear lamp! Is it, perchance, to tell me that delightful Antigone is coming to my chamber? For if, my lord, this be true, thou shalt stand by the tripod, like Apollo, and prophesy to men.

334.—LEONIDAS

CAVES and holy hill of the Nymphs, and springs at the rock's foot, and thou pine that standest by the water; thou square Hermes,[1] son of Maia, guardian of the sheep, and thou, Pan, lord of the peak where the goats pasture, graciously receive these cakes and the cup full of wine, the gifts of Neoptolemus of the race of Aeacus.

335.—ANTIPATER

I, THE causia,[2] once a serviceable head-dress for the Macedonians, a covering in the snow-storm and a helmet in war, thirsting to drink thy sweat, brave Piso,[3] have come from my Macedonian land to thy Italian brows. But receive me kindly; may-be the felt that once routed the Persians will help thee, too, to subdue the Thracians.

[2] A broad-brimmed hat.
[3] L. Calpurnius Piso, to whose sons Horace addressed the *Ars Poetica.*

336.—ΘΕΟΚΡΙΤΟΥ

Τὰ ῥόδα τὰ δροσόεντα, καὶ ἁ κατάπυκνος ἐκείνα
ἕρπυλλος κεῖται ταῖς Ἑλικωνιάσιν·
ταὶ δὲ μελάμφυλλοι δάφναι τίν, Πύθιε Παιάν,
Δελφὶς ἐπεὶ πέτρα τοῦτό τοι ἀγλάϊσεν.
βωμὸν δ' αἱμάξει κεραὸς τράγος οὗτος ὁ μᾶλος,   5
τερμίνθου τρώγων ἔσχατον ἀκρεμόνα.

337.—ΤΟΥ ΑΥΤΟΥ

Ἦλθε καὶ ἐς Μίλατον ὁ τῶ Παιήονος υἱός,
ἰητῆρι νόσων ἀνδρὶ συνοισόμενος,
Νικία, ὅς μιν ἐπ' ἆμαρ ἀεὶ θυέεσσιν ἱκνεῖται,
καὶ τόδ' ἀπ' εὐώδους γλύψατ' ἄγαλμα κέδρου,
Ἠετίωνι χάριν γλαφυρᾶς χερὸς ἄκρον ὑποστὰς   5
μισθόν· ὁ δ' εἰς ἔργον πᾶσαν ἀφῆκε τέχναν.

338.—ΤΟΥ ΑΥΤΟΥ

Ὑμῖν τοῦτο, Θεαί, κεχαρισμένον ἄνθετο πάσαις
τὤγαλμα Ξενοκλῆς τοῦτο τὸ μαρμάρινον,
μουσικός· οὐχ ἑτέρως τις ἐρεῖ· σοφίᾳ δ' ἐπὶ τᾷδε
αἶνον ἔχων, Μουσέων οὐκ ἐπιλανθάνεται.

339.—ΤΟΥ ΑΥΤΟΥ

Δαμομένης ὁ χοραγός, ὁ τὸν τρίποδ', ὦ Διόνυσε,
καὶ σὲ τὸν ἅδιστον θεῶν μακάρων ἀναθείς,
μέτριος ἦν ἐν πᾶσι, χορῷ δ' ἐκτήσατο νίκαν
ἀνδρῶν, καὶ τὸ καλὸν καὶ τὸ προσῆκον ὁρῶν.

478

336.—THEOCRITUS

THE fresh roses and this thick creeping-thyme are a gift to the Heliconian Muses; the dark-leaved laurel branches are for thee, Pythian Paean,[1] since the rocks of Delphi gave thee this bright foliage to wear. But thy altar shall be reddened by the blood of this white horned goat that is nibbling the end of the terebinth branch.

337.—BY THE SAME

THE son of Paean[2] hath come to Miletus too, to visit the physician Nicias who every day approaches him with sacrifice, and ordered to be carved for him this statue of perfumed cedar-wood, promising the highest fee for the delicate labour of his hands to Eetion, who put all his skill into the work.

338.—BY THE SAME

A GIFT to please you all, O Muses, this marble statue was dedicated by Xenocles, a musician—who will gainsay it? and as he has gained fame by this art he does not forget the Muses.

339.—BY THE SAME

DAMOMENES the choregus, who dedicated the tripod, O Dionysus, and this image of thyself, sweetest of the blessed gods, was a man moderate in all things. He won the victory with his chorus of men, keeping before his eyes ever what was good and seemly.

---

[1] Apollo.   [2] *i.e.* Aesculapius.

479

340.—ΤΟΥ ΑΥΤΟΥ

Ἀ Κύπρις οὐ πάνδαμος· ἱλάσκεο τὰν θεόν, εἰπὼν
Οὐρανίαν, ἁγνᾶς ἄνθεμα Χρυσογόνας
οἴκῳ ἐν Ἀμφικλέους, ᾧ καὶ τέκνα καὶ βίον ἔσχε
ξυνόν, ἀεὶ δέ σφιν λώϊον εἰς ἔτος ἦν
ἐκ σέθεν ἀρχομένοις, ὦ πότνια· κηδόμενοι γὰρ   5
ἀθανάτων αὐτοὶ πλεῖον ἔχουσι βροτοί.

341.—ΑΔΕΣΠΟΤΟΝ

Βόσπορον ἰχθυόεντα γεφυρώσας ἀνέθηκε
Μανδροκλέης Ἥρῃ, μνημόσυννον σχεδίας,
αὑτῷ μὲν στέφανον περιθείς, Σαμίοισι δὲ κῦδος,
<Δαρείου βασιλέως ἐκτελέσας κατὰ νοῦν>.

342.—ΑΛΛΟ

Ἄθρησον Χαρίτων ὑπὸ παστάδι τᾷδε τριήρους
στυλίδα· τᾶς πρώτας τοῦθ' ὑπόδειγμα τέχνας·
ταύταν γὰρ πρώταν ποτ' ἐμήσατο Παλλὰς Ἀθάνα,
τάνδε πόλει καλὰν ἀντιδιδοῦσα χάριν,
οὕνεκεν ὑψίστᾳ Τριτωνίδι νηὸν ἔτευξεν   5
Κύζικος ἅδ', ἱρᾷ πρῶτον ἐν Ἀσιάδι·
δεῖγμα <δὲ> καὶ πλίνθων χρυσήλατον ἤγαγεν ἄχθος
Δελφίδα γᾶν, Φοίβῳ τάνδε νέμουσα χάριν.

343.—ΑΔΗΛΟΝ

Εθνεα Βοιωτῶν καὶ Χαλκιδέων δαμάσαντες
παῖδες Ἀθηναίων ἔργμασιν ἐν πολέμου,

---

¹ = Vulgivaga.
² From Herodotus iv. 88, to which refer.
³ On a mast preserved at Cyzicus, supposed to be a relic
of the first ship ever built. In lines 7-8, to confirm the

340.—By the Same

This Cypris is not Pandemus[1]; would ye gain her favour, address as Celestial this her statue, the offering of chaste Chrysogona in the house of Amphicles. With him she dwelt in wedlock blessed with children, and each year it went better with them, since from thee they began, O sovereign Lady. Mortals who cherish the gods profit themselves thereby.

341.—Anonymous [2]

Mandrocles, having bridged the fishy Bosporus, dedicated to Hera this memorial of the bridge. A crown for himself he gained and glory for Samos by executing the work as Darius the King desired.

342.—Anonymous [3]

Look on this jigger-mast of a trireme in the porch of the Graces. This is a sample of the beginnings of ship-building; it was the first ship that Pallas Athene devised, well recompensing this city of Cyzicus, because it first raised a temple to her, the supreme Tritonian maid, in the holy Asian land. The ship carried to the Delphian shore, doing this service to Phoebus, a model of itself (?) and ingots of gold.

343.—Anonymous [4]

The sons of Athens having subdued in the work of war the peoples of Boeotia and Chalcis, quenched

veracity of the story, a story is told of the services this ship rendered.

[4] For this inscription which stood in the Acropolis "on the left as you enter the Propylea" see Herod. 5. 77.

δεσμῷ ἐν ἀχνυόεντι σιδηρέῳ ἔσβεσαν ὕβριν·
τῶν ἵππους, δεκάτην Παλλάδι, τάσδ᾽ ἔθεσαν.

344.—ΑΛΛΟ

(Ἐπὶ τῷ ἐν Θεσπιαῖς βωμῷ)

Θεσπιαὶ εὐρύχοροι πέμψαν ποτὲ τούσδε σὺν ὅπλοις
  τιμωροὺς προγόνων βάρβαρον εἰς Ἀσίην,
οἳ μετ᾽ Ἀλεξάνδρου Περσῶν ἄστη καθελόντες
  στῆσαν Ἐριβρεμέτῃ δαιδάλεον τρίποδα.

345.—ΚΡΙΝΑΓΟΡΟΥ

Εἴαρος ἤνθει μὲν τὸ πρὶν ῥόδα, νῦν δ᾽ ἐνὶ μέσσῳ
  χείματι πορφυρέας ἐσχάσαμεν κάλυκας,
σῇ ἐπιμειδήσαντα γενεθλίῃ ἄσμενα τῇδε
  ἠοῖ, νυμφιδίων ἀσσοτάτῃ λεχέων.
καλλίστης ὀφθῆναι ἐπὶ κροτάφοισι γυναικὸς   5
  λώϊον ἢ μίμνειν ἠρινὸν ἠέλιον.

346.—ΑΝΑΚΡΕΟΝΤΟΣ

Τέλλιδι ἱμερόεντα βίον πόρε, Μαιάδος υἱέ,
  ἀντ᾽ ἐρατῶν δώρων τῶνδε χάριν θέμενος·
δὸς δέ μιν εὐθυδίκων Εὐωνυμέων ἐνὶ δήμῳ
  ναίειν, αἰῶνος μοῖραν ἔχοντ᾽ ἀγαθήν.

347.—ΚΑΛΛΙΜΑΧΟΥ

Ἄρτεμι, τὶν τόδ᾽ ἄγαλμα Φιληρατὶς εἵσατο τῇδε·
  ἀλλὰ σὺ μὲν δέξαι, πότνια, τὴν δὲ σάω.

348.—ΔΙΟΔΩΡΟΥ

Αἴλινον ὠκυμόρῳ με λεχωΐδι τοῦτο κεκόφθαι
  τῆς Διοδωρείου γράμμα λέγει σοφίης,

their arrogance in sorrowful iron bondage. These
statues of the horses of their foes, they dedicated to
Pallas as a tithe of the ransom.

344.—ANONYMOUS
(*On the Altar in Thespiae*)

SPACIOUS Thespiae once sent these men-at-arms to
barbarous Asia to avenge their ancestors, and having
sacked with Alexander the cities of Persia, they
set up to Zeus the Thunderer this curiously-wrought
tripod.

345.—CRINAGORAS

ROSES used to flower in spring, but we now in
mid-winter burst scarlet from our buds, smiling gaily
on this thy natal morn that falls so nigh to thy
wedding. To be seen on the brow of the loveliest
of women is better than to await the sun of
spring.

346.—ANACREON

GIVE Tellis a pleasant life, O son of Maia, re-
compensing him for these sweet gifts; grant that he
may dwell in the justly-ruled deme of Euonymea,
enjoying good fortune all his days.

347.—CALLIMACHUS

ARTEMIS, to thee did Phileratis erect this statue
here. Accept it, sovereign Lady, and keep her safe.

348.—DIODORUS

THESE mournful lines from the skilled pen of
Diodorus tell that this tomb was carved for one who

κοῦρον ἐπεὶ τίκτουσα κατέφθιτο· παῖδα δὲ Μήλας
δεξάμενος θαλερὴν κλαίω Ἀθηναΐδα,
Λεσβιάδεσσιν ἄχος καὶ Ἰήσονι πατρὶ λιποῦσαν.   5
Ἄρτεμι, σοὶ δὲ κυνῶν θηροφόνων ἔμελεν.

349.—ΦΙΛΟΔΗΜΟΥ

Ἰνοῦς ὦ Μελικέρτα, σύ τε γλαυκὴ μεδέουσα
Λευκοθέη πόντου, δαῖμον ἀλεξίκακε,
Νηρήδων τε χοροί, καὶ κύματα, καὶ σύ, Πόσειδον,
καὶ Θρήϊξ, ἀνέμων πρηΰτατε, Ζέφυρε,
ἵλαοί με φέροιτε, διὰ πλατὺ κῦμα φυγόντα,   5
σῶον ἐπὶ γλυκερὰν ἠόνα Πειραέως.

350.—ΚΡΙΝΑΓΟΡΟΥ

Τυρσηνῆς κελάδημα διαπρύσιον σάλπιγγος,
πολλάκι Πισαίων στρηνὲς ὑπὲρ πεδίων
φθεγξαμένης, ὁ πρὶν μὲν ἔχει χρόνος ἐν δυσὶ νίκαις·
εἰ δὲ σὺ καὶ τρισσοὺς ἤγαγες εἰς στεφάνους
ἀστὸν Μιλήτου Δημοσθένε᾽, οὔ ποτε κώδων   5
χάλκεος ἠχήσει πλειοτέρῳ στόματι.

351.—ΚΑΛΛΙΜΑΧΟΥ

α. Τίν με, λεοντάγχ᾽ ὦνα συοκτόνε, φήγινον ὄζον
   β. Θῆκε τίς; α. Ἀρχῖνος. β. Ποῖος; α. Ὁ Κρής.
   β. Δέχομαι.

352.—ΗΡΙΝΝΗΣ

Ἐξ ἀπαλᾶν χειρῶν τάδε γράμματα· λῷστε Προμαθεῦ,
ἔντι καὶ ἄνθρωποι τὶν ὁμαλοὶ σοφίαν.

484

died before her time in child-birth, in bearing a boy. I mourn her whom I received, blooming Athenais the daughter of Mela, who left sorrow to the ladies of Lesbos and to her father Jason. But thou hadst no care, then, Artemis, but for thy hounds deadly to beasts.

349.—PHILODEMUS

O Melicertes, son of Ino, and thou sea-blue queen of the sea, Leucothea, goddess that avertest evil, and ye Nereids linked in the dance, and ye waves, and thou, Poseidon, and Thracian Zephyr, gentlest of winds, be gracious unto me and bear me, escaping the broad billows, safe to the sweet beach of Piraeus.

350.—CRINAGORAS

To a Trumpet

THE Tyrrhenian trumpet that often over the plain of Pisa hath uttered shrilly its piercing note, past time did limit to two prizes. But for that thou hast led Demosthenes of Miletus to three victories, no brazen bell shall ever peal with fuller tone than thine.

351.—CALLIMACHUS

A. I was dedicated, this beech branch, to thee, O King,[1] the lion-throttler, the boar-slayer.—B. By whom? A. By Archinus. B. Which? A. The Cretan one. B. I accept.

352.—ERINNA

THIS picture is the work of delicate hands; so, good Prometheus, there are men whose skill is equal

[1] Heracles.

ταύταν γοῦν ἐτύμως τὰν παρθένον ὅστις ἔγραψεν,
αἰ καὐδὰν ποτέθηκ᾽, ἧς κ᾽ Ἀγαθαρχὶς ὅλα.

353.—ΝΟΣΣΙΔΟΣ

Αὐτομέλιννα τέτυκται· ἴδ᾽ ὡς ἀγανὸν τὸ πρόσωπον
ἁμὲ ποτοπτάζειν μειλιχίως δοκέει·
ὡς ἐτύμως θυγάτηρ τᾷ ματέρι πάντα ποτῴκει.
ἦ καλὸν ὅκκα πέλῃ τέκνα γονεῦσιν ἴσα.

354.—ΤΗΣ ΑΥΤΗΣ

Γνωτὰ καὶ τηνῶθε Σαβαιθίδος εἴδεται ἔμμεν
ἅδ᾽ εἰκὼν μορφᾷ καὶ μεγαλειοσύνα.
θάεο τὰν πινυτάν· τὸ δὲ μείλιχον αὐτόθι τήνας
ἔλπομ᾽ ὁρῆν· χαίροις πολλά, μάκαιρα γύναι.

355.—ΛΕΩΝΙΔΟΥ

Ἁ μάτηρ ζῷον τὸν Μίκυθον, οἷα πενιχρὰ
Βάκχῳ δωρεῖται, ῥωπικὰ γραψαμένα.
Βάκχε, σὺ δ᾽ ὑψῴης τὸν Μίκυθον· εἰ δὲ τὸ δῶρον
ῥωπικόν, ἁ λιτὰ ταῦτα φέρει πενία.

356.—ΠΑΓΚΡΑΤΟΥΣ

Κλειοῦς αἱ δύο παῖδες Ἀριστοδίκη καὶ Ἀμεινὼ
Κρῆσσαι, πότνια, σῆς, Ἄρτεμι, νειοκόρου
τετραετεῖς ἀπὸ μητρός. ἴδοις, ὤνασσα, τὰ τῆσδε
εὔτεκνα, κἀντὶ μιῆς θὲς δύο νειοκόρους.

to thine. At least if he who painted this girl thus
to the life had but added speech, she would be,
Agatharchis, your complete self.

353.—NOSSIS

It is Melinna herself. See how her sweet face
seems to look kindly at me. How truly the daugh-
ter resembles her mother in everything! It is surely
a lovely thing when children are like their parents.

354.—By the Same

Even from here this picture of Sabaethis is
to be known by its beauty and majesty. Look at
the wise house-wife. I hope to look soon from
nigh on her gentle self. All hail, blessed among
women!

355.—LEONIDAS

His mother, being poor, gives Micythus' picture
to Bacchus, poorly painted indeed. Bacchus, I pray
thee, exalt Micythus; if the gift be trumpery, it is
all that simple poverty can offer.

356.—PANCRATES

Aristodice and Amino, the two Cretan four-year-
old daughters of Clio thy priestess, Artemis, are
dedicated here by their mother. See, O Queen,
their children she hath, and make thee two
instead of one.

487

357.—ΘΕΑΙΤΗΤΟΥ

α. Ὄλβια τέκνα γένοισθε· τίνος γένος ἐστέ; τί δ'
    ὑμῖν
    ὧδε καλοῖς χαρίεν κείμενόν ἐστ' ὄνομα;
β. Νικάνωρ ἐγώ εἰμι, πατὴρ δέ μοι Αἰπιόρητος,
    μήτηρ δ' Ἡγησώ, κεἰμὶ γένος Μακεδών.
γ. Καὶ μὲν ἐγὼ Φίλα εἰμί, καὶ ἐστί μοι οὗτος ἀδελφός· 5
    ἐκ δ' εὐχῆς τοκέων ἔσταμες ἀμφότεροι.

358.—ΔΙΟΤΙΜΟΥ

Χαῖρέ μοι, ἁβρὲ κύπασσι, τὸν Ὀμφάλη ἤ ποτε Λυδή
    λυσαμένη φιλότητ' ἦλθεν ἐς Ἡρακλέους.
ὄλβιος ἦσθα, κύπασσι, καὶ ἐς τότε καὶ πάλιν, ὡς νῦν
    χρύσεον Ἀρτέμιδος τοῦτ' ἐπέβης μέλαθρον.

357.—THEAETETUS

A. MAY ye be blest, ye children. Who are your parents, and what pretty names did they give to their pretty ones? *B.* I am Nicanor, and my father is Aeporietus, and my mother Hegeso, and I am a Macedonian. *C.* And I am Phila and this is my brother. We are both dedicated here owing to a vow of our parents.

358.—DIOTIMUS

HAIL, dainty frock, that Lydian Omphale doffed to go to the bed of Heracles. Thou wert blessed then, O frock, and blessed again art thou now that thou hast entered this golden house of Artemis.

INDEXES

GENERAL INDEX

Acacius, martyr (2nd cent. ?), I. 104.
Academy, at Athens, where Plato taught, VI. 144
Acharnae, VI. 279
Achilles, II. 291; VI. 49
Actium, VI. 251; battle of, VI. 236
Aeneas, II. 143
Aerope, VI. 316
Aeschines, II. 13
Agamemnon, II. 90
Aglaius (described as father of Polyidus, but not elsewhere mentioned as such), II. 264
Agrippina the younger, VI. 329
Ajax, son of Oileus the Locrian, Homeric hero, II. 209
Ajax, son of Telamon, Homeric hero, II. 271
Alcibiades, II. 82
Alcides, v. Heracles
Alcmaeon, son of Amphiaraus, II. 393
Alcman (poet of Sparta, 7th cent. B.C.), II. 394
Alcmene (mother of Heracles), II. 371; V. 172
Alexander the Great, VI. 344
Amarynthus (town in Euboea), VI. 156
Ambracia, VI. 255
Amphiaraus (prophet, one of the Seven against Thebes), II. 259
Amphitryon (husband of Alcmene), II. 367
Anymone (nymph, beloved by Poseidon), II. 62
Anastasius I, Emperor, 491–518 A.D. II. 404
Anaximenes (Ionian philosopher, 6th cent. B.C.) II. 50
Anchises (father of Aeneas), VI. 76
Andromache (wife of Hector), II. 160

Anigrus, river in Elis, the caverns near which were supposed to cure skin diseases, VI. 189
Antigonus (Gonatas, king of Macedonia, 2nd cent. B.C.) VI. 130
Antonia, VI. 244
Aphrodite, II. 78, 99, 288; dedications to, VI. 1, 17–20, 55, 59, 76, 80, 119, 162, 190, 191, 207–211, 248, 275, (Urania) 206, 290, 293, 340, (Lathria = Secret) 300
Apollo, II. 72, 266, 283; dedications to, VI. 7–9, 54, 75, 83, 112, 118, 137, 152, 155, 197, 198, 212, 251, 264, 278, 279, 336, (of the cape) 230
Apuleius, author of the "Golden Ass" etc. 2nd cent. A.D. II. 303
Ares, dedications to, VI. 81, 91
Argus, V. 262
Ariadne, daughter of Minos, beloved by Dionysus, V. 222
Aristotle, II. 16
Arsacidae, title of Parthian kings, VI. 332
Arsinoe, VI. 277
Artemis, dedications to, VI. 59, 97, 111, 121, 127, 128, 240, 266–268, 276, 277, 286, 287, 326, 347, 348, 356, 358, (Aethiopian) 269, (of the lake) 280, (of the harbour) 105, 157, (of the road) 199; as Ilithyia or goddess of childbirth, 146, 200–202, 242, 244, 270–274
Ascania, district and lake in Bithynia, VI. 320
Asclepius, dedications to, VI. 147, 330, 337
Astarte, dedications to, VI. 24
Athena, dedications to, VI. 2, 10, 39, 46–48, 59, 86, 103, 120, 123, 124, 131, 141, 151, 153, 159, 160, 174, 194, 195, 204, 205,

GENERAL INDEX

247, 288, (Panitis=the weaver)
289, 297, (of Coryphasum = Pylos)
129, (of Iton, in Thessaly), 130
Auge, mother of Telephus (*q.v.*),
by Heracles, II. 139

Bacchus, *v.* Dionysus
Basil I, Emperor, 9th century,
and his sons Constantine and
Leo (?), I. 109
Basil, St. bishop of Caesarea, 4th
cent. I. 86, 92
Beroea, in Macedonia, VI. 116
Blachernae, I. 2, 120
Boeotia, VI. 343
Bosporus, VI. 341
Bruttium (south of Italy), VI. 132

Cabiri (mystical divinities), dedi-
cations to, Boeotian VI. 245;
Samothracian, VI. 164, 301
Caesar, Julius, II. 92
Caesarea, I. 92
Calchas, Homeric prophet, II. 52
Calchis, in Euboea, VI. 343
Canopus, in Egypt, VI. 142
Carpathian (sea near Rhodes),
VI. 245
Carthaeans, VI. 313
Casius Mons, near Antioch, where
was a temple of Zeus, VI. 332
Cassandra, II. 189
Charidemus, Athenian general, 4th
cent. B.C. II. 241
Chryses, priest, *v. Il.* I. ; II. 86
Cimmeria=northern Europe, v.
223, 283
Clymene, beloved by the Sun God,
v. 223
Clytius, Lampon, Panthous, Thy-
moetes (Trojan elders, *v. Il.* iii.
146), II. 246–255
Constantine, the Great, I. 10
Constantinople I. *passim*
Corinth, VI. 40
Cosmas and Damian, saints and
physicians (called the silverless,
because the only fee they accept-
ed was the conversion of their
patients), I. 11
Cratinus, poet of the old Comedy,
II. 357
Creon, king of Corinth, whose
daughter Glauce was poisoned
by Medea, v. 288

Creusa, wife of Aeneas, II. 148
Cybele (or Rhea), the great
Phrygian Goddess, crowned
with towers, v. 260 ; dedications
to VI. 51, 94, 173, 217–220,
234, 237, 281
Cyrus and Joannes, physicians
and martyrs under Diocletian,
3rd cent. I. 90
Cyrus the younger, II. 389
Cynthus, mountain in Delos, VI.
121
Cyzicus, city on the sea of Mar-
mora, VI. 342

Damaretus, VI. 266
Damian, *v.* Cosmas
Danae (wooed by Zeus in the form
of a golden shower), v. 31, 33,
34, 217, 257
Daniel Stylites (5th cent. A.D.), I. 99
Daphnis (the mythical piper-
shepherd), VI. 73, 78
Dares and Entellus, boxers in
Aen. v. 368 etc. ; II. 222
Deiphobus, Trojan, 2nd husband
of Helen, II. 1
Delos, VI. 273
Delphi, dedications at, VI. 6, 49
Demeter, dedications to VI. 36, 40,
41, 95, 98, 104, 258 ; Chthonian
or infernal=Persephone, 31
Democritus, philosopher of Abdera
in Thrace, 5th cent. B.C. II. 131
Demophoon, lover of Phyllis, who
killed herself, believing that he
had deserted her, v. 265
Demosthenes, II. 23
Dindymus, mountain in Phrygia,
where Cybele was worshipped,
VI. 45, 281
Diomedes, VI. 49
Dionysius, St. the supposed author
of writings on the hierarchy of
angels, I. 88
Dionysus, dedications to, VI. 44,
45, 56, 74, 77, 87, 134, 140,
142, 154, 159, 165, 169, 172,
339, 355
Dioscuri, Castor and Pollux, dedi-
cations to, VI. 149
Dryads, dedications to, VI. 176

Echo, nymph, beloved by Narcissus,
VI. 79, 87

494

GENERAL INDEX

Endymion, VI. 58
Entellus, v. Dares
Epicurus, VI. 307
Ephesus, I. 36, 95
Erinna, poetess of Rhodes, 7th
cent. B.C. II. 105
Erymanthus, mountain in Arcadia,
v. 19; VI. 111
Etna, VI. 203
Eudocia, wife of Theodosius II.
5th cent. A.D., I. 10, 105
Eudoxia, daughter of the above,
wife of Valentinian 3rd, I. 12
Euphemia, martyr, 4th cent. I.
12, 16

Ganymede, V. 65
Gelo, son of Deinomenes, tyrant
of Syracuse, 5th cent. B.C. VI.
214
Getae=Dacians, VI. 332
Glauce, v. Creon
Glaucus, sea-god, dedications to,
VI. 164
Glaucus (who exchanged gifts with
Diomede, Il. vi. 234), VI. 310
Gorgon's head, VI. 126
Gregory of Nyssa, brother of St.
Basil, I. 86

Hecuba, II. 175
Helen, II. 167
Helenus, Trojan prophet and
warrior, II. 155
Hephaestus, dedications to, VI.
101, 117
Hepione, VI. 244
Hera, dedications to, VI. 133,
243, 244, 265, 341
Heracles, II. 135, dedications to,
VI. 3, 93, 114–116, 178, 351
Heraclitus, Ionian philosopher, 6th
cent. B.C. II. 354
Hermaphroditus, II. 102
Hermes, II. 296, dedications to,
VI. 5, 23, 28, 29, 63–65, 67, 68,
92, 100, 143, 144, 282, 294, 296,
(of the wayside) 299, 306, 309,
334, 346
Hero, beloved by Leander, who
swam over the Hellespont to
visit her and was finally drowned,
v. 263, 293
Herodotus, II. 377

Hesiod, II. 338
Hiero, tyrant of Syracuse, after
his brother Gelo, VI. 214
Homer, II. 311
Homer, son of Moero, Poet of
Byzantium, about 280 B.C., II. 406

Iapygia, Greek name for S.E. of
Italy, VI. 222
Ida, mountain in Phrygia, VI. 218
Ilythyia, v. Artemis
Ino (afterwards Leucothea), and
her son Melicertes, afterwards
Palaemon, drowned and turned
into sea deities, dedications to,
VI. 164, 223, 349
Inopus, river in Delos, VI. 273
Io, dedication to, VI. 150
Isauria, district in Asia Minor,
II. 400
Isis, dedications to, VI. 60, 231
Isthmus (of Corinth) and Isthmian
games, VI. 246, 259
Itylus or Itys, son of Procne and
Tereus. Procne killed him and
served his flesh up to Tereus,
who had cut out the tongue of
her sister Philomela. Procne
was changed into a swallow,
Philomela to a nightingale,
Tereus to a hoopoe, v. 237

Joannes and Cyrus, v. Cyrus
Juliana, Byzantine Princess, 6th
cent. A.D. I. 10, 12, 14–17
Justin I, Emperor, 518–527; I.
3, 97, 98
Justin II, Emperor, 565–578;
I. 2, 3
Justinian, Emperor, 527–565; I.
8, 91, 97, 98

Lacinium, promontory in Bruttium,
where was a temple of Hera,
VI. 265
Ladon, river of Arcadia, VI. 111
Lais, the celebrated courtesan,
VI. 1, 18–20, 71
Lampon, v. Clytius
Lapithe, town in Thessaly, VI. 307
Lasion, town in Elis, VI. 111
Leander, v. Hero
Leto (mother of Apollo and
Artemis), dedication to, VI, 215

495

GENERAL INDEX

Leucas, island on the west coast of Greece, VI. 251
Leucothea, v. Ino
Locri (western, in Italy), VI. 132
Lucania, VI. 129, 130
Lycomedes, at whose court Achilles was brought up as a girl, V. 255
Lycoris, peak of Parnassus, VI. 54
Lyctus, city in Crete, VI. 75

Machaon, Homeric surgeon, son of Asclepius, V. 225
Maeander, river in Lydia, VI. 110, 286, 287
Maenalus, mountain in Arcadia, VI. 112
Mardrocles, of Samos, architect, VI. 341
Marcellus, VI. 161
Melampus, supposed founder of prophecy and medicine, II. 243
Melicertes, v. Ino
Melite (Malta or Meleda ?), I. 97
Menander, comic poet, 4th cent. B.C. II. 361
Menelaus, II. 165
Michael, Emperor, 9th cent. A.D. I. 106, 107
Moon-goddess, dedication to, VI. 58
Muses, dedications to, VI. 62, 66, 295, 308, 310, 336, 338

Naucratis (in the Delta), VI. 207
Nemea, games of (in the Peloponnesus), VI. 259
Neoptolemus or Pyrrhus, son of Achilles, II. 56, 192
Nereus, dedications to, VI. 164
Nero, dedication to, VI. 321, 328
Nicolas, St, Bishop of Myra, 3rd century, I. 89
Niobe, who when turned into stone, did not cease to mourn for her children's death, V. 229
Nilus, hermit and theological writer, 4th cent. A.D. I. 100
Nymphs, dedications to, VI. 25, 26, 154, 156, 159, 203, (of Anigrus) 189, (of the Grotto) 224

Odrysae, people of Thrace, VI. 122
Odysseus, II. 172; VI. 314
Oedipus, VI. 323
Oenone, nymph beloved by Paris, II. 215

Oeta, mountain in Thessaly, VI. 3
Olybrius, v. Placidia
Omphale, Queen of Lydia, VI. 358
Orbelus, mountain in Macedonia, VI. 114–116
Orchomenus (in Arcadia), VI. 109
Ortygia = Delos, VI. 121, 273

Paeanian, the "deme" of Demosthenes, II. 23
Palaemon, v. Ino
Palaephatus, mythical (?) epic poet of Athens, II. 36
Pallas, v. Athena
Pallene, isthmus of, VI. 195
Pan, dedications to, VI. 11–16, 31, 32, 34, 35, 37, 42, 57, 73, 78, 79, 82, 96, 99, 106–109, 154, 158, 167, 168, 170, 176, 177, 179–188, 196, 221, 232, 334
Panthous, v. Clytius
Paris, II. 215
Patroclus, VI. 49
Pausanias, victor of Plataea, 479 B.C. VI. 197, v. Thuc. I. 132
Peitho, goddess of persuasion, V. 137, 195, dedications to, VI. 55
Pellene, city of Achaea, VI. 151
Pelorium, promontory of Sicily, VI. 224
Penelope, VI. 289, 314
Pericles, II. 117
Pherecydes, teacher of Pythagoras, II. 351
Philip, son of Demetrius, king of Macedonia, 2nd cent. B.C. VI. 114–116
Philomela, v. Itylus
Pholoe, mountain in Elis, VI. 3, 111
Phrygia (Burnt), VI. 281
Phryne (the courtesan), VI. 260
Phyllis, v. Demophoon
Piraeus, VI. 349
Pisa (near Olympia), VI. 350
Piso, dedication to, VI. 335
Placidia, daughter of Eudoxia (q.v.) and Valentinian III., wife of Olybrius, I. 12
Plate, I. 34
Plato, II. 97
Polycarp, martyr, 2nd cent. I. 87, 89
Polyclitus, the celebrated sculptor, 5th cent. B.C., V. 15

GENERAL INDEX

Polyeuctus, martyr, 3rd cent. I. 10

Polyidus, soothsayer (?) *v. Il.* v. 148, but there is also a dithyrambic poet of this name about 400 B.C. II. 42

Polyxena, daughter of Priam, II. 196

Pompey, II. 398

Poseidon, II. 65, dedications to, VI. 4, 30, 38, 69, 70, 90, 246, (Isthmian) 233

Praxiteles, the celebrated sculptor, 4th cent. B.C., v. 15; VI. 317

Priapus, dedications to, VI. 21, 22, 102, 254, (of the beach) 33, 89, 192, 193, 232, 292

Prometheus, VI. 352

Ptolemy I, VI 277

Pylaemenes, VI. 241

Pyrrhus, *v.* Neoptolemus

Pyrrhus, king of Epirus, 3rd cent. B.C. VI. 130

Pythagoras, II. 121

Pytho = Delphi, VI. 141

Rhea, *v.* Cybele

Rhodes, Colossus of, VI. 171

St. Sophia, I. 1

Samothracian deities, *v.* Cabiri

Sangarius, river in Asia Minor, VI. 220, 234

Sappho, II. 69

Sarpedon, Trojan hero, killed by Patroclus, II. 277

Saturnalia, VI. 322

Satyrs, dedication to, VI. 41

Seleucus (several kings of Syria bore this name), VI. 10

Serapis, Egyptian god, dedications to, VI. 148

Simonides, of Ceos, 6th and 5th cent. B.C. II. 45

Sophia, wife of Justin II. I., 2, 11

Sophocles, VI. 145

Stesichorus, lyric poet, 7th cent. B.C. II. 125

Strymon, river in northern Greece, VI. 208

Sun-god, dedications to, VI. 171

Symaethus, river in Sicily, VI. 203

Syrian goddess, *v.* Astarte

Tantalus, v. 236

Taphii or Teleboae, inhabitants of islands off the west coast of Greece, II. 369 : VI. 6

Teleboae, *v.* Taphii

Telephus, wounded by Achilles (*v.* note, page 285), v. 225, 291

Terpander, poet and musician, 7th cent. B.C. II. 111

Theodora, wife of Justinian, I. 91

Theodorus (Byzantine official), I. 36, 97, 98

Theodorus (Martyr, A.D. 306), I. 6

Theodosius I, Emperor, 379-395, I. 10

Theodosius II, Emperor, 408-450 I. 105

Thespiae, city of Boeotia, VI. 344, dedication to, 260

Thucydides, II. 372

Thymoetes, *v.* Clytius

Tiberius, dedication to, VI. 235

Tmolus, mountain in Lydia, VI. 234

Trachis, city in the north of Greece, VI. 3

Trajan, VI. 332

Trophimus, St. supposed first bishop of Arles, I. 18

Tyrrhenian = Etruscan, VI. 151, 350

Ulysses, *v.* Odysseus

Virgil, II. 414

Xenophon, II. 388

Zephyr, dedication to, VI. 53

Zeus, dedications to, VI. 84, 135, (Casian) 332, (Liberator) 50, (Perfector) 242, (Panomphoean = author of all oracles), 52

497

INDEX OF AUTHORS INCLUDED IN THIS VOLUME

M = Wreath of Meleager
Ph = Wreath of Philippus
Ag = Cycle of Agathias

(*For explanation of these terms, v. Introduction, page* v.)

Addaeus of Macedon (Ph), VI. 228, 258

Aeschines (the Orator, 4th cent. B.C.), VI. 330

Agathias Scholasticus (Byzantine, 6th cent. A.D.), I. 34–36; IV. Proem, 3, 4; V. 216, 218, 220, 222, 237, 261, 263, 267, 269, 273, 276, 278, 280, 282, 285, 287, 289, 292, 294, 296, 297, 299, 302; VI. 32, 41, 59, 72, 74, 76, 79, 80, 167

Agis (M, 4th cent. B.C.), VI. 152

Alcaeus of Lesbos (M, 7th cent. B.C.), V. 10; VI. 218; *cp.* IV. 1, 13

Alexander of Magnesia (M), VI. 182; *cp.* IV. 1, 39

Alpheius of Mitylene (Ph, Augustan age), VI. 187

Anacreon (M, 6th cent. B.C.), (attributed to him, VI. 134–145), 346; *cp.* IV. 1, 35

Antipater of Sidon (M, 1st cent. B.C.), VI. 10 (?), 14, 15, 46, 47, 93, 109, 111, 115, 118, 159, 160, 174, 208, 209, 219, 223; *cp.* IV. 1, 42

Antipater of Thessalonica (Ph, Augustan age), V. 3, 30, 31, 198; VI. 250, 252, 257; *cp.* IV. 2, 7

Antipater, whether of Thessalonica or Sidon uncertain, VI. 10, 109, 111, 115, 118, 174, 208, 209, 219, 223, 241, 249, 256, 276, 287, 291, 335

Antiphanes of Macedonia (Ph, Augustan age ?), VI. 88; *cp.* IV. 2, 10

Antiphilus of Byzantium (Ph, 1st cent. A.D.), V. 111, 307, 308 (?);

VI. 95, 97, 199, 250, 252, 257; *cp.* IV. 2, 8

Antistius (Ph), VI. 237

Anyte (M), VI. 123, 153, 312; *cp.* IV. 1, 5

Apollonides (Ph, 1st cent. A.D.), VI. 105, 238, 239

Archias (possibly second of this name), V. 58, 59, 98; VI. 16, 39, 179–181, 192, 195, 207

Archilochus (M, *circ.* 700 B.C.), VI. 133; *cp.* IV. 1, 37

Aristo (M), VI. 303, 306

Asclepiades (M, 3rd cent. B.C.), V. 7, 44 (?), 64, 85, 145, 150, 153,158, 161 (?), 162, 164, 167, 169, 181, 185, 189, 194(?), 202(?), 203, 207, 209(?), 210; VI. 308; *cp.* IV. 1, 46

Automedon (Ph, 1st cent. B.C.), V. 129; *cp.* IV. 2, 11

Bacchylides (M, 6th cent. B.C.), VI. 53, 313; *cp.* IV. 1, 34

Bassus (Ph, 1st cent. A.D.), V. 125

Callimachus (M, 3rd cent. B.C.), V. 6, 23, 146; VI. 121, 146–150, 301, 310, 311, 347, 351; *cp.* IV. 1, 22

Capito, V. 67

Christodorus of Thebes (Byzantine poet), Book II

Cillactor, V. 29, 45

Claudianus (Byzantine poet), I. 19, 20; V. 86

Cometas Chartularius (Ag), V. 265

Constantine Cephalas, V. 1

Cornelius Longus, VI. 191

498

INDEX OF AUTHORS

Crinagoras of Mitylene (Ph, Augustan age), V. 108, 119; VI. 100, 161, 227, 229, 232, 242, 244, 253, 261, 345, 350; cp. IV. 2, 8

Damagetus (M, circ. 200 B.C.), VI. 277; cp. IV. 1, 21
Damocharis (6th cent. A.D.), VI. 63
Diodorus (Ph, perhaps sometimes stands for Diodorus Zonas, q.v.), V. 122; VI. 243, 245, 348; cp. IV. 2, 12
Dionysius Sophistes (2nd cent. A.D.), V. 81
Dionysius (M, date doubtful), VI.
Diophanes of Myrina, V. 309
Dioscorides (M, 2nd cent. B.C.) V. 52-56, 138, 193; VI. 126, 220, 290; cp. IV. 1, 24
Diotimus of Miletus (M, 3rd cent. B.C.), V. 106; VI. 267, 358; cp. IV. 1, 27

Eratosthenes Scholasticus (Ag, Byzantine poet), V. 242, 277; VI. 77, 78
Erinna (M, circ. 600 B.C.), VI. 352; cp. IV. 1, 12
Erycius (Ph), VI. 96, 234, 255
Euphorion (M, 3rd cent. B.C.), VI. 279; cp. IV. 1, 23
Eutolmius Scholasticus of Alexandria (Ag, 5th cent. A.D.), VI. 86

Flaccus (probably we should read Phalaecus), VI. 193

Gaetulicus (1st cent. A.D.), V. 17 VI. 154, 190, 331
Gallus, V. 49
Geminus (Ph). VI. 260
Gregory of Nazianzus (4th cent. A.D.), I. 92

Hadrian (Emperor, 2nd cent. A.D.), VI. 332
Hedylus (M, 3rd cent. B.C.), V. 161 (?), 199; VI. 292; cp. IV. 1, 45
Hegesippus (M, circ. 300 B.C.), VI. 124, 178, 266; cp. IV. 1, 25
Honestus, V. 20

Ignatius Magister Grammaticorum (Byzantine), I. 109
Irenaeus Referendarius (Ag), V. 249, 251, 253

Isidorus Scholasticus (Ag, Byzantine), VI. 58

Johannes Barbocollas (Ag, Byzantine, 6th cent. A.D.), VI. 55
Julianus, prefect of Egypt (Ag), V. 298; VI. 12, 18-20, 25, 26, 28, 29; 67, 68
Julius Diocles (Ph), VI. 186

Laco, VI. 203 (?)
Leonidas of Alexandria (1st cent. A.D.), VI. 321-329
Leonidas of Tarentum (M, 3rd cent. B.C.), V. 188, 206; VI. 4, 13, 35, 44, 110 (?), 120, 129-131, 154 (?), 188, 200, 202, 204, 205, 211, 221, 226, 262, 263, 281, 286, 288, 289, 293, 296, 298, 300, 302, 305, 309, 334, 355; cp. IV. 1, 15
Leontius (Ag) V. 295
Lucian (2nd cent. A.D.), VI. 17, 164
Lucillius (1st cent. A.D.), V. 68 (?) ; VI. 166

Macedonius Consul (Ag, 6th cent. A.D.), V. 223-225, 227, 229, 231, 233, 235, 238, 240, 243, 245, 247, 271; VI. 30, 40, 56, 69, 70, 73, 83, 175, 176
Maecius Quintus (Ph), V. 114, 117, 130, 133; VI. 33, 89, 233
Marcus Argentarius (Ph), V. 16, 32, 63, 89, 102, 104, 105, 110, 113, 116, 118, 127, 128; VI. 201, 246 (?), 248, 333
Marinus, I. 23
Meleager (1st cent. B.C.), IV. Proem, 1; v. 8, 24, 57, 96, 102, 136, 137, 139-141, 143, 144, 147-149, 151, 152, 154-157, 160, 163, 165, 166, 171-180, 182, 184, 187, 190-192, 195-198, 204, 208, 212, 214, 215'; VI. 162, 163
Menander Protector (Byzantine poet, circ. 600 A.D.) I. 101
Michael Chartophylax (Byzantine poet), I. 122
Mnasalcas (M, 4th cent. B.C. ?), VI. 9, 110(?), 125, 128, 264, 268; cp. IV. 1, 16
Moero of Byzantium (poetess, circ. 300 B.C.), VI. 119, 189; cp. IV. 1, 5
Myrinus (Ph, 1st cent. A.D.), VI. 108, 254

INDEX OF AUTHORS

Nicaenetus (M, 3rd cent. B.C.), VI. 225; *cp.* IV. 1, 29

Nicarchus (1st cent. A.D.), V. 38–40; VI. 31 (?), 285 (?)

Nicias (M, 3rd cent. B.C.), VI. 122, 127, 270; *cp.* IV. 1, 20

Nicodemus of Heraclea, VI. 314–320

Nilus Scholasticus (Byzantine poet), I. 33

Nossis (M, 3rd cent. B.C.), V. 170; VI. 132, 265, 273 (?), 275, 353, 354; *cp.* IV. 1, 10

Palladas of Alexandria (Ag, 5th cent. A.D.), V. 71, 72, 257; VI. 60, 61, 85

Pancrates (M), VI. 117, 356; *cp.* IV. 1, 18

Parmenion (Ph, Augustan age ?), V. 33, 34; *cp.* IV. 2, 10

Patricius (Byzantine poet). I. 119

Paulus Silentarius (Ag, 6th cent. A.D.), V. 217, 219, 221, 226, 228, 230, 232, 234, 236, 239, 241, 244, 246, 248, 250, 252, 254–256, 258–260, 262, 264, 266, 268, 270, 272, 274, 275, 279, 281, 283, 286, 288, 290, 291, 293, 300, 301; VI. 54, 57, 64–66, 71, 75, 81, 82, 84, 168

Perses (M, *circ.* 300 B.C.) VI. 112, 272, 274; *cp.* IV. 1, 26

Phaedimus (M, *circ.* 300 B.C.), VI. 271; *cp.* IV. 1, 52

Phalaecus, VI. 165, 193 (?)

Phanias (M, between 3rd and 1st cent. B.C.), VI. 294, 295, 297, 299, 304, 307; *cp.* IV. 1, 54

Philetas of Samos (M), VI. 210

Philippus of Thessalonica (2nd cent. A.D. ?), IV. Proem, 2; VI. 5, 36, 38, 62, 90, 92, 94, 99, 101–104, 107, 114, 203 (?), 231, 236, 240, 247, 251, 259

Philodemus the Epicurean (Ph, 1st cent. B.C.), V. 4, 13, 25, 46, 107, 112, 115, 120, 121, 123, 124, 126, 131, 132, 306, 308 (?); VI. 246 (?), 349; *cp.* IV. 2, 9

Plato (M, 4th cent. B.C.), V. 78–80; VI. 1, 43; *cp.* IV. 1, 46

Polemo, V. 68 (?)

Posidippus (M, 3rd cent. B.C.), V. 134, 183, 186, 194 (?), 202 (?), 209 (?), 211, 213; *cp.* IV. 1, 46

Quintus (Ph), VI. 230

Rhianus (M, *circ.* 200 B.C.) VI. 34, 173, 278; *cp.* IV. 1, 11

Rufinus (date uncertain), V. 9, 12, 14, 15, 18, 19, 21, 22, 27, 28, 35–37, 41–43, 47, 48, 60–62, 66, 69, 70, 73–77, 87, 88, 92–94, 97, 103

Rufinus Domesticus (Ag), V. 284

Sabinus Grammaticus, VI. 158

Samus (M, 2nd cent. B.C.), VI. 116

Sappho (M, 7th cent. B.C.), VI. 269; *cp.* IV. 1, 6

Satyrius, VI. 11

Simmias Grammaticus (M, end of 4th cent. B.C.), VI. 113; *cp* IV. 1, 30

Simonides (M, 5th cent. B.C.), V. 159; VI. 2, 50, 52, 197, 212–217; *cp.* IV. 1, 8

Sophronius, Patriarch, I. 90, 123

Statyllius Flaccus, V. 5; VI. 196

Thallus of Miletus (Ph, 1st cent. A.D.), VI. 91, 235

Theaetetus (Ag, Byzantine, 6th cent. A.D.), VI. 27, 357

Theocritus, VI. 336–340

Theodoridas (M, 3rd cent. B.C.), VI. 155–157, 222, 224

Theodorus (M), VI. 282

Thyillus, VI. 170

Tymnes (M, 2nd cent. B.C. ?), VI. 151; *cp.* IV. 1, 19

Zonas (Ph, 1st cent. B.C.), VI. 98, 106; *cp.* IV. 2, 11

Zosimus, VI. 15 (?), 183–185

PRINTED IN GREAT BRITAIN BY RICHARD CLAY & SONS, LIMITED, BUNGAY, SUFFOLK.

THE LOEB CLASSICAL LIBRARY

VOLUMES ALREADY PUBLISHED.

Latin Authors.

APULEIUS. THE GOLDEN ASS (METAMORPHOSES). W. Adlington (1566). Revised by S. Gaselee. (*3rd Imp.*)

AULUS GELLIUS. J. C. Rolfe. 3 Vols.

AUSONIUS. H. G. Evelyn White. 2 Vols.

BOETHIUS: TRACTS AND DE CONSOLATIONE PHILOSOPHIAE. Rev. H. F. Stewart and E. K. Rand. (*2nd Imp.*)

CAESAR: CIVIL WARS. A. G. Peskett. (*2nd Imp.*)

CAESAR: GALLIC WAR. H. J. Edwards. (*4th Imp.*)

CATULLUS. F. W. Cornish; TIBULLUS. J. P. Postgate; AND PERVIGILIUM VENERIS. J. W. Mackail. (*7th Imp.*)

CICERO: DE FINIBUS. H. Rackham. (*2nd Imp.*)

CICERO: DE OFFICIIS. Walter Miller. (*2nd Imp.*)

CICERO: DE SENECTUTE, DE AMICITIA, DE DIVINATIONE. W. A. Falconer. (*2nd Imp.*)   [*3rd Imp.*, Vol. II. *2nd Imp.*]

CICERO: LETTERS TO ATTICUS. E. O. Winstedt. 3 Vols. (Vol. I.

CICERO: PHILIPPICS. W. C. A. Ker.   [Watts.

CICERO: PRO ARCHIA, POST REDITUM, DE DOMO, ETC. N. H.

CICERO: TUSCULAN DISPUTATIONS. J. E. King.

CICERO, PRO CAECINA, PRO LEGE MANILIA, PRO CLUENTIO, PRO RABIRIO. H. Grose Hodge.

CLAUDIAN. M. Platnauer. 2 Vols.   [(*3rd Imp.*)

CONFESSIONS OF ST. AUGUSTINE. W. Watts (1631). 2 Vols.

FRONTINUS: STRATAGEMS AND AQUEDUCTS. C. E. Bennett.

FRONTO: CORRESPONDENCE. C. R. Haines. 2 Vols.

HORACE: ODES AND EPODES. C. E. Bennett. (*7th Imp.*)

HORACE: SATIRES, EPISTLES, ARS POETICA. H. R. Fairclough.

JUVENAL AND PERSIUS. G. G. Ramsay. (*2nd Imp.*)

LIVY. B. O. Foster. 13 Vols. Vols. I.–IV (Vols. I. & II. *2nd Imp.*)

LUCRETIUS: W. H. D. Rouse.

MARTIAL. W. C. A. Ker. 2 Vols. (*2nd Imp.*)

OVID: HEROIDES AND AMORES. Grant Showerman. (*2nd Imp.*)

OVID: METAMORPHOSES. F. J. Miller. 2 Vols. (*3rd Imp.*)

OVID: TRISTIA AND EX PONTO. A. L. Wheeler.

PETRONIUS. M. Heseltine; SENECA: APOCOLOCYNTOSIS. W. H. D. Rouse. (*5th Imp.*)

PLAUTUS. Paul Nixon. 5 Vols. Vols. I.–III. (Vol. I. *2nd Imp.*)

PLINY: LETTERS. Melmoth's Translation revised by W. M. L. Hutchinson. 2 Vols. (*3rd Imp.*)

PROPERTIUS. H. E. Butler. (*3rd Imp.*)

QUINTILIAN. H. E. Butler. 4 Vols.

SALLUST. J. C. Rolfe.   [I. and II.

SCRIPTORES HISTORIAE AUGUSTAE. D. Magie. 3 Vols. Vols.

SENECA: EPISTULAE MORALES. R. M. Gummere. 3 Vols. (Vol. I. *2nd Imp.*)

SENECA: TRAGEDIES. F. J. Miller. 2 Vols. (*2nd Imp.*)

SUETONIUS. J. C. Rolfe. 2 Vols. (*3rd Imp.*)

TACITUS: DIALOGUS. Sir Wm. Peterson, and AGRICOLA AND GERMANIA. Maurice Hutton. (*3rd Imp.*)

TACITUS, HISTORIES. C. H. Moore. 2 Vols. Vol. I.

TERENCE. John Sargeaunt. 2 Vols. (*5th Imp.*)

VELLEIUS PATERCULUS AND RES GESTAE. F. W. Shipley.

VIRGIL. H. R. Fairclough. 2 Vols. (Vol. I. *6th Imp.*, Vol. II. *3rd Imp.*)

Greek Authors.

ACHILLES TATIUS. S. Gaselee.   [The Illinois Greek Club.

AENEAS TACTICUS, ASCLEPIODOTUS AND ONASANDER.

AESCHINES. C. D. Adams.

AESCHYLUS. H. Weir Smyth. 2 Vols. (Vol. I. *2nd Imp.*)

APOLLODORUS. Sir James G. Frazer. 2 Vols.
APOLLONIUS RHODIUS. R. C. Seaton. (*3rd Imp.*)
THE APOSTOLIC FATHERS. Kirsopp Lake. 2 Vols. (I. *4th*, II. *3rd*.)
APPIAN'S ROMAN HISTORY. Horace White. 4 Vols.
ARISTOPHANES. Benjamin Bickley Rogers. 3 Vols. (*2nd Imp.*)
    Verse trans.
ARISTOTLE: THE "ART" OF RHETORIC. J. H. Freese.
ARISTOTLE: THE NICOMACHEAN ETHICS. H. Rackham.
ARISTOTLE, POETICS, AND LONGINUS. W. Hamilton Fyfe;
    DEMETRIUS ON STYLE. W. Rhys Roberts.   [Mair.
CALLIMACHUS AND LYCOPHRON. A. W. Mair; ARATUS, G. R.
CLEMENT OF ALEXANDRIA. Rev. G. W. Butterworth.
DAPHNIS AND CHLOE. Thornley's Translation revised by J. M.
    Edmonds; AND PARTHENIUS. S. Gaselee. (*2nd Imp.*)
DEMOSTHENES, DE CORONA AND DE FALSA LEGATIONE.
    C. A. Vince and J. H. Vince.
DIO CASSIUS: ROMAN HISTORY. E. Cary. 9 Vols. Vols. I.–VIII.
DIOGENES LAERTIUS. R. D. Hicks. 2 Vols.
EPICTETUS. W. A. Oldfather. 2 Vols. Vol. I.
EURIPIDES. A. S. Way. 4 Vols. (Vols. I., IV. *3rd Imp.*, Vol. II. *4th*
    Imp., Vol. III. *2nd Imp.*) Verse trans.   [Vol. I.
EUSEBIUS: ECCLESIASTICAL HISTORY. Kirsopp Lake. 2 Vols.
GALEN: ON THE NATURAL FACULTIES. A. J. Brock.
THE GREEK ANTHOLOGY. W. R. Paton. 5 Vols. (Vol. I. *3rd*
    Imp., Vol. II. *2nd Imp.*)
THE GREEK BUCOLIC POETS (THEOCRITUS, BION, MOS-
    CHUS). J. M. Edmonds. (*4th Imp.*)
HERODOTUS. A. D. Godley. 4 Vols. (Vol. I. *2nd Imp.*) [(*3rd Imp.*)
HESIOD AND THE HOMERIC HYMNS. H. G. Evelyn White.
HIPPOCRATES. W. H. S. Jones & E. T. Withington. 4 Vols. Vols. I–III.
HOMER: ILIAD. A. T. Murray. 2 Vols.   [II. *2nd Imp.*]
HOMER: ODYSSEY. A. T. Murray. 2 Vols. (Vol. I. *3rd Imp.*, Vol.
ISAEUS. E. W. Forster.
JOSEPHUS: H. St. J. Thackeray. 8 Vols. Vols. I. and II.
JULIAN. Wilmer Cave Wright. 3 Vols.   [Vol. II. *2nd Imp.*]
LUCIAN. A. M. Harmon. 8 Vols. Vols. I.–IV. (Vol. I. *3rd Imp.*,
LYRA GRAECA. J. M. Edmonds. 3 Vols. Vols. I. and II.
MARCUS AURELIUS. C. R. Haines. (*2nd Imp.*)
MENANDER. F. G. Allinson.
PAUSANIAS: DESCRIPTION OF GREECE. W. H. S. Jones. 5 Vols.
    and Companion Vol. Vols. I. and II.
PHILOSTRATUS: THE LIFE OF APOLLONIUS OF TYANA.
    F. C. Conybeare. 2 Vols. (*2nd Imp.*)   [Wilmer Cave Wright.
PHILOSTRATUS AND EUNAPIUS: LIVES OF THE SOPHISTS.
PINDAR. Sir J. E. Sandys. (*4th Imp.*)
PLATO: CRATYLUS, PARMENIDES, GREATER HIPPIAS,
    LESSER HIPPIAS. H. N. Fowler.
PLATO: EUTHYPHRO, APOLOGY, CRITO, PHAEDO, PHAE-
    DRUS. H. N. Fowler. (*5th Imp.*)   [W. R. M. Lamb.
PLATO: LACHES, PROTAGORAS, MENO, EUTHYDEMUS.
PLATO: LAWS. Rev. R. G. Bury. 2 Vols.
PLATO: LYSIS, SYMPOSIUM, GORGIAS. W. R. M. Lamb.
PLATO: STATESMAN, PHILEBUS. H. N. Fowler; ION. W. R. M.
    Lamb.
PLATO: THEAETETUS AND SOPHIST. H. N. Fowler.
PLUTARCH: MORALIA. F. C. Babbitt. 14 Vols. Vol. I.
PLUTARCH: THE PARALLEL LIVES. B Perrin. 11 Vols. (Vols.
    I. & VII. *2nd Imp.*)
POLYBIUS. W. R. Paton. 6 Vols.   [I.–IV.
PROCOPIUS: HISTORY OF THE WARS. H. B. Dewing. 7 Vols.
QUINTUS SMYRNAEUS. A. S. Way. Verse trans.   [Verse trans.
SOPHOCLES. F. Storr. 2 Vols. (Vol. I. *4th Imp.*, Vol. II. *3rd Imp.*)
ST. BASIL: LETTERS. R. J. Deferrari. 4 Vols. Vol. I.
ST. JOHN DAMASCENE: BARLAAM AND IOASAPH. Rev. G. R.
    Woodward and Harold Mattingly.

STRABO : GEOGRAPHY.   Horace L. Jones. 8 Vols. Vols. I.-IV.
THEOPHRASTUS : ENQUIRY INTO PLANTS. Sir Arthur Hort,
THUCYDIDES. C. F. Smith. 4 Vols.   [Bart. 2 Vols.
XENOPHON : CYROPAEDIA. Walter Miller. 2 Vols. (Vol. I. 2nd Imp.)
XENOPHON : HELLENICA, ANABASIS, APOLOGY, AND SYM-
   POSIUM. C. L. Brownson and O. J. Todd. 3 Vols.
XENOPHON : MEMORABILIA AND OECONOMICUS. E. C.
   Marchant.
XENOPHON : SCRIPTA MINORA. E. C. Marchant.

IN PREPARATION

Greek Authors.

ARISTOTLE, ORGANON, W. M. L. Hutchinson.

ARISTOTLE, PHYSICS, Rev. P. Wicksteed.

ARISTOTLE, POLITICS AND ATHENIAN CONSTITUTION,
   Edward Capps.

ARRIAN, HIST. OF ALEXANDER AND INDICA, Rev. E. Iliffe
   Robson. 2 Vols.

ATHENAEUS, C. B. Gulick.

DEMOSTHENES : OLYNTHIACS, PHILIPPICS, LEPTINES AND
   MINOR SPEECHES, J. H. Vince.

DEMOSTHENES ; MEIDIAS, ANDROTION, ARISTOCRATES,
   TIMOCRATES, J. H. Vince.

DEMOSTHENES, PRIVATE ORATIONS, G. M. Calhoun.

DIO CHRYSOSTOM, W. E. Waters.

GREEK IAMBIC AND ELEGIAC POETS.

ISOCRATES, G. Norlin.

OPPIAN, COLLUTHUS, TRYPHIODORUS, A. W. Mair.

PAPYRI, A. S. Hunt.

PHILO, F. M. Colson and G. W. Whitaker.

PHILOSTRATUS, IMAGINES, Arthur Fairbanks.

PLATO, MENEXENUS, ALCIBIADES I. and II., ERASTAI.
   THEAGES, CHARMIDES, MINOS, EPINOMIS, W. R. M. Lamb.

PLATO, REPUBLIC, Paul Shorey.

PLATO : TIMAEUS, CRITIAS, CLITIPHO, EPISTULAE, Rev.
   R. G. Bury.

SEXTUS EMPIRICUS, Rev. R. G. Bury.

THEOPHRASTUS, CHARACTERS, J. M. Edmonds ; HERODES ;
   HIEROCLES PHILOGELOS ; CHOLIAMBIC FRAGMENTS,
   etc., A. D. Knox.

Latin Authors.

BEDE, ECCLESIASTICAL HISTORY.

CICERO, AD FAMILIARES, W. Glynn Williams.

CICERO, IN CATILINAM, PRO MURENA, PRO SULLA, B. L. Ullman.

CICERO, DE NATURA DEORUM, H. Rackham.

CICERO, DE ORATORE, ORATOR, BRUTUS, Charles-Stuttaford.

CICERO, DE REPUBLICA AND DE LEGIBUS, Clinton Keyes.

CICERO, IN PISONEM, PRO SCAURO, PRO FONTEIO, PRO MILONE, etc., N. H. Watts.

CICERO: PRO SEXTIO, IN VATINIUM, PRO CAELIO, PRO PROVINCIIS CONSULARIBUS, PRO BALBO, D. Morrah.

CICERO, VERRIM ORATIONS, L. H. G. Greenwood.

LUCAN, J. D. Duff.

OVID, FASTI, Sir J. G. Frazer.

PLINY, NATURAL HISTORY, W. H. S. Jones and L. F. Newman.

ST. AUGUSTINE, MINOR WORKS.

SENECA, MORAL ESSAYS, J. W. Basore.

SIDONIUS: LETTERS. E. V. Arnold and W. B. Anderson.

STATIUS, J. H. Mozley.

TACITUS, ANNALS, John Jackson.

VALERIUS FLACCUS, A. F. Scholfield.

VITRUVIUS, DE ARCHITECTURA. F. Granger.

DESCRIPTIVE PROSPECTUS ON APPLICATION

London   -   -   WILLIAM   HEINEMANN

New York   -   -   - G. PUTNAM'S SONS